Ex Libris

Les
meilleurs livres
condensés

SÉLECTION DU LIVRE

SÉLECTION DU READER'S DIGEST
Montréal

PREMIÈRE ÉDITION

Les condensés figurant
dans ce volume
ont été réalisés
par *The Reader's Digest*
et publiés en langue française
avec l'accord
des auteurs et des éditeurs
des livres respectifs.

SÉLECTION DU READER'S DIGEST
215, ave. Redfern, Montréal, Québec H3Z 2V9
Publié et imprimé au Canada

Table des matières

l'amour aveugle

Un condensé du livre de

Patrick Cauvin

Illustrations de Michel de Séréville

23, avenue Villemain, 75014 Paris.

Voici un bonheur à ne pas laisser passer, un événement rare : un livre qui va droit au cœur.

PAUL GUIMARD

QUARANTE-CINQ ANS, c'est l'âge des bilans ; et Jacques Bernier, professeur de lettres dans un lycée de la région parisienne, fait le sien sans beaucoup de satisfaction. Son mariage s'est soldé jadis par l'échec qu'est un divorce. Sa vocation pédagogique l'a toujours laissé un peu en deçà d'un contact fécond avec ses élèves. Il a conscience de n'avoir jamais osé atteindre ses propres limites et se voit, dans son schéma intérieur comme dans sa mise, voué à la grisaille. Pourtant, Bernier n'est pas de ces êtres qui, systématiquement, disent non au bonheur : il croit seulement n'avoir pas ce qu'il faut pour mériter le sien. Peut-être, s'il pouvait offrir au monde et à lui-même une autre image, — ou ne pas être vu...

Le premier nom du bonheur est amour, pour Jacques Bernier comme pour chacun de nous. Cet amour, le destin va le lui offrir, au détour de vacances mal commencées, comme le cadeau inattendu d'une dernière chance. Un amour improbable et vrai, si difficile et si précieux que le petit professeur y puisera le courage tout neuf de réinventer le monde.

Chapitre premier

— BERNIER !

Je me retourne : c'est Briette. Bri-Bri comme l'appellent les élèves. Elle court dans la lumière; la réverbération sur les vitres du préau du lycée est éblouissante et je la distingue mal. Je me suis arrêté au milieu de la cour pleine de filles, de soleil et de garçons.

Briette a la foulée sportive, elle galope vers moi, les coudes bien placés, en un sprint de cheftaine. Elle est ma collègue de sciences naturelles. Je la connais depuis quatorze ans. Elle s'occupe pendant les week-ends d'adolescentes, qu'elle traîne, sac au dos, dans les maigres forêts cernant la capitale. Son scoutisme dynamique me terrorise.

Adepte des méthodes de choc, elle fait de l'éducation sexuelle à tour de bras, si je puis dire. Elle possède dans le fond de son armoire de gigantesques panneaux de toile représentant des hommes et des femmes au ventre transparent et au regard stupéfait, bourrés de flèches indicatrices et de noms compliqués.

L'année dernière, dans l'escalier, elle en a déroulé un devant moi au milieu d'un cercle de lycéennes au souffle coupé.

Elle a brandi la toile colorée comme un étendard : j'ai cru voir Bonaparte au pont d'Arcole.

— Qu'est-ce que vous en pensez, pédagogiquement parlant ?

Avant que les échos de sa voix aient fini de traîner le long des couloirs vétustes, j'avais fui, honteux de posséder toute cette tuyauterie, ces ganglions, ces entrelacs bariolés. Je ne me serais jamais cru autant tarabiscoté des intérieurs. Il m'a semblé que les petites de cinquième me dévisageaient sévèrement.

En tout cas, aujourd'hui, 28 juin, ultime jour de l'année scolaire, jour des prix, des discours et de l'inévitable représentation théâtrale, Jacqueline Briette freine devant moi. Les lunettes rondes forment phare et les dents larges et carrées évoquent une calandre de Cadillac. J'aime bien Briette.

Elle me lance la nouvelle comme un caillou.

— J'ai ma mutation pour l'année prochaine!

Sa mutation! Cela faisait des années qu'elle en rêvait, elle était de la Haute-Garonne, la malheureuse, et, depuis la fin de la guerre, elle essayait de retourner là-bas, mais il y avait toujours un prof avec un diplôme en plus qui prenait sa place.

C'est drôle, cela m'embête de savoir qu'elle va partir. Je n'aime pas quitter les gens... Je suis un vieux prof au fond. J'aime retrouver mon bureau d'une année à l'autre. Je n'aime pas que l'on repeigne les murs, que l'on change les tables, les têtes.

Ce n'est pas que j'aie jamais été ami avec Briette. Son genre volley-ball et feu de camp m'énervait; mais enfin, j'avais depuis si longtemps l'habitude de sa présence qu'il me semble que quelque chose va me manquer.

— Je suis content pour vous...

Nous remontons vers le hall. J'ai chaud; il faudrait que je me décide à acheter un costume léger, peut-être même un en toile comme Versin, de terminale. Seulement lui, il a dix-huit ans et la carrure américaine. Ce n'est pas le genre de chose qui m'irait, et puis, pourquoi pas un cerceau? Je ne cherche pas à rajeunir.

Dans le hall, on a tiré les rideaux sur les baies vitrées, mais ça chauffe tout de même. Il y a déjà des collègues installés sur l'estrade. Plus de deux heures à écouter le proviseur radoter le discours de l'année dernière, le même que l'année d'avant, ça va être dur. Je devrais y être habitué pourtant.

— Bonjour, monsieur Bernier.

La mère Rebolot, de physique-chimie, a une robe en soie imprimée; elle a un papillon sur le sein droit, des églantines stylisées sur le gauche, ça continue par des fougères violettes sur les manches, le tout enveloppant quatre-vingt-trois kilos. Elle non plus ne sera plus là bientôt, la retraite est proche.

Je m'assois à côté de Briette, près des palmiers en pot. Ce sont de drôles de plantes. On n'en voit que dans les lycées le jour des prix.

— Alors, mon cher Bernier, ces vacances s'annoncent bien?

Lui, c'est Meunier, histoire et géographie, forte personnalité, boute-en-train. Au réfectoire, pendant des années, il m'a caché mon rond de serviette au moins deux fois par semaine. Nous sommes farceurs dans l'enseignement.

Entrée des élèves. Le brouhaha monte. Ils sont deux cents à s'installer devant nous. Seigneur, quelle chaleur! Heureusement, demain à cette heure, je serai à... Difficile à dire, ça va être les grands départs, et pourvu que cette sacrée batterie ne me lâche pas. Je n'aurais pas dû accepter l'invitation d'Anne, mais nous nous voyons si peu à présent.

— Mesdemoiselles, messieurs, du calme s'il vous plaît...

Carnot s'égosille là-bas. Ce n'est pas drôle d'être surveillant général, hein, Carnot? Son rêve à lui, c'est la rivière à truites. Chaque fois que je vais chez lui, je m'extasie sur les gaules, les moulinets, les cuillères, les mouches artificielles. Bien entendu, je ne connais rien à la pêche. Mais j'aime bien Carnot, c'est presque un ami.

Briette se penche vers moi.

— Vous partez où cet été?

Je sens la sueur me couler le long des côtes.

— Dans le Midi, au-dessus de Menton.

— Chez des amis?

— Oui, chez des amis.

Je n'ai jamais parlé d'Anne ici. Ils ne savent pas que j'ai une fille. L'administration de la boîte le sait. J'ai bien été obligé de l'écrire sur les fiches. Situation de famille : divorcé, un enfant.

— Un peu de silence!

Duverrier, le proviseur, grimpe sur l'estrade, lève les bras.

— S'il vous plaît, s'il vous plaît...

La rumeur baisse comme une mer qui se retire, et Duverrier sourit de sa puissance. Il est le maître de l'océan dont il apaise le fracas du haut de la falaise de l'estrade. C'est Neptune, Duverrier, une fois par an.

Calme plat. Et brusquement je bondis comme si un ressort jailli du siège me jetait en l'air : *la Marseillaise*.

Chaque fois, je me fais avoir. J'ai le haut-parleur, derrière les palmes, à un mètre cinquante du tympan gauche. Je résiste stoïquement, la membrane auditive à la limite de la rupture, serré contre Briette, qui marque la mesure de son talon plat.

Une dernière envolée de cymbales tournoie sous mon crâne

tandis que nous nous rasseyons. Il faut absolument que l'année prochaine je repère le haut-parleur et m'en écarte soigneusement.

En face, l'océan dressé s'est couché à nouveau.

Ça y est, Neptune a repris la parole.

— Une nouvelle fois, et je m'en félicite, nous voici réunis : parents, élèves, enseignants, pour cette petite cérémonie que d'aucuns trouveront désuète mais que, pour ma part...

Je n'avais jamais remarqué combien l'économe avait de poils dans les oreilles, un véritable varech qui déborde du pavillon. Comment les sons peuvent-ils s'y frayer un chemin ? Je suis tout heureux de ne pas avoir de ciseaux sur moi. Je ne pourrais pas résister à la tentation.

— Et ces résultats, à qui les devons-nous ? A vous, parents, dont l'appui et la vigilance ont été constants au cours de l'année qui vient de s'écouler. Ainsi donc, votre rôle...

J'ai les mains moites. Vingt-sept minutes. Neptune est en train de battre son record. En tout cas, si tout marche bien, demain à cette heure, je serai à Lyon.

Je sursaute sous l'orage brutal des applaudissements. Je heurte frénétiquement mes paumes moites. J'ai soif.

— Vous aurez le temps de prendre un pot, Bernier ?

C'est Briette, elle veut offrir le coup de l'adieu chez Marcel, le tabac du coin. Je prendrai un Ricard avec plein d'eau, une carafe entière, je la vois d'ici, tout embuée...

La distribution a commencé. Neptune serre les mains. C'est le professeur de la classe qui donne les livres.

— Chapoteau Viviane !

Je vois un petit chignon roux qui oscille devant Duverrier, s'arrête devant son prof et disparaît.

— Évrard Philippe !

Lui est plus grand, sa tête dépasse.

— Devinard Nathalie !

C'est toujours pareil, on commence par les sixièmes qui n'en finissent plus et les miens passent dans les derniers. Patience. Je me demande comment cela peut être chez Anne. Elle ne parle pas de la maison dans sa lettre, seulement qu'elle m'y attend avec Frédéric.

— Villeneuve Françoise !

Je connais peu Frédéric, je l'ai vu deux ou trois fois à peine. Je n'ai jamais eu l'impression qu'il me prenait pour un vieux croûton, ce qui n'est déjà pas si mal, il ne faut pas demander l'impossible à notre époque.

— Frémier Jacques!

Peut-être ont-ils eu raison de ne pas vouloir se marier, je n'en sais rien. En tout cas, cela ne me gêne pas de savoir qu'Anne vit avec lui. Je me surprends un peu moi-même d'ailleurs, je dois être un libéral après tout. C'est lui qui a acheté cette maison, les parents ont payé. Il y a cinquante ans, Frédéric aurait été un bon parti, aujourd'hui, c'est un type en jean qui n'en finit pas de finir sa licence de philo, se dore au soleil des Alpes-Maritimes et couche avec ma fille, le tout avec un calme influencé par le bouddhisme zen.

Ça y est, c'est mon tour de distribuer les prix.

— Pardon... pardon... pardon...

Je longe la rangée en écrasant le minimum de pieds. Je m'éclaircis la voix pour dépasser le brouhaha qui monte sans cesse.

— Trinardier Albert!

Il se dégage, marche vers moi; sympa, Trinardier. Il a fait un exposé sur Hemingway. Je lui serre la main et c'est la première fois. C'est stupide, on a été copains un an et c'est quand on ne va plus se revoir qu'on se serre la main. Je lui donne son livre.

— Au revoir, m'sieur.

Ma parole, je suis ému. Je voudrais l'appeler par son prénom, une seule fois.

— Au revoir, Trinardier Albert.

On rit, un peu gênés. C'est bien de moi, ça, je n'ose jamais aller vraiment au bout de mes envies. Je m'en sors par une plaisanterie. J'espère qu'il a compris.

— Caranel Émilie!

Ils l'appellent miss Caramel, évidemment. Elle est mignonne, un peu rousse, c'est le deuxième prix, elle adore Baudelaire.

— Au revoir, monsieur Bernier.

— Au revoir, miss Caramel.

Ses yeux brillent, je ne lui savais pas les cils si longs.

Trois autres encore viennent chercher leur livre et je regagne ma place; mission accomplie.

Ils ont enlevé les chaises, la table, les plantes, et puis la représentation a commencé. Quatre scènes d'*Andromaque,* les filles dans des draps de lit, Pyrrhus en péplum court laissant voir ses

baskets. Ils s'en sont bien sortis; il y avait des supporters dans la salle.

Après, tout s'est terminé assez vite, j'ai finalement bu deux Ricard aux frais de Briette, j'ai dû serrer deux cents mains. « Bonnes vacances », « Amusez-vous bien », « Rendez-vous en septembre ». Je suis rentré, un peu sonné par les apéros, triste et gai à la fois. J'avais deux mois et demi devant moi, vides comme des pages blanches. Il allait falloir les remplir.

MA salle de bains est couleur d'endive. Je tente de prendre une douche froide, mais, au premier jet, je tempère avec de l'eau chaude : j'ai le cuir frileux.

Dernière serviette propre; il était temps que l'année finisse : je ferai la lessive en octobre.

Me voici nu devant la glace. Voyons, voyons : un mètre soixante-douze, soixante-neuf kilos, un peu chauve, pas trop d'empâtement, ça, c'est déjà un bon point. Évidemment, les hanches sont un peu enveloppées, mais rien d'alarmant. La jambe est correcte : pas de varices. Pectoraux normaux; l'ennui, c'est que les poils grisonnent nettement sur le thorax, mais j'ai eu vingt ans il y a vingt-cinq ans, c'est une chose à ne pas oublier.

Ventre rentré, torse bombé, en position de culturiste : le résultat n'est pas probant. C'est drôle, je ne peux pas me trouver devant une glace sans faire l'idiot. Je me demande à quel âge cela me passera, de jouer les Tarzans dans la salle de bains.

Slip orange. Là, je me suis nettement laissé influencer par la publicité. A force d'attendre dans le métro devant une gigantesque affiche représentant trois malabars bronzés en slip de couleur dans une cabine de yacht, j'ai fini par en acheter un. Et puis quoi, c'est les vacances. Il est bon de se faire tout neuf. Je commence par le slip. Le yacht viendra plus tard.

Treize heures cinq, et j'ai encore plein de choses à faire : demander à la concierge de faire suivre mon courrier, payer le loyer, faire la valise. Et puis vérifier cette saloperie de batterie.

La valise d'abord.

J'ai toujours une impression de tristesse quand j'ouvre l'armoire : tous mes costumes sont gris, mes chemises blanches, mes pulls sobres, mes chaussettes noires. Au fond je n'ai que le slip de coloré. Je vais débarquer dans le Midi comme un croque-mort.

J'ai envie parfois de ces choses qu'ils vendent aujourd'hui, mais c'est toujours dans des boutiques grandes comme des placards, bourrées de vendeuses suédoises, je recule chaque fois.

On sonne.

— Le courrier, monsieur Bernier.

C'est Mme Morfoine, la concierge. Elle doit avoir envie de bavarder un peu. Elle ne monte jamais d'ordinaire.

— Alors, monsieur Bernier, c'est le départ ?

— Eh oui, madame Morfoine, demain matin.

— Vous en avez de la chance dans l'enseignement ! deux mois et demi !

— Que voulez-vous, madame Morfoine, c'est un des bons côtés de la profession...

— Et où allez-vous, si je ne suis pas curieuse ?

Ça, c'est sa formule, elle serait capable de dire : « Et combien de femmes avez-vous eues dans votre vie, si je ne suis pas curieuse ? »

— Dans le Midi, un petit village... Au fait, pour le courrier, si vous pouviez faire suivre...

Elle est partie avec l'adresse d'Anne et un billet de dix francs. Les marches de l'escalier craquent sous son poids.

Je suis content de revoir Anne. J'avais toujours beaucoup de mal à la quitter le dimanche soir, lorsque je la ramenais chez sa mère... Je l'amenais voir tous les Walt Disney. Entre sept et dix ans, elle n'en a pas loupé un. J'avais horreur de ça, et il fallait en général rester deux fois. Un jour, on a vu *Peter Pan* trois fois de suite en suçant des réglisses. J'ai été malade toute la nuit. Elle, non.

L'été, c'était le bois de Boulogne, le jardin d'Acclimatation.

A dix ans, elle a commencé à vouloir voir des films d'amour. Chaque fois qu'un cinéma reprenait *Autant en emporte le vent*, elle courait vers moi en brandissant un journal à la page des programmes et on prenait le métro. J'ai dû voir le film une fois dans chaque arrondissement. Je la ramenais à huit heures trente.

— Bonsoir, Anne, à la semaine prochaine.

— A dimanche, papa.

Pour ma fête, elle me donnait un dessin, je les ai toujours, il y en a onze. Le premier représente une maison et un soleil vert, il y a une chose bizarre à pattes fines qu'elle m'a dit être un mouton. Le dernier est une danseuse au fusain, très travaillée. C'est habile déjà, elle avait seize ans.

Et puis Catherine, mon ex-femme, m'a annoncé qu'elle partait au Canada, « refaire sa vie » comme elle disait, une vie que j'avais partagée un an et demi, période brève, mais qui pourtant nous avait paru fort longue, aussi bien à l'un qu'à l'autre. Elle hésitait à emmener Anne, c'était un autre pays, une autre langue, un autre monde, est-ce qu'elle pouvait me demander de...

Bref, Anne est venue vivre avec moi. Nous avons repeint l'appartement, elle a collé des photos partout, elle s'est payé un électrophone, et les années ont passé : Anne lycéenne, Anne étudiante, Anne amoureuse, Anne partie.

Une carte pendant les vacances, un coup de fil de temps en temps, le « restau » de la rue de Bièvre où je lui offre un couscous quand elle est libre; nous menons à présent des vies parallèles. Elle se débrouille bien. Je surveille le générique des dramatiques à la télé, et je vois assez souvent son nom : décoratrice ensemblière, Anne Bernier. Cela me fait plaisir. Mais elle vit sur un rythme qui m'essouffle et que je ne pourrais suivre.

Et puis, il y a trois semaines, au-dessus de nos deux couscous fumants, elle a posé ses coudes sur la nappe à carreaux :

— Ça te dirait de passer des vacances avec moi ?

— Si je suis certain que tu ne m'emmèneras pas voir *Autant en emporte le vent*...

Elle a ri. Elle est belle quand elle rit, bien plus belle que ne l'était sa mère. Elle sait s'habiller aussi, ce n'est pas comme moi. Alors, elle m'a raconté la maison, un peu à l'écart de Sainte-Agnès, dans les collines, une vue formidable, le silence des cigales. Je pourrais me reposer, lire, travailler si je voulais, bien sûr il y aurait Frédéric, mais...

— Tu aimes bien Frédéric ?

— J'aime bien Frédéric.

C'est vrai d'ailleurs. La seule chose que je lui reproche, c'est de coucher avec ma fille, mais ça, c'est mon côté « vieux jeu ».

— Alors, tu es d'accord ? C'est oui ?

J'ai levé mon verre empli d'un vin violet.

— A nos vacances.

On s'est quittés tout joyeux, ravis l'un de l'autre.

Bon sang! il est près de quatre heures et je n'ai même pas rempli ma valise.

Ah! au fait, et la voiture ? Cette sacrée batterie me donne des palpitations. Et puis quatre-vingt-sept mille kilomètres au compteur, j'ai toujours l'impression qu'en haut d'une côte ma vieille 3 CV va tomber d'épuisement.

J'ai horreur de la voiture. J'aurais dû prendre le train, une couchette et je me retrouverais demain matin frais et rose sous les palmiers de la Riviera. Au lieu de ça, je vais être collé à mon siège, à ruisseler sous les tôles, frôlant la mort à chaque seconde... Ce n'est pas une question d'argent. Je pourrais bien me le payer, mon voyage ferroviaire, seulement je ne pense pas à louer ma place, et puis Carnot m'a dit que c'est ridicule de prendre le train quand on a une voiture, alors pendant quelques jours j'arrive à me persuader que c'est agréable de conduire : l'impression de liberté, on peut s'arrêter où on veut, etc. Et, finalement, je me retrouve la veille du départ les paumes moites d'angoisse à l'idée d'avoir à faire plus de mille bornes dans un tas de ferraille aux cylindres expirants. Jamais je n'arriverai. Ce serait un vrai coup de chance si je parvenais à dépasser Fontainebleau.

Je vais me faire des spaghetti. Ça va déjà me plonger un peu dans l'ambiance italienne, Sainte-Agnès est à quelques kilomètres à peine de la frontière.

Ça me fait penser que je n'ai plus que deux gauloises pour finir la soirée. Et si j'essayais de ne plus fumer pendant les vacances ? Je vais être au grand air. Je devrais en profiter pour m'oxygéner. Anne m'a souvent dit que ça me jouerait un mauvais tour. Elle manie des mots terribles : infarctus, cancer, perte de mémoire. A me demander comment je suis encore vivant. Et puis je ferai un peu de gymnastique; cela doit faire dix ans que je me le promets. Je me distingue très nettement en train de gambader dans le thym et le romarin dans la douceur d'un petit matin. Je vais revenir de là-bas tout costaud, avec des poumons lavés de nicotine. J'entends déjà la grosse Rebolot à la rentrée :

— Mais, mon cher Bernier, vous avez vingt ans de moins!

L'eau des pâtes bout. Je verse les spaghetti, râpe du gruyère. Je veux me coucher de bonne heure, je mettrai le réveil à quatre heures et demie. Un coup de rasoir, la valise dans le coffre et je démarre. Par l'autoroute je me laisse dégouliner jusqu'en Avignon, rien de plus facile. Après, je couperai à travers la Provence jusqu'à Anne, qui m'attendra sur le seuil de sa maison, comme dans les dessins animés de Walt Disney.

Assiette, fourchette, couteau. Je me mets à table.

Il est cinq heures de l'après-midi, mais j'aime bien manger à l'heure qui me plaît quand je ne suis pas astreint à la discipline du réfectoire. Et puis, je n'ai pas mangé à midi.

Dehors, le soleil est blanc et frappe comme un sourd contre les vitres. Les Parisiens vont frire cet été, la ville sera une poêle chauffée au rouge. Ils vont en baver. Cette pensée me fait rire, je dois être méchant. Demain, à cette heure, je serai loin.

— ABRUTI, va; crétin!

Ça, c'est typique des chauffeurs en 404. Tous les types en 404 sont des salauds méprisants et pèsent au moins cent kilos.

Tout cela, parce que je doublais un semi-remorque monstrueux de vingt mille tonnes qui se traînait à quinze à l'heure, c'est le seul genre de véhicule que je puisse arriver à doubler facilement et je n'allais pas m'en priver. Je clignote, je déboîte et je prends la file de gauche, lorsque ce crétin jaillit du fond de l'horizon, klaxon hurlant, appels de phares, tout le grand jeu. Son plus cher désir semblait être de me catapulter dans le fossé. Je me suis rangé tranquillement, et le temps que je reprenne ma droite, il devait être déjà à Marseille.

Je suis arrivé à dépasser Fontainebleau en fin de compte, mais il y a une chose qui m'inquiète : cette vieille caisse roule magnifiquement bien. J'ai beau tendre l'oreille, pas le plus petit cliquettement intempestif, pas la moindre odeur de brûlé, c'est angoissant. Quand la tuile va tomber, elle sera de taille.

Lyon, 380 km.

Il va faire chaud, je sens déjà le soleil à travers le double écran de la glace et du nylon de la chemise. Il n'est pourtant qu'un peu plus de huit heures. Et si je m'offrais la petite gauloise du début des vacances?

Divin plaisir, la fumée grise et bleue s'étire dans la lumière jaune. La route est droite, j'ai le volant entre deux doigts, la cigarette au bec; un coup d'œil dans le rétro : je me trouve l'air béat. Et si je m'octroyais un peu de musique? Le poste ronfle comme un asthmatique enrhumé, mais on arrive à capter quelques sons.

Aime-moi, aime-moi
Quand je suis dans tes bras
Je dis : Oh ! la la la la la la
Aime-moi, aime-moi...

Insupportable.

J'ai déjà entendu cette chanteuse à la télé, certains de mes élèves avaient sa tête collée sur leur classeur. C'est lorsqu'on voit cela que l'on se sent bien loin des générations actuelles.

« ... *trois kilomètres de bouchon à Nogent-le-Rotrou, suivez l'itinéraire Émeraude. Bonne route, les vacanciers, dans dix minutes un nouveau flash; on écoute Johnny.* »

Terminé pour la radio.

Caravanes devant. Trois à la file. Attention! je double; regard dans le rétro : pas de 404 vrombissante, j'y vais. Rangez-vous, mes petits, la route est à pépé. Et voilà, trois d'un coup, comme un chef.

Cette sacrée voiture marche du tonnerre, une véritable dévoreuse de route, et toujours pas le moindre signe de pépin.

Attention! poste à essence. Je m'arrête pour le plein.

Il n'y a pas trop de monde, surtout à la pompe d' « ordinaire ». Je vais en profiter pour me dégourdir les jambes. Je donne mes trente francs, c'est vraiment de plus en plus cher, et range mon coursier devant un magasin. C'est marrant, l'autoroute : les stations-service ressemblent de plus en plus au boulevard Haussmann.

Je sors, regarde la devanture devant moi, et brusquement, je *le* vois. J'aurais cru avoir passé l'âge du coup de foudre, mais alors là, c'est brutal. Exactement ce qu'il me faut : un costume strict, deux boutons, mais alors en toile jean, avec des poches surpiquées, pantalon large du bas, exactement mon rêve.

Un regard rapide sur l'étiquette par atavisme de gagne-petit : cent cinquante francs, c'est dans mes prix.

Ma respiration s'est bloquée. C'est que l'affaire est d'envergure. Acheter, comme ça, sans réflexion longuement mûrie, sur l'autoroute, c'est l'Aventure à l'état brut.

Un coup d'œil dans la boutique : la vendeuse est seule, elle n'a pas l'air d'une Suédoise émancipée. Allez, je tente le coup. Ça sera bien d'arriver là-bas un peu moderne, Anne sera ravie, Frédéric sera suffoqué, et puis quoi, c'est les vacances.

J'entre. Elle vient vers moi, pas du tout intimidante, et les vendeuses qui ne m'intimident pas, ça se compte sur les doigts de la main.

— Ce serait pour le costume dans la vitrine.

— Mais certainement, je vais vous montrer.

Elle trouve tout à fait naturel que j'aie envie de ça. Elle louche sur mon complet anthracite.

— C'est extrêmement léger à porter, très agréable, et l'été va être chaud... Ce modèle a beaucoup de succès... Voulez-vous essayer ?

Elle a pris un mètre ruban et m'en entoure la taille. Je me retrouve dans la cabine avec l'objet de mes désirs dans les bras.

Les cabines me paniquent; les rideaux qui glissent sur la tringle laissent un espace ouvert et j'ai toujours l'impression que deux mille vieilles dames ont l'œil collé à l'interstice, se poussant du coude devant mes chaussettes en accordéon, ricanant de voir mon pan de chemise battre sur mes fesses.

Je procède rationnellement : chaussures d'abord, pantalon ensuite que je repousse en vrac sur le plancher, et j'enfile le nouveau. Zip de la fermeture à glissière et je m'examine.

Impeccable. Est-ce bien moi ? Je me sens incroyablement léger, d'une élégance nuancée de nonchalance; le compromis parfait entre l'attaché d'ambassade et le cow-boy d'Arizona. Je sors.

— Il vous va parfaitement, il n'a besoin d'aucune retouche.

— J'avoue que je suis assez tenté, mais vous ne trouvez pas cela un peu... comment dire... un peu jeune ?

Elle a des yeux châtains qui brusquement s'étonnent :

— Mais pas dù tout! Vous avez tout à fait le genre à porter cela. Hier, c'est un monsieur d'au moins soixante ans qui nous en a pris un, n'ayez aucune crainte...

Soixante ans! Cette remarque me décide définitivement.

— Je le prends.

— Vous voulez le garder ?

Elle est vraiment pleine d'idées, cette femme. Je refonce dans la cabine, ramasse mon vieux falzar, ma veste et les lui tends, transfère clefs, portefeuille, stylos et signe un chèque.

Elle me fait un paquet et je ressors dans le soleil. Décidément, c'est un jour faste. J'achète un costume fantastique, il fait beau, je vais chez Anne, j'ai vingt ans de moins. Youpi!

Je suis reparti. Au premier coup de démarreur, la voiture a bondi. Ça a été un peu difficile de passer Vienne. Lyon aussi était encombré. Mais enfin, ça y est!

Valence, 85 km.

Il est près de quatorze heures. Je ressens une sensation oubliée depuis longtemps : j'ai faim. Je mange la plupart du temps machinalement, sans plaisir particulier. Et là, brusquement, j'ai envie de quelque chose de bon : de la salade avec des tomates, un petit rosé sec et une grillade. J'avais pensé me taper un sandwich dans un parking; mais après tout c'est la fête aujourd'hui.

J'ai roulé encore trente kilomètres, et puis il y a eu un panneau bleu représentant un couteau et une fourchette croisés. Rien que d'avoir vu ça, j'ai salivé. Et me voilà installé contre la vitre, tout faraud dans mon costume léger. Le soleil fait miroiter les tables en plexiglas. La carafe de rosé est tout embuée, ma salade est là, dans mon assiette : il y a du riz, des olives, des œufs durs, des petits cubes de je ne sais pas quoi exactement. C'est un régal.

Un gros monsieur soucieux s'approche de ma table.

— Vous permettez?

— Je vous en prie.

Il commande une choucroute d'un ton furibard et m'entreprend :

— Vous n'avez pas d'ennuis avec votre radiateur?

J'ai toujours ignoré si j'avais ou non un radiateur dans ma voiture. J'ai constaté au cours de nombreuses conversations que ma voiture n'avait rien de ce que les autres avaient. Je lève très rarement le capot. Je réponds à tout hasard :

— Non, de ce côté-là, ça va.

Il a l'air déçu et entame sa saucisse de Francfort avec tristesse. Je m'en veux de le laisser dans un tel marasme.

— Moi, ce serait plutôt la batterie qui m'inquiète.

Il reste la fourchette en suspens.

— Elle a combien, votre batterie?

Je fouille frénétiquement ma mémoire :

— Cinq ans.

Il tranche, péremptoire :

— Alors, elle est morte. Moi, je les change au bout de trois ans.

Je ne m'attendais pas à un coup pareil. Heureusement, mon steak grillé arrive et le moral remonte. Pour avoir l'air de m'y connaître, je lance :

— Elle est encore bonne, il faudrait que je fasse changer les vis platinées un de ces jours.

J'ai entendu cette formule pas mal de fois et je suis assez satisfait de la replacer, mais j'ai dû taper à côté car l'œil de mon vis-à-vis s'est fait méfiant, et il se concentre sur son petit salé.

Je termine rapidement, règle l'addition et m'en vais. Il y a des gens qui prennent un malin plaisir à vous saper le moral.

J'introduis la clef de contact, actionne la tirette du démarreur; le moteur part.

Idiot, ce type : prétendre que ma batterie est morte!

Je mets la radio : c'est un groupe pop, mais je laisse la musique se répandre. Lorsqu'on arbore un costume comme le mien, il faut savoir être dans le vent.

Je sifflote. Je suis bien.

Chapitre II

Je suis arrivé sous un soleil jaune qui n'éclairait plus que les toits de tuiles rondes, le clocher de l'église et les collines abruptes. J'avais demandé trois fois mon chemin. Au dernier arrêt, un petit vieux a changé son panier de bras et s'est penché par la portière, emplissant la voiture d'un parfum de figue et de muscat.

— Vous sortez du village et vous verrez un sentier juste avant le lavoir. Vous suivez sur cinq cents mètres et vous verrez la maison. Faites attention, c'est l'heure où l'on rentre les chèvres et elles sont un peu fadas.

J'ai remercié et redémarré. J'étais fourbu. Douze heures de volant, c'est beaucoup, surtout pour moi.

Le sentier que le pépé m'a indiqué grimpe en lacet. C'est le rendez-vous des silex acérés et je me sais les pneus fragiles. Je me suis garé en catastrophe. J'ai monté le reste du parcours à pied, j'ai longé un poivrier, le chemin a tourné et j'ai vu le mas. C'est là que j'ai eu ma déception. Anne ne m'attendait point sur le pas de la porte.

A la place, il y avait un jeune type assis sur les marches. Il bricolait un truc en fil de fer et était torse et pieds nus. Il avait l'air d'être chez lui. Je me suis demandé si je ne m'étais pas trompé d'endroit.

— Je suis bien chez Anne Bernier?

Il a pris le temps de tordre un fil de fer avant de répondre.

— Oui.

C'est le genre de chose qui m'est insupportable : un type à qui on pose une question et qui continue à faire son petit boulot avant de répondre.

— Je suis son père.

L'escogriffe n'a pas paru impressionné. Il n'y avait d'ailleurs pas de quoi. Il a rangé ses grandes pattes d'échassier pour me laisser passer et m'a tendu la main.

— Salut, moi, c'est Max.

Je souriais bêtement lorsque Anne est apparue, radieuse. Elle avait un débardeur et une jupe kaki. Elle m'a collé deux bises sonores et m'a entraîné à l'intérieur.

— Comme je suis contente! Viens vite, tu dois être crevé.

Il faisait sombre, j'ai juste distingué des bancs, des pots de peinture et un tas de garçons et de filles par terre sur des nattes. J'ai eu l'impression qu'ils étaient au moins trois cents.

— Je vais te faire du café, assieds-toi, j'ai quelques amis avec moi.

Du magma, par terre, se sont détachés quelques bras qui ont esquissé une sorte de geste mou qui devait vouloir dire bonjour. J'ai répondu de même et me suis effondré sur un banc. C'est à ce moment-là que je me suis souvenu qu'à la fin du repas de la rue de Bièvre, elle avait dit quelques mots rapides auxquels je n'avais pas attaché d'importance, une chose du genre « des copains viendront sans doute », tout cela noyé comme d'habitude dans un flot de paroles. J'avais totalement oublié ce détail.

Et après mille deux cents kilomètres, je me trouvais en présence du détail : j'étais tombé en pleine communauté.

Je leur ai jeté un coup d'œil en buvant mon café, tout en répondant aux questions d'Anne; il y avait une fille gigantesque en jupe longue, affalée sur le ventre, qui lisait aux dernières lueurs du jour, avec la tête crépue d'un garçon sur son postérieur.

— Tu n'as pas eu d'ennuis?

— Non, ça a roulé magnifiquement.

Anne recule la tête comme devant un tableau et joint les mains.

— Mais tu as un nouveau costume!

Je m'étrangle dans mon café. Je bafouille :

— Oui, il faisait un peu chaud, alors j'ai pensé que...

Elle m'embrasse encore :

— Tu es magnifique. (Elle se retourne.) C'est bientôt prêt, Kim?

Kim montre sa tête par la fenêtre. Je ne l'avais pas encore vue, celle-là. Elle est rousse, bouclée et minuscule. Elle a une louche de bois dans la main.

— Ça cuit, dit-elle.

— Viens là, je te présente mon papa; Kim Spander, tu as dû la voir à la télé.

Je serre le poignet de Kim qui n'a pas lâché sa louche.

Frédéric, en chemise indienne, entre au même moment, suivi de Max, toujours le nez dans ses fils de fer.

— Tiens, bonjour m'sieur Bernier. Alors, bon voyage?

Je n'ai pas le temps de répondre. Anne m'entraîne au triple galop dans l'escalier.

— Viens voir ta piaule.

C'est tout petit, mais magnifique : des dalles rouges, des murs blanchis à la chaux, un bon vieux grand lit à tringles de cuivre, une armoire paysanne.

Elle me regarde. Je prends mon élan :

— Formidable!

Elle rit :

— Tu n'as pas apporté de copies à corriger?

C'est mon tour de rire.

— Non. Liberté totale. Tu as des bouquins ici?

— Une pièce à côté en est pleine. Il n'y en a pas au village mais Menton est à vingt-cinq bornes, tu trouveras ce que tu veux. Je te montre la salle de bains.

— Attends, j'ai laissé ma valise dans le coffre, je vais la chercher.

Elle traverse la chambre et se penche à la fenêtre.

— Frédéric! Tu peux monter la valise de papa?

Je proteste :

— Mais je vais y aller, je n'ai pas soixante-dix ans.

Elle a un geste de mère protectrice.

— Tu es fatigué, prends donc un bain. Kim a fait du bœuf en daube, je lui ai dit que tu aimais ça. Si tu as besoin de quelque chose, tu cries.

Elle est déjà sur le pas de la porte lorsque je me décide, timidement :

— Vous êtes drôlement nombreux!

— Dix avec toi. A tout de suite.

Je contemple la baignoire, un peu sonné. A travers les murs épais me parviennent des bruits d'assiettes, des rires. Et moi qui n'ai jamais pu m'agglomérer au moindre groupe! Moi qui suis l'asocial type, me voici propulsé en pleine colonie de vacances. C'est un véritable guet-apens. Enfin, on va bien voir, mais si ce n'était pas pour Anne, je serais déjà à cent kilomètres d'ici. J'aurais pourtant dû savoir qu'elle ne pouvait pas vivre sans cinq cents personnes autour d'elle.

La douche me fait du bien. Je m'étends dans la baignoire et laisse couler l'eau qui ruisselle sur tout mon corps. Je suis bien, je sens que je vais m'endormir; les carreaux de faïence se brouillent peu à peu, il ne reste plus qu'une lueur blanchâtre qui s'assombrit, s'assombrit encore... va disparaître...

Aime-moi, aime-moi
Quand je suis dans tes bras
Je dis : Oh ! la la la la la la
Aime-moi, aime-moi...

Je me suis à moitié défoncé le crâne sur le porte-savon. C'est l'électrophone le plus puissant que j'aie jamais entendu de ma vie. Il y a des cris de protestation d'ailleurs et l'intensité baisse aussitôt. Je me savonne sans enthousiasme, la tête vide.

Toc-toc-toc.

Je bondis en l'air, me recogne la tête et m'enveloppe les reins d'une serviette à ramages.

— Heu... entrez.

C'est la fille gigantesque en jupe longue. Elle a ma valise à la main.

— Excusez-moi, je vous apporte votre valise.

— Ah! eh bien, très bien, merci...

Je me cramponne à ma serviette. Elle a l'air très à l'aise, certainement plus que moi.

— Je m'appelle Françoise.

Une vraie chance qu'elle ne me tende pas la main. Je dois avoir l'air idiot. Qui m'aurait dit hier soir que je serais tout nu dans une salle de bains en compagnie d'une géante?

— Eh bien... heu... moi, c'est Bernier. Jacques Bernier.

Elle fait une sorte de salut militaire avorté. Je l'imite machinalement, rattrape de justesse ma serviette et m'assieds, épuisé. C'est trop de nouveautés pour un seul homme.

Je mets une chemise, un pantalon et tente un coup d'audace : je ne mettrai pas de chaussettes pour le repas. Je descends par l'escalier voûté aux pierres apparentes, la gorge serrée : il y a de quoi, je suis tombé chez les hippies.

Les véritables présentations ont eu lieu autour du bœuf en daube, dans le tumulte des bancs poussés et repoussés.

Je connaissais déjà Max, l'homme aux fils de fer. J'ai appris que ces petits objets qu'il fabrique sont des maquettes de sculptures abstraites qu'il vend, paraît-il, fort bien aux États-Unis. Voilà encore une chose qui me suffoque, je n'aurais jamais eu l'idée, moi, de gagner ma vie en tortillant du laiton autour de petits bouts de bois.

Kim est danseuse; elle fait de temps en temps un grand écart ou se lance en l'air en remuant les jambes, toujours au moment où on s'y attend le moins. Françoise, la géante, travaille dans une maison de production. Il y a deux christs barbus, Antoine et Virgile. L'un des deux est avec une fille de type bohémien enveloppée dans un châle de laine noire, qui me regarde comme si j'allais me répandre en poussière d'une minute à l'autre.

Anne me hèle de l'autre bout de la table.

— Alors, comment tu trouves la baraque?

Je cherche désespérément quelque chose d'original. Il faut les impressionner, ces petits jeunes.

— Admirable. Je ne peux déjà plus vivre ailleurs.

Un des christs ricane.

— Moi non plus, je m'y installe jusqu'en décembre.

Rires. Ils parlent tous en même temps.

— Mets un disque, dit Frédéric.

Françoise ondule vers un bout de la pièce. Kim me crie quelque chose que je ne comprends pas. Anne discute allègrement. Derrière moi, l'orchestre se déchaîne. La voix de la bohémienne surmonte le tapage.

— Vous êtes prof?

Attention, terrain glissant.

— Oui.

— Comment est-ce encore possible d'être prof aujourd'hui?

Je vois Anne rire aux éclats à travers la fumée de la soupière. Je crie :

— Eh bien, c'est parfois difficile, mais on arrive au mois de juin tous les ans...

Max lève le nez.

— Je croyais que les types vous tiraient dessus quand vous entriez en classe?

— Ça ne m'est pas encore arrivé, peut-être l'année prochaine.

Frédéric se cure une dent avec l'ongle de l'auriculaire.

— Ils lisent pas Mao, vos élèves? Il a dit que si un prof était ennuyeux, les élèves avaient le droit de dormir.

Françoise proteste :

— Mais c'est pas un droit de dormir, c'est un besoin. Moi, j'ai dormi souvent en fac.

Ça y est, ils sont repartis, je reste oublié dans la bagarre. Je ne tiendrai pas le coup trois jours dans cette atmosphère. La bohémienne me passe le camembert et écluse son verre d'un coup comme un mineur de fond.

— Tu dis rien, Frantz...

Moi aussi, je l'oubliais, celui-là. C'est un Autrichien à lunettes cerclées qui porte trois colliers autour du cou et suit un régime végétarien. Il broute des céleris depuis une demi-heure en promenant sur toute chose un regard infiniment douloureux.

Frédéric se renverse en arrière, la semelle de ses tennis sur le rebord de la table.

— A toi la vaisselle, Antoine.

Antoine proteste et je me propose pour montrer à la fois ma bonne volonté et mon sens aigu de la collectivité.

Refus général. Françoise quitte son banc et se love sur un fauteuil près de l'âtre, les autres s'effondrent un peu partout dans la salle en discutaillant à voix lassée. Frédéric a installé Anne sur ses genoux. Un christ a fermé les yeux et pris une position yoga. C'est Kim qui dessert la table en esquissant des entrechats; Frantz, au passage, lui caresse les mollets d'un geste simple auquel elle ne prête pas attention. Décidément, les femmes changent.

Non seulement je m'ennuie, mais j'ai peur de quelque chose, je ne sais pas très bien de quoi, que l'un d'entre eux m'agresse, me pose une question. Je n'ai pas leur esprit rapide, je ne comprends plus très bien leur langage, leurs plaisanteries... Ils sont gentils sans doute, pourquoi ne le montrent-ils pas plus?

Je regarde mon pantalon neuf, il ne m'aura pas donné l'illusion longtemps; grâce à lui, j'aurai été jeune quelques heures. Ce soir, je me sens vieux. Je me lève.

— Excusez-moi, mais je suis crevé. Bonne soirée à tous!

Anne me rattrape et m'embrasse. Il y a quand même un fond d'inquiétude dans ses yeux.

— Comment tu les trouves?

Je force ma voix :

— Sympathiques, très sympathiques.

La voilà tout à fait rassurée...

Me voici dans ma chambre. Que disent-ils de moi en ce moment ? « Il est pas mal ton père », « Il avait l'air un peu paumé », « Il n'a pas l'air très bavard »... ou alors, le pire de tout, ils parlent d'autre chose, comme si je n'existais pas. Je les entends rire. Ils ont l'air de mieux s'amuser depuis que je les ai quittés. Je me suis endormi d'un coup. Demain, je saurai qu'ils se sont couchés vers quatre heures. Il paraît que ça a été une soirée dingue.

Ce que je crains le plus, ce sont les repas, là nous sommes tous ensemble. Le reste du temps, ça va. Je me suis baladé un peu dans les collines, un bouquin de la Série noire dans ma poche. J'ai trouvé un arbre et je me suis installé à l'ombre. J'ai lu quatre pages et je me suis endormi. Le soleil a tourné pendant mon sommeil et j'ai attrapé un coup de soleil magistral ; Kim m'a félicité pour ma bonne mine.

— Quand vous êtes arrivé, a-t-elle dit, vous aviez le teint comme un journal du soir.

J'ai passé l'après-midi avec Catherine. C'est la bohémienne. Elle est venue me rejoindre sous les figuiers, empaquetée dans son châle, il devait pourtant faire vingt-cinq degrés à l'ombre.

Elle n'est pas bête, elle a lu beaucoup, elle travaille dans des magazines ; elle vend de l'espace pour la publicité. J'ai l'impression que si je lui avais demandé de coucher avec moi, elle aurait accepté avec un naturel désarmant, comme un service que l'on se rend entre gens du même bord ; mais il était hors de question que je fasse pareille demande, pépé est un grand complexé.

La soirée a été interminable. Virgile-christ les fait tous beaucoup rire mais je n'arrive pas à le trouver drôle. Je me colle un sourire sur le visage, mes muscles faciaux en sont tout endoloris. Je suis allé me coucher le premier une nouvelle fois.

Juste avant de m'endormir, une idée m'est venue : demain, sous un prétexte quelconque, j'irai à Menton, j'ai besoin de me retrouver seul. Rien qu'à cette pensée, je me suis senti tout guilleret. Allons, c'est entendu, j'irai en ville.

J'ai ouvert les volets sur un ciel ferreux, des hordes de nuages mous et plombés. Les feuilles de la vigne vierge bougeaient dou-

cement, elles semblaient se préparer à subir la bourrasque d'un orage d'été. J'ai respiré l'air humide. Ce temps m'arrangeait, c'était un prétexte de plus pour aller chercher des bouquins; que faire sinon lire par un temps semblable?

Je suis descendu. Anne est venue plus tard, a bâillé une dizaine de fois et a mis la radio. J'ai beurré ma tartine et j'ai annoncé ma décision de descendre en ville. J'avais un peu peur qu'un des membres de la bande me demande de l'emmener, mais il n'y a pas eu de candidat et je suis parti.

Des gouttes ont claqué sur le pare-brise, gifles violentes que l'essuie-glace a balayées, délayant la poussière. Il y a eu un grondement sur la mer et la pluie s'est arrêtée. J'ai ouvert la glace et un air moite est entré. Il avait un goût sucré de solitude, il me semblait que je n'avais plus été seul depuis une éternité.

Menton a bien changé. J'y suis passé autrefois, enfant. Je me souviens d'un square près du Casino; j'avais joué dans le sable sans m'écarter du banc où ma mère tricotait. Tout autour se dressaient des palais géants ceinturés de colonnades; très haut au-dessus de ma tête, des coupoles, des dômes, c'était Bagdad, Alexandrie et Moscou à la fois.

A un tournant, la rade est apparue et mes souvenirs ont pris un grand coup de béton à travers la mémoire. Des buildings ont envahi le front de mer. Riviera Beach, Sun Marina, des restaurants vitre-et-plastique, des snacks bourrés de flippers dévorent les trottoirs. J'ai garé la voiture et suis parti à pied vers la vieille ville.

Une gauloise au bec, j'avance, mains dans les poches. Je vais prendre les escaliers de la jetée et me payer un coup de grand large jusqu'à l'extrémité de la digue, en vieux loup de mer. Ce coin-ci n'a pas trop changé, me semble-t-il. Tout, pourtant, s'est un peu rétréci, ou alors c'est moi qui ai grandi.

Voici le phare. La mer a pris un teint de grande fiévreuse, tout en papier mâché. Pas un bateau, juste un pédalo là-bas, un couple qui se laisse dériver, mélancoliquement, les pieds immobiles sur les pédales. Sur les blocs de pierre qui prolongent la jetée, des pêcheurs surveillent leurs lignes. J'aime bien regarder les pêcheurs; Dieu sait pourtant que ce n'est pas un spectacle bien animé, mais je m'arrête toujours.

Devant moi, la mer prend des couleurs, le gris cède la place à une transparence qui n'est encore ni verte ni bleue. Comme je suis bien! J'en ai oublié ma bande de zouaves. Cela me fait penser qu'il faudrait peut-être que j'achète des livres; il est près de midi et les libraires vont fermer.

Il y a du monde maintenant sur la jetée; des jeunes se promènent, des couples échangent des baisers rapides et rieurs, ils ne se connaissent sans doute que depuis un ou deux jours et ils s'embrassent déjà! Comme les choses vont vite à présent! Moi, avec les filles, je tenais des rôles compliqués, j'avais du respect, de l'hypocrisie; à dix-sept ans je jouais à l'homme, et à quarante-cinq je n'ai pas l'impression d'en être un encore, et ces garçons me semblent si mûrs tout à coup, ils s'acceptent, empoignent les femmes qui leur plaisent, jetant les tactiques, les stratégies par-dessus bord...

C'est peut-être parce qu'ils sont plus beaux que je ne l'étais, ils me semblent plus grands, plus minces, plus bronzés, plus rieurs... C'est peut-être à cause de l'alimentation, du sport. En tout cas, lorsque je les croise, je me sens devenir un vieux jaloux, j'ai dix mille ans d'un coup et...

Pensons à autre chose. Voici la librairie.

Me voici dans mon élément. Il y a d'abord l'odeur. Je me demande parfois si mon premier contact avec la lecture n'a pas été olfactif; enfant, je reniflais les livres avant de les lire, je suis un épagneul de bibliothèque.

Les best-sellers sont près de la caisse, les prix littéraires aussi avec des bandes autour. Un coup d'œil sur les nouveautés et je m'enfonce vers les livres de poche. Ils tiennent tout un mur et il faut s'accroupir pour voir quels sont les derniers.

Finalement, j'ai pris deux Balzac, un Gide, un Cocteau, pour me gonfler un peu la culture, et quatre policiers. La caissière m'a fourré le tout dans un grand sac. Je dois en avoir assez pour la semaine, je reviendrai quand ce sera fini.

Et si je me payais un petit restaurant?

Aux approches de la vieille ville, je suis entré dans une gargote pas trop bondée. Je me suis installé à une table minuscule entre une famille hollandaise et des peintres en bâtiment espagnols; j'ai pris des spaghetti-bolognèse, seize francs avec une carafe de rosé et un café, et je me suis retrouvé guilleret au milieu de la rue, mon sac à la main. J'avais un grand après-midi devant moi et j'ai senti surgir une vieille inquiétude : qu'est-ce que j'allais bien pouvoir faire?

J'ai marché jusqu'au Casino, et là, j'ai eu l'illumination. Il y avait une affiche extraordinaire : un mastodonte aux yeux verts et aux canines sanguinolentes écrasait sous ses orteils noirâtres une quinzaine de buildings. Le monstre serrait dans sa main une jeune personne de physique agréable et qui n'avait pas l'air d'être à l'aise. Je la comprenais facilement. Sur le côté, on pouvait lire : « Séance à quatorze heures .»

Il était quatorze heures une. J'ai bondi jusqu'à la caisse et je suis entré comme si j'étais à la tête d'un régiment.

C'EST dans ces caves, sous ces voûtes centenaires que l'on met la dernière main à la fabrication de ces fromages qui, demain, feront le tour du monde.

Je distingue mal dans l'obscurité; l'ouvreuse m'a flanqué le faisceau de sa lampe électrique dans l'œil, j'ai cru qu'elle allait me demander d'avouer mon crime. Il n'y a personne, des amoureux disséminés dans les derniers rangs, quelques habitués du troisième âge et moi.

Les images se succèdent avec une lenteur désespérante. En ce moment, une douzaine de bonshommes en blouse d'infirmier n'en finissent plus de charger leurs sacrés fromages dans des camions. Je m'enfouis dans mon fauteuil.

C'est dans ces entrepôts frigorifiques qu'ils séjourneront encore quelque temps avant d'être acheminés...

— Oh, la barbe!

Je sursaute. Qui a dit cela? Je me soulève sur mon siège et je la vois. Elle est assise au rang devant moi, trois fauteuils sur la gauche. Elle a les genoux plus hauts que la tête et la lumière changeante de l'écran accroche la toile tendue du jean. Je ne sais encore que trois choses d'elle : elle s'ennuie aux histoires de fromage, elle est blonde, elle aime s'enfouir dans les fauteuils au cinéma.

Et c'est ainsi qu'au long des jours, au creux de cette terre ingrate, s'élabore la belle aventure du fromage à pâte molle.

Musique triomphante qui éclate sur la dernière image : un soleil rougeoyant se couchant derrière les monts d'Auvergne.

C'est plus fort que moi, j'applaudis.

J'arrive toujours au fond à me surprendre moi-même : je suis timide, je n'aime pas me faire remarquer, et puis tout à coup, je commets une incongruité pour rien.

La fille devant se met à rire et se tourne dans ma direction tandis que la salle s'éclaire.

J'ai vu son visage pour la première fois. Ce n'est pas une fille. Une femme, trente-cinq ans, belle je pense, des lèvres douces, une boucle sur la joue, comme une parenthèse de cheveux.

— Vous devez énormément aimer le fromage!

— J'en ai constamment un de marque différente dans chacune de mes poches.

Je vois ses dents briller lorsqu'elle rit à nouveau. Elle s'est retournée vers l'écran et je ne distingue plus à présent que le sommet de sa tête.

Elle ne recherche pas l'aventure. J'en suis sûr. Ce n'est pas le genre. Elle a une chemise bleue un peu militaire, avec des poches plaquées. Ce n'est pas un uniforme de dragueuse; de toute façon, elle semble à présent m'avoir totalement oublié.

L'ouvreuse remonte l'allée latérale en tractant son plateau d'esquimaux. Elle s'arrête sous l'écran, promène un regard las sur la salle déserte et redescend lentement de l'autre côté, accablée par le destin. La lumière baisse. Musique douce.

Un spot : « Les disques que vous entendez sont en vente à la maison Discodisc, 36, avenue Gambetta. »

J'ai encore dans les oreilles le rire de ma presque voisine. C'est un rire qui n'a pas peur d'être un rire, rien de retenu ni de forcé. Cette femme doit être un chef-d'œuvre d'équilibre.

Et puis, elle n'a pas eu peur de m'adresser la parole. Moi, je n'aurais pas osé. Un point pour elle. En me penchant un peu, je peux voir qu'elle bâille à s'en décrocher la mâchoire.

Je me rencogne à nouveau. J'aurais bonne mine si elle me surprenait en train de l'espionner. Allons, mon petit Jacques, ne commence pas à rêver, cette femme est jeune, belle, elle a tous les types qu'elle veut, elle n'a nul besoin d'un petit prof.

Les lumières se sont éteintes. Coup de cymbales tonitruantes et, sur un grand écran cinémascope, le titre vient de s'étaler :

LE MONSTRE VENU DE L'AU-DELA

C'est parti.

TERESA a revêtu son vaporeux déshabillé et s'apprête à se fourrer dans des draps turquoise rayés framboise; le téléphone sonne.

— C'est toi, chéri ?

— Oui, je rentrerai tard, on a besoin de moi au laboratoire.

— Ne t'inquiète pas, chéri, tout va bien, je suis très calme. (En fait, on voit ses doigts pianoter furieusement et, la séquence d'avant, elle a renversé une pile d'assiettes. C'est un film tout en nuances.)

— Couche-toi vite, chérie. Tordo s'est enfui dans le désert, tu peux dormir tranquille.

(Tordo est le nom du monstre.)

Teresa repose l'appareil, soupire et se couche.

Teresa est la femme d'un savant qui tente de mettre au point une arme pour anéantir Tordo; quant à celui-ci, il n'a pas de caractéristiques particulières, sinon qu'il y a quelques minutes il a pulvérisé l'Empire State Building d'un revers de main.

Teresa ferme les yeux. Je sens qu'il va se passer quelque chose... Ça y est! Une ombre emplit l'écran et, à travers la fenêtre, on voit un œil de vingt-cinq mètres carrés se coller contre la vitre. La musique devient lancinante et, tout à coup, voilà Tordo qui pulvérise la fenêtre et saisit la mignonne entre le pouce et l'index. Teresa hurle. Ma voisine s'est redressée sur son siège et, malgré le vacarme, je l'entends qui s'exclame. Tandis que Tordo enjambe les pâtés de maisons, je me penche :

— N'ayez pas peur, je suis là.

Elle s'est tournée vers moi et son visage s'illumine du pourpre de l'écran. L'envie m'est alors venue de lui parler, d'être avec elle, ailleurs, de laisser en plan ce film idiot qui ne nous amuse plus, ni l'un ni l'autre. Mais pour cela, il me faudrait un courage que je n'ai jamais eu. Mon cœur bat très fort, j'ai manqué toute ma vie des tas d'occasions semblables, et cette fois, il faut que j'aille jusqu'au bout. Si c'était Frédéric ou Max qui se trouvaient à ma place, ils auraient déjà changé de fauteuil, ils la tiendraient dans leurs bras, alors que moi... Je me suis penché.

— Excusez-moi, mais ce film commence à m'ennuyer et j'ai l'impression que vous aussi. Si vous voulez, on s'en va et je vous offre un verre. J'ajoute que je ne cherche pas à vous draguer.

Je n'ai jamais été si fier de moi de toute ma vie; j'ai cru un instant que ce n'était pas moi qui avais parlé. Elle est restée silencieuse un instant et puis elle s'est levée d'un coup.

— D'accord.

Nous sommes sortis lentement de la salle. Il faisait sombre et elle a failli trébucher sur les marches de l'escalier; je l'ai retenue par le bras et nous sommes descendus.

Dehors, l'été battait son plein. Elle s'est adossée au mur, est restée un moment le visage vers le ciel et puis elle a parlé :

— Quelle heure avez-vous?

— Quatre heures cinq.

— Il faudra que je revienne ici à cinq heures, ma sœur m'attendra pour me ramener chez moi, parce que...

Elle a souri et a ajouté, gaiement :

— Je suis aveugle.

— DEUX demis.

Ses yeux sont clairs; dans la pupille, la mer se reflète ainsi qu'un coin de parasol; cette mer et ce parasol qu'elle ne voit pas. Je me sens étonnamment calme. C'est drôle de pouvoir regarder les gens sans avoir peur qu'ils vous en veuillent de les fixer. Je peux examiner sa bouche, son front tout à loisir tandis qu'elle boit et qu'un peu de mousse reste accrochée au coin de sa lèvre. Elle a reposé le verre sur le guéridon en se guidant avec le petit doigt qui a effleuré la surface d'un geste glissé sans tâtonnement.

— Qui êtes-vous?

Elle roule une boucle autour de son doigt et attend.

— Eh bien, je... enfin c'est très simple, je suis professeur de français et... c'est les vacances.

Je sens qu'elle attend encore. Peut-être aussi a-t-on toujours envie d'en dire plus aux aveugles qu'aux autres, pour compenser un peu leur handicap.

— J'habite Paris, je suis divorcé et...

Elle m'arrête d'un geste. Elle a des doigts fins, pas de bague, juste une chaînette d'argent au poignet.

— C'est plus drôle de jouer aux devinettes. Vous avez trente ans.

C'est plus une affirmation qu'une question.

— Non, quarante-deux.

J'ai le mensonge minable, j'aurais pu dire la vérité ou retrancher carrément quinze ans. Au lieu de ça, je rabiote trois misérables années.

— Je n'aurais pas cru, vous avez une voix très jeune.

Je me sens tout ragaillardi. Elle sort un paquet de gitanes de sa poche et une boîte d'allumettes. Involontairement, ma main vole vers mon briquet, contre ma cuisse, mais je m'arrête à temps.

Elle s'allume, tire une bouffée longue, paisible, et pose sa nuque sur l'arête du dossier.

— Vous avez une moustache?

— J'ai une voix à avoir une moustache?

— Je ne sais pas, peut-être.

Je m'offre une gauloise.

— Eh bien, oui, j'ai une moustache, je suis grand, bronzé, j'ai les oreilles décollées, j'ai tourné dans *Autant en emporte le vent* et mon prénom est Clark. Qui suis-je?

Elle pointe brusquement sa cigarette dans ma direction.

— Vous fumez et quand j'ai sorti mes cigarettes, vous ne m'avez pas offert de feu. Pourquoi?

J'ai cette impression depuis le début que je ne dirai que des choses justes, celles qu'elle veut entendre, je suis sûr de moi.

— Je préfère m'allumer moi-même, je ne voulais donc pas vous priver de ce plaisir; en plus vous vous débrouillez parfaitement.

D'un coup d'ongle du pouce, elle fait tomber de la cendre droit dans le cendrier. Elle a dû le repérer avant, mémoriser l'emplacement et, clac! elle épate son monde.

— Je m'appelle Laura Bérien. Je suis parisienne, j'ai trente-quatre ans, et je me fais offrir des demis pression par des messieurs que je rencontre au cinéma.

Son profil est très pur. Il y a quelque chose dans la ligne du cou qui me donne envie de bondir sur elle, de la jeter sur la croupe de mon cheval et de galoper jusqu'au ranch de nos rêves où nous coulerons des jours merveilleux au milieu des baisers, des gazouillis et des Indiens apprivoisés. Fais attention à toi, Bernier, tu n'as plus l'âge des amours collégiennes.

Elle écrase son mégot :

— Je me demande ce qu'est devenu Tordo, j'espère qu'ils ne l'ont pas tué.

— Non, Teresa tombe amoureuse de lui, ils se marient et ont beaucoup de petits monstres.

Elle a mis ses coudes sur la table et posé son menton dans ses mains; elle rêve un instant.

— Comment était Teresa?

— Deux yeux, un nez, une bouche, il doit y avoir quelques dizaines de millions d'exemplaires qui ont un visage semblable.

Elle caresse ses joues du bout des doigts, sa voix devient plus lente.

— Au début, j'avais peur de ne pas me rappeler le mien.

Je la regarde, elle est plus belle encore que tout à l'heure.

— Comment cela est-il arrivé? dis-je après un silence.

Elle hausse les épaules.

— Les noms médicaux sont très compliqués, une maladie rarissime, paraît-il; en gros, disons que ce fut un affaiblissement progressif du nerf optique. Pendant quelques mois, la lumière a baissé, et puis, tout d'un coup, quelqu'un a éteint l'interrupteur. Une très mauvaise plaisanterie.

— Cela fait longtemps?

— Quatre ans.

Elle se redresse brusquement et pose ses mains sur ses genoux. Le sourire est revenu, d'un coup.

— Au fait, je ne sais toujours pas si vous avez ou non une moustache.

— Non, je n'en ai pas, mais j'ai des babines sanglantes et la figure couverte de poils. Mon nom est Tordo.

Elle rit encore, ses yeux sont droits sur moi et, une seconde, l'idée surgit qu'elle m'a menti, qu'elle me voit, que tout cela est une blague.

— Vous pouvez me dire l'heure, Tordo?

Bon Dieu! j'avais oublié, il est cinq heures moins cinq. Je glisse dix francs sous la plaquette de liège. Allons, Bernier, les vacances finissent tôt pour toi, cette année. Elles auront été courtes mais je sais déjà que je m'en souviendrai longtemps.

— Il est presque cinq heures, Laura, je vous ramène. Voulez-vous me donner le bras ou bien vous préférez que...

Elle s'est levée.

— Donnons-nous le bras; après tout ce n'est pas réservé aux aveugles.

Nous avançons sur le boulevard.

— Ma sœur m'attend devant le Casino, elle a une 2 CV bleu marine, l'aile avant droite est enfoncée.

— Ça vous ennuie qu'elle vous voie avec moi? Je peux vous laisser si vous voulez.

La boucle se balance sur sa joue lorsqu'elle remue la tête.

— Non, ça n'a pas d'importance, mais vous êtes un monstre très délicat.

Nous y sommes. Ses cheveux sentent le citron. Il faut que je me rappelle ce parfum... Je lui ai lâché le bras, ma paume conservait la douceur ronde de son bras. Elle a remis les mains dans ses poches d'un geste de garçon. Au même moment, j'ai vu la voiture. Vingt secondes devant moi.

— Écoutez, Laura, j'aimerais bien vous revoir.

« Revoir », ça, c'est maladroit, un mot qui n'a plus de sens pour elle.

Elle a baissé la tête, je ne vois plus que du blond. Il y a derrière nous un bruit de portière qui s'ouvre, se referme, on vient la chercher. Je m'y suis pris trop tard. Adieu, Laura.

Alors, aussi simplement que si elle demandait du sel, elle a dit :

— Passez un jour, villa Caprizzi, route de Gorbio.

Sa sœur l'a prise par l'épaule et embrassée sans me quitter des yeux. Elle ne lui ressemblait pas, elle me regardait déjà d'un sale œil, comme une duègne d'opéra. Si Laura lui demande à quoi je ressemble, le rapport ne sera pas favorable.

Laura a fait les présentations.

— Ma sœur Édith. Tordo, le monstre de l'au-delà.

Un peu suffoquée, elle a murmuré :

— Enchantée.

Mais le cœur n'y était pas. Nous n'avons été que deux à rire. J'ai vu la voiture disparaître. J'ai cru que j'allais rester planté là jusqu'à la fin des temps, ou tout au moins jusqu'à la rentrée scolaire.

A la maison, il n'y avait que Max et Kim. J'ai mis la table en chantant à tue-tête. C'est lorsque je me suis assis que je me suis aperçu que j'avais oublié mes bouquins au cinéma.

Pas moyen de dormir. Je n'arrive toujours pas à réaliser ce qui vient de m'arriver. Moi, Jacques Bernier, je me retrouve amoureux comme il n'est pas permis de l'être après une bonne vingtaine d'années de sérénité sentimentale.

Tout est noir autour de moi, juste un rayon de lune qui plonge sa rapière pâle à travers la fente du volet.

Laura...

Aveugle est un mot dont j'ignore la signification réelle. Qu'est-ce que l'on voit quand on ne voit rien? Autre question : peut-on plaire et être aimé sans être vu?

Je ris tout seul dans mon lit : moi qui ai horreur de me faire remarquer, moi qui ai toujours voulu passer inaperçu, j'ai mis vraiment dans le mille; j'aime une femme qui ne me verra pas.

Laura...

J'irai demain, bien sûr, je ne vais pas jouer le type occupé, le monsieur qui a plein de gens à voir. Non, j'aurais fait ça à dix-huit ans mais je n'en suis plus là. Et puis je ne pourrais pas supporter de passer la journée dans les collines, en sachant qu'elle m'attend, seule dans le noir permanent... Si j'arrivais à ce qu'elle soit moins aveugle près de moi...

Est-ce qu'elle m'attendra, d'ailleurs? C'est peut-être elle qui a des occupations, des amis, je vais peut-être arriver dans un salon rempli de gandins, de gens d'esprit, de types qui jouent du piano, et Laura au milieu qui m'accueille d'un sourire : « Venez que je vous présente à mes amis... Voici Jacques Bernier, séducteur professionnel, il a tenté de me violer dans un cinéma. »

Tous les types m'entourent. Ils ont des têtes épouvantables, ils ressemblent à Tordo, et, brusquement, ils me foncent dessus. Je hurle en serrant convulsivement mon oreiller.

Chapitre III

— Qu'est-ce qui t'est arrivé cette nuit? Tu as crié comme si on t'égorgeait.

Je regarde Anne. Elle arrange des fleurs et suce son doigt où perle une goutte écarlate; elle s'est piquée aux rosiers.

— J'ai fait un cauchemar.

Elle me jette un regard torve.

— Tu es tout beau, tout rasé, tout brillant; tu sors encore?

— Oui, je sors encore. Si tu as l'intention d'engager un détective privé pour me faire suivre, choisis-le malin.

Françoise a un maillot de bain dont les deux pièces ne cacheraient pas le creux de ma main; elle s'est enduite d'une crème jaunâtre qui sent la pharmacie. Elle s'assoit sur la terrasse.

— Je suis sûr que ton père fait des ravages à Menton.

Frédéric lève le nez de son journal.

— Comment elle est?

Ce qui m'agace le plus finalement, c'est qu'ils n'y croient pas; ils me mettent en boîte gentiment, en restant intimement persuadés qu'un vieux sénile comme moi en a fini depuis longtemps avec le beau sexe. Pour avoir la paix, j'entre dans le jeu.

— Elle a huit ans et des nattes. Elle me fournit en caramels.

Anne rit, et tandis que je m'éloigne, je l'entends crier :

— Ne te fais pas enlever, on t'attend pour dîner!

Je réponds d'un geste et démarre. L'adresse tourne dans ma tête : villa Caprizzi, route de Gorbio.

— DEUX demis.

Laura sourit tandis que le garçon s'éloigne.

— Et alors, qu'est-ce que vous leur avez dit?

— Que j'avais rendez-vous avec une fillette de huit ans avec des nattes.

Elle a une épaule à l'ombre et se pousse légèrement pour être tout entière au soleil. Elle porte un chandail prune et le même jean qu'hier. Tout a été d'une simplicité enfantine. J'ai sonné à la grille, elle a descendu les marches du perron comme une danseuse étoile et est restée plantée de l'autre côté des barreaux; j'ai dit alors :

— Je viens vous offrir un autre demi.

Elle a répondu gravement :

— Non, aujourd'hui, c'est moi qui vous invite.

Elle s'est retournée et a crié :

— Édith, je sors.

Sans attendre de réponse, elle a ouvert et nous nous sommes retrouvés dans la voiture. Du bout des doigts, elle a tâté le pare-brise, le volant, et a dit :

— J'aime bien les 3 CV.

J'ai sifflé d'admiration, nous avons ri et nous sommes maintenant sur la terrasse du *Continental*. Autour de nous, des familles mangent des glaces multicolores.

Je me suis aperçu que mes mains tremblent et que je n'arrive pas à les en empêcher.

Elle joue avec son verre.

— Vous savez, il m'est arrivé une drôle d'histoire l'année dernière dans ce café. Édith était chez le coiffeur et je l'attendais là, à une table. Tout d'un coup, j'entends que quelqu'un s'installe sur la chaise tout près de moi, et une voix me dit : « On va faire un tour ? » Je reste suffoquée et je demande à ce monsieur ce qui l'autorise à croire que je voudrais faire un tour avec lui. Alors il me répond : « C'est parce que ça fait dix minutes que tu me regardes. »

Son rire m'entraîne.

— Depuis, quand je suis en public, je m'efforce de temps en temps de changer la direction de mon regard pour éviter ce genre de chose.

Il y a un silence.

Je déplace ma chaise de cinquante centimètres autour du guéridon : ses yeux ont suivi et sont toujours sur moi.

— Magnifique, dis-je, je dois avouer qu'hier j'ai cru que vous me montiez en bateau.

— C'est vrai ? Ça me fait plaisir, je me repère parfaitement au son, je suis devenue un vrai radar.

J'avale un grand coup de bière.

— Je dois vous dire que j'ai mal dormi et qu'en me réveillant j'ai pensé à ces films idiots où l'on voit une femme dans un hôpital, avec des pansements tout autour de la tête. Il y a un chirurgien de charme qui la désembobine, on voit la tête du chirurgien toute trouble, ça devient net petit à petit et la bonne femme s'exclame : « Je vois, je vois ! »

Ses yeux me quittent et son regard flotte au-dessus de ma tête. J'ai du mal à comprendre que cela ne fait pas pour elle de différence.

— Vous êtes très gentil de rêver à de pareilles choses et je suis navrée de vous décevoir mais, en réalité, aucune opération miracle n'est possible; je resterai comme je suis. Ça vous déçoit ?

— Ça ne me déçoit pas, ça m'arrange. Vous connaissez le film de Chaplin : l'aveugle retrouve la vue et elle trouve Charlot tellement tarte qu'elle ne le reconnaît même pas. Si vous subissiez ce genre d'opération, je prierais le ciel pour qu'elle échoue.

Elle dit calmement :

— Vous êtes un beau salaud, mais cela prouve que vous vous mésestimez; Édith m'a fait de vous un portrait plutôt flatteur.

Ça, ça m'a quand même coupé le souffle.

— Je vous laisse seule trois minutes, je vais lui faire expédier trente kilos de roses rouges.

Laura rit.

— Attendez, n'exagérons rien, Édith n'a pas dit que vous

étiez Clark Gable, mais enfin, ce n'était pas Tordo non plus.

Je ricane.

— Vraiment trop bonne, elle devra se contenter des fleurs de son jardin.

Elle se recule sur sa chaise.

— Mais enfin, il ne vous est jamais venu à l'idée qu'à partir du moment où une femme est aveugle le physique des hommes qu'elle rencontre ne rentre plus dans son univers?

Je me sens stupide tout à coup. Cela m'arrive souvent, mais là, c'est particulièrement intense. Laura s'est tue et passe son bras gauche derrière le dossier de sa chaise. Elle semble heureuse : elle a toujours cette mèche bouclée sur la joue.

Et brusquement, je les ai vues sur le trottoir. Françoise d'abord parce que sa tête dépassait la foule comme un périscope de sous-marin. Anne était à côté d'elle. Elle suçait une glace. Je me suis penché vers Laura.

— On a de la visite.

Anne m'a vu, a regardé Laura et a marqué le coup. Visiblement, elle a pensé que son vieux ne se défendait pas mal. Elle a donné un coup de langue machinal sur sa vanille et s'est arrêtée. Elle a du réflexe et un goût inné pour les situations complexes.

— Dois-je passer sans m'apercevoir de rien ou puis-je, en fille aimante, saluer mon père bien-aimé?

J'étais fier d'elle, cela m'arrive tout de même assez souvent.

— Laura, je vous présente ma fille Anne, elle brûle en ce moment de curiosité. Elle est accompagnée de son amie Françoise.

Laura a tendu la main, les deux autres la lui ont serrée. Elles ne pouvaient pas savoir encore tant le geste était simple.

— Je suis très heureuse. Comme vous pouvez le constater, j'ai grandi depuis hier soir.

Anne a mordu avec enthousiasme dans le cornet.

— C'est vrai! s'exclama-t-elle. Figurez-vous qu'il nous a raconté qu'il avait rendez-vous avec une gosse de huit ans.

Laura a un geste circulaire.

— Asseyez-vous avec nous...

Anne et Françoise se consultent d'un coup d'œil.

— Non, dit Anne, ce serait avec plaisir, mais nous avons des tas d'achats à faire, nous faisons une fête demain soir et... (Son sourcil se fronce et elle fait semblant de penser à quelque chose qu'elle a dans l'idée depuis le début de la rencontre.) Au fait, ça nous ferait vraiment plaisir que vous acceptiez d'être des nôtres. Ce sera très simple, on doit manger dehors, faire un feu, chanter et puis...

Ça y est, elle n'aura de cesse que Laura vienne.

— ... Il faut dire que mon cher père s'ennuie avec nous de façon épouvantable; je suis heureuse qu'il vous connaisse, parce qu'à la maison je comprends que ce n'est pas drôle pour lui...

Avant que j'aie pu protester, Laura lève le doigt comme à l'école, pour demander la parole.

— Écoutez, j'accepte avec plaisir, c'est vraiment très gentil à vous, mais je veux vous prévenir d'une chose dont vous vous êtes peut-être déjà aperçues : je suis aveugle.

Anne ne lèche plus sa glace. Françoise a laissé tomber sa mâchoire inférieure.

— Eh bien, non, dit Anne, je ne m'en étais pas aperçue.

Le rire de Laura est plus clair que jamais.

— Alors, j'ai eu raison de vous prévenir.

Anne semble perdue d'un coup, elle me regarde et lance :

— Mais je ne vois... enfin je pense que cela ne change rien pour nous... enfin si, mais... oh! je vous demande pardon, je ne sais plus ce que je raconte.

Mes fibres paternelles vibrent et je vole à son secours.

— Ne te tracasse pas, ma petite vieille, Laura t'a promis de venir, va vite faire tes courses.

Anne est encore éberluée, elle finit par articuler :

— A demain soir.

Nous restons seuls tous deux. Il y a un filet d'inquiétude dans sa voix lorsque Laura demande :

— Cela vous ennuie que votre fille sache que vous profitez de ce que qu'une dame ne vous voit pas pour lui faire du charme?

— Je ne vous fais pas de charme.

Petit rire.

— Vous n'avez pas arrêté de me faire du charme!

— Moi! Vous allez fort! Je vous ai offert un demi hier parce que j'avais soif, et je suis venu vous chercher aujourd'hui parce que j'espérais bien que vous alliez me le rendre, c'est tout.

— O.K., n'en parlons plus. Au fait, ça ne vous dérange pas que je vienne demain soir? Je ne vous ai pas demandé votre avis.

Sa main est sur la table et je la serre. Elle la laisse. J'ai un gong dans la poitrine, je ne connaissais plus le rythme qu'il bat si lourdement, mais je sais qu'il n'est dû qu'à toi, Laura, toi de qui naît cette musique.

Ils avaient installé le camp assez haut dans la montagne et nous sommes montés en procession par le sentier de chèvres, Françoise ouvrant la marche, une bouteille de vodka dans chaque main; Max trébuchait sur les pierres : il avait un énorme sac à dos et avait pris de l'avance en tapant dans le rosé sec.

Laura grimpait en bavardant, je lui tenais le bras et le vent rabattait sa jupe longue contre mes jambes. Elle était très en forme, avait serré des mains et impressionné Virgile qui l'avait entreprise sur la musique dodécaphonique.

A un tournant, nous avions découvert la lueur du feu, et Laura avait respiré profondément.

— Agneau grillé. Ça promet.

Cela avait été très gai, j'avais annexé une bouteille pour nous deux, qui n'avait pas suffi. Anne avait fait son habituel numéro qui consiste, lorsqu'il y a du monde, à me demander de réciter une scène du *Cid* en faisant tous les rôles à la fois. Je m'étais débattu comme un diable mais, devant ma résistance, Laura s'était jointe au concert. Était-ce dû à l'alcool, j'avais l'impression qu'il y avait de la tendresse dans sa voix, et cela m'avait secoué.

Je fus à la fois Chimène, Rodrigue, le Roi, l'Infante, et ce fut un triomphe. Laura a applaudi à tout rompre. Un peu troublé, j'ai bu dans son verre.

Je la regarde; dans ses yeux renversés courent les étoiles; il y a un accord plaqué de guitare, puis des notes qui tombent, lentes comme les gouttes d'une averse paresseuse et chaude. Elle murmure :

— Comme tout est calme, soudain... Que font-ils?

C'est la première fois qu'elle me demande de la renseigner, cela m'est pénible et doux à la fois.

— Le feu baisse, Max et Kim dansent, c'est Virgile qui joue. Anne chuchote avec Frédéric. Je ne vois pas les autres. Cette nuit est un modèle de nuit méditerranéenne telle qu'on vous les promet dans les agences de voyages, avec toutes les planètes déployées d'un bout à l'autre de l'horizon. Le jour ne va pas tarder à se lever.

Elle a un frisson soudain et ma main touche sa joue lorsque je lui mets ma veste sur les épaules.

— Voulez-vous rentrer ?

Ses cils font de l'ombre sur ses joues, son visage est clair.

— D'accord, mais j'aimerais marcher.

Nous nous levons ensemble. Anne nous a vus et vient vers nous.

— Vous partez ?

— Oui, dit Laura. J'ai passé une nuit merveilleuse, ce n'est pas qu'une formule.

— Je suis très heureuse... Vraiment, vous ne vous êtes pas ennuyée ?

C'est étrange, Anne adore recevoir, mais c'est la première fois que je la sens sincère, je sais qu'en ce moment elle désire de toutes ses forces que ce que lui dit Laura soit vrai.

Laura a posé ses mains sur ses épaules.

— J'ai beaucoup ri, beaucoup bu et je suis très gaie, grâce à vous. Il faut me croire.

Nous avons descendu le sentier, je ne me suis pas retourné mais je sais qu'Anne est restée à nous regarder, petite sentinelle troublée, droite dans l'aube qui pointe, tandis que, derrière elle, les dernières fumées montent et que les cendres croulent.

DEPUIS longtemps, le son de la guitare s'est éteint. Un peu à l'écart, il y a une fontaine. Un filet parcimonieux coule sur la pierre. J'ai guidé la main de Laura et l'eau a ruisselé sur ses doigts. Elle s'est agenouillée et boit, les lèvres sur les herbes humides qui poussent sur la margelle.

Dans la clarté qui pointe, une goutte brille, coule le long de son cou. Je n'ai plus peur, et cela me stupéfie. Je l'embrasse, et c'est à moi que cela arrive, moi, Jacques Bernier, l'homme à qui rien n'arrive jamais. Ma veste a glissé de ses épaules et je sens ses bras qui se sont refermés autour de mon cou.

Ses mains sont sur mon visage et rampent ; ça y est, elle va me voir à présent et j'ai le trac : le front, les yeux, le nez, tout y passe. Je n'ose plus respirer.

Voilà, c'est fini. Elle sait maintenant. Je racle ma gorge.

— Alors, ça ira ?

— Dans l'ensemble, cela me paraît satisfaisant.

Elle rit et ses doigts reviennent sur mon visage, mais c'est un geste de tendresse cette fois. Mon cœur s'est gonflé en baudruche. Je prends mon élan.

— Laura, je vous ramène chez vous, vous faites une valise, je prends la mienne et on s'en va.

Son index suit toujours le contour de mes lèvres.

— Je... Écoutez, il faut que...

Je l'embrasse encore, je suis déchaîné, quarante-cinq ans de petite routine et la vie tout d'un coup; cette fois je ne la laisserai pas échapper.

— Dites oui, Laura, ou je vous balance dans un ravin.

— O.K., on part. Que va dire Anne?

— Je m'en fiche. Que va dire Édith?

— Elle comprendra, et puis ça n'a pas grande importance.

Le jour à présent était levé et nous avons pris la voiture.

Les volets de la villa étaient encore clos. Quand nous sommes descendus, à la porte de la grille, je l'ai prise dans mes bras.

Sa bouche était fraîche et j'ai cru que nous n'en finirions jamais. Laura s'est appuyée au mur, haletante, ses doigts serrant mon bras.

— Je voudrais te dire quelque chose...

Je la sens désarmée soudain, comme un guerrier qui pose son armure.

— Quoi?

— J'ai peur.

Elle a un geste de noyée, ses bras à nouveau entourent mon cou, le souffle de ses mots frôle mon oreille.

— Cela fait quatre ans que je n'ai pas fait l'amour...

— Et alors, tu as peur de ne plus savoir?

Le sourire revient, j'ai gagné. Il faut continuer, mon vieux Bernier, aller jusqu'au bout de la franchise.

— J'ai presque quarante-six ans, Laura. Je me suis un peu rajeuni avant-hier et tu peux être sûre d'une chose, c'est que si l'un de nous meurt de peur, c'est moi.

Le sourire est vraiment revenu à présent. Je la sens rassurée; la grille a grincé, je l'ai vue monter les marches et disparaître.

J'ai fumé une cigarette au volant avant de repartir. Je voulais réfléchir à tout cela et ne pas perdre une miette de ce bonheur qui avait surgi en plein cœur de ma morne route.

Nous partons demain.

Ce qui compte, c'est le toucher et les odeurs. En fonction de ça, je dois acheter des lames de rasoir super-affûtées. Ils font des publicités à la télé. On y voit des femmes qui se pâment devant des types aux joues de velours. Il faut que je fasse attention à ça. D'ordinaire, ça reste toujours un peu râpeux sous les mâchoires. Tant qu'à faire, je vais pousser jusqu'à la lotion d'après-rasage.

Des élèves à court d'idées m'en ont offert un flacon il y a trois ans, mais la cotisation n'avait pas dû donner de grands résultats car je m'étais aspergé deux ou trois jours de suite de quelques gouttes huileuses et anisées; dans le métro, à huit heures du matin, les voyageurs me regardaient d'un sale œil.

Je vais m'offrir cette fois une lotion discrète, quelque chose de typiquement mâle, à la fois viril et délicat. Ça doit exister.

Passons au reste. Un léger bourrelet près des hanches. Rien de grave, il faudrait que je fasse quinze jours d'abdominaux et cela disparaîtrait. Pas de temps à perdre, nous partons dans deux heures.

Je m'assois sur le carrelage de la salle de bains, et je commence, en essayant de me rappeler les mouvements que nous faisait faire le prof lorsque j'étais en première. Inclinons le buste vers la jambe. Entre mon nez et mon genou, il y a quinze bons centimètres. Normalement ça devrait toucher. Passons à l'exercice suivant. Petits battements alternatifs des jambes. Chantons pour conjurer la fatigue musculaire :

Aime-moi, aime-moi
Quand je suis dans tes bras
Je dis : Oh ! la la la la...

Je braille à gorge déployée lorsque la porte vibre sous un coup violent.

— Vous comptez sortir bientôt ou je repasse dans l'après-midi ?

Je bondis sur mon peignoir, m'en enveloppe et sors. C'est Max.

— Vingt-sept minutes que je suis là, constate-t-il.

J'en suis sincèrement étonné.

— Comme le temps passe!

Il ricane sombrement et entre dans la salle de bains. Avant de fermer la porte, il me jette :

— C'est vrai que vous partez?

— Oui, tout à l'heure.

— Alors, je vous dis salut.

— Salut, Max. Quand vous enverrez les invitations pour votre expo, ne m'oubliez pas, je voudrais voir à quoi ça ressemble.

Son œil s'allume et il a l'air tout à coup presque triste.

— C'est d'accord, mais si j'avais su que ce que je fais vous intéresse, on aurait pu bavarder un peu.

— C'est toujours comme ça, Max, on se connaît trop tard.

Il a refermé la porte et je boucle ma valise. Cela me chagrine de les quitter. Ils m'ont terrorisé au début et, à présent, je les aime bien. Il fallait dépasser l'aspect spectaculaire de leurs mots, de leur comportement, et dessous on trouvait des êtres simples, sans doute plus simples et plus naturels que moi.

Sans bruit, Anne est entrée et s'est assise sur le lit.

— Tu pars avec Laura ?

— Oui.

Sa main lisse la couverture avec application. Elle soupire.

— Quelque chose ne va pas ?

Elle sourit, un peu crispée.

— Tu es un petit homme, à présent, tu dois savoir ce que tu fais, mais... je me demande comment votre histoire va finir.

— Je suis incapable de te le dire, dans la mesure où elle n'est pas encore commencée. (Elle baisse la tête et continue son va-et-vient sur la couverture. Je m'assois près d'elle.) Écoute, Anne, la situation est simple : ton père bien-aimé abandonne sa fille et part avec une dame. C'est si grave que ça ?

Elle a son visage d'intense réflexion.

— Ça pourrait l'être.

— Pourquoi ? Tu es jalouse ?

— Ce n'est pas ça, mais il y a une chose qui ne semble pas tellement te préoccuper. Laura est aveugle.

Je vais m'accouder à la fenêtre. Les cigales crissent si fort que je crains qu'elle ne m'entende pas lorsque je parle.

— Laura est aveugle, d'accord. Et alors ?

Elle se lève à son tour.

— Alors rien, ne fais pas attention à ce que je dis, ça n'a pas d'importance. Où allez-vous ?

— Ça, je n'en sais fichtrement rien, on part, c'est tout.

Elle se recule un peu et me regarde, elle a l'œil mère poule, un cocktail de fierté, d'attendrissement et d'angoisse.

— Au fond, sous tes dehors de pépé tranquille, tu es un sacré type.

Je l'embrasse. Il est temps que je parte. Nous descendons ensemble les escaliers. La maison est vide.

— Tu leur diras au revoir de ma part à tous.

— D'accord.

Le soleil dehors est comme une brûlure. Je monte dans la voiture et le visage d'Anne s'encadre à la portière.

— Vous n'allez pas vous marier, quand même?

— Je te promets de ne pas le faire sans ton autorisation.

Le moteur ronfle. Anne crie pour surmonter le vacarme :

— C'est la première fois que je te vois partir sans que tu ronchonnes après ta batterie...

C'est vrai, je n'y ai pas pensé une seule seconde.

— Ma chère enfant, si j'ai un ennui de batterie, je m'arrête dans un garage et j'en achète une neuve; bien que modestes, mes émoluments d'enseignant me permettent cette dépense. J'ajoute que la sorte d'individu qui se lamente sans cesse sur le mauvais fonctionnement d'une batterie est particulièrement exaspérante et je ne pourrais jamais fréquenter ce genre de personne.

Je ris et elle m'imite. J'enclenche la première.

— Ciao.

— Ciao. Bon voyage.

Elle rapetisse dans le rétroviseur, le tournant me la masque. Je suis parti. Dans un quart d'heure, Laura sera près de moi. J'ai vingt ans.

— ALORS, vous nous donnerez deux salades de tomates, puis...

Les coins de la bouche du patron s'affaissent. Il va nous annoncer la mort de sa femme et de ses quatre enfants.

— Je n'ai plus de salade de tomates.

Laura tripote sa fourchette.

— Ça ne fait rien, je prendrai un melon.

Le type s'effondre.

— Je n'ai plus de melon non plus.

Je regarde le menu.

— C'est un coup très dur, mais tant pis, vous allez nous servir des œufs mimosa.

La voix étranglée murmure à l'extrême limite du désespoir :

— Plus d'œufs mimosa.

Laura commence à rire. Le patron lève les bras au ciel.

— Aussi, vous arrivez trop tard! Il est presque trois heures!

— Qu'est-ce qui vous reste?

Il semble un peu rasséréné.

— Eh bien, de la choucroute.

Je serre le bras de Laura.

— On marche pour une choucroute?

— D'accord.

On a bu trois Ricard chacun, avec la choucroute, ce n'était pas mauvais d'ailleurs, ça donnait un goût particulier. Un fromage a suivi, puis un baba au rhum.

Laura repousse son assiette.

— Je n'en peux plus. Ça se fait de déboutonner son pantalon à table?

— C'est strictement interdit, mais je t'y autorise car je suis large d'idées et qu'en ce qui me concerne c'est déjà fait.

Elle se penche au-dessus des verres.

— Tu es un être immonde, tu profites hypocritement de mon infirmité pour te prélasser dans des tenues inconvenantes.

Elle dégrafe la boucle de son jean et ses genoux touchent les miens sous la table lorsqu'elle étend ses jambes.

— On est drôlement bien ici, où sommes-nous?

— Je ne sais pas exactement, on a dû rouler cent cinquante kilomètres. Veux-tu qu'on reste?

— D'accord.

Le patron s'approche avec des cafés.

— Monsieur, il vous reste une chambre?

— A l'annexe alors, ici tout est pris. Je vous préviens, c'est pas le confort, mais enfin c'est propre, si vous voulez voir...

— Non, on vous fait confiance.

Le café est brûlant, je repose la tasse. La salle est vide. C'est vrai qu'il est près de cinq heures.

— Parle-moi de ton travail, tu ne m'en as encore rien dit...

— Eh bien, figure-toi que je suis dans la psycho-sociologie; je fais partie d'une boîte dans laquelle, quel que soit l'état du personnel, ils arrivent à trouver un système pour lui faire fournir le maximum de rendement. Je me suis aperçue qu'avec un dictaphone et un magnéto, ils étaient capables de me rendre indispensable à la marche de l'entreprise. En plus, les gens qui répondent aux questions posées par une aveugle obtiennent un indice de sincérité supérieur à celui enregistré par un psychologue normal.

— Tu veux dire qu'on ne ment pas à une aveugle?

— Disons qu'on lui ment moins.

— Quel genre de questions leur poses-tu ?

— C'est variable, je suis spécialisée dans l'étude des rapports interindividuels sur les lieux de travail. Ça t'impressionne, hein ?

Elle boucle la ceinture de son jean et se lève.

— On va faire un tour ?

Il y a un sentier assez raide et je la tiens très serrée, mon bras autour de ses épaules. Deux tournants et c'est le village. Nous avons ralenti l'allure et Laura bavarde sous les arcades. Il fait frais ici, les femmes jettent de l'eau devant leurs portes et il reste une senteur mouillée qui plane dans la ruelle. Les escaliers disjoints grimpent sous des passages voûtés qui s'ouvrent sur des collines.

Sur la place, devant le *Café des Sports*, des hommes jouent aux boules. Leurs voix résonnent curieusement comme si la voûte de feuillage empêchait les sons de monter. Un petit trapu en maillot de corps vise, en équilibre sur la pointe de ses savates. La boule part en boulet de canon et frappe le fer de la pétanque adverse. Carreau.

— Bravo ! Mario. A toi, Fernand.

Fernand a la soixantaine, des traces de farine dans les cheveux. Il a quitté son pétrin pour faire la partie. Il étudie le terrain, soupèse la boule, regarde le ciel, se gratte l'aisselle.

Je murmure à Laura :

— C'est un scientifique. Il va pointer.

Ça s'impatiente autour de lui.

— Fernand, tu joues aux boules ou tu nous moules un bâtard ?

Fernand n'est pas troublé, la sphère s'élève en hauteur, chatouille une feuille des basses branches et vient mourir près du cochonnet. Je me tourne vers Laura.

— Je t'offre un verre au *Café des Sports*.

La chaleur tombe lentement. C'est l'heure où les couleurs sont plus intenses, le ciel est d'un bleu de lessive et la montagne prise comme en un gel par la splendeur jaune de l'été.

Tu ne vois pas cela, Laura, mais je n'en ai nulle peine. Je sais qu'en cette minute précise où je dépose dans ta main le verre froid, tes ténèbres ont disparu et le bonheur est là.

La chambre.

Laura finit de griller sa gauloise tandis que je dépose les

valises. J'ai le trac, mais comme je m'attendais à l'avoir, il n'y a pas de surprise.

Laura a trouvé la fenêtre. Elle hume la nuit et se retourne.

— Comment c'est?

— C'est petit, c'est blanc, c'est propre, ça ressemble à une chambre d'hôtel.

Je me laisse tomber sur le lit.

Dzzzzzzoiiiiiiiing! Je vibre encore comme un battant de cloche lorsque Laura s'exclame, effarée :

— Qu'est-ce que tu as cassé?

— Je n'ai rien cassé, je me suis juste assis sur le lit.

Je soulève le matelas. Il n'y a pas de sommier, seulement des lamelles métalliques qui vibrent comme cent mille harpes.

Laura pose sa paume au centre du couvre-pied et exerce une légère pression. Dzzoiiing!

Lorsque la dernière vibration s'est éteinte, elle murmure :

— Asseyons-nous ensemble.

Dzzzzzzoiiiiiiiing! J'aurais dû chronométrer, il a bien fallu une minute et demie avant que le silence ne revienne.

Je regarde Laura. Je sens que monte en elle une onde de rire.

— C'est la chambre nuptiale, dis-je. Lorsque les villageois entendent Dzoing, ils montent avec des flambeaux et viennent féliciter les mariés.

Elle se tord de rire et je m'apprête à faire glisser le matelas par terre lorsqu'une clef tourne dans la serrure. Le brouhaha de voix est si proche que je me demande si ce n'est pas chez nous que des êtres invisibles et bruyants sont entrés.

Voix de femme :

— Alexandre, ne traîne pas les pieds et va te brosser les dents.

Alexandre sifflote un air à la mode. Bruit de valise qu'on ouvre, froissement de tissu.

Voix de fillette :

— Maman, où que tu l'a mis ma robe de chambre?

Voix d'homme :

— On dit : où tu l'as mise, on dit pas : où que tu l'as mis.

Voix de fillette :

— Où qu'elle est alors?

Voix de garçon :

— T'as pas besoin de robe de chambre, il fait chaud.

Voix de femme :

— Alexandre, t'occupe pas de ta sœur, brosse tes dents.

La bouche de Laura est contre mon oreille.

— Tu es sûr qu'ils ne sont pas dans notre chambre ?

Une idée me vient. Je chuchote :

— Écoute bien ce qui va se passer.

Je m'arrache une toux caverneuse. A côté, tous les bruits se sont arrêtés.

Voix de femme à laquelle l'inquiétude confère une modulation plus aiguë :

— C'est toi qui tousses, Alexandre ?

Voix d'homme :

— Laisse-le un peu tranquille, c'est à côté.

Laura recule et s'assoit sur le lit, déclenchant le tintamarre des ressorts torturés. Il y a un gémissement d'effroi, puis la voix de l'homme :

— N'aie pas peur, Henriette, c'est un lit qui grince.

D'une voix forte, Laura lance :

— Tu as brossé tes dents, Alexandre ?

Je retire en catastrophe deux couvertures et attrape la main de Laura que j'entraîne dans le couloir.

Nous avons encore le temps d'entendre Alexandre répondre « oui, maman », et nous dévalons les escaliers qui mènent au-dehors, à la nuit.

Il n'y a pas d'étoiles et je la distingue à peine sous la couverture. Ses muscles sont durs et ronds et cette humidité salée que rencontrent mes lèvres, ce sont des larmes qui coulent.

— Laura... Qu'est-ce que tu as ?

Sa voix tremble.

— Je ne sais pas, je crois que je ne saurai plus jamais.

Je m'étends à côté d'elle et mes mains l'abandonnent.

— Tu n'en as pas envie ?

— Si, terriblement, mais je ne sais pas ce qui se passe.

Je l'ai enroulée dans la couverture, et nous sommes restés ainsi, immobiles, sans parler, très longtemps ; lorsque la première lettre du soleil a passé sous la porte de la nuit, elle s'est tournée doucement vers moi et m'a souri. J'entends toujours la musique de sa voix à cet instant, c'était celle d'une femme qui sortait d'un dur combat qu'elle ne pouvait mener que seule.

— Jacques, je crois que ce serait bien maintenant.

Chapitre IV

CHARNY, 3 km.

Elle serre les dents. L'aiguille monte à trente-cinq, oscille et va toucher les quarante.

— Je vais passer la troisième.

Son pied droit se lève, le gauche s'abaisse et enfonce l'embrayage; synchroniquement, elle manœuvre le levier de vitesses. Le volant n'a pas bougé d'un millimètre. Elle devait être une vraie championne autrefois.

— Tournant à cinquante mètres.

Elle repasse en seconde, elle est à dix à l'heure. J'ai un peu de sueur au creux des omoplates.

— Ça doit tourner tout seul, tu vas le sentir aux roues, attention, tu l'amorces!

Elle a ralenti encore et je vois ses jointures blanchir; au moment où ma main va voler à son secours, elle redresse toute seule. La route est droite de nouveau.

— Ça y est, tu l'as passé, accélère un peu. A quoi tu penses?

— Je ne pense pas, je vois des poids lourds qui me foncent droit dessus sans arrêt.

— Tu veux t'arrêter?

— A la prochaine borne.

Nous sommes dans les champs, à perte de vue. C'est peut-être la Beauce, je n'ai jamais su très bien où cette région commençait ou finissait. En tout cas, c'est plat.

— Voilà, tu peux t'arrêter, tu as fait ton kilomètre.

La borne est là, cachée par les herbes hautes de l'été : *Charny, 2 km.* Elle freine, passe au point mort et m'embrasse.

Nous changeons de place.

— Tu as aimé ça?

— Énormément. Tu sais ce qui m'a gênée le plus?

— La boue sur le pare-brise.

— Ne sois pas idiot; c'est de penser que tu pouvais corriger mes erreurs en manœuvrant le volant en douce. En tout cas, tu as vu comment je me suis débrouillée?

— Comme un chef.

Elle rit de bonheur.

— Je suis montée jusqu'à combien ?

— Quarante.

Elle siffle d'admiration. J'ai envie de lui demander si elle conduisait vite autrefois mais, par un accord tacite, nous ne parlons jamais du temps où le monde était visible.

Je suis bien. Quatre jours déjà que nous sommes partis et tout roule dans l'huile, pas un temps mort, pas une gêne, nous avons fait de l'univers une grosse boule de rires et d'amours mêlés.

C'est avant-hier que l'idée lui était venue. Tous les hôtels étaient complets ; on avait, après une dizaine de tentatives, trouvé une chambre, mais il avait fallu supporter un repas au milieu d'une salle à manger bourrée de vacanciers qui échangeaient d'une table à l'autre des recettes pour accommoder les écrevisses, pour guérir les coups de soleil et pour faire tenir les gosses tranquilles. Je commençais à avoir une sérieuse migraine lorsque la main de Laura a louvoyé comme un petit serpent entre la salière et le litre de rosé pour se poser sur la mienne. Je me suis penché vers elle, elle avait son expression raisonnable et sage.

— Écoute, tout le monde descend vers le Sud ; si on remontait ?

— Tu es une femme superintelligente. Demain, on file sur Paris.

Le lendemain, la longue remontée avait commencé.

Elle bâille soudain et s'étire :

— On est à combien de Paris ?

— Deux heures. Tu veux dormir un peu ou on chante ?

— On chante.

Il n'y a pas à se tromper, il n'y a qu'un duo que nous connaissions bien, c'est celui de Carmen.

Agée de treize ans, en col Claudine et chapeau princesse, elle l'avait chanté lors de l'anniversaire de la mère supérieure, entre un nocturne de Fauré et des petits fours à la crème à l'eau.

Quant à moi, j'avais eu pendant quatre ans un voisin capitaine retraité, mélomane et dur d'oreille. Il passait le duo de Carmen chaque jour. Le pick-up était branché à fond, j'avais eu le temps de me le graver d'une manière indélébile dans la mémoire.

Paris, 117 km.

La voix de Laura monte. Elle veut partir avec un matador, la garce. Je frappe le volant avec force et frénésie :

BOULAN

Carmen, il est temps encore...
Carmen, il est temps encore...

Elle me défie. Aucun respect pour les militaires. Elle chante bien, nos voix se mêlent, c'est du grand art. Nous hurlons à nous rompre les cordes vocales.

Oh ! ma Carmen, je t'aime encore,
Oh ! ma Carmen, je t'ado-ore.

Elle m'a dit adieu, je vais la poignarder. Je double d'abord un semi-remorque et je la tue, d'un coup de navaja en plein cœur.

Elle s'est écroulée contre la portière, laissant échapper une dernière note filée tandis que j'éclate en sanglots affreux :

C'est moi qui l'ai tuée...
Ma Carmen, ma Carmen-en adorée...

— Tu ne devrais pas tant fumer, me dit Laura, tu craques dans les aigus.

Elle pose sa main sur mon genou. Le bruit du moteur s'élève, mais, après nos beuglements de tout à l'heure, c'est un grand calme qui nous tombe dessus.

— Je suis bien avec toi, dit-elle.

Je ne suis pas très fort pour dire des choses gentilles. Mes mots restent accrochés quelque part, dans un placard de vestiaire. Je voudrais les sortir un peu, les aérer... ce sont de vieux costumes; depuis le temps qu'ils sont au fond de moi, ils sentent la naphtaline; je les prends, je les amène du cœur au larynx, et puis là, ils n'arrivent pas à passer la porte : ainsi je n'ai pas dit à Laura que je l'aimais.

— Alors, si on est bien ensemble, on peut peut-être continuer encore un bout de temps?

Ses lèvres glissent de mon oreille au menton.

— D'accord, on continue.

Par la vitre entrouverte, un vent tiédi au soleil de juillet pénètre en douces bourrasques. Cette brume là-bas, c'est déjà Paris.

LORSQUE nous sommes arrivés chez elle, je n'avais pas posé les valises qu'elle m'a montré son jeu favori; elle appelle ça le rush de la mort.

Il faut savoir, pour bien comprendre, que quatre pièces de

l'appartement communiquent entre elles. Elle est allée ouvrir les portes, est revenue à son point de départ et a démarré. A toute allure, elle a traversé les quatre pièces, a tourné dans la dernière et, les coudes au corps, frôlant les chambranles au centimètre près, elle est venue s'effondrer contre moi, essoufflée.

— Alors, qu'est-ce que tu en penses ?

J'en avais encore des sueurs froides.

— Qu'est-ce qui arrive s'il y a un courant d'air et qu'une porte se referme ?

— Devine ? dit-elle.

— Splatch, dis-je.

— C'est ça, exactement, mais jusqu'à présent il n'y a pas eu de courant d'air.

— Une vraie chance !

Je pensais bêtement que vivre avec une aveugle, ça avait un côté garde-malade, un côté infirmier, le tout baignant dans une atmosphère de lecture, de musique douce et de sérénité, et je me retrouvais avec une énergumène spécialiste de la course en appartement, du cinéma d'épouvante et de la conduite automobile. Comme quoi, il faut se méfier des idées reçues.

Elle m'avait pris la main et fait visiter. C'était très blanc; elle avait gardé des vieux meubles de famille, mais ils étaient un peu noyés dans la neige des murs et des plafonds.

— J'ai fait repeindre lorsque je suis devenue aveugle. Il me semblait que, si c'était sombre à l'intérieur, ça le serait encore plus dans ma tête... J'ai dormi longtemps la lumière allumée...

Laura seule dans la double nuit, Laura éclairant la veilleuse comme les enfants qui ont peur... Parfois, je ne peux supporter cette idée. Je l'ai soulevée dans mes bras.

— Qu'est-ce que tu fais ?

— Devine.

Lorsque son dos a touché les couvertures, elle m'a dit très doucement, dans l'oreille :

— Alors, jeune homme, ça marche, la sexualité ?

— Ça trottine, ça trottine. Et toi, grand-mère, c'est fini, les angoisses ?

— C'EST au 17, l'immeuble qui fait l'angle.

J'ai une place un peu plus loin, je me gare, je sors, et vais lui ouvrir la portière. Il est neuf heures et demie, nous sommes en retard, le garçon du restaurant n'en finissait pas d'apporter l'addition. Sur la gauche, le dôme des Invalides brille sous la lune comme un casque.

— Tu crois vraiment que je ne dois pas apporter la bouteille ?

Elle secoue ses boucles et me serre le bras.

— Je te dis qu'il y a de quoi boire, que ce sont des copains, je les connais presque tous.

Nous voici dans l'ascenseur. C'est au quatrième.

Laura est très belle, ce soir. Elle a une robe de toile blanche avec des sortes de rivets sur les côtés, une grosse bague en acier à la main gauche. Elle s'est maquillée seule avec une dextérité invraisemblable.

— Dis donc, il y aura de la lumière ?

Elle rit tandis que l'ascenseur s'arrête et que nous descendons.

— N'aie pas peur. Même lorsqu'il n'y a aucun voyant avec nous, la lumière est tout de même allumée. Tu es nerveux ?

— Un peu. Je sonne ?

— Oui.

A croire que ce type attendait, collé contre la porte ; l'ouverture a été instantanée. Ses paupières sont fermées, mais pas à la manière des dormeurs, c'est une fermeture que l'on sent définitive. Laura intervient.

— Bonsoir, Simon.

— Ah ! c'est vous Laura, nous vous attendions. Vous avez amené votre ami, c'est très bien.

J'ignore comment il sait que je suis là. Je serre la main de Simon, qui pose deux doigts sur mon épaule et me guide vers un groupe de gens assis au centre d'une pièce. Une jeune femme me tend un verre. Je remarque qu'ils se déplacent autant que les gens ordinaires et, lorsqu'ils le font, à l'exception de Simon, aucun d'eux ne traverse la pièce en diagonale ; ils suivent les murs, en marchant vite dans le même sens, assurés de ne pas rencontrer d'obstacles. Voilà pourquoi les fauteuils et les poufs ont été groupés au centre.

— Bonsoir, Laura. Je suis Maxime.

L'homme qui s'est approché est jeune et beau. Il est un des rares ici à avoir les cheveux longs. Il m'impressionne plus que les autres. Ses pupilles sont blanches, l'iris est voilé, presque sans couleur. Ses gestes sont lents, très habiles.

Laura bavarde avec lui. Ils sourient tous deux. Il semble la fixer de ses yeux morts. Maxime est d'une espèce différente. Ce type m'effraie. Je les laisse; je ne veux pas avoir l'air de ne pas lâcher Laura, je l'aurai pour moi seul tout à l'heure.

— Monsieur Bernier... Nous voudrions vous demander quelque chose...

C'est Simon, avec la fille qui m'a offert le verre.

— Je vous en prie...

— Vous êtes tombé dans un piège, dit Simon. En deux mots, voici : nous lisons tous le braille ici, mais nous sommes quelques lecteurs enragés à qui cela ne suffit pas, bref, un des buts de ces réunions est de faire venir un voyant et de lui demander de lire une œuvre. Nous enregistrons de façon à constituer une sorte d'audio-bibliothèque. Acceptez-vous d'être notre lecteur de ce soir?

— J'accepte, bien entendu, mais je crains d'être un mauvais lecteur.

— Je suis sûr du contraire, nous allons commencer bientôt...

Ainsi donc, mademoiselle Bérien, vous m'avez traîné dans un guêpier. La vengeance s'impose.

— Laura, peux-tu venir une courte minute?

Je la prends par le bras, louvoie entre les invités et m'arrête au milieu de la pièce. Je chuchote :

— Tu es sûre qu'ils sont tous aveugles?

— Certaine. A part toi, nous le sommes bien tous. Où veux-tu en venir?

Il y a une trace d'inquiétude dans sa voix.

— Tu vas voir.

Je lui prends son verre des mains, le pose à terre et la bloque contre moi. De la main droite, je tire sur la fermeture à glissière de sa robe et caresse son dos tiède. Je l'embrasse comme un fou.

Elle dégage sa bouche et chuchote, effarée :

— Mais tu es complètement dingue!

Sans la lâcher, je la pousse vers le mur et murmure, ignoblement canaille :

— T'inquiète pas, peuvent pas nous voir.

Elle a un « oh! » de scandale, vite étouffé. Cette fois, elle rentre dans le jeu et m'embrasse aussi; à vingt-cinq centimètres de mon coude gauche, la conversation bat son plein sur les cours de la Bourse. Tiens, il y a aussi des aveugles riches.

— Arrête, chéri, tu m'étouffes!

Le type à côté a fait un léger bond qu'il réitère lorsque je remonte le zip de la robe.

Simon bat le rappel. Il était temps.

« Ce matin, la création luit comme un fruit oublié après la cueillette, comme une orange dans le feuillage touffu de l'oranger... »

Étrange qu'ils m'aient fait lire ce texte; il n'y est question que de couleurs et de lumières. Ils écoutent. La plupart ont leurs yeux tournés dans d'autres directions que la mienne et j'en ressens une curieuse impression d'inattention; il est difficile de penser qu'un homme qui ne regarde pas vers vous vous écoute.

La main de Laura joue avec l'embrasse du rideau. Maxime est près d'elle, pâle et splendide Dracula. Je suis sûr que ce type a du sang sur les gencives et passe ses journées caché dans un cercueil de la crypte du château paternel. Le silence n'est rompu que par ma voix et par le bruissement infime des bobines du magnétophone.

En hypocrite, je corne du pouce la dernière page et jette un œil sans interrompre ma lecture : cent soixante-cinq en tout, j'en suis à la quarante-cinquième, je ne tiendrai jamais le coup.

« Bonjour! bel églantier sauvage, mon compagnon de la solitude qui a fleuri cette nuit devant ma porte. »

Pas le temps de boire, je suis rivé à mon bouquin comme un forçat à son banc. Et si je sautais un ou deux chapitres? On pourrait se tirer plus vite, j'ai envie d'être seul avec Laura...

Je tourne une page, lorsqu'il y a un déclic : c'est la fin de la bobine. Simon, avec le soupir de l'homme qui sort d'un rêve merveilleux, se lève.

— Merci, vous avez été très gentil, et il m'est difficile de vous expliquer ce que ces enregistrements représentent pour nous.

Si la honte tuait, je devrais être mort. Simon poursuit :

— Je sais que vous êtes fatigué, il ne faut pas continuer davantage. D'autres nous liront la fin de l'ouvrage.

Quel salaud je suis! Je pouvais leur apporter une chose immense, gigantesque, et je n'ai pensé qu'à sauter des pages.

Tous partent à présent. Dans la voiture, Laura se serre contre moi avec un soupir de bien-être.

— Chauffeur, à la maison.

Dans la nuit chaude et vide, nous sommes un couple, comme

tant d'autres; nous venons de passer une soirée chez des amis et nous rentrons, tranquillement.

Un couple, un simple couple.

— Hé! les mecs, y'a Cancrelas qu'a piqué des clous!

Cancrelas me déboule dans les jambes; je serre sur Laura qui heurte la palissade et se colle de la peinture fraîche de l'épaule au coude.

— Zut! ne touche pas, tu as de la peinture sur ta chemise.

Deux planches disjointes pivotent et trois gosses en sortent. La grande a des chaussettes-accordéon et des taches de rousseur. Les deux garçons sont recouverts d'une telle couche de crasse qu'il est difficile de savoir où finit la peau et où commence le tee-shirt.

— V'z'avez pas vu un garçon qui courait?

— Si, il m'est rentré dedans et vous voyez le résultat.

Les mômes louchent vers le bras bariolé de Laura.

— C'est Cancrelas qu'a fait ça, dit Crasseux Premier. A nous y nous pique des clous.

— C'est vrai, dit la grande. Il est dingue, ce mec.

— Paméla, dit Crasseux Second, y faudrait de l'essence de téréb. Ça fait barrer la barbouille.

— Où voulez-vous que j'en trouve? dit Laura.

— On en a, dit Crasseux Premier, c'est pourquoi qu'on vous en causait.

Nous sommes entrés à l'intérieur du chantier.

J'en avais entendu parler dans des journaux; c'était un terrain vague où l'on ne pouvait avancer qu'en escaladant des madriers, en passant sous des planches et en marchant sur des gosses qui tapaient au marteau à tour de bras, foraient, peignaient, soulevaient et hurlaient.

C'était une expérience de psychologues; je ne savais pas ce que ça valait mais les mômes s'amusaient bien. Ils fabriquaient des cabanes, les démontaient, peignaient les palissades, les murs, les briques, la terre, il en grouillait partout.

Ils venaient droit sur nous : deux loupiots gras comme des ablettes, chacun à un bout d'un madrier. J'ai garé Laura contre une plaque de fibrociment pour les laisser passer.

Paméla, la fille en chaussettes, s'est retournée à ce moment-là. Elle a un menton pointu comme une lame de canif.

— Vous y voyez pas, m'dam'?

— Non, dit Laura, je suis aveugle.

— Donnez-moi la main, l' monsieur vous tient de l'aut' côté.

On a avancé comme ça de quelques dizaines de mètres. Les deux Crasseux ouvraient le chemin comme deux motards devant une voiture officielle.

— Faites gaffe, les mecs, la dame elle est aveug'.

Il y en a bien vingt-cinq autour de nous à présent.

— C'est la gloire, dit Laura.

On s'est assis sur un tas de pavés qui ressemble à une barricade écroulée. Paméla a tendu un litre à demi plein d'un liquide incolore, et puis un barbu a fendu la foule.

— En principe, a-t-il dit, ici c'est interdit aux adultes.

Je lui ai fait remarquer que c'était Paméla qui nous avait proposé d'entrer.

— Si les enfants vous ont invités, c'est différent.

Il a disparu tandis qu'avec mon mouchoir imbibé d'essence j'enlevais la peinture.

C'était Laura qu'ils regardaient surtout. Il y a eu un murmure de concertation et, soudain, l'un d'eux s'est décidé. Il avait les cheveux brillants de colle, des quinquets comme des pruneaux et un pansement à chaque doigt.

— C'est vrai, m'dam', que vous voyez pas?

Laura a essuyé une goutte d'essence qui coulait sur son bras.

— C'est vrai, je ne vois pas.

Au dernier rang, une môminette en tablier à fleurs a bêlé :

— Et moi, tu ne me vois pas non plus?

J'ai cru qu'ils allaient la lyncher. Un frisé déluré au premier rang, qu'ils appelaient Mohammed, s'est retourné d'un bloc.

— Zut! Si elle voit pas, elle t' voit pas non plus!

J'ai éloigné la térébenthine et allumé une cigarette. Le Mohammed ne perdait pas un de mes gestes, il ne devait pas en être à sa première gauloise. Je l'ai passée à Laura qui a tiré une bouffée.

— Tu veux qu'on parte?

— Non, pourquoi? C'est un peu dur mais on est bien.

Des gosses ont ri et c'est moi qui ai lancé une question, pour leur détourner un peu les idées.

— Vous vous amusez bien ici?

— Dans l'ensemble, ouais, c'est vachement bien, mais c'est pas la mer.

Crasseux Premier a un ricanement :

— Heureusement que c'est pas la mer; la mer, c'est la barbe.

Un petit type debout sur une poutre se penche, à la limite de l'équilibre.

— T'as été, toi, à la mer? Non mais, eh, oh, j'te l'demande : t'as été, toi?

Crasseux Second a l'esprit de famille.

— Et toi, t'as été à la mer?

— Ouais, mon pote, j'y ai été.

— Et alors?

— Eh ben alors, c'est pas la barbe.

Laura rit, aveugle, jeune et belle. Ça discute dur autour, le soleil tape joyeusement. Je pose ma main sur son épaule.

— Avoue que c'est quand même autre chose que leur stupidité de Côte d'Azur!

La môminette en tablier s'est rapprochée; elle demande d'une voix stridente :

— Alors, si tu vois pas, tu vois tout noir?

Tout s'est arrêté. C'est marrant, les gosses, ce que ça peut être délicat et gêné; ils l'auraient bien assommée, la môminette, pour qu'elle ne dise pas ça; mais c'était trop tard, alors ils restaient là, tout malheureux.

— Non, a dit Laura, je ne vois pas tout noir, le noir c'est une couleur et je ne vois plus les couleurs.

Elle avait sorti ça naturellement, si bien que l'assistance a commencé à respirer plus librement. Paméla a pris la parole.

— Alors, si c'est pas noir, qu'est-ce que vous voyez?

Je sentais Laura très sensible à cette curiosité d'enfants.

— C'est difficile à expliquer : Paméla, donne ta main.

Paméla a tendu sa main sale. Ils étaient tous là à regarder.

— Regardez la main de Paméla. Avec, elle peut toucher, elle peut savoir si c'est dur, si c'est mou, froid ou chaud. Seulement, une main, ça ne voit pas.

Ils écoutent, fascinés.

— Bon, dit Laura, on ne voit pas avec sa main, on ne peut pas dire qu'une main voit noir, n'est-ce pas? Eh bien, quand on est aveugle, c'est pareil, il n'y a plus de noir, il n'y a plus rien.

Un murmure d'acquiescement court dans l'assemblée.

— Vous venez voir la cabane?

Elle n'a pas encore parlé, celle-là. Rien dans son attitude n'a

indiqué qu'elle était plus intéressée que les autres et c'est d'elle que jaillit ce cadeau en forme d'invite.

C'était dans un recoin du chantier, tout près d'un des derniers arbres du quartier. Mohammed nous a raconté qu'il était si noir, le malheureux, qu'ils avaient lavé le tronc. C'est vrai quoi, on ravale bien l'Arc de Triomphe, pourquoi on ne laverait pas les arbres? Ils avaient construit la cabane derrière, mais c'était loin d'être fini. Leur idée, c'était de faire un étage, mais c'était drôlement dif.

Laura avançait au milieu d'eux, elle avait trois gosses pendus à chaque bras... Quant à moi, j'ai fini par filer mes gauloises à Mohammed et aux grands qui l'entouraient. C'était démagogique et ça ne leur ferait pas de bien aux bronches. D'accord, je sais. Mais je défie tout homme qui se trouve au milieu de gosses crapahutant leurs vacances dans ce vieux Paris qui s'écroule, les poumons bourrés de miasmes de métro et de relents de Seine, de ne pas faire pareil.

Laura, en quittant le chantier, a distribué une bonne dizaine de doubles bises aux fillettes qui l'ont raccompagnée jusqu'à la palissade, et nous nous sommes retrouvés sur le trottoir. Laura a secoué la tête, je la sentais à la fois heureuse et bouleversée. Sur sa manche, l'essence avait séché, formant une auréole.

Enlacés, nous nous sommes enfoncés dans ce qui reste des Halles, les rues étroites où traîne encore l'odeur d'anciens fromages, avant de finir dans un des derniers bistrots aux murs carrelés où l'on sert encore le café dans des verres. Laura était en grande forme cet après-midi-là, les gosses et leurs questions semblaient lui avoir insufflé une force nouvelle.

— Où veux-tu aller?

— Emmène-moi manger dans un palace, quelque chose de splendide.

— Il faut t'habiller autrement, parce qu'avec ton jean et ta chemise à la térébenthine, ce n'est pas sûr qu'ils t'acceptent pour laver les verres.

— Paye-moi un vison.

— Ça ne se porte pas au mois de juillet.

— C'est plutôt parce que tu es avare.

Je règle les deux cafés.

— Je vais te dire quel sera le prochain titre de *France-Dimanche* : « Professeur, quadragénaire et séduisant, il n'arrivait pas à combler les désirs somptueux de sa blonde compagne; fou de douleur, il l'étrangle. »

Elle s'esclaffe :

— « Quadragénaire et séduisant... » Ce que ne vont pas chercher les journalistes! En tout cas, la modicité de ton salaire ne te permettant pas d'entretenir une femme de mon envergure, je t'invite.

Nous avons traversé la Seine et des péniches sont passées. Elle en aimait le bruit, l'odeur de l'eau. Dans le square Notre-Dame, un guitariste chantait du blues. Laura écoutait, songeuse.

— Paris est une drôle de ville, dit-elle, elle est pleine d'endroits où l'on n'a pas l'impression d'être à Paris.

— C'est ce qui fait son charme.

Je la sentais devenir mélancolique, c'était un peu la faute de ce guitariste et de ses lents accords plaqués... J'ai fait deux pas en arrière, les plus silencieux possibles, et je me suis placé de l'autre côté d'elle. Avec une voix de tête et l'accent berrichon, j'avais des chances que ça réussisse.

— Pardon, 'scusez-moi, m'sieur dame, mais la grande église su' l' côté, qu'est-ce que c'est t'y?

— Notre-Dame, a dit Laura.

— J'croyais ben qu'Not'Dame avait deux tours, et là, y'en a qu'une, comment ça s'fait t'y?

Laura a eu l'air interloqué; puis elle a foncé sur moi. Le rire lui coupait les trois quarts de ses moyens mais j'ai pris quand même quelques uppercuts sévères. On a été longs à récupérer; je sens ses lèvres sur les miennes tandis qu'elle murmure :

— Tu es un idiot, tes blagues sont de plus en plus de mauvais goût; un jour tu vas me pousser dans une bouche d'égout dont tu auras au préalable levé la plaque.

— Je pensais réaliser ça vers la fin de la semaine.

Par les quais, nous sommes remontés vers l'Odéon. J'avais la main de Laura dans la mienne. Cela faisait huit jours que nous étions à Paris.

C'EST la Galerie des Glaces de Versailles en plus sinistre. Nous n'avons pas encore fait trois pas vers les nappes damassées qu'ils sont déjà une dizaine après nous. Un terrible moustachu qui a l'air d'être coulé en bronze dans son frac recule le fauteuil de Laura.

— Nous vous pensions en vacances, mademoiselle Bérien.

Un des serveurs me tend une carte recouverte de cuir repoussé, de l'épaisseur du bottin du Val-de-Marne. Ils savent qu'elle est aveugle, on ne la lui a pas présentée.

— Un cocktail pour commencer?

Laura, très à l'aise, sourit aux peintures du plafond.

— Un Manhattan, mais très faible.

— Et pour monsieur?

Je rassemble mes souvenirs de romans policiers. Ce ne sont pourtant pas les cocktails qui manquent dans la Série noire, flics et gangsters en boivent un à chaque page. Ça y est, j'ai trouvé.

— Un Cuba libre.

Le moustachu s'incline, déférent, s'éloigne. Je siffle d'admiration vers les lustres et les glaces. Laura semble satisfaite.

— Pas mal, hein? Je suis déjà venue quelques fois avec Édith; elle adore ce genre d'endroit. Quel effet ça te fait?

— J'ai peur de me tromper de fourchette. Tu veux que je te lise la liste des plats? En commençant tout de suite, j'aurai peut-être fini avant la fermeture.

Revoilà Moustache en Bronze, il avance comme s'il était monté sur roulettes. Ses rotules baignent dans l'huile.

— Mademoiselle et monsieur ont-ils fait leur choix?

— Pourriez-vous nous donner un conseil?

Nous avons discuté assez âprement, mon idée initiale était d'avoir un bon bifteck avec des pommes de terre rissolées et il va falloir que je me tape un tournedos aux girolles avec pommes ducales. Laura s'amuse follement de m'entendre râler.

— Mais j'en voulais pas des pommes ducales! Je sais pas ce que c'est, je voulais des frites; je vais lui casser la gueule à ce moustachu.

— Chut, tais-toi ou je te commande des escargots Montpensier; Édith en a pris une fois : ils sont une dizaine à faire tout devant toi, avec des tas de petites poêles qui bouillonnent. Tout le monde est fasciné.

A la table voisine, un trio de Hollandaises vient de s'installer. Ensemble, elles doivent dépasser les trois quintaux. Laura a vidé son Manhattan et s'est penchée vers moi.

— J'entends des voix fraîches, dit-elle. Je suppose que tu dois te féliciter une fois de plus de mon triste état qui te permet de faire de l'œil impunément à l'une de ces dames.

Je m'étrangle. Un serveur dont le visage semble sculpté dans un bloc de ciment tourne vers moi un regard de méduse réprobatrice. Cet endroit n'est pas un lieu pour s'étrangler.

— Pourquoi ris-tu ?

Je repose mon verre.

— Je vais te les décrire. La plus charmante ressemble à une marmite de Chantilly, sa voisine à un tombereau de saindoux et la troisième...

Le rire de Laura fuse et ses doigts agrippent mon bras.

— Jacques, je voudrais que tu saches que depuis que je suis sortie du cinéma, à Menton, je n'ai pas cessé d'être gaie une seule fois.

Cela m'a fait un tortillement du côté du plexus; c'était beaucoup pour moi, ce qu'elle venait de dire. Il fallait badiner pourtant, ne pas laisser l'émotion s'installer.

— C'est parce que je suis un boute-en-train.

Elle incline la tête comme le font les mamans lorsque leur enfant ment.

— Tu es vraiment un boute-en-train ?

— Absolument pas, je suppose que c'est à toi que je dois d'être ainsi... je ne le suppose pas d'ailleurs, j'en suis sûr.

Mon tournedos est arrivé, j'ai touché l'assiette qui était chauffée à blanc et, tandis que je secouais mon doigt où la cloque se formait déjà, le garçon au visage plâtreux a dit :

— J'invite monsieur à faire attention, les assiettes sont chaudes.

Ce type veut ma peau.

Laura mange avec appétit des choses compliquées.

— C'est bon ?

— Goûte.

Elle tend sa fourchette où sont empalés des petits cubes caoutchouteux recouverts de sauce rosâtre. Je mâche et avale consciencieusement. Ça ressemble à un mélange d'artichaut et de chewing-gum. Je lui passe à mon tour un bout de tournedos.

Moustachu et Face en Plâtre nous regardent; je les sens lourds de réprobation. Laura a posé son menton entre ses mains.

— Comment va, p'tit prof ?

— Épatamment, mais ce genre d'endroit me donne toujours envie d'enlever mes chaussures. Comment expliques-tu ce phénomène ?

Elle a pris son air psychosociologue.

— C'est une manifestation caractérisée de ta conscience de classe. Tu es un petit-bourgeois qui marque son refus du luxe ostentatoire de la grande bourgeoisie par un acte grotesque dont la signification est hautement politique.

— Et toi, tu n'as pas ce genre d'envie ?

— Si, mais moi ce serait plutôt la danse du ventre.

— J'aimerais vraiment voir ça. Tu ne veux pas essayer ?

— Commande-moi un dessert d'abord. Une tarte aux myrtilles. Je te conseille leurs cerises au marasquin.

— Tu crois que si je leur demande un yaourt nature, ils vont appeler la police ?

— C'est un coup à risquer, sers-moi à boire.

— Tu trouves pas qu'il tape sec leur corton-charlemagne ?

Laura rit. Ses pommettes sont roses. C'est la deuxième bouteille.

— Et après, dit-elle, on prendra du champagne.

— Mais c'est la fête, ce soir !

— Non, c'est mon anniversaire.

Je la regarde. Je me sens navré.

— Pourquoi tu ne me l'as pas dit ?

— Qu'est-ce que tu aurais fait ?

— Je te l'aurais souhaité au moins...

— Eh bien, il n'est pas trop tard.

La table est trop large, j'ai peur de renverser quelque chose en me penchant. Je me lève, fais le tour, et l'embrasse.

— Bon anniversaire, Laura.

— Merci, chéri.

Derrière nous, les mannequins ont dû s'effondrer, frappés d'apoplexie. Je reviens à ma place. C'est drôle comme ce vin peut vous tomber dans les jambes.

— Garçon, s'il vous plaît...

Un troisième lascar est arrivé, j'ai eu juste le temps de murmurer à Laura :

— C'est un nouveau, les autres viennent d'être transportés d'urgence à l'infirmerie.

Celui-là ressemblait à un serpent à sonnettes sans écailles.

— Une tarte aux myrtilles, des cerises au marasquin et du champagne.

Il est parti, courbé sous le respect.

— Et trois qui font cinq et cinq qui font dix. Merci, monsieur.

L'éclat de la porte vitrée me blesse les yeux. Mes paupières battent et ma tête sonne comme un gong. Heureusement que j'ai trouvé cette pharmacie ouverte; ce n'est pas si facile durant cette période de l'année. J'espère que les comprimés effervescents nous feront du bien.

Lorsque je l'ai couchée, Laura m'a raconté sa vie en répétant trois fois la même chose. Je n'ai pratiquement pas dormi. Le matin, elle n'arrêtait pas de geindre.

— Jacques, j'ai honte, je n'aurais jamais dû boire autant, une aveugle doit savoir se tenir.

Je suis finalement remonté avec des œillets, de l'aspirine, deux bouteilles d'eau minérale, un paquet de coquillettes, six œufs et des sardines à l'huile. Lorsqu'elle a senti l'odeur des fleurs, elle s'est précipitée pour m'embrasser et s'est arrêtée avec une grimace; elle aussi avait des battants de cloche sous l'occiput. On s'est fait fondre de l'aspirine à dose massive.

Ce fut peut-être pour nous la matinée la plus tendre. Tout avait été un tel tourbillon depuis le départ que, inconsciemment, nous aspirions à ce repos. J'ai confectionné des tilleuls-menthes, j'ai fait cuire les pâtes, je me sentais pousser une âme d'infirmier.

Nous parlons peu. Tout à l'heure, elle m'a demandé une cigarette, c'est le signe que cela va mieux. Quant à moi, je sens la crise de foie pointer au loin. Normalement, je devrais suivre un régime; j'ai même des comprimés à prendre avant les repas.

Ses mains frôlent mon visage.

— Ça ne va pas?

— Le foie qui chahute un peu.

— Tu as des médicaments?

— Non, je les ai laissés à Menton, avant de partir.

— Tu ne m'avais jamais dit que tu étais malade. Pourquoi?

— Je ne me le dis pas souvent à moi-même; et puis il ne faut pas d'ombre au tableau.

Pour la première fois, j'ai vu son visage se fermer.

— Qu'est-ce que ça veut dire « pas d'ombre au tableau »?

Un peu le foie, la migraine, la peur de nous voir nous disputer, j'ai dit :

— Oh! ça va, on n'est pas en état de discuter.

Elle a sauté en l'air, toute vibrante. Elle avait récupéré drôlement plus vite que moi.

— Moi, je suis en état de discuter, et je vais te dire ce que tu es en train de faire : tu te fabriques un conte de fées comme les gosses, et tu écartes de la route tout ce qui semble faire ombre au tableau, comme tu dis; seulement tu oublies une chose, il n'y a pas de tableau pour moi, et on n'a plus tellement l'âge pour figurer sur la couverture d'un roman-photo.

Je sais qu'elle a raison et c'est ça qui m'exaspère.

— Qu'est-ce que ça veut dire, tout ça? J'ai bien le droit d'oublier que j'ai quarante-cinq ans et toi que tu n'y vois pas, non? C'est pas un drame!

— Mais qu'est-ce que tu as besoin d'oublier? Je suis aveugle et tu as quarante-cinq ans, et on se débrouille avec ça.

Je grommelle :

— Eh bien, moi, j'avais oublié l'un et l'autre.

Elle a un rire cassé et articule :

— Eh bien, moi, non. Je regrette, mais je n'ai jamais fait abstraction du fait que je suis une handicapée, et je ne vois pas pourquoi toi, si tu as des gouttes à prendre...

— C'est pas des gouttes, c'est des pilules.

— Pourquoi tu ne les prends pas, tes fichues pilules? Tu as peur que je m'aperçoive que tu n'as pas dix-huit ans? C'est déjà fait. Tu as quarante-cinq ans et je t'aime. Tu vois, tu es arrivé à me le faire dire, mais ce n'est pas parce que tu m'aimes que tu as rajeuni, il faut bien te mettre ça dans la tête. Quand je couche avec toi, c'est quand même pas un adolescent qui me tient dans ses bras.

Là, je suffoque.

— Alors là, dis donc, tu y vas fort; j'avais l'impression que ça ne marchait pas si mal!

Elle rit.

— Je ne t'ai jamais dit que ça marchait mal, je t'ai dit que ce n'était quand même pas...

Je l'attrape par les revers du peignoir et nous basculons sur le tapis; je hurle le dernier acte de *Carmen* tandis qu'elle se débat furieusement, mais ça y est, je ne lâche plus.

Elle tente deux ou trois torsions de reins et halète :

— Ça va mieux, ton foie?

Elle a réussi un pont de catcheur et elle m'a échappé. Je soufflais comme un bœuf, aussi ai-je proposé l'armistice.

Nous sommes descendus dans la soirée et j'ai fait provision

de pilules. Décidément, c'était la journée des pharmacies. Nous sommes remontés. Je me sentais comme autrefois lorsque, enfant, j'étais pardonné d'un mensonge. Je me retrouvais avec, devant moi, un avenir tout clair.

J'aurais dû me méfier, la vie joue parfois à ressembler aux westerns. C'est au creux du plus grand calme que le danger surgit.

Sur le palier, un homme attend. Maxime. En ouvrant la porte, j'ai peur.

DANS le verre, la surface du whisky est parfaitement plane. La main qui le tient ne tremble pas. Je suis heureux que Laura ne puisse le voir; il a des traits d'une régularité et d'une simplicité confondantes, mais sous l'équilibre du masque, un feu couve.

Elle finissait sa rééducation à l'institution lorsque Maxime est arrivé. Depuis qu'il était aveugle, il avait deux tentatives de suicide à son actif et avait refusé d'apprendre le braille. Il avait interdit chez lui toute musique, toute radio. Pendant plus d'une année, il n'avait pas prononcé une parole. Et puis un changement s'était produit. Maxime avait semblé vouloir revivre; j'en ignorais les raisons, je savais seulement que Laura en était une.

— Vous êtes professeur, monsieur?

Les mots n'ont aucun sens; seul compte le ton. Je peux traduire la vraie pensée de Maxime : « Que fais-tu ici, Bernier, au milieu des non-voyants? »

— Oui, professeur de lettres.

Maxime ne cherche pas à déguiser ses sentiments, ou alors la perte de la vue l'empêche d'exercer un contrôle sur ses expressions; en tout cas, ses lèvres dessinent une moue de pur mépris.

— Vous m'excuserez, monsieur, mais les enseignants m'ont toujours donné l'impression de manquer d'imagination. Rentrés à six ans dans une salle de classe, ils n'en sortent qu'à soixante.

Laura s'agite sur le fauteuil. Elle a peur de quelque chose.

— Exact, on peut considérer cela comme une vie monotone, mais je vais vous faire une confidence : l'aventure m'ennuie.

Il a posé son verre et une ombre passe sur son visage.

— Une question, monsieur. Est-ce que vous considérez le fait de vivre avec une aveugle comme étant ou non une aventure?

Laura est pâle soudain.

— Maxime, je pense que ce genre de conversation ne s'impose pas et, si vous le voulez bien...

Il a lancé sa mâchoire en avant, vers moi :

— Vous allez vous apercevoir très vite d'une chose, c'est qu'au royaume des aveugles, ni les borgnes ni les voyants ne sont rois.

Il émane de lui une force presque brutale. Ma voix a oscillé sur la fin de ma phrase :

— Vous devez vous expliquer davantage.

Laura tente de s'interposer mais Maxime est lancé et je comprends que rien ne l'arrêtera.

— Un aveugle, ce n'est pas simplement quelqu'un à qui il manque la vue; c'est un être qui est différent des autres, qui a d'autres façons de penser, de ressentir, d'aimer et de haïr, et je peux vous certifier une chose : c'est qu'il n'a plus rien, vous entendez, plus rien de commun avec le monde des voyants.

Laura l'écoute et se tait; les jointures de ses doigts blanchissent sur l'accoudoir. Je me lève et allume une cigarette.

— D'accord, quand on change un élément de l'ensemble, l'ensemble change. Et après?

Il lève un sourcil et ses dents brillent l'espace d'un dixième de seconde.

— Après? Eh bien, c'est simple; nous ne pouvons communiquer réellement qu'entre nous. Nous formons une société à part. Et vous le savez. Et Laura le sait aussi.

Elle a eu un frémissement en entendant son nom.

— Nous avons parlé souvent de cela, Maxime, dit-elle, et vous connaissez mes idées là-dessus; il y a en vous une volonté de briser tout contact avec le monde voyant, de nous grouper en une société fermée. Vous êtes un théoricien, mais il y a la vie. La vie fait que Jacques voit et moi pas, c'est tout. Quant aux questions de savoir si... oh! et puis zut!

Maxime décroise lentement ses jambes. Ses traits n'expriment plus rien à présent; il parle sans passion et chacun de ses mots tombe, découpé au scalpel.

— Vous êtes victimes l'un et l'autre d'illusions. Vous avez sans doute cru à la tarte à la crème de la compréhension mutuelle, vous avez cru au rapprochement des Blancs et des Noirs, des Juifs et des non-Juifs, des Algériens et des Français, et vous savez pourtant que la réalité, lorsqu'ils se rencontrent, ne s'appelle pas Harmonie mais Esclavage, Ghetto et Guerre. Eh bien, s'il existe une différence fondamentale entre un Blanc et un Noir, sachez qu'elle n'est rien en comparaison de celle qui sépare un aveugle d'un voyant!

Laura a fait un geste rapide et instinctif, comme si elle repoussait une balle volant vers elle.

— Je crois qu'on peut arrêter là cette conversation, Maxime.

Ce type est jaloux; il voulait Laura et c'est moi qui l'ai; tout le reste est du bavardage. Il s'est tu et nous buvons en silence.

Et s'il avait raison? Même avant qu'il ne parle, je me sentais exclu, parce que je suis le seul à y voir... Peut-être, dans quelque temps, m'apercevrai-je que Laura est trop différente pour que je puisse la comprendre, peut-être un jour réalisera-t-elle qu'elle est à Maxime, que leur univers est le même. Elle sait qu'il est jeune, riche et beau... Bon Dieu, comment vais-je pouvoir lutter, moi qui suis vieux, pauvre, hépatique, et j'en passe?

— Vous mangez avec nous?

Le ton n'était pas engageant. Maxime s'est dressé.

— Non, je suis attendu.

Laura le frôle en le dépassant et ouvre la porte. Mon cœur bat; c'est en se quittant que les choses importantes se disent. Il sait que je l'entendrai, mais ce n'est pas cela qui va l'arrêter.

— A bientôt, Laura. Vous faites fausse route avec cet homme. Il représente pour vous le dernier lien avec la vision. Vous n'avez pas encore totalement rompu avec la lumière, alors qu'elle a rompu avec vous. Lorsque cela viendra, c'est vers moi que vous vous tournerez.

La porte a claqué. Elle est venue vers moi, je voyais ses lèvres trembler. Elle s'est appuyée, le front contre ma poitrine.

Ma voix n'était pas encore très assurée :

— Maxime Dracula est parti sucer le sang de quelques passants solitaires. Oublie cette visite.

Elle a hoché la tête. Je sais, Laura, on n'oublie pas ce que l'on veut, et il y a des mots qui ont été prononcés et qui pèsent si lourd qu'il me semble les entendre résonner encore dans la pièce. Elle murmure :

— C'est vraiment un malade, ce type...

Quelle graine pernicieuse cet homme vient-il de semer? Mais je serai plus fort. J'ai empoigné Laura par les épaules :

— Moi, Jacques Bernier, de par la grâce de notre Très Saint Père le pape et en obéissance à mon très gracieux suzerain, je viens vous offrir, Dame Laura, aide et assistance. Je vaincrai pour vous le puissant et très terrifiant prince des ténèbres; et tout d'abord, vous sur haquenée et moi sur palefroi, je vous propose dès mâtines sonnantes d'abandonner ces lieux.

Laura pose ses lèvres sur ma joue.

— Où veux-tu aller?

— Je n'en sais rien.

Elle a frappé dans ses mains comme un maquignon.

— La Belgique, dit-elle, Bruges! J'ai toujours voulu y aller.

— Y'a de la bière?

— Blonde!

— Des moules?

— Avec frites!

— Des carillons?

— En pagaille!

— Alors, on y va!

Chapitre V

— Je te jure que c'est plat comme la main. Il n'y a pas un chat, fonce droit devant.

Nous sommes à Ostende. Elle danse d'un pied sur l'autre.

— Forcément que tu vas gagner, dit-elle en s'accrochant à moi. Moi, ça fait quatre ans que je n'ai pas couru.

— Moi, ça doit en faire trente, alors on est sûrs de ne pas être surentraînés. Allez, le premier qui atteint l'eau.

— Il n'y a pas de baigneurs?

— Ils sont tous en train de manger à cette heure. Attention! un, deux, trois, partez!

Le sable fuit entre mes pieds, mes genoux montent et descendent en pistons. Laura file devant moi. Elle incline sa course sur la gauche, aucune importance, la plage est vide.

Je m'essouffle, elle a trois mètres d'avance, mes orteils collent de plus en plus au sol. Elle va gagner. Je m'arrache, j'ai repris un mètre, deux, je souffle comme un phoque.

Elle grogne et accélère comme si sa vie en dépendait. Je ne veux pas perdre, je la bloque par la taille en pleine course et je m'affale sur elle au ras des vagues courtes.

Le sable est mouillé et colle à la peau. Elle a un maillot deux pièces, noir. En m'y prenant à trois reprises, j'arrive à dire :

— Tu es très bien dans ce maillot.

— On se baigne ?

— On est venu pour ça.

Laura soulève ses pieds très haut.

— C'est quand même froid.

— C'est parce que tu n'es pas courageuse, j'ai déjà plongé.

— Tu parles que je vais te croire.

Il faut marcher loin pour avoir de l'eau jusqu'au ventre ; elle avance les bras en croix ; il semble que l'on pourra marcher toujours. Laura boxe le vide et réalise deux sauts de carpe.

— Ça a l'air d'aller, la santé ?

Elle me lance quelques injures et explique :

— J'ai pris l'habitude de mesurer mes gestes sans m'en apercevoir et, pour une fois que je suis sûre de ne pas renverser le plateau à thé ni de mettre le doigt dans l'œil de ma voisine, tu m'excuseras, petit bonhomme, mais j'en profite.

Pflaouf! Trempé. De ses deux mains en conque, elle m'a rabattu une trombe d'eau avec une précision stupéfiante.

C'est dur de courir dans l'eau ; on avance, pliés comme des canifs ; soudain, elle plonge et disparaît. Je rentre plus doucement et fais une brasse pépère, la nuque bien droite.

La revoilà sur ma gauche. Elle crawle en championne.

— Où es-tu ?

— Par ici.

Ses doigts m'agrippent et je me redresse. On a toujours pied mais l'eau nous arrive au milieu du torse. Lèvres salées, humides et chaudes, c'est un baiser de mer et d'été.

Nous sommes partis vers le large. Puis nous avons fait la planche pour récupérer. Je la voyais du coin de l'œil onduler doucement comme un bateau à l'ancre.

— Je ne sais plus où je suis, dit-elle. Je ne me repère que verticalement. Horizontalement, où que j'aille, je suis sûre de ne heurter nul obstacle ; il n'y a que la mer qui puisse offrir cela.

Nous avons repris le chemin de la plage ; elle traînait pour faire durer le plaisir. Dehors, un vent pointu m'a relevé chaque poil. J'avais oublié les serviettes et nous nous sommes couchés dans le sable, face au soleil. Je l'ai recouverte d'une poussière chaude et les grelottements ont cessé peu à peu.

Elle a fermé les paupières, sa main forme et reforme inlassablement le même tas de sable. Sur ma gauche, la première famille a surgi : parasols, sièges pliants, filets à crevettes. Il est temps de partir. Laura s'est levée.

— Où m'emmènes-tu manger ?

— Aucune idée, mais ce seront les meilleures moules de la mer du Nord.

Elle a hésité un moment, puis s'est avancée vers les vagues.

— Attends-moi, je vais faire encore un plongeon.

Seule à présent, Laura avance. Déjà la mer se brise autour de ses genoux. Je la regarde et j'ai une étrange impression. Depuis que je la connais, c'est la première fois que je la vois de loin. Tout ce qui est Laura disparaît; son sourire, son passé, sa façon de fumer, de boire, d'aimer, il n'y a plus qu'une femme qui s'enfonce peu à peu dans la mer, et c'est cela, je le sens, qu'elle est allée retrouver; n'être plus que cette joie primitive, un corps évoluant dans l'espace.

J'ai envie de la rejoindre, mais j'ai la même certitude qu'au café lorsque je ne lui ai pas tendu mon briquet : il y a des gestes qui ne sont pas à faire. Laura est partie seule et veut le rester en ce moment; la retrouver serait une maladresse. Elle revient, d'ailleurs; son buste émerge et la poussière d'eau s'irise autour de ses cheveux lorsqu'elle rejette sa tête en arrière.

— Ça va ?

Au son de ma voix, elle dévie légèrement sa route pour venir jusqu'à moi. Elle sourit.

La cabine sent le bois et la peinture, le sable reste collé à mon dos. Il y a un miroir cassé : j'ai attrapé un sacré coup de soleil. Je le dirai à Laura. Je ne veux pas tricher. Elle s'en apercevra de toute façon si ça pèle, et comme c'est parti, dans deux jours, ça pèle. Inutile donc de faire des cachotteries.

Elle m'attendait devant la buvette dans une jupe que je ne lui connaissais pas.

— Mais je ne l'ai jamais vue, celle-là !

Elle a pirouetté, comme à une présentation de mode.

— Tu n'as encore rien vu, j'ai emporté un pantalon mexicain qui soulève les populations.

On a monté la dune, les escaliers, et l'on s'est trouvés sur le front de mer. On est entrés dans un troquet en brique noire, qui sentait la saumure et l'eau de Javel; deux minutes après, on bâfrait comme des goinfres. J'ai pensé que j'avais encore oublié mes pilules.

Après, nous avons filé sur Bruges.

— Sur ma droite un moulin, construction en bois de style flamand.

— Les ailes tournent ?

— Non.

Vingt secondes de silence.

— Sur ma gauche, un autre moulin.

Pas de réponse. Je laisse passer dix secondes.

— Un autre moulin encore, plus grand que les deux autres.

— C'est le pays des moulins, dit-elle.

Au quinzième moulin signalé, Laura pose sa main sur mon genou avec beaucoup de délicatesse.

— Jacques, tu veux être gentil ?

— Certainement chérie, que puis-je faire pour toi ?

— Dis-moi exactement combien tu as vu de moulins depuis notre départ.

Je ricane longuement, puis laisse tomber :

— Aucun; les moulins, c'est en Hollande. Je t'ai drôlement eue, hein ?

Elle s'enfonce dans le siège.

— Pauv' mec, va !

Voici les premières rues et j'ai peur soudain. Jamais elle ne verra la splendeur des statues, le miroitement du soleil qui éclate sur l'or des colonnes et des balcons, jamais le reflet des palais sur la moire des canaux. Par quels mots pourrai-je traduire la ville somptueuse, figée en un geste de théâtre... Laura ! pourquoi es-tu privée de cette chanson de pierres ?...

Nous avons abandonné la voiture et, tout de suite, les carillons ont retenti. Il y a eu un envol de pigeons au ras de nos têtes. Elle a renversé son visage et a souri; j'ai su alors que je n'avais rien à craindre : Bruges existerait pour elle, elle existait déjà.

TROIS jours que nous sommes à Bruges et les heures coulent, coupées des musiques des cloches et des carillons. Nous buvons de la bière sur les terrasses, nous marchons dans les ruelles aux pavés ronds, nous rêvassons dans les parcs où passent de très vieilles dames en bas de coton et fichus sombres.

Nous avons nos habitudes déjà; nous mangeons dans un

restaurant italien; la serveuse sait que Laura est aveugle, elle s'en est aperçue le premier jour où la salière a été renversée. Depuis, elle lui apporte des plats énormes.

J'ai écrit à Anne. Cela doit faire dix mille ans que je suis parti et j'ai peur d'avoir oublié un peu la chair de ma chair. Je termine en la priant de faire mes amitiés à tous, en espérant qu'ils ont beau temps..., en fait, je ne sais pas très bien quoi leur dire. On ne m'a jamais appris à exprimer le bonheur.

— Jacques!

— Oui.

Elle trempe une biscotte dans sa tasse. Il est dix heures et elle n'a pas fini son petit déjeuner. On traîne, ce matin.

— Ça t'ennuie de me mener dans un magasin?

— Non, pourquoi?

— Je veux envoyer un cadeau à Édith. Je veux me faire pardonner, je l'ai quittée un peu brusquement.

— Qu'est-ce qui ferait plaisir à Edith?

— Une bague. Elle n'en met jamais mais elle adore en avoir.

Nous sommes sortis. Beaucoup de monde dans les rues. J'ai pris, lorsqu'il y a foule, l'habitude de la tenir serrée, un bras derrière ses épaules. Les gens nous frôlent en s'écartant.

Je m'aperçois d'une chose tout en marchant : c'est que, sans que rien n'ait jamais été convenu, il s'est élaboré un code entre nous. Par exemple, avant de descendre ou de monter un trottoir, je ralentis légèrement. Ma jambe se colle alors davantage contre la sienne et nous montons ou descendons ensemble, sans presque ralentir l'allure.

J'ai repéré une boutique à la mode, avec foulards indiens, manteaux afghans, colliers du Népal, le tout fabriqué dans la banlieue de Liège. Je guide Laura devant une sorte de vasque où s'entassent des bagues en vrac. Elle fouille dans le tas et conclut :

— C'est de la pacotille, il faut chercher ailleurs.

Nous sommes ressortis. Sous les arcades, il y avait des marchands de fleurs, un grand magasin à l'angle. Ça grouillait là-dedans, j'ai eu un mouvement de recul qui ne lui a pas échappé; elle m'a serré le bras plus fort.

— N'aie pas peur, je vais te guider.

On a pris les escaliers roulants.

— Je vais te faire un cadeau aussi, a-t-elle dit, qu'est-ce que tu veux?

Elle était heureuse ce jour-là, elle rayonnait.

— Mais je n'en sais rien, tu me prends au dépourvu...

Je l'ai pilotée entre les stands. On est arrivés devant les bagues. La vendeuse a de faux airs de lapin de garenne.

— Que désirent ces messieurs dames?

— Je voudrais une bague, un modèle sans pierre, quelque chose de gros et de géométrique en acier. Vous seriez gentille de me permettre de les toucher, je n'y vois pas.

Le lapin de garenne devient rouge et se jette sur des écrins avec une bonne volonté décuplée. Pourquoi a-t-elle rougi quand Laura lui a appris qu'elle était aveugle? Mystère de l'âme humaine. Elle regarde les doigts de Laura courir sur les bijoux.

— Pas mal celle-là, qu'est-ce que tu en penses?

Sur l'anneau, deux cubes d'acier s'emboîtent. L'ensemble masque la première phalange. Laura l'a passée à son doigt.

— Ça brille?

— Non, les reflets sont mats.

Elle pousse un soupir, sa main revient vers un entrecroisement de sphère et de losange, puis l'abandonne.

— Je prends la première, je la préfère.

— Laquelle tu aurais préféré pour toi?

— La même. Je prends toujours pour Édith les bagues que je préfère pour moi.

Je me tourne vers le lapin de garenne dont le nez n'a cessé de tressaillir.

— Vous m'en mettrez deux.

— Je suis follement émue, dit Laura, est-ce que la deuxième serait pour moi?

— Formidable, dis-je, tu as deviné du premier coup. Le contact de ta hanche me trouble profondément.

Le lapin de garenne marque nettement le coup; sa mâchoire inférieure tombe puis se relève avec peine. Elle part faire des paquets-cadeaux.

— Je n'aurais pas dû te laisser faire, dit Laura, tu n'auras jamais assez de ta paye de p'tit prof avec une croqueuse de diamants comme moi.

— Ne t'inquiète pas! J'avais réussi à constituer un petit pécule dissimulé sous mon matelas, avec lequel je pensais m'acheter un toit de chaume pour abriter mes vieux jours. Eh bien tant pis, je finirai à l'hospice!

La vendeuse est revenue avec deux paquets entourés d'un papier vert mordoré. On a payé et Laura a pris mon bras.

— Et maintenant, dirige-moi vers le rayon des hommes.

Le ton était autoritaire, il n'y avait pas à discuter. Elle a alors commencé un ballet tactile et rapide, touchant les chemises, tâtant les pull-overs, virevoltant autour des présentoirs.

— Ce qu'il te faut, c'est d'abord un col roulé.

— Mais enfin, on est en juillet et...

— Et ici les soirées sont fraîches; dès qu'il y a un coup de vent, tu claques des dents. Tu crois que je ne m'en aperçois pas?

— Bon, admettons, mais j'ai ma veste.

— Justement j'en ai marre de ta veste, avec un pull, tu feras un peu sportif.

— Mais je ne suis pas sportif!

Elle ne m'a même pas entendu; ses doigts palpaient un modèle qu'elle m'a plaqué sur la poitrine.

— Celui-là doit aller, tu vas l'essayer.

J'entrevois brusquement toutes les affres des cabines d'essayage et trouve un subterfuge.

— Surtout pas, il est affreux, il y a des carreaux jaunes, verts et bleus, c'est horrible.

Elle grommelle et, brusquement, une vendeuse apparaît.

— Je peux vous être utile en quelque chose?

Un sourire machiavélique distend lentement les lèvres de Laura et elle susurre :

— Mademoiselle, le pull-over que je tiens à la main en ce moment, de quelle couleur est-il?

La vendeuse ne semble pas du tout suffoquée, elle doit en entendre d'autres, aussi est-ce avec un naturel parfait qu'elle répond :

— C'est écrit sur l'étiquette, madame, il est gris.

Silence. Je tousse avec beaucoup de discrétion.

— Merci, dit Laura, mais je me permets d'insister : vous êtes sûre qu'il n'est pas à carreaux verts, bleus et jaunes?

— Non, madame, il n'y a que de l'uni dans ce modèle-là.

Laura se retourne vers moi.

— On se croit malin, hein?

Je fouille dans la pile et en extrais un marron.

— Celui-là est marron, je préfère.

Et me voilà dans la cabine. Comme toujours, le rideau ne

ferme pas entièrement, toujours cet interstice. Je passe le pull-over et me regarde.

Pas mal du tout. Je ressors, pectoraux gonflés, ventre rentré. Laura me palpe, tire sur la laine et s'inquiète, maternelle :

— Tu n'es pas gêné sous les bras ? Ça ne serre pas trop ?

— Non, non, parfait.

— On le prend. A présent on va s'occuper des chemises.

Je reste interloqué.

— Mais j'en ai, des chemises !

— Non, dit Laura, j'en ai assez de te savoir en chemise blanche. Je vais te choisir quelque chose de plus gai. Mène-moi au rayon.

Là, j'ai dû tendre mon cou, que les mains moites d'une troisième et athlétique vendeuse ont cerclé d'un mètre en ruban. Elle m'a aussi mesuré la longueur des bras car les Belges font les choses très sérieusement.

En ce qui concerne la longueur des bras, la vendeuse a fait remarquer qu'elle les trouvait très longs, ce qui m'a refroidi.

— Vous ne vous êtes pas aperçue que lorsque je marche mes mains traînent par terre ?

Elle est partie d'un hennissement qui a fait trembler les vitres du magasin. Une trentaine de personnes se sont retournées.

Laura s'est décidée pour trois chemisettes d'été : une marron (j'ai tenu bon pour en avoir au moins une sobre) et deux autres extrêmement bariolées. Je me vois arriver au lycée avec ça ; les gosses vendraient des places pour mieux contempler le spectacle. En passant devant le rayon des tee-shirts, j'ai dit :

— Tu sais ce qui me ferait plaisir ? C'est d'avoir un tee-shirt avec écrit dessus « I love Mickey Mouse ».

Ses doigts ont serré les miens plus fort.

— On est au rayon des tee-shirts ?

Là, j'ai paniqué sérieusement ; j'ai vraiment cru qu'elle m'en achèterait un. Elle en a bien acheté un d'ailleurs, mais pour elle. Elle l'a gardé, il était noir et vert et la moulait splendidement. Cela la rajeunissait et elle est venue vers moi avec un sourire de dix-huit ans, comme si j'en avais eu vingt et que nous nous soyons retrouvés, seuls, à l'un de ces rendez-vous d'amour sur les bords d'un canal flamand. Elle était ainsi, Laura ; c'est peut-être parce qu'elle n'y voyait plus qu'elle était capable de s'abstraire de la foule, et je sais que lorsqu'elle m'avait souri en cet instant, le magasin avait disparu et elle était là, m'attendant près du canal.

Revenue sur terre, elle m'a à nouveau empoigné le bras.

— Viens, j'ai encore quelques petits achats à faire.

Elle semblait prise d'une frénésie de dépense; nous montions et descendions les étages comme des ludions dans un bocal. J'ai demandé grâce le premier.

— Je crève de soif, si je n'ai pas bu dans un délai de trois minutes, j'expire.

Nous sommes sortis, les bras chargés, et sommes allés nous écrouler au milieu des paquets dans un salon sélect près du pont de Flandres. A travers le verre cathédrale des fenêtres, on distinguait le faîte des palais de l'autre côté de la rive. J'ai éclusé ma bière d'un coup et j'ai contemplé l'amoncellement de nos achats. Il y avait des disques, un pot à tabac en porcelaine pour Simon, un grand foulard pour une amie que je ne connaissais pas, un blouson de daim pour elle — une affaire exceptionnelle, paraît-il — des collants, mon pull, mes chemises, dix paires de chaussettes. L'énormité de ce chiffre m'avait complètement sidéré lorsqu'elle l'avait lancé à la vendeuse.

— Mais pourquoi dix?

— Parce que c'est plus pratique que de laver ton unique paire tous les soirs dans le lavabo de l'hôtel.

J'avais tenté d'expliquer que j'opérais ainsi depuis une bonne vingtaine d'années, mais peine perdue; j'avais mes vingt chaussettes nouvelles. Cette femme bouleverse décidément ma vie.

Elle boit; ses yeux brillent et elle s'essuie les lèvres d'un revers de main, comme un gosse mal élevé.

— On s'est bien amusés, hein?

— Oui, Laura, oui.

On s'était bien amusés.

Il est possible qu'il ne fasse pas si beau demain, le ciel de cette nuit se charge de violines épaisseurs vers la mer. Il n'y a plus personne dans la rue, le canal reflète de moins en moins le ciel qui se cartonne.

Ce café est morne. Laura bâille et je bâille. C'est un de ces moments comme il en arrive parfois; il semble que la vie a le coup de barre et qu'avant de repartir elle récupère un peu. Tout est calme et triste. Inutile de tenter de relancer une conversation, elle tomberait à plat.

— Tu veux rentrer?

— Si tu veux.

Elle non plus ne fait pas d'effort, elle doit savoir également que cela ne servirait à rien. Elle ajoute à mi-voix :

— Je suis sûre que ce troquet est sinistre, il doit y avoir des cadavres plein la cave.

Nous sortons. La paume de Laura passe sur mon pull-over.

— On a chaud avec ça, jeune homme?

Il est vrai que je ne le quitte plus. Il souffle sur les quais un vent qui sent son mois de novembre.

— Bon Dieu, grelotte Laura, quel pays! J'aurais dû mettre mon blouson.

Il y a une affiche de cinéma contre le mur, mais l'éclairage est insuffisant et je lui lâche la main une seconde pour m'approcher tandis qu'elle continue.

Ils jouent un policier américain; c'est peut-être à voir.

C'est à ce moment qu'il y a eu un cri.

Ils étaient tous les trois sous le réverbère : le type, Laura pétrifiée et le gosse, par terre. Le type s'est baissé vers l'enfant et, avant de vérifier s'il avait mal, il a levé la tête.

— T'y vois pas clair, non?

Je me suis avancé vers eux, j'ai entendu Laura dire :

— Non, je n'y vois pas clair.

Je savais déjà qu'elle ne dirait pas qu'elle était aveugle; c'était à cet homme de le comprendre et pas à elle de le dire. Il a remis le gamin sur pieds d'une traction du bras. C'était un costaud, rageur, avec une tête de fromage de Hollande; il n'a pas compris que nous étions ensemble; il m'a fait un clin d'œil et s'est tourné vers elle :

— Tu peux faire la pute le long du canal, mais la prochaine fois, fais attention où tu mets les pieds.

J'ai eu tort, mais c'est sorti plus vite que je ne le pensais :

— Elle est aveugle, espèce d'abruti.

J'ai crié trop fort, ou ma voix tremblait, ou il n'a pas voulu comprendre; en tout cas il n'a retenu que l'insulte.

— Répète voir comment tu m'as appelé?

Il a mis sa main en cornet derrière son oreille, avec un air de bêtise matoise, sûr de son droit et de son poids; il savait déjà qu'il me rendait vingt kilos.

Ça a fini de m'exaspérer tandis qu'il insistait :

— Comment tu m'as appelé? Espèce de quoi?

J'ai senti la peur me submerger, j'ai eu une envie folle de détaler et je me suis entendu dire :

— J'ai dit : espèce d'abruti.

J'ai pris le coup dans l'épaule, Laura s'est jetée vers moi, il y a eu une trouée avec la tête du type au bout et j'ai balancé le bras au hasard; j'ai cru que mes phalanges explosaient. Il a reculé d'un bon mètre et j'ai vu le sang couler de son nez. Il a dit :

— Je saigne. Va chercher la police, Marcel.

Laura s'est élancée vers la voix, ses doigts me serraient le poignet à me faire mal, je tremblais comme une feuille.

— Je vous dis que je suis aveugle, imbécile, aveugle, vous croyez que je l'ai jeté par terre exprès, votre gosse?

Il soufflait dur et réfléchissait avec difficulté. Il me semblait voir les idées grincer dans son crâne, se forer un chemin avec peine; finalement il a dit :

— Il m'a fait saigner, faut que ça se paye.

Il a avancé sur moi et, en même temps, j'ai vu des gens sortir d'un café de l'autre côté de la rue; j'avais quelques secondes à tenir.

J'ai reculé avec Laura cramponnée à moi. J'ai touché du dos le mur et là, j'en ai eu assez; j'avais à me défaire de quarante années de défaite, je ne pouvais pas supporter que Laura sache que j'étais à deux doigts de crever de peur, je devais m'affronter à cette stupidité têtue et prétentieuse.

J'ai secoué Laura et foncé, et j'ai dû le toucher encore car il a gémi. Puis j'ai senti le sol qui montait vers moi et ma joue a touché le gravier. Il y a eu une cavalcade et j'ai vu des jambes de pantalons, des gens parlaient en flamand; je me suis relevé. Laura s'expliquait avec deux hommes. Je sentais des bouts d'émail qui crissaient sous mes dents comme des écailles d'huîtres au réveillon de la Noël. J'ai marché vers elle et nous sommes partis. J'avais conscience que tous nous regardaient.

La lumière de la chambre m'éblouit; je m'assois, les jambes molles, mes mains tremblent toujours un peu. C'est surtout la partie gauche de la mâchoire qui me fait mal. Laura presse doucement un gant de toilette contre ma joue. Elle murmure :

— Aussi pourquoi lui as-tu dit qu'il était abruti?

— Ça m'a paru être la vérité.

Elle me retrousse la lèvre et appuie sur mes dents.

— Il n'y en a pas qui bougent?

Elle a l'air si soucieuse que cela me donne envie de rire.

— J'ai une couronne qui a sauté, mais ça va. Tu aurais pu me prévenir qu'il avait un marteau-pilon dans la manche.

— Tu as eu une sacrée chance. Couche-toi, je vais te faire une compresse.

Je m'étends sur le lit tandis qu'elle entre dans la salle de bains. J'ai vu ça dans pas mal de films policiers : le héros beau garçon et bagarreur qui se fait soigner ses ecchymoses par une super pépée chavirée. Eh bien, cette fois, le héros, c'est moi.

Oui, mais d'habitude, le héros est vainqueur. Or, ce soir... Je lui ai quand même allongé un direct qui n'était pas piqué des vers, c'est une chose à ne pas perdre de vue.

— Laura... C'est dommage que tu n'aies pas pu voir ce que je lui ai mis, j'ai réussi un contre d'une rare efficacité; c'est un coup qu'affectionne Carlos Monzon; il le réussit rarement.

— Qui est Carlos Monzon?

— Un boxeur. Un champion du monde.

Elle revient avec un autre gant de toilette. Le gant chaud contre ma joue semble tirer toute la douleur vers lui, c'est agréable. Je commente le combat :

— Il a avancé sur moi comme une montagne de muscles, j'ai très scientifiquement guetté l'ouverture et, quand il a baissé sa garde, plaf! un direct foudroyant.

Laura rit. Il y a encore un peu de nervosité dans sa voix, mais la détente s'est amorcée.

— Je te croyais du genre non violent, qu'est-ce qui t'a pris?

Je ricane méchamment.

— Tu veux rire, je suis un cogneur-né, il a eu une bonne idée de s'enfuir parce que je l'aurais réduit en poudre.

Elle se frotte la hanche et grimace.

— J'ai dû lui faire mal à ce gosse; il devait courir, j'ai failli tomber avec lui. Le type avait un peu raison de se mettre en boule; c'est vrai que lorsqu'on n'y voit pas, on ne se balade pas toute seule dans la rue.

— Tu n'étais pas seule, j'étais à trois mètres; tu as quand même bien le droit de te balader, tu n'es pas un danger public...

— La preuve que si... Et puis j'ai eu peur; tout, autour de moi, est devenu plein de dangers... Au début de ma cécité, j'avais souvent ce cauchemar d'être sur une route avec des voitures qui passaient à toute allure; il y avait des hurlements de pneus et de klaxons... (Elle s'est mise à trembler, elle s'est crispée aussitôt pour ne pas le laisser voir et a écarté ma main de son bras.) Tu vois, une aveugle n'est jamais très solide. Un incident et elle craque.

Je ne savais plus quoi faire; pour la première fois, je l'ai vue comme une infirme, infiniment fragile, livrée à des dangers multiples. Pour Laura, un rebord de trottoir, un escalier, un chat, tout pouvait être mortel. Je lui avais ôté ma protection quelques secondes, et cela avait suffi pour qu'elle soit projetée dans la réalité de sa condition.

— Je n'aurais pas dû te laisser seule sur ce trottoir...

Violemment, elle lance :

— Tu as bien le droit d'aller lire une affiche.

J'ai haussé la voix :

— Je ne vois pas pourquoi on s'engueule, on est tombés sur un salaud d'abruti qui cherchait la bagarre, c'est le genre de chose qui arrive à tout le monde dans la vie.

En même temps qu'elle s'est mise à rire, ses larmes ont jailli. Elle avait de longs sanglots, réguliers et sonores. On s'est étreints comme des fous et je suis allé lui chercher un gant de toilette pour le lui passer sur le visage.

— Économise-le, on en a fait une belle consommation.

J'ai senti que la crise était passée. J'ai fait le pitre dans la chambre, j'ai mimé tout un combat de boxe en bruitant les hurlements de la foule, le choc des coups, le gong, les conseils de l'entraîneur. Et puis, il y a eu tout à coup une pétarade contre la cloison; les clients d'à côté n'avaient pas l'air enchantés d'entendre une retransmission d'un combat à une heure du matin. Laura a retrouvé son calme et a murmuré :

— Ce ne sont pas des sportifs; il faut dormir.

Nous nous sommes couchés. Je la sentais calme, détendue, l'incident était clos. Et soudain elle a dit :

— Et si l'on changeait de secteur?

— Si tu veux.

Elle a paru hésiter.

— On revient sur Paris?

— D'accord! Cap sur la capitale.

Elle m'a embrassé sur le front.

— Bonne nuit, Laura.

— Bonne nuit, Carlos Monzon.

Chapitre VI

Les trompettes éclatèrent et le prince parut. Il fit quelques pas et saisit l'une des mains de la reine. Sa voix s'éleva, métallique, infléchie sur les syllabes terminales.

« J'ignorais que vous fussiez ici. »

Elle se cambra et ses ongles écarlates semblaient vouloir lacérer la moire du corsage.

« Quelle erreur, Gregor, ou plutôt quel mensonge! C'est un ordre signé de votre main qui m'oblige à rester en ce funeste lieu et à paraître à vos yeux. »

Laura soupire. Je me penche vers elle et chuchote :

— Tu veux qu'on s'en aille?

— Chhhhut!

Nous nous taisons. Le type derrière nous n'a pas l'air commode. Il ne veut pas perdre une miette du spectacle. Ce doit être un abonné. Sur la scène, l'explication continue; elle a l'air vraiment en colère.

« ... Prenez garde, si le peuple en vient à connaître vos desseins, craignez qu'il ne vous fasse payer votre vilenie! »

Gregor marque le coup, sa main tripotant son poignard.

« Tu as raison, Reine, rugit-il, il n'est plus temps de feindre. Gardes, saisissez-la! »

La reine tutoyée tend un bras crispé vers son tourmenteur.

« Dieu te jugera, Gregor, et lorsque sonnera l'heure de ta mort, elle annoncera pour toi une éternité de tourment. »

Rideau. Petite pluie d'applaudissements. On doit être une quinzaine dans la salle. Il y a encore deux actes, je n'ai pas l'impression que nous tiendrons jusqu'au bout. Les rares spectateurs se regardent les uns les autres avec suspicion; chacun se demande comment les autres ont bien pu avoir l'idée saugrenue d'être là ce soir.

Nous traversons le foyer du théâtre; au bar, un unique client contemple son verre avec résignation.

— On y retourne?

Laura n'a pas l'air très enthousiaste.

— Si tu y tiens, mais j'aime autant partir.

Dehors, il faisait bon, le néon illuminait le feuillage des marronniers; nous avons descendu le boulevard comme un vieux couple de Parisiens. Il y avait un kiosque de fleuriste ouvert. Au milieu des œillets et des roses, il y avait une ardoise : « Demain 25 juillet - Saint Jacques. »

Ce qui m'a frappé, c'est que cela faisait trois semaines que nous vivions ensemble, Laura et moi; cela me parut invraisemblable sur le moment, j'aurais juré que nous avions quitté Menton depuis moins d'une semaine.

— Tu sais quel jour nous sommes?

— Oui, vendredi 24.

Deuxième surprise : ainsi, elle n'avait pas, comme moi, perdu tout contact avec la réalité. Je n'ai pas pu m'empêcher de lui en faire la remarque.

— J'étais persuadé qu'entraînée par ta folle passion pour ma personne, tu avais oublié la fuite des jours.

Elle n'a pas répondu tout de suite; nous avons continué à marcher le long des vitrines illuminées. Brusquement elle a dit :

— Si je sais que nous sommes le 24, c'est parce que je sais aussi que le 31 je dois être à New York.

Quand un homme reçoit un choc, on lit souvent dans les romans : « Tout se mit à vaciller autour de lui » ou bien : « Brusquement les lumières s'éteignirent. » Eh bien, moi, pas du tout; la statue de la place Clichy ne bougea pas d'un centimètre et les ampoules électriques ne faiblirent pas. Il n'y avait qu'une chose qui avait changé, c'était l'avenir; dans sept jours, Laura ne serait plus là. Voilà tout.

C'était vrai qu'elle avait sa vie propre, ses amis, son métier. Elle était aveugle, mais elle restait jeune, jolie, intelligente, et il y avait des millions d'hommes dans le monde. Au fond, qu'est-ce que nous avions fait durant trois semaines? Nous nous étions mutuellement aidés à passer des vacances qui s'annonçaient quelconques et nous avions fait quelque chose de bien; mais ce n'était sans doute pas suffisant; la vie n'avait pas commencé pour elle à la minute où elle m'avait rencontré.

— Tu ne dis plus rien...

Elle m'a dit un jour que l'on ment difficilement à une aveugle. De toute manière, je n'en ai pas envie.

— Je pensais à ce départ. Pourquoi ne m'en as-tu pas parlé?

— Parce que c'était inutile. Quand on vit en comptant les jours, on ne vit plus aussi bien; je ne voulais pas que tu te réveilles chaque matin en pensant : « Plus que quinze jours, plus que huit... »

Je me suis éclairci la gorge.

— Et comment tu vas y aller, aux Amériques?

— J'y vais avec Édith. On m'a offert de participer à la direction d'un institut de psychologie.

— Et... c'est intéressant?

— Je n'en sais rien. J'y vais pour faire un stage et pour me rendre compte. Je ne suis pas forcée d'accepter, bien sûr.

— Bien sûr.

Elle s'est arrêtée brusquement et a pointé le doigt devant elle, en direction de la place Blanche.

— Écoute...

Il y avait des grondements, des klaxons, tout un enchevêtrement de cris et de musique. Plus proche, une chanson a éclaté :

Aime-moi, Aime-moi
Quand je suis dans tes bras
Je dis : Oh ! la la la la la...

Laura a souri et, pour la première fois peut-être depuis que je la connaissais, ce n'était pas un vrai sourire.

— La fête, a-t-elle dit.

J'ai fait un effort moi aussi.

— Tu veux y aller? J'ai des sous.

— D'accord!

On a plongé dans la foule; l'air sentait la gaufre, le nougat et le caramel. Il y avait du monde devant les « mille et une nuits de l'Orient ». A côté, c'était la baraque des lutteurs. Laura a voulu s'arrêter pour écouter le boniment. Il y avait trois mastards sur l'estrade; un nerveux maigriot qui s'agitait frénétiquement en boxant dans le vide, un gros apathique mollasson à peau de panthère qui s'appelait « l'Etrangleur des Rocheuses »; le dernier était tout en rouge avec cagoule et collant.

Laura se penche vers moi.

— Tu ne veux pas relever le gant, toi qui as un direct du droit si terrible...

Je n'ai pas entendu ce qu'elle a ajouté dans le vacarme des montagnes russes; les haut-parleurs vibraient à mort, couvrant les cris des femmes et des gosses lancés à toute allure sur les collines de fausse neige.

On a acheté des cacahuètes, un rouleau de réglisse. Au cœur des spires noires et sucrées il y avait une petite perle de sucre rose. Je mâchais le rouleau avec délice et, comme nous arrivions devant les fauves du professeur O'Brien (lions du Tanganyika, gorilles de la forêt équatoriale, tigres du Bengale), je me suis décidé à lâcher :

— Ça ne te dirait rien de te marier?

Décortiquée, la cacahuète roulait doucement sur la paume de sa main. Elle a levé le bras et l'arachide a monté jusqu'à ma bouche; je l'ai attrapée avec les dents et Laura a posé sa tête contre mon épaule; nous sommes partis ainsi, à travers les flonflons, les explosions, les cris, les rires et les chansons.

Il restait sept jours.

NOUS n'avons plus reparlé de mariage; ces derniers jours ont passé trop vite, et maintenant elle part après-demain par avion pour Nice. Je la conduirai à Orly, Édith la réceptionnera, tout est réglé comme du papier à triste musique.

Hier soir, nous avons reçu. Simon était notre invité. Je m'entends bien avec lui. C'est un homme très doux et très bon, comme tous ceux qui ne sont pas des imbéciles. Nous avons beaucoup parlé littérature. Je me suis surpris à me trouver parfaitement à l'aise; je ne sentais en moi nulle pitié, nulle supériorité, ce sont des sentiments que j'ai oubliés.

J'ai compris, un moment, lorsque nous nous sommes retrouvés seuls tous deux, qu'il aurait aimé me parler de Laura; je savais qu'il éprouvait une inquiétude amicale au sujet de notre couple; Laura est revenue aussitôt, la conversation a changé et je l'ai regretté. Si nous nous marions un jour, j'irai quêter auprès de Simon des conseils. Il doit savoir sur le monde des aveugles bien des choses que j'ignore; il doit savoir, entre autres, s'il est possible pour elle et pour moi de continuer ensemble. Nous avons réussi à être heureux vingt-trois jours, peut-être ne faut-il pas espérer davantage?

— RETOURNE-TOI et admire.

Je pivote sur ma chaise. Elle est debout, au milieu du salon, avec ses verres fumés, une canne blanche à la main. Je reste sans répondre, un peu secoué, je ne l'ai jamais vue ainsi. Il me faut quand même dire quelque chose.

— Je ne savais pas que tu avais la panoplie complète...

— Édith voulait que j'aie un chien dressé spécialement; je ne vois pas très bien où je l'aurais fourré, dit-elle en riant.

— Tu prends la canne quelquefois?

— Quand je sors seule, mais c'est très rare. Il y a trois ans, je la prenais. C'était la mode des jupes courtes; j'en portais et j'ai entendu une femme dire : « Quand on est aveugle, on s'habille décemment. » J'ai l'impression, quand j'ai ce bâton à la main, qu'il m'impose un certain comportement... C'est difficile à expliquer... les gens attendent de nous que nous soyons sérieux et tristes, sinon ils se sentent choqués; un aveugle qui rit leur semble un faux aveugle.

Je me suis demandé pourquoi elle se montrait à moi avec ces symboles évidents de son état; elle voulait peut-être me persuader qu'elle était aveugle avant d'être femme?

Elle a palpé mon bras et effleuré ma joue d'un même mouvement.

— Dix heures et demie, encore en pyjama et pas rasé, vous êtes un fainéant, Bernier, un individu sans ressort.

J'ai senti ses doigts sur mon front puis sur mes paupières. Je les sentais passer et repasser sur mes yeux et elle a craqué d'un coup. Le sanglot est venu comme une toile tendue que l'on déchire d'un revers de sabre. Laura n'est plus à présent qu'une femme qui pleure, roulée en boule sur le tapis, et je ne sais comment m'y prendre pour l'apaiser, pour arrêter tout ce malheur soudain déversé...

— Laura, calme-toi... qu'y a-t-il?

Peu à peu, elle s'est apaisée; de longs tressaillements la secouaient encore comme les dernières secousses d'un séisme qui s'éloigne. Sa tête au creux de mon bras, elle parle :

— Ne fais pas attention, cela m'arrive parfois.

— A quoi était dû ce désespoir?

Sa voix résonne et je comprends que ce qu'elle va dire sera important, et pour moi, et pour elle :

— J'ai toujours été gaie jusqu'à présent, mais je ne voudrais pas que tu crois que cela m'a été toujours facile et que je suis toujours ainsi. Je t'ai donné le plus possible l'impression de traiter mon infirmité comme quelque chose qui ne comptait pas et que l'on pouvait surmonter. Or, je vais te dire une chose, Jacques : on ne surmonte jamais une chose pareille, tu entends, jamais.

Elle crie le dernier mot et je reste devant elle, bouleversé et inutile. Sa voix se brise à présent.

— Je travaille, je joue avec toi, je fais l'amour, je ris, mais il y a une chose que je n'oublie jamais, à aucune seconde, c'est qu'il y a quatre ans... je voyais encore.

J'ai vu ma tête dans la glace; j'étais plus blanc que ma chemise. Un instant, je me suis demandé si tout, depuis le début, n'avait pas été un énorme mensonge; elle avait fait semblant de rire, semblant de m'aimer, semblant d'être heureuse.

— Tu m'as demandé l'autre soir de t'épouser, poursuit-elle. Il faut au moins que je te prévienne honnêtement que Laura, ce n'est pas une nana rigolote qui est aveugle mais qui s'en fiche pas mal; un aveugle qui se fiche de l'être, ça n'existe pas.

— Mais...

— Laisse-moi poursuivre. Laura, c'est une fille qui crève de douleur et de rage les trois quarts de son temps et qui, le reste, donne l'impression d'avoir trouvé son équilibre. Je vais t'avouer une chose, Jacques; lorsque je me suis baignée, à Ostende, la deuxième fois, ce matin où j'étais pleinement heureuse, eh bien, à un moment, j'ai pensé nager vers le large et me laisser couler. Pourtant je t'aime...

Elle a hoché la tête, incapable peut-être de traduire en mots cette chape monstrueuse qui s'était interposée entre le monde et elle.

— Maxime, plus qu'un autre, a réfléchi à son problème; et lui, il a trouvé sa solution : il a coupé les ponts avec les hommes auxquels la lumière est donnée. Il n'a plus rien à faire avec eux. J'ai trouvé longtemps sa position excessive; je me demande parfois s'il n'est pas le seul à être dans le vrai.

J'ai pris une cigarette. Mon index tremblait, jaune de nicotine. Je devrais essayer sérieusement de moins fumer.

Elle s'est assise, le menton sur ses genoux, les bras autour des jambes, le visage encore barbouillé de larmes.

— Tu ne dis rien...

— C'est que c'est plutôt dur d'en placer une quand tu commences à prendre la parole.

Au coin de sa bouche, il s'est formé comme un embryon de

sourire. C'était bon signe. J'ai eu le trac soudain; on avait pris cette habitude de toujours prendre tout à la rigolade, et voilà que, tout d'un coup, il allait falloir s'expliquer. J'ai pu finalement articuler :

— Figure-toi que je me suis tout de même douté qu'être aveugle n'était pas quelque chose de folichon. On a passé un mois ensemble et il m'a semblé que l'on pouvait aller plus loin que ça. Je t'ai proposé de nous marier parce que je suis resté un peu traditionaliste, mais si tu n'y tiens pas, ce n'est pas grave; ça m'obligerait d'ailleurs à acheter un costume, à inviter le proviseur... Je voulais seulement te dire ceci : je ne sais pas si c'est possible pour une aveugle et un voyant d'être réellement heureux ensemble. Ce que je crois possible, c'est que Laura Bérien et Jacques Bernier puissent l'être.

Laura hausse une épaule.

— Tu te sens vraiment une vocation de garde-malade...

Je hurle :

— Tu m'as dit ce que tu avais dans la tête, ne viens pas examiner ce qu'il y a dans la mienne!

— Ne crie pas, la dame du premier va monter.

— Tu ne m'arrêteras pas, Laura. Cette fois, je suis lancé et je dirai ce que j'ai à dire.

Je me suis mis à genoux devant elle, j'ai pris son visage dans mes mains, et j'ai parlé, longtemps. J'ai fait un vrai discours fleuve, comme à la distribution des prix.

— Et puis, je deviens vieux, j'en ai assez d'être seul, des œufs sur le plat et de la vaisselle de huit jours; si je t'ai demandé de m'épouser, c'est parce que ça me faisait envie à moi, et c'est tout. J'ai envie de t'épouser. Ne va pas chercher plus loin; si tu me dis oui, je serai content; si tu me dis non, eh bien... eh bien, merde!

Elle a un petit rire tendre.

— Tu ne te jetteras pas dans la Seine?

J'ai ri aussi et levé la main droite.

— Juré.

Elle a rêvé un moment et a posé sa main sur mon bras.

— On a peu de temps avant mon départ...

A ma montre, il était midi et demi; demain, à cette heure, nous partirons pour l'aérodrome.

— Il reste vingt-quatre heures, Laura. Une éternité.

J'Y vois mal avec ce grand type à casquette, juste devant; il me cache le tournant.

— Ça y est, les voilà!

On aperçoit l'éclair des casaques derrière la haie, sous les taches de soleil. Laura enfonce ses doigts dans ma manche. Le grondement du galop se rapproche, Laura piétine.

— Tu le vois?

Juste à cet instant, je l'aperçois; le jockey est debout, les fesses plus haut que la tête; il cravache à tour de bras.

— Il est troisième, il rattrape tout, il va doubler, ça y est, il double, il a doublé!

Les mottes de gazon volent et la terre tremble lorsqu'ils passent devant nous.

— Il gagne? rugit Laura.

Je me penche, à la limite de l'équilibre.

— Oui, ça y est, ça y est, c'est lui!

Je l'empoigne, elle rit aux anges, là-bas les chevaux continuent. On ne va pas ramasser un gros paquet, mais enfin, ça fait toujours plaisir.

Le grand à casquette s'est retourné :

— Vous excitez pas, y'a encore un tour.

Ça, c'est la douche froide. Laura demande :

— Vous croyez que le 6 a des chances?

Le bonhomme la regarde, me regarde, et une expression d'étonnement amusé transparaît nettement dans ses yeux.

— Le 6? C'est le roi des tocards. Pourquoi vous l'avez joué?

Pas la peine d'essayer de l'impressionner; ce gars-là a l'air d'être né au P.M.U. Avec le respect de l'amateur pour le professionnel, je confesse :

— On joue le 6 depuis la première.

Il secoue la tête avec une infinie commisération.

— Vous venez souvent aux courses?

Laura confesse avec contrition :

— Jamais, c'est la première fois.

Je me hausse sur la pointe des pieds.

— Attention! les revoilà!

Sans un mot, l'homme à la casquette me tend les jumelles.

— Alors, dit Laura, qu'est-ce qu'il fait, ce tocard?

Où est-il, ce fichu 6? Je parcours la ligne du peloton, très étirée, impossible de le découvrir. Bon Dieu! c'est pas possible, il y a, tout là-bas, un canasson en détresse dont le jockey rame comme sur un radeau en perdition. J'ai reconnu la casaque vert pomme; c'est lui. Je rends les jumelles.

— Il a un demi-tour de retard, dis-je à Laura, on dirait qu'il avance à reculons.

Elle déchire les tickets avec mélancolie et murmure :

— Il est parti trop vite, il n'avait plus de réserves.

L'habitué ricane :

— Même s'il partait au petit trot, il serait crevé à l'arrivée; c'est pas sa faute, il a de l'asthme. Tous les jockeys vous le diront, quand il tousse à Auteuil, on l'entend à Chantilly.

Laura rit.

— Pour une fois qu'on joue, on mise sur un asthmatique. Vous n'avez pas un tuyau pour la prochaine?

— Vous en ferez ce que vous voudrez, dit l'habitué, mais personnellement, je vois le 7 gros comme la tribune.

— Merci, dit Laura.

Elle lève sur moi un œil suppliant.

— On joue encore une fois, la dernière.

Je l'admoneste avec sévérité :

— Je savais que tu m'entraînerais à la ruine; tu es possédée par le démon du jeu et tu n'auras de cesse que de me voir acculé au vol et au meurtre pour subvenir à tes besoins dispendieux. Combien de banquiers se sont-ils suicidés après que tu les eus réduits à la faillite?

— On peut quand même essayer le 7? Tu as entendu ce qu'il a dit...

— N'essaie pas de m'enjôler. Je t'offre un demi.

Peu de monde à la buvette. J'ai installé Laura devant son verre et je suis allé jouer le 7 dans la quatrième, le 8 dans la cinquième, le 9 dans la sixième. Comme ça, nous sommes parés.

La bière est glacée et mousseuse; on est bien dans ce coin-là. Il fait beau et il n'est que quatre heures. Mais je ne dois pas regarder ma montre. Il y a une odeur de gazon presque champêtre qui flotte dans cet après-midi d'été.

C'est venu drôlement cette idée d'aller aux courses. Elle avait envie de se retrouver dans l'herbe, mais à Paris, ce n'est guère facile. J'ai suggéré le bois de Vincennes et, en passant devant l'hippodrome, nous sommes entrés.

Voilà la cloche; ils vont partir. Je me sens tout nerveux.

Les haut-parleurs ont annoncé la victoire du 12. Laura a paru vraiment désespérée.

— Bon, allez, on s'en va, la chance n'est pas avec nous.

Ça, ça ne faisait pas mon affaire; j'ai dû avouer, un peu contrit :

— Restons encore, j'ai joué dans les deux suivantes.

— Et tu oses prétendre que c'est moi qui suis joueuse! Lesquels tu as joué?

— Belle Fontaine et Tanagra.

Son visage s'est éclairé.

— Ça change tout, l'un des deux va gagner. Je le sens.

LUMIÈRES tamisées, piano déliquescent, le type de la batterie époussette ses timbales avec deux plumeaux métalliques. Nous avons peu dansé, uniquement les slows, car je ne connais que cela. Nous sommes encore tout secoués par notre grosse émotion de l'après-midi : Tanagra a gagné et nous avons décidé de dépenser toute notre fortune dans la soirée, d'où cette boîte somptueuse, d'où ce champagne, d'où ce slow.

Le slow est terminé et je ramène Laura à notre table. Il faut que je la regarde, que je la grave en moi. Il y a une pensée qui ne doit pas surgir : demain, je ne la verrai plus.

— Tu veux du champagne?

— S'il te plaît.

Entre nous, le silence s'installe peu à peu. Allons, il faut le reconnaître, tu n'es déjà plus là vraiment, nous sommes en sursis. Le piano joue seul. Laura écoute, le menton dans la main. Elle est très belle ce soir, je n'arriverais pas à la décrire. A quoi bon d'ailleurs, elle est Laura, et elle va partir.

Deux guitares se sont jointes au piano. Ce n'est pas un slow mais ça me semble être dans mes cordes, je dois pouvoir m'en sortir.

— Vous dansez, chère madame?

Elle sourit et se lève; nous glissons sur la piste.

— Ne danse pas si loin.

C'est vrai, j'ai cette habitude de tenir ma cavalière comme s'il y avait entre nous un mur imaginaire. Je sens sa chaleur, son parfum. Non, il n'est pas possible que ce soit la fin.

Elle a levé la tête comme si elle avait senti que j'allais parler. Simplement, elle m'a dit :

— Je ne crois pas que je vais rester à New York.

On n'était pas nombreux à danser, il y avait de la place, et une chose incroyable s'est produite : moi qui n'ai jamais appris, je me suis mis à valser. On a fait au moins quinze tours, à toute allure, et on s'est arrêtés tout chancelants, la fatigue, le champagne... je me suis écroulé sur mon siège, le cœur dans la gorge.

C'était notre dernier jour, mais c'était peut-être mon jour de chance : Tanagra avait gagné et Laura reviendrait.

« LES passagers à destination — les passagers — à destination — de Téhéran — sont attendus — aux portes d'embarquement... »

La voix traîne dans le hall d'Orly et rebondit en écho comme sur des parois de montagne. Je retiens Laura pour laisser passer un chariot à bagages.

— Tu veux m'attendre ici? Je vais présenter ton billet...

Moi qui suis toujours perdu lorsqu'il s'agit de formalités, je trouve du premier coup le bon guichet. L'hôtesse suit d'un ongle démesuré la liste des passagers en partance pour Nice. Elle détache une partie du coupon, me donne deux cartons à présenter successivement... Avant qu'elle ne termine ses explications, j'arrive à glisser :

— Mlle Bérien est aveugle; est-ce qu'il serait possible...?

Sans qu'un trait de son visage bouge, elle lance d'une voix désincarnée :

— N'ayez aucune crainte, elle sera prise en charge par l'hôtesse du service passagers, qui s'occupera d'elle pendant toute la durée du trajet.

A l'écouter, j'ai l'impression qu'Air Inter transporte uniquement des aveugles. Elle a déjà un téléphone contre l'oreille.

— Allô! une aveugle sur le 214 pour Nice... Merci.

Je vais rejoindre Laura. Elle sourit lorsque je pose ma main sur son genou. Elle a au doigt la bague que je lui ai offerte et joue avec les branches de ses lunettes noires. Je ne sais pas quoi dire; le silence est dur à supporter.

— Jacques, qu'est-ce que tu vas faire des vacances qui te restent?

C'est vrai que je n'y ai même pas pensé. Six semaines interminables... Je ne pourrai jamais retourner à Menton, passer devant le Casino, voir les volets fermés de la villa Caprizzi, me trimbaler en incessants pèlerinages, non. Et puis, j'ai la flemme

PORTES GATES 31 à 45
DOUANE
PORTES GATES 0 à 10

de reprendre la route, sans compter que ma batterie va bien finir par me lâcher.

— Je ne sais pas... Je vais rester un peu à Paris. Je me baladerai, je ferai les musées; tiens, j'irai voir Simon.

Je la sens tendue et triste. Elle a baissé la tête, ses doigts ouvrent et referment les branches de ses lunettes.

— Je n'aime pas partir, dit-elle.

— J'ai vu des tas de films où la fille va prendre l'avion comme toi, et le type va lentement rejoindre sa voiture, tout voûté; et puis on la voit, elle, qui pose son pied sur la passerelle de l'avion, et tout à coup elle fait volte-face et se met à courir en bousculant tout le monde. Elle arrive juste au moment où il met le contact, elle ouvre la portière et se précipite sur lui. La dernière image, c'est la voiture qui s'éloigne; elle a la tête sur son épaule et des larmes de bonheur ruissellent sur ses joues.

Elle rit.

— C'est dans le même film que la fille aveugle au début a retrouvé la vue?

— Oui, c'est dans le même. Je finis par croire que je ne me souviens que des films idiots.

Pourquoi ne lui ai-je pas demandé de rester? Ce n'était pourtant pas difficile de lui dire qu'elle m'ennuyait avec cette histoire de New York, que je l'aimais et que je ne voulais pas souffrir. Je n'ai jamais réussi à imposer ma volonté à personne, je ne pouvais pas commencer par elle; et pourtant, c'est peut-être ce qu'il aurait fallu. J'aurais dû être plus honnête, ne pas jouer ce monsieur large d'idées, qui comprend qu'elle s'en aille pour son travail... Bon Dieu! si je n'avais pas été si lâche, nous ne serions pas à Orly ce matin, avec ce silence qui tombe sur nous. J'avale ma salive.

— Est-ce qu'il est dans tes projets de m'écrire?

— Ça rentre effectivement dans mes projets, dit-elle.

— Eh bien, ça rentre dans les miens de te répondre, mais un problème se pose, je n'ai pas besoin de t'expliquer lequel.

Ses doigts montent et touchent mon visage.

— Édith me lira tes lettres. Je ne me cache pas avec elle, même si tu as envie de m'expédier des pages fortement érotiques, fais-le.

— D'accord. Je mettrai à la fin un mot gentil pour elle.

Encore vingt minutes.

Une famille hindoue s'est installée sur la rangée de sièges en face de nous; un des gosses balance ses jambes dans le vide d'un mouvement régulier, comme s'il comptait les secondes.

— Si... si tu reviens, tu comptes rentrer quand?

— Le stage est prévu pour trois mois.

Août — septembre — octobre. Elle pourrait être là début novembre. Ce sera l'automne. L'arrière-saison est belle à Paris, je l'emmènerai passer des week-ends en forêt, dans des auberges aux poutres apparentes... Que de choses nous n'avons pas faites!

Ce gosse m'exaspère, ses talons frappent les montants métalliques de son siège comme s'il était un vivant métronome; il égrène les secondes. Il nous reste peu de temps... Laura sursaute.

— Je n'ai pas de cigarettes.

— Je vais t'en acheter. Ne bouge pas.

— Non, attends, je vais avec toi.

Et si elle ne voulait pas partir de son côté? Si elle ne pouvait pas supporter de me quitter? Pourquoi tient-elle à m'accompagner, même au tabac?

— Deux paquets de gauloises.

Je lui fourre un paquet dans la poche de son blouson; elle l'ouvre aussitôt et déchire le papier de travers; cela ne lui arrive jamais d'ordinaire. La sonnerie qui prélude à un appel a retenti au-dessus de nos têtes et mon cœur s'est décroché.

— Les passagers du vol 214 sur Air Inter en direction de Nice sont priés de se rendre à la porte d'embarquement nº 7.

Eh bien voilà, c'est comme ça que les choses se terminent. Nous regagnons le hall d'attente. Le gosse bat toujours la mesure avec ses pieds. Je prends le sac de voyage.

— Ne nous pressons pas, dit Laura, ils appellent toujours trop en avance.

Mes doigts se crispent sur son épaule.

— Au fait, Laura, je... enfin je crois ne pas t'avoir dit très souvent que je t'aimais, mais je ne voudrais pas que tu en conclues que je ne t'aime pas, ou pas beaucoup.

Elle a mis ses lunettes violemment, comme si elle avait été éblouie par une lumière violente.

— Je me demande si la fille de ton film n'avait pas raison...

— Laura Bérien?

C'est l'hôtesse. Les lunettes ont dû la renseigner.

— C'est moi.

— Je suis chargée de veiller sur votre sécurité et votre confort; si vous avez besoin de la moindre chose, n'hésitez pas à me le demander, je serai près de vous durant le voyage.

— Merci.

La fille me jette un coup d'œil rapide et investigateur.

— Je viens vous chercher dans quelques minutes. Si vous voulez bien me donner votre billet.

Nous restons seuls.

— Eh bien, voilà!

— Voilà, voilà.

— Voilà, voilà, voilà.

Nous rions ensemble. Je n'ai jamais autant remarqué qu'à cette minute combien ses dents étaient blanches; elle a aussi de fines rides au coin des paupières.

— Tu rentres tout de suite?

— Non, je vais vérifier si tu montes bien dedans et j'agiterai mon mouchoir.

J'ai vu l'hôtesse revenir de son pas rapide et efficace.

— Voilà ton garde du corps.

— On pourrait s'embrasser, a dit Laura.

— C'était aussi mon intention.

Ses lèvres étaient fraîches avec un goût de framboise un peu sucré. L'hôtesse a posé sa main sur la manche du blouson de daim; la masse des passagers s'est ébranlée vers un petit autobus qui attendait en contrebas.

— Salut, Laura.

Elle a fait un geste de sa main libre et l'autre l'a entraînée. La fille bavardait, pleine de prévenances; Laura ne répondait pas. Elles ont disparu.

J'ai pensé que ce n'était pas utile de rester plus longtemps. Je ne savais pas quel était son avion et je voulais m'épargner le ridicule de suivre avec des yeux de merlan frit l'envol d'un appareil, alors qu'elle serait dans un autre.

C'était sacrément bleu tout là-haut; le vol ne serait pas troublé par le temps; il y avait simplement à craindre l'incident mécanique ou le détournement vers Cuba.

Je suis quand même parvenu à faire demi-tour et j'ai retraversé le hall. En face des fauteuils que nous avions occupés, le gosse était toujours là, mais ses jambes pendaient, inertes comme les aiguilles d'une pendule arrêtée.

Dans ma poche, mes doigts ont rencontré l'enveloppe oubliée depuis le matin. C'est une lettre d'Anne. Bizarre qu'elle soit arrivée juste aujourd'hui, comme si, Laura partie, ma fille reparaissait.

Je dois être un père dénaturé, je ne l'ai pas encore lue; mais j'ai tout le temps à présent, je n'ai pas envie de rentrer chez moi; je n'arrive d'ailleurs pas à quitter l'aérodrome, car il me semble que, la porte franchie, le dernier pont avec Laura sera coupé.

Je me suis installé dans un des fauteuils et j'ai déplié les feuillets. C'est une longue lettre, pourtant Anne, si bavarde, n'aime pas écrire. Elle va bien, elle a deux télés en vue pour la rentrée, Frédéric est gentil. Ils s'aiment toujours.

> Nous sommes seuls à présent tous les deux. Max est parti le dernier de la bande. Je pense qu'ils t'ont tous fait peur à ton arrivée et je me sens un peu responsable de ce qui t'arrive; je me suis demandé si tu n'es pas parti avec Laura un peu pour fuir ce groupe trop remuant.

Anne idiote, rien n'aurait pu m'empêcher de partir avec Laura; je peux bien l'avouer, si tu m'avais demandé de rester, je ne t'aurais pas obéi... Même si la petite fille d'autrefois avait couru vers moi en secouant ses boucles, m'avait supplié de ne pas partir, j'aurais tout de même pris la route. Il n'y a jamais eu de quoi faire un roman dans ma vie, petite Anne, peut-être même n'y avait-il pas de quoi faire une vie; il fallait bien que j'essaie... Ne m'en veux pas de t'avoir un peu sacrifiée.

> Je sais que tu es un vénérable professeur, plein de bon sens, et je comprends très bien que tu puisses croire que je suis jalouse, mais c'est plus grave et j'hésite à te le dire depuis le début. J'en ai parlé un peu avec un copain spécialiste de ces questions, et il m'a affirmé que la vie avec un handicapé est difficile, psychologiquement, nerveusement, et j'ai peur que tu ne t'y fasses pas, que tu sois malheureux et ça m'ennuierait de te voir triste lorsque nous nous retrouverons au-dessus des vapeurs de notre couscous.

J'ai pensé à tout cela, Anne, et j'ai deux réponses à te faire. La première seule suffit : j'aime Laura. Mais il y en a une deuxième, plus égoïste : c'est ma dernière chance d'amour. Je vieillis et je n'en aurai pas d'autre... Après Laura, si elle ne revient pas, il n'y aura plus rien, que les copies, les amis, la retraite. Je serai vieux et seul, et je n'en ai pas envie. Alors je te le demande, Anne, laisse-moi vivre mes dernières amours.

Frédéric me dit que cela ne me regarde pas et, bien sûr, il a raison, mais il a tort en même temps, car je voudrais t'éviter des catastrophes, je voudrais te voir heureux. En attendant, je ne peux que te dire : « Père, garde-toi à droite, père, garde-toi à gauche. »

Salut - Bises

ANNE.

Silencieusement, un avion glisse comme une mouche de diamant le long de la vitre.

Je lui répondrai ce soir. Une longue lettre.

Laura est partie à présent, et j'ai peur tout à coup de ne plus être capable de retrouver son visage; comme un imbécile je n'ai pas une seule photo d'elle. C'est peut-être mieux ainsi d'ailleurs; les photos sont un privilège de voyant, nous sommes à égalité à présent, nous ne nous verrons plus que par les yeux de la mémoire, jusqu'à son retour.

Je suis sorti. Il y avait un soleil terrible sur le parking. La tôle de la voiture était brûlante. J'ai ouvert les vitres pour donner de l'air.

Elle reviendra, elle me l'a dit, je dois y croire.

Mais peut-être sa vie là-bas effacera-t-elle bien des choses; trois semaines de vie américaine, et Jacques Bernier, le petit prof des vacances, s'estompera. Et puis, son travail peut la passionner. Ce sont là des choses qui peuvent retarder un retour, peut-être l'empêcher définitivement...

Lorsque j'ai démarré, une 404 a surgi et a freiné pile. Le chauffeur m'a fait un geste d'excuse et m'a laissé passer en souriant. Ça, c'était un miracle, la première fois que cette race d'assassins se comportait humainement... Tout de suite après, j'ai doublé trois camions en klaxonnant joyeusement et j'ai mis la radio plein tube; devant moi, la route était libre.

Tout cela ne signifiait rien, mais j'ai pensé alors que tu reviendrais, mon amour.

Mon amour aveugle.

ED. JEAN-CLAUDE LATTÈS / F. PRIVAT

PATRICK CAUVIN

NÉ à Marseille le 6 octobre 1932, Patrick Cauvin, pour l'état civil, s'appelle Claude Klotz. Il « monte » à Paris avec ses parents à l'âge de six ans. C'est donc dans la capitale qu'il fera, sans enthousiasme, de bonnes études qui le conduiront à sa licence de philosophie. Aussitôt son diplôme obtenu, il est appelé sous les drapeaux : c'est l'époque de la guerre d'Algérie. Là-bas, dans l'espoir d'échapper à l'ennui de la vie militaire, pour laquelle il ne se sent pas fait, il commence à écrire; des chansons et des nouvelles d'abord, puis des contes destinés aux enfants. Il s'essaie même, sans grand bonheur, à la peinture.

Mais toute épreuve a un terme. Revenu à la vie civile, Patrick Cauvin se découvre une vocation et un métier, l'enseignement, qui sera pour lui à la fois une mission et un langage supplémentaire. Devenu professeur de lettres (comme le héros de son livre), il continue à écrire, mais aborde, maintenant, des œuvres de plus longue haleine. Quelques romans policiers, d'abord, publiés sous son véritable nom, Klotz, puis *l'Amour aveugle,* qui, écrit au début de l'année 1974, paraît en librairie, sous le pseudonyme de Patrick Cauvin, trois mois plus tard. Traduit aussitôt dans la plupart des grands pays étrangers, le livre séduit à la fois le public international et le monde du cinéma : déjà, le contrat d'adaptation à l'écran est signé.

Marié, père de deux enfants, Patrick Cauvin enseigne dans un lycée de la banlieue parisienne. Il avoue un goût prononcé pour le cinéma américain, la mer, le football. Contrairement à tant de romanciers, il écrit non dans les transes, mais avec joie, rapidement, et à la main. Son prochain roman est en chantier.

UN BRUIT DANS LA MAISON

UN CONDENSÉ DU LIVRE DE

JON GODDEN

TRADUIT DE L'ANGLAIS PAR JANINE MICHEL

ILLUSTRATIONS DE JOHN FALTER

Margaret Starr est une charmante dame anglaise d'un certain âge. Depuis son veuvage, elle vit seule à la campagne et mène, dans sa maison qu'elle chérit, une existence rassurante par sa régularité même. En fait, dans cette demeure où chaque objet a acquis désormais sa place définitive, Mme Starr n'a jamais connu la peur et a oublié jusqu'au goût de l'aventure.

Un jour, pourtant, au retour d'un court voyage à Londres, elle éprouve un malaise indéfinissable. Il lui semble — mais peut-être se trompe-t-elle ? — que tel cendrier s'est, en son absence, déplacé de quelques centimètres. Un parfum insolite flotte de pièce en pièce. Un peu de poudre (mais serait-ce de la poussière ?) ternit le vernis de la coiffeuse laissée immaculée quelques jours plus tôt. Et soudain, un bruit, l'écho à peine perceptible d'une musique ténue, venue de nulle part...

Roman tendu, chargé de suspense et d'angoisse, Un bruit dans la maison *est aussi l'analyse d'une situation qui confronte deux conceptions de la morale, deux générations, deux univers.*

I

L'UNIQUE taxi de la petite gare la déposa devant le portillon du jardin. C'était une belle soirée de mai, et le soleil déclinant éclairait encore la maison. Les fenêtres du haut, sous le vieux toit d'ardoises, renvoyaient les rayons du couchant, mais au rez-de-chaussée, à l'ombre des haies de hêtres, toutes les vitres étaient noires, froides, inhospitalières.

Bien que son absence n'eût pas duré plus de quelques jours, Meg regarda la maison comme si elle ne la reconnaissait pas.

— Votre téléphone sonne, madame Starr, lui dit le chauffeur.

Et comme elle s'arrachait à sa rêverie pour le payer, il ajouta avec un sourire :

— On ne sait jamais... Vous feriez bien de vous dépêcher.

C'était le même jeune homme au physique agréable qui les avait conduites à la gare, Rosa et elle, et elle le remercia en lui rendant son sourire. Puis, tandis que la voiture s'éloignait en cahotant le long du chemin, elle remonta lentement l'allée dans la douce soirée de printemps, remarquant au passage qu'on avait tondu la pelouse et que les tulipes étaient écloses. Elle refusait de se hâter vers les appels stridents et insistants qui provenaient du vestibule. Rosa Maitland devait en ce moment survoler l'Atlantique, et il ne restait personne qui pût l'appeler... enfin, personne d'intéressant. Mais la sonnerie se prolongeait et il devenait impossible de l'ignorer. Meg gravit les marches du perron, posa sa valise et fouilla dans son sac à la recherche de sa clef. Ouvrant la porte d'une poussée, elle traversa le vestibule en courant et souleva le récepteur.

— Allô! dit-elle. Ah! madame Dawlish... Vous m'avez appelée tout l'après-midi? Mais je vous ai écrit un petit mot, qui a dû arriver ici ce matin, pour vous dire de ne pas m'attendre, que je prenais le dernier train... Comment? Vous n'avez pas pu entrer ce matin... Fermée au verrou? C'est impossible... (Se retournant, Meg considéra la porte ouverte.) Mais, madame Dawlish, vous avez dû vous tromper. Je n'ai eu aucune peine à entrer.

La voix terne, irritante, prit une intonation offensée.

— Bien sûr que je vous crois, repartit vivement Meg. J'ai dû vous donner une mauvaise clef. Non, non, il n'en est pas question; demain matin, ça ira très bien... L'épicerie? Je vais la rentrer... Ne vous inquiétez pas. Je vais dîner et j'irai tout droit me coucher. Je suis un peu fatiguée.

Il y eut un léger « dring! » quand Meg remit le récepteur en place; puis, tout d'un coup, elle s'avisa d'un autre son, si ténu qu'elle se demanda si elle ne rêvait pas : un chuchotement, une musique à peine perceptible flottant dans l'escalier. Elle s'avança et leva la tête vers le palier; aussitôt, la musique se tut.

Meg hésita, les sourcils froncés, puis elle porta la main à son front pour en effacer les rides. Rosa le lui avait fait observer : depuis un an que Jocelyn, son mari, était mort, elle avait pris l'habitude de froncer les sourcils, et c'était dommage, car tout comme sa longue silhouette était restée mince, son front, sous les courts cheveux argentés, était remarquablement lisse pour une femme de son âge.

Elle décida que le son, pour peu qu'il eût existé, avait dû venir, à travers le verger, de la télévision de Felix Palmer. Le major Palmer était son plus proche voisin. A l'exception de la ferme, au bout du chemin, il n'y avait pas d'autre maison que la sienne avant le village, à deux kilomètres de là.

Sur le coffre, au pied de l'escalier, était posée une pile de lettres qui avaient dû arriver avant le départ de Mme Dawlish. La femme de ménage avait mis la maison en ordre avant de prendre elle-même quelques jours de vacances. « Curieux que je n'aie trouvé aucun courrier sur le paillasson », pensa Meg en feuilletant les lettres et en découvrant le mot qu'elle avait écrit à Mme Dawlish. Si elle avait été moins fatiguée, elle aurait pu dire pourquoi cette enveloppe, marquée de l'écusson de l'hôtel et sur laquelle elle reconnut son écriture élégante, lui donnait un sentiment de malaise. Son visage s'éclaira lorsqu'elle aperçut la lettre bleue, arrivée par avion, portant le timbre d'Afrique du Sud. Elle était de Michael, son fils aîné. Meg pensa à la joie qu'elle aurait de la lire, et cette perspective dissipa un peu son angoisse de se retrouver dans cette maison vide...

Elle reposa le courrier, puis elle alla chercher sa valise sur le seuil et ferma la porte. Aussitôt, l'obscurité envahit le vestibule et la fit frissonner. La maison, lugubre et hostile, semblait refermée sur elle-même. Les meubles d'acajou et les gravures de Jocelyn contemplaient Meg froidement. Soudain, elle sursauta : la grande horloge d'angle venait de sonner le premier coup de huit heures.

— Je suis fatiguée, voilà tout, dit-elle à haute voix et en regardant autour d'elle d'un air coupable, bien qu'il n'y eût personne pour l'entendre.

Ce soir, elle éprouvait quelque chose de plus fort que la solitude qui pesait sur elle depuis la mort de Jocelyn. Si seulement Rosa avait été chez elle, dans sa maison qui donnait sur le pré communal, quelques mots échangés avec elle au téléphone auraient chassé sa tristesse. Rosa lui avait suggéré de prendre un chat. « Tu en avais très envie, autrefois, n'est-ce pas, Meg? C'est Jocelyn qui t'en a empêchée. » Les chats étaient déroutants, souvent distants, mais un chaton aurait manifesté de la joie à la revoir, c'eût été quelque chose de vivant vers quoi revenir, quelque chose de jeune dans la maison.

Elle prit son sac et sa valise et gravit l'escalier. Elle était impatiente de retirer les vêtements qu'elle avait portés à Londres. Elle enfilerait un pantalon, un chandail confortable, des sandales à talons plats, puis elle boirait un bon whisky bien tassé au lieu du xérès habituel, et elle retrouverait peut-être son calme coutumier.

Au premier coup d'œil, sa chambre paraissait comme elle l'avait laissée, cinq jours plus tôt. Pourtant, elle remarqua immédiatement que la pièce empestait le parfum. Philip, son plus jeune fils, lui en avait envoyé pour Noël, et bien qu'elle ne s'en fût jamais servi, elle conservait le joli flacon de verre sur sa coiffeuse. Demain matin, Mme Dawlish lui expliquerait sûrement comment elle l'avait renversé. Il était encore à moitié plein, mais le bouchon n'avait pas été remis en place. Bien plus, la coiffeuse était recouverte d'une fine pellicule de poudre et deux serviettes en papier usagées étaient restées dans la corbeille. Assurément, Mme Dawlish n'avait pas fait le ménage très à fond. Pas étonnant qu'elle eût paru inquiète au téléphone.

De toute évidence, elle n'avait pas même essayé de nettoyer la salle de bains de Meg. Il y avait, dans la baignoire, une trace écumeuse; les serviettes pendaient de travers et le tapis de bain était resté sur le carrelage, parsemé de sels de bain. Meg ne se rappelait pas avoir laissé la pièce dans un pareil état. Se pouvait-il que Mme Dawlish, tentée par les sels de bain au géranium, eût profité de son absence pour prendre un bain? Certainement pas.

Après s'être changée, Meg descendit, le sourcil froncé. La maison, elle le savait, était trop vaste pour une personne seule. Jamais elle n'avait été consciente à ce point de l'inutilité des trois chambres inhabitées et du grenier, au-dessus. Rosa lui avait demandé si le fait de vivre ici toute seule la rendait nerveuse, mais Meg n'était pas une femme nerveuse.

— Et c'est une bénédiction, en tout cas, dit-elle encore à haute voix en suivant le corridor vers la cuisine et le réduit de la chaudière, tout en allumant au passage l'électricité.

Elle mit en marche le calorifère — il faudrait un certain temps avant que la maison se réchauffât — et se dirigea vers la porte de derrière, qu'elle trouva fermée au verrou, comme il se devait. Un carton d'articles d'épicerie était posé sur le seuil, avec une seule bouteille de lait au lieu des deux habituelles. A sa connaissance, c'était la première fois que le crémier était à court de lait.

S'avançant sur le vieux carrelage rouge, Meg posa le carton sur le buffet. Elle s'aperçut avec surprise que Mme Dawlish avait laissé une casserole sale sur le grand fourneau électrique, tout flambant neuf... Et le four dégageait-il réellement un faible rayonnement de chaleur? Non, c'était impossible; le bouton était fermé... Elle contemplait fixement le four, quand quelqu'un frappa à la porte de derrière.

Le major Palmer se tenait sur le seuil, regardant l'allée derrière lui, vers le verger. Il n'y avait pas trace des deux bassets qui, d'ordinaire, le suivaient en se tortillant, mais l'un de ses nombreux chats était assis à quelques mètres de là. Le major portait un béret enfoncé sur ses cheveux d'un blond roux, et son imperméable beige avait l'air, comme toujours, de sortir de chez le teinturier. Sa propreté méticuleuse, ici, en ce lieu campagnard, ne manquait jamais d'irriter Meg.

Se tournant vers elle, Felix Palmer la regarda un instant, puis détourna vivement ses petits yeux noirs. Quand Meg avait parlé de son air sournois, Rosa avait protesté, affirmant qu'il était seulement désespérément timide, surtout avec les femmes. En arrivant du Kenya, il avait fait construire son bungalow de bois sur le terrain contigu au verger des Starr. Rosa et son mari l'avaient bien accueilli, mais Jocelyn, comme cela lui arrivait parfois, s'était pris pour le pauvre homme d'une violente antipathie, même avant leur querelle au sujet de la haie de clôture, et il avait interdit à Meg de l'inviter. Jamais encore Felix Palmer n'était venu frapper à sa porte.

— Oh!... bonsoir, major, dit-elle, consciente de la surprise contenue dans sa voix.

Aussitôt, il rentra le cou dans les épaules et marmonna que Rosa Maitland lui avait demandé de veiller sur elle.

— Mais je viens à peine de la conduire à l'avion! s'écria Meg. C'est très gentil à vous, ajouta-t-elle hâtivement.

— Pas du tout... voisins, n'est-ce pas... coin isolé...

Comme il détournait la tête, c'est tout ce qu'elle put saisir.

Souriante et cherchant à le mettre à l'aise, Meg répondit :

— Chère Rosa, elle se tracasse toujours, n'est-ce pas?

La regardant en face pour la première fois, il répliqua :

— Mme Maitland est une bonne amie, et j'écoute ce qu'elle dit. Aussi, me voilà.

Il n'ajouta pas : « Que ça vous plaise ou non », mais le ton l'impliquait.

Meg éprouva un instant de contrariété, puis elle se radoucit.

— Voulez-vous entrer? proposa-t-elle. J'allais prendre un whisky. Vous en boirez bien un avec moi.

Contrairement à son attente, il n'hésita même pas; il ôta son béret et la suivit dans le couloir jusqu'au vestibule.

— Voulez-vous laisser votre manteau ici? offrit-elle en prenant les lettres.

Peut-être verrait-il dans ce geste un avis discret qui l'amènerait à se retirer rapidement.

Le salon sentait le mégot. Appuyant les lettres contre la pendulette en bronze doré, sur la cheminée, bien en évidence, Meg alla vivement ouvrir les fenêtres.

— C'est inouï comme l'odeur de fumée persiste, dit-elle. Rosa est venue ici le soir de notre départ pour Londres... Elle fume comme un sapeur, vous le savez.

Le cendrier, près du divan où Rosa s'était assise, n'avait pas été vidé, et pourtant Mme Dawlish avait manifestement tenté de ranger la pièce : elle avait enlevé les fleurs et préparé le feu. Meg jeta les mégots dans la cheminée et s'apprêta à allumer une flambée. Mais Felix Palmer, avec un sourire, lui prit la boîte d'allumettes.

— Laissez-moi faire, lui dit-il.

Tout en se penchant et en craquant une allumette, il ajouta :

— Je ne fume pas non plus. C'est la seule chose, chez Rosa, que je trouve un peu ennuyeuse.

Meg eut un élan de sympathie vers lui. C'était gentil d'avoir pris la peine de venir. Elle sortit du placard, sous les rayonnages, un plateau et des verres, et ouvrit la vieille cave à liqueurs en acajou où Jocelyn avait toujours conservé les boissons.

— Whisky? demanda-t-elle.

Soudain, elle s'immobilisa, les yeux fixés sur la bouteille, dans ses mains.

— Voilà qui est bizarre! J'aurais juré que je n'avais pas ouvert cette bouteille, et elle est à moitié vide.

— En êtes-vous sûre? (Le major Palmer paraissait anormalement soucieux.) Peut-être que cette femme qui travaille pour vous... Comment s'appelle-t-elle, déjà?

— Mme Dawlish? Impossible!

— On ne sait jamais, de nos jours.

Il avait l'air d'un renard roux dont le museau eût frémi en flairant la piste, une fausse piste.

— Je croirais plus facilement que je l'ai bu moi-même dans un moment de distraction, dit Meg en servant deux whiskies.

Elle tendit un verre à son hôte et, lui désignant un fauteuil à oreilles, se laissa tomber elle-même sur le canapé.

— C'est très sympathique, chez vous, remarqua Palmer en regardant autour de lui, son verre posé sur un genou. Je n'avais pas vu cette pièce depuis des années, depuis que votre mari et moi avions eu ce... ce petit différend...

Il lui jeta un coup d'œil anxieux; comme elle se bornait à sourire, il enchaîna :

— Une très belle pièce, joliment meublée. D'ailleurs, j'ai toujours admiré cette maison.

— Vraiment? s'étonna Meg. Eh bien, voyez-vous, elle ne m'a jamais plu. Jocelyn, lui, a eu le coup de foudre — cela doit faire vingt ans, maintenant — quand nous sommes venus ici pour la première fois, en séjour chez les Maitland. Je n'ai jamais eu le cœur de lui dire que j'aurais préféré de beaucoup quelque chose de moderne, de clair et d'aéré, sans poutres ni fenêtres à croisillons.

— Mais cette maison vous correspond si bien!

Palmer paraissait choqué. Meg sourit à nouveau.

— Vieille mais bien conservée? C'est cela que vous voulez dire?

Ce n'était pas bien de le taquiner ainsi. Il rougit.

— Pas du tout. Je voulais dire... enfin, tranquille, douce, accueillante...

— Comme c'est bien tourné! s'écria Meg en riant. J'aurais pu la vendre après la mort de mon mari, enchaîna-t-elle, mais il y avait Rosa. Elle se sentait si seule depuis qu'elle était veuve elle-même. Et puis Philip, mon plus jeune fils, adore cette maison. J'imagine qu'il y vivra un jour.

Elle poussa un soupir. Le major s'écria aussitôt :

— Vous êtes fatiguée. Je n'aurais pas dû rester...

— Oh! non, ne partez pas, finissez au moins votre verre.

Meg s'apercevait que c'était un soulagement d'avoir quelqu'un à qui parler, même ce curieux homme, assis en face d'elle.

— C'est seulement que je trouve Londres assez épuisant, à présent.

— Je ne peux plus supporter cette ville. Trop de changements, trop de gens... et quelles gens! Des filles qui ont l'air de garçons, des garçons qui ont l'air de filles, impossible de les distinguer... aucunes manières...

— Le monde est difficile, de nos jours. Mais n'oublions pas qu'à l'époque de notre jeunesse, nos aînés pensaient à peu près la même chose de nous...

Palmer renifla fortement :

— C'est absurde! Tous les jeunes gens sont difficiles, bien sûr, mais ceux-là... la violence, le vandalisme... Des décadents à cheveux longs, voilà ce qu'ils sont.

— Voyons, ce n'est pas aussi grave que ça, protesta Meg. Les cheveux longs ne sont qu'une mode passagère... beaucoup plus seyante, je trouve, que les cheveux en brosse!

Palmer se passa la main sur ses cheveux coupés court et sourit — un sourire mélancolique qui le faisait paraître beaucoup plus jeune. Quel âge avait-il? Cinquante-cinq, soixante ans... Quelques années de plus qu'elle.

— Je suis vieux jeu, admit-il, et je ne devrais pas m'emballer ainsi. Parlons d'autre chose. Vous êtes-vous amusées à Londres?

— Oui, vraiment. Le théâtre, les restaurants, les courses...

Deux veuves d'âge mûr en liberté? Rosa a dit que c'était exactement ce qu'il lui fallait avant d'aller remplir pendant deux mois ses devoirs de grand-mère. Sa fille, au Canada...

— Attend un autre enfant. Quelle erreur! (Une lueur fanatique brilla dans ses yeux.) Trop de gens! marmonna-t-il.

— Inutile de me regarder avec cet air indigné, dit Meg. Je n'ai que deux fils et pas de petits-enfants jusqu'à maintenant... Je le regrette, d'ailleurs.

Aussitôt, l'attitude du major se modifia.

— Quelle malchance que vos deux fils travaillent si loin... A Singapour, n'est-ce pas? fit-il remarquer d'une voix posée.

— Philip est à Singapour, pour quelques années seulement, j'espère; mais Michael s'est établi et marié en Afrique du Sud.

— Vous devez souvent vous sentir seule, remarqua Palmer avec une surprenante douceur. Vous auriez peut-être dû avoir une fille.

— Peut-être. Mon mari le désirait beaucoup, mais je pensais qu'avec lui et les garçons j'étais comblée.

— Et si vous aviez une petite-fille? Une enfant à qui vous intéresser, de qui vous occuper. Cela se pourrait bien, n'est-ce pas?

— Sans doute, mais Philip n'est même pas encore marié, et à quoi me servirait une petite-fille en Afrique du Sud?

Soudain très fatiguée, Meg se redressa et regarda son visiteur de l'autre côté du foyer.

— Voilà une conversation plutôt étrange, vous ne trouvez pas, major. Après tout, nous nous connaissons à peine.

Aussitôt, Palmer posa son verre et s'excusa :

— Je suis trop bavard, j'ai enfourché mon dada, je vous ai ennuyée...

— Oh! ce n'est pas ce que je voulais dire. Ne prendrez-vous pas un autre verre?

— Non, merci. Je vais vous laisser lire votre courrier en paix, dit-il en se levant. Vous devriez avoir un chien de garde, ajouta-t-il soudain. Un chien-loup, c'est ce qu'il y a de mieux.

Étonnée, Meg eut un mouvement de recul.

— Un chien-loup! Ils me terrifient.

— Oui, mais nous sommes assez isolés, par ici. N'avez-vous pas un peu peur, quelquefois?

— De quoi pourrait-on avoir peur dans ce paisible coin de campagne?

— Aucun endroit n'est aussi paisible qu'autrefois. La violence est partout, et elle va grandissant.

— Je sais, je sais, dit-elle avec impatience. Il arrive des choses terribles, mais pas aux gens ordinaires, tranquilles, inoffensifs.

— Avez-vous oublié le bureau de poste et la pauvre madame Hobbs? La bande qui l'avait ligotée a été arrêtée, mais il y en a d'autres. Ne lisez-vous pas les journaux? Tenez, l'autre jour encore...

Meg se détourna, essayant de ne pas entendre sa voix.

— Taisez-vous, je vous en prie, dit-elle. Cela me rend malade.

Palmer ne tint pas compte de sa réaction. Il parlait de quelque horrible accident survenu à un policier. Meg se couvrit les oreilles des deux mains. S'interrompant soudain, le major la regarda d'un air gêné et penaud.

Pour se donner le temps de recouvrer son calme habituel, Meg prit son verre et le posa avec des précautions exagérées à côté des lettres, sur la cheminée.

— Est-il arrivé autre chose au village?

— Non, non, bien sûr que non, la rassura Palmer. Mais réfléchissez à ce que je vous ai dit à propos d'un chien... et si quoi que ce soit vous inquiète, ou même vous paraît un peu bizarre, téléphonez-moi. Je viendrai tout de suite. Je possède un revolver.

— Un revolver! Vous allez un peu fort, vous ne croyez pas?

— Je n'aime pas rester sans arme. J'étais au Kenya pendant les événements, vous savez.

— Mais il n'y a pas de Mau-Mau, ici, lui fit-elle observer.

— Non? dit-il. Eh bien, bonne nuit.

En fermant la porte à clef, Meg fronça les sourcils et hocha la tête. Elle ne pouvait se défendre d'éprouver une certaine pitié pour Palmer. Manifestement, après avoir mené une vie de militaire aux Indes, puis au Kenya, il ne pouvait se résigner à l'existence monotone de ce bungalow — ce qui, bien sûr, expliquait ses propos absurdes et alarmants. Un revolver, je vous demande un peu!

Le salon, avec son feu, était agréable et rassurant. Meg s'assit dans le fauteuil à oreilles, les lettres sur ses genoux, et ouvrit celle de Michael. Après l'avoir lue, elle resta à contempler les flammes. C'était une lettre pas très intéressante, ce qui était assez inhabituel de la part de Michael; son fils parlait de gens et d'endroits que Meg ne connaissait pas, et au lieu de le rapprocher son récit le rendait encore plus lointain. Meg poussa un soupir et, examinant la pile d'enveloppes, tomba sur sa lettre à Mme Dawlish. Elle avait le sentiment qu'il y avait quelque chose d'anormal dans cette lettre, mais elle ne saisissait pas exactement quoi. Demain matin, après une nuit de repos, elle éclaircirait la question.

Se levant, elle déchira l'enveloppe en deux morceaux et la jeta au feu. Il était près de dix heures. Elle allait ouvrir une boîte de potage — c'était tout ce qu'elle avait le courage de se préparer pour dîner — et puis, un bain chaud et au lit! Elle suivit le corridor et, après s'être arrêtée pour verrouiller la porte de derrière, entra dans la cuisine.

Là, elle prit une boîte de minestrone dans les provisions apportées par l'épicier et la fit chauffer. L'unique bouteille de lait était toujours sur la table; quand Meg voulut la mettre au frais, elle constata que le réfrigérateur était brillant de propreté et absolument vide. Mme Dawlish avait dû prendre sa consigne à la lettre quand elle lui avait demandé de jeter tous les restes; il n'y avait même plus un petit morceau de beurre, ou un œuf.

Si seulement Palmer l'avait laissée en paix ce soir, elle aurait déjà secoué son abattement. La tirade de son voisin contre les jeunes, ses allusions à la violence et à la perversité l'avaient bouleversée. Elle aimait les jeunes, ils l'attiraient et elle avait toujours évité d'écouter ou même de lire quoi que ce fût de déplaisant.

En prenant sa cuillère, elle s'aperçut qu'elle tendait l'oreille. Il n'y avait rien à entendre, pourtant; la maison était silencieuse. Le hululement d'un hibou la fit sursauter, et sa cuillère heurta le bol. En déposant le récipient vide dans l'évier, Meg s'assura mentalement que toutes les portes étaient verrouillées, et les fenêtres du salon fermées. Personne ne pouvait entrer.

Ayant éteint la lumière, elle passa dans le vestibule. « Si quoi que ce soit vous paraît un peu bizarre, avait dit le major Palmer, téléphonez-moi. » Il y avait eu plusieurs petites choses étranges, dont la plupart pouvaient s'expliquer : par exemple, le whisky, le crémier à court de lait, le fourneau, la salle de bains en désordre. Autre chose? Les lettres soigneusement empilées sur le coffre du vestibule? Il n'y avait sûrement là rien d'étrange... ou bien si?

S'apercevant soudain qu'elle avait la migraine, elle porta la main à sa tête.

— L'ennui, Margaret Starr, dit-elle à voix haute, c'est que, l'estomac vide, tu as bu un whisky bien tassé.

Et laissant la lumière allumée dans le vestibule — ce qu'elle n'avait encore jamais fait —, elle gravit l'escalier.

Dans le long corridor qui menait à sa chambre, ses pas, étouffés par l'épais tapis, ne faisaient aucun bruit. Ici, le plafond était voûté comme le haut d'un tunnel. Était-ce la cause du sentiment de claustrophobie qui l'envahit soudain? Elle l'éprouvait parfois dans les endroits clos... Sa chambre, dont la lampe à abat-jour rose était restée allumée, lui apparut comme un sanctuaire accueillant.

Meg hésita, puis, retournant sur ses pas dans le corridor, elle ouvrit l'une après l'autre les portes de toutes les chambres inhabitées et alluma l'électricité. Les pièces, innocemment vides, semblaient la regarder avec étonnement. « Pourquoi ne pas regarder aussi dans les placards? » se demanda-t-elle en se moquant d'elle-même. De retour dans sa chambre, elle se dirigea vers les fenêtres pour fermer les rideaux. Au loin, parmi les arbres, une lumière brillait dans le bungalow du major Palmer. Tout en se déshabillant, elle s'interrogea sur ce qui avait pu arriver au village ce jour-là. Rosa ou pas, Palmer ne serait jamais venu la voir si quelque chose ne l'avait troublé.

Meg, qui n'avait jamais pris la peine de s'enfermer, alla vers la porte et donna un tour de clef. Puis elle prit un cachet de somnifère dans le flacon qui se trouvait dans le tiroir de sa table de chevet. Une longue nuit de sommeil, voilà ce qu'il lui fallait; au matin, tout lui semblerait différent. Elle se coucha, éteignit la lampe et s'endormit presque aussitôt.

II

PLUSIEURS heures s'écoulèrent. Soudain, réveillée en sursaut, Meg se dressa dans son lit. Elle entendait à nouveau ce filet de musique, distant, à peine audible, mais pourtant plus proche maintenant. De la musique pop? Pas très loin, une radio marchait. Le son semblait provenir du grenier, au-dessus de sa chambre. Meg chercha à tâtons l'interrupteur et consulta sa pendulette. Il était près de quatre heures du matin.

C'était évident : il y avait quelqu'un dans la maison. Toute la soirée, une voix le lui avait soufflé. Si Meg n'avait pas été aussi abrutie de fatigue, elle l'aurait immédiatement compris en trouvant la lettre qu'elle avait écrite à Mme Dawlish dans la pile de courrier, sur le coffre. Aussitôt, elle imagina l'enveloppe tombant, par la fente de la boîte aux lettres, sur le paillasson. Quelqu'un avait ramassé la lettre, la même personne qui avait bu son whisky, vidé son réfrigérateur, fumé près du feu non allumé et, pis que tout, pris un bain dans sa baignoire.

Frissonnant dans sa légère chemise de nuit, Meg se leva et traversa la chambre. La musique cessa aussi brusquement que la première fois. Lorsqu'elle atteignit la porte, Meg n'eut pas le courage de l'ouvrir. Elle appuya son oreille contre le battant. Avait-elle imaginé le bruit d'un mouvement furtif? A présent, elle était sûre que quelqu'un se tenait dans le corridor, aux aguets, attiré peut-être par le rai de lumière sous sa porte.

Le téléphone était posé sur sa table de chevet. Le plus sage aurait été d'appeler la police. Mais il leur faudrait un bon moment avant d'arriver chez elle, et si, après tout, il n'y avait personne dans la maison?... Elle souleva le récepteur et forma le numéro du major Palmer. Son téléphone devait se trouver à côté de son lit, car il répondit immédiatement.

Interrompant les explications chuchotées de Meg, il lui dit seulement :

— Restez où vous êtes. J'arrive tout de suite.

Lorsqu'il raccrocha, Meg se sentit étourdie par le soulagement et la reconnaissance. Il saurait ce qu'il fallait faire. Elle revêtit hâtivement le pantalon et le tricot qu'elle portait la veille au soir. et ce ne fut qu'en arrivant à la fenêtre pour guetter la torche électrique de Palmer qu'elle se demanda comment il allait entrer. A l'idée d'ouvrir la porte de sa chambre, Meg fut saisie d'un nouveau frisson. Alors, se forçant au calme, elle se demanda pourquoi elle avait si peur. Quel qu'il fût, celui qui était dans la maison n'avait causé aucun dégât; sans doute voulait-il seulement de la nourriture et un endroit où se cacher.

Une lumière avançait parmi les arbres vers la maison. Aspirant profondément, Meg s'obligea à ouvrir la porte. Personne ne l'attendait dans le corridor, mais en se dirigeant hâtivement vers l'escalier, elle eut la certitude que quelqu'un se trouvait toujours dans la maison avec elle. Sur le palier, elle lança un coup d'œil au plafond, vers la trappe qui conduisait au grenier. Elle était fermée.

En bas, le tic-tac de la vieille horloge du vestibule semblait anormalement fort. Prise de panique, elle courut jusqu'à la porte de derrière, la déverrouilla et l'ouvrit brusquement au moment précis où le major Palmer tournait le coin de la maison.

— Merci d'être venu! (Meg aurait souhaité que sa voix ne fût pas aussi aiguë, aussi tremblante.) Entrons à la cuisine.

S'arrêtant sur le seuil, elle tâtonna pour trouver l'interrupteur; elle s'attendait presque à découvrir quelqu'un. Mais bien que le placard à provisions fût entrebâillé, la cuisine était vide.

Le major était tête nue; ses cheveux blond roux se dressaient sur son crâne et le col de son pyjama sortait de son imperméable. Il n'avait dû prendre que le temps d'enfiler un pantalon, un manteau et des chaussures et de chercher le revolver qu'il posait maintenant sur la table. Il avait l'air si différent ainsi, lui qu'on voyait toujours tiré à quatre épingles, que Meg se mit à rire. Le major la dévisagea avec inquiétude de ses petits yeux noirs, puis, lui posant la main sur le bras, lui conseilla :

— Remettez-vous, et puis vous me raconterez tout. Je vais vous faire une tasse de thé.

— Du thé! protesta-t-elle. Quand il y a quelqu'un chez moi!

Il ne tint pas compte de sa remarque, et elle le regarda remplir la bouilloire; après quoi il trouva le thé, le sucre, une théière, des tasses et des cuillères, avec l'assurance d'un homme habitué à se débrouiller seul.

Meg ouvrit le réfrigérateur pour sortir le lait.

— Tenez, une bouteille de lait au lieu de deux, dit-elle. Ç'a été la première chose bizarre. Oh! non... Avant, il y a eu la musique, et la porte d'entrée fermée au verrou, et...

— Asseyez-vous, coupa-t-il. (Il servit le thé et prit place en face d'elle.) Rien ne vaut une tasse de thé pour se remettre. Buvez ça, et nous commencerons par le commencement.

Le thé brûlant ragaillardit Meg en effet. Elle fut bientôt capable de lui raconter son histoire.

— Je vois, dit le major Palmer quand elle eut terminé. (Il considéra la table en fronçant les sourcils.) Il y a quelque chose que je ne vous ai pas dit, hier soir. Il y a quelques jours, j'ai cru apercevoir de la lumière chez vous et je suis venu. Quelqu'un se tenait dans le verger, fumant une cigarette. J'ai appelé, et la personne a filé en vitesse. Alors, j'ai fait le tour de la maison en projetant le faisceau de ma lampe sur les fenêtres; j'ai également essayé toutes les portes. Tout paraissait en ordre.

— Vous auriez dû me prévenir.

— Et vous effrayer pour rien? Je suis venu hier soir et, à part le whisky, tout semblait normal...

Meg se leva et se dirigea vers le placard.

— Pourquoi n'ai-je pas regardé plus tôt là-dedans? s'exclama-t-elle en l'ouvrant. Quelqu'un a pris toutes les conserves de viande. Les biscuits et les boîtes de fruits au sirop ont disparu, ainsi que deux pots de confiture.

Palmer saisit son revolver. Tout en le soupesant, il remarqua :

— Ce que je ne parviens pas à comprendre, c'est la raison pour laquelle cet intrus n'est pas déjà parti. Je veux dire que c'est fort bien de se cacher dans une maison vide, mais pourquoi y rester quand le propriétaire est revenu? Et cette histoire de porte... Je peux comprendre qu'il l'ait verrouillée pour s'assurer que quelqu'un possédant la clef ne pourrait le surprendre, mais pourquoi l'avoir déverrouillée? A moins qu'il ait su que vous reveniez.

— Il a peut-être lu ma lettre à Mme Dawlish.

— Avait-elle été ouverte?

— Je n'ai pas regardé. Je l'ai jetée dans le feu.

— Admettons qu'il l'ait lue. Alors, pourquoi n'est-il pas parti? Il faut qu'il soit très bête ou vraiment aux abois. On ferait peut-être mieux d'appeler la police.

Meg savait que le major Palmer n'avait pas envie d'appeler la police. Il aurait été furieux de manquer cette occasion d'éprouver des émotions fortes et de jouer encore une fois un rôle actif.

— Voyons d'abord s'il y a réellement quelqu'un dans la maison, suggéra-t-elle. Nous aurions l'air fin s'il n'y avait personne.

— Très bien.

Il se leva et sortit dans le corridor.

A leur droite se trouvait la salle à manger. Quand Palmer alla jeter un coup d'œil derrière les rideaux, Meg sourit; il n'y avait aucun autre endroit, dans la pièce, où un chat même pût se dissimuler. Le réduit de la chaudière eut droit à une brève inspection, puis le vestiaire et la petite pièce où elle faisait ses bouquets de fleurs.

— Je crois que nous perdons notre temps, intervint Meg. La musique venait du grenier.

— Mieux vaut progresser avec ordre, répondit Palmer.

Elle comprit qu'il ne se laisserait pas bousculer. Elle attendit donc dans le vestibule pendant qu'il examinait à fond le salon et le bureau. Une lumière grise et froide apparaissait aux fenêtres; le soleil n'était pas encore levé, mais l'aube commençait à poindre.

Meg leva les yeux vers la cage de l'escalier. Elle n'avait plus aucune envie de sourire. Quelque part au-dessus d'eux, il y avait un être humain. Avait-il senti qu'ils se rapprochaient de lui et s'était-il blotti dans quelque recoin, attendant, l'oreille tendue, effrayé comme elle l'était maintenant?

Felix Palmer revint dans le vestibule et s'avança d'un air décidé vers l'escalier; Meg le suivit. Lorsqu'ils parvinrent au palier, elle lui toucha le bras et lui désigna la trappe.

— Comment monte-t-on là-haut? chuchota le major.

— On accroche une échelle. Elle est dans le placard, là-bas.

L'échelle était à sa place habituelle. Tandis que le major Palmer la fixait sous la trappe, Meg demanda :

— Mais comment est-il entré dans le grenier? L'échelle n'a pu retourner toute seule dans le placard.

— Il a pu monter sur une chaise, essaya d'expliquer Palmer. Non... c'est idiot... il n'y a pas de chaise.

— Il a peut-être trouvé l'échelle de la resserre à outils, suggéra Meg. Je suis sûre qu'il y a quelqu'un là-haut qui vous attend. Ne montez pas... c'est dangereux. Il pourrait vous frapper sur la tête. Il y a un interrupteur, par terre, à droite, mais vous n'auriez pas le temps de le trouver. Appelons la police.

Mais le major était déjà sur l'échelle, en train de repousser la trappe. Meg attendit en bas, les yeux fixés sur le trou noir. Lorsqu'il eut trouvé l'interrupteur, elle le suivit; une vague lumière tombait de la faible ampoule suspendue aux chevrons.

Le médiocre éclairage révélait une pile de valises, plusieurs malles, des sacs de clubs de golf, des caisses d'emballage... et l'échelle du jardin. Le long espace qui s'achevait à la petite lucarne, au-dessus de la chambre de Meg, était noyé dans une obscurité presque totale. Il faisait froid et il flottait dans l'air, mêlée à l'odeur de moisi, une autre odeur, étrange, que sur le moment Meg ne reconnut pas. Puis elle comprit que c'était celle d'une bougie qu'on venait de souffler.

Felix Palmer lui saisit le bras. Quelque chose bougeait au fond du grenier. Ils entendirent tous deux un bruissement faible, précautionneux. Le major s'avança devant Meg.

— Sortez de là! cria-t-il en braquant son revolver.

Le bruissement cessa. Les paumes de Meg étaient moites de sueur; elle scrutait les ténèbres tendues de toiles d'araignée.

— Vous perdez votre temps, reprit le major en élevant la voix. Nous savons que vous êtes là. Et vous voyez ce revolver.

Sa voix, elle dut l'admettre, avait exactement le ton de commandement voulu. Presque aussitôt, quelqu'un, se faufilant entre les caisses d'emballage, se dirigea vers eux et surgit enfin dans le cercle de lumière.

— Mais ce n'est qu'une enfant! s'écria Meg. Une petite fille!

Son rire, légèrement hystérique, elle le sentit, mais où perçait le soulagement, s'arrêta net quand l'apparition releva la tête, lui jetant un mauvais regard. Meg vit de longs cheveux graisseux d'un blond fade, un visage mince et blanc, et dans les yeux bleus une lueur qui n'avait rien d'enfantin.

— C'est une fille, admit Palmer.

Elle était petite et frêle et ne paraissait pas avoir plus de quatorze ans. Le major, agrippant l'épaule maigre, tira l'intruse à la lumière.

— Ne bougez pas, dit-il, qu'on vous voie un peu. Qu'est-ce que vous fabriquez ici?

Aussitôt, la jeune fille se jeta sur lui, les deux poings en avant, jura, griffa comme un petit chat pris au piège. Chaussée d'étroites bottes de cuir sous une courte jupe, elle lui lança un coup de pied qui l'atteignit au tibia. Il poussa un grognement de douleur et lui flanqua une taloche sur le côté de la tête.

— Major, ne la frappez pas! s'écria Meg.

— On ferait mieux d'appeler la police, fit-il d'une voix haletante. C'est une vraie furie qu'on a attrapée là.

La fille le mordit alors au poignet et, comme il retirait vivement la main, elle lui échappa. Elle courut en sanglotant vers Meg, qui referma les bras sur le petit corps frissonnant.

Felix Palmer porta son mouchoir à son poignet qui saignait.

— Ne vous laissez pas attendrir par ses larmes, dit-il. Elle ne mijote rien de bon.

Et s'adressant à la jeune fille sur un ton menaçant qui irrita Meg :

— Allons, voyons ce que vous avez à dire pour votre défense.

— Il est inutile de crier, protesta Meg. Descendons à la cuisine, où il fait chaud. Vous pourrez l'interroger en bas.

Les sanglots de la jeune fille cessèrent. D'une voix enrouée, marquée d'un léger accent faubourien, mais pas déplaisant, elle supplia :

— Je vous en prie, faites-moi sortir de cet affreux endroit tout noir. J'ai si froid, je suis gelée.

Et tandis qu'ils se dirigeaient vers la trappe, ses petits doigts glacés cherchèrent la main de Meg comme pour demander protection.

Lorsqu'ils atteignirent le bas de l'échelle, Meg lui fit observer :

— Vous avez oublié votre transistor.

Aussitôt, le visage blême, souillé de poussière et de larmes, parut décontenancé. Les yeux bleus la fixèrent stupidement.

— Je l'ai entendu, vous savez, dit Meg avec douceur. Vous feriez mieux d'aller le chercher, vous ne croyez pas?

La jeune fille hésita, puis, au moment où Felix Palmer s'écriait : « Ne la laissez pas monter toute seule! » elle bondit sur l'échelle comme un chat. Il voulut la suivre, mais Meg l'arrêta d'un geste.

— Il n'y a pas d'autre issue au grenier, dit-elle.

Puis, voyant que le poignet du major saignait abondamment, elle ajouta :

— C'est une vilaine morsure, mais vous n'aviez pas besoin d'être aussi brutal.

A un bruit, derrière eux, elle se retourna. La jeune fille était là, tenant une petite radio vert foncé.

Meg les précéda dans l'escalier. Lorsqu'elle ouvrit la porte de la cuisine, la chaleur de la pièce les enveloppa, et elle se rendit compte que le moment passé dans le grenier l'avait glacée jusqu'aux os.

— Asseyez-vous pendant que je m'occupe du poignet du major Palmer, dit-elle à la jeune fille. Vous l'avez mordu horriblement fort, vous savez.

— Bien fait!

L'exclamation tomba comme une pierre.

— Charmante petite, n'est-ce pas? remarqua le major tandis que Meg lui lavait le poignet au-dessus de l'évier. Et quand elle noua le bandage, il s'écria tout à coup :

— Attendez un peu, jeune fille! Vous ne parlerez pas sur ce ton à la police.

L'enfant, à son tour, lui lança un coup d'œil furibond. Elle essayait de crâner, mais elle était terrifiée. Meg vit son menton trembler, et les yeux bleus la regardèrent d'un air suppliant.

— Discutons d'abord, dit-elle vivement. Je vais préparer du café, et je crois qu'un peu de cognac nous fera du bien à tous. Il y a un bocal de café en poudre dans le placard, major. Soyez un ange, ouvrez-le.

Elle posa le filtre sur le fourneau, et bientôt le délicieux arôme du café se répandit dans la cuisine. La pendule indiquait qu'il était près de six heures du matin. Les premiers rayons du soleil inondaient le jardin.

Le café et la chaleur de la pièce produisirent leur effet, et le visage de la jeune fille se colora légèrement. C'était un visage sans beauté : front haut, petit nez, menton rond, bouche volontaire aux lèvres minces. Seuls les yeux, très bleus, étaient remarquables. Meg trouvait quelque chose d'émouvant à ce visage, et aussi à ce corps fluet, à l'aspect gamin plutôt qu'enfantin.

Manifestement, Felix Palmer ne partageait pas ce point de vue. Il observait l'intruse avec hostilité et méfiance.

— Eh bien..., commença-t-il d'un ton hargneux.

— Comment vous appelez-vous ? coupa Meg avec douceur.

La jeune fille se tourna aussitôt vers elle :

— Chris.

Meg sourit, et à sa grande surprise obtint un bref sourire en réponse. Encouragée, elle reprit :

— Chris. Et puis ?

La jeune fille secoua sa tête blonde, les lèvres serrées, comme si elle regrettait de s'être un instant laissée aller.

— Nous finirons par le savoir, soyez-en sûre, dit Meg.

— Et que faites-vous ici ? s'enquit le major, sans tenir compte de la douceur de Mme Starr. Pour commencer, vous vous êtes introduite dans cette maison. Pire, vous avez forcé la porte !

Il frappa la table de sa main bandée.

Chris se redressa sur sa chaise et tendit le menton en avant :

— Je n'ai rien forcé du tout ! Je suis entrée, simplement. La porte de derrière était ouverte. Une femme était sortie en portant un panier de fleurs fanées.

— Mme Dawlish, je suppose, dit le major. Et que faisiez-vous à rôder par là ?

— J'observais la maison. J'étais dans le jardin depuis des éternités, derrière toutes ces haies et tous ces arbres. Quand j'ai eu le champ libre, je suis entrée en vitesse. J'avais vu Mme Starr partir en voiture. Mme Starr, c'est vous, n'est-ce pas ?

J. Falter

— Mais pourquoi êtes-vous entrée ? dit Meg.

Chris la regarda bien en face :

— J'avais besoin d'un endroit où me cacher.

— Vous cacher de quoi ?

Pas de réponse. Le petit visage avait repris son expression fermée et butée.

— Laissons ça pour l'instant, intervint le major Palmer. Vous avez trouvé le chemin du grenier. Et après ?

— Quand cette femme est partie, je suis descendue.

— Pour voler les provisions de Mme Starr ?

— J'avais faim.

Elle avait parlé avec indignation, comme si c'était là une justification suffisante, ce qui était peut-être vrai. Attristée, Meg leva une main en signe d'apaisement, mais le major ne prit pas garde à son geste et reprit :

— Vous avez mangé les provisions de Mme Starr, fumé ses cigarettes, bu son whisky. Vous êtes une vulgaire petite voleuse.

— Le whisky, c'est... c'est parce que j'avais si froid, vous comprenez. J'étais restée dans le bois presque toute la nuit, et il pleuvait. Je ne suis pas une voleuse.

— Et c'est pour ça que vous avez pris un bain chaud dans ma baignoire ? demanda Meg.

Chris acquiesça d'un signe de tête :

— C'était un rêve. Ces sels de bain !

— Vous auriez dû nettoyer un peu ; je ne l'aurais pas su !

Meg fut récompensée d'un nouveau sourire. Poursuivant son avantage, elle reprit :

— Ainsi, vous êtes restée ici cinq jours. Vous aviez pris la précaution de verrouiller la porte d'entrée. Pourquoi l'avez-vous déverrouillée ?

— Parce que vous reveniez hier.

— Et comment l'avez-vous su ?

— Je vous ai entendu le dire. Vous marchiez vers la voiture et cette femme portait vos valises. J'étais derrière la haie. Vous avez dit : « Reposez-vous bien. Je vous verrai jeudi prochain », ou quelque chose comme ça.

— Mais Mme Dawlish n'a pas pu entrer...

— J'ai attendu jusqu'à...

Chris hésita.

Craignant que la jeune fille ne se mît à mentir, Meg suggéra :

— Vous aviez lu ma lettre à Mme Dawlish?

Chris répondit, d'une voix presque inaudible :

— Elle n'était pas bien cachetée.

Le major ne put se contenir davantage :

— Alors, quand vous avez su que Mme Starr revenait, pourquoi n'êtes-vous pas partie?

— J'avais mes raisons.

Elle avait prononcé ces mots avec une telle hauteur que Meg ne put s'empêcher de sourire. L'enfant avait du courage.

Chris se retourna vers elle :

— Je pensais que vous ne sauriez pas que j'étais là.

— Il était fatal que je le découvre avant longtemps, vous savez; même si vous n'aviez pas commis l'erreur de faire marcher votre radio.

Une lueur d'amusement s'alluma dans les yeux de Chris. Elle s'éteignit quand le major Palmer souleva le transistor.

— Flambant neuf, et cher, à ce qu'il paraît, dit-il en se tournant vers la jeune fille. Vous l'avez volé, n'est-ce pas?

Chris blêmit à nouveau — de peur ou de rage?

— Pas du tout! Jamais de la vie! C'est mon père qui me l'a donné.

— Nous allons peut-être aboutir à quelque chose. Comment s'appelle votre père?

Pas de réponse. Rien qu'une expression de révolte.

Le major se leva.

— Où est votre téléphone, madame? demanda-t-il. Dans le vestibule? J'en ai assez de ses faux-fuyants. Je vais appeler la police.

Chris se leva d'un bond et courut à la porte.

— Non, non! cria-t-elle en obstruant le passage. Ne le laissez pas faire! Je vous raconterai tout.

— Écoutons ce qu'elle a à nous dire, dit Meg.

Le major Palmer hésita :

— Un tas de mensonges, c'est tout ce qu'on en tirera.

— Ne pouvez-vous lui donner une chance? protesta Meg.

Palmer s'assit. La jeune fille s'approcha de Meg et dit :

— Je me suis sauvée de la maison. Je ne pouvais plus y tenir.

— Continuez, dit Meg d'une voix encourageante. Qu'est-ce qui ne marchait pas?

Alors, les mots jaillirent en un flot précipité :

— Voilà. Mon père, quand j'ai quitté l'école, il a dit que je pouvais suivre un cours de secrétariat. Et puis il a changé d'avis et il m'a fait travailler à la boutique. J'ai horreur de ça. Quand je n'étais pas dans la boutique, ma tante m'obligeait à m'occuper de mes petits frères, des marmots gâtés, horribles. Vous comprenez, ma tante ne m'aime pas, elle ne m'a jamais aimée. Elle est venue nous aider quand ma mère a filé avec un type, et elle m'asticote du matin au soir. Ce n'est pas une vie...

— Quel âge avez-vous, Chris ?

— J'aurai dix-sept ans dans quatre mois.

— Et où habitez-vous ?

— A Lewisham. Mon père a une boutique. Marchand de tabac et de bonbons.

— Comment êtes-vous venue de Lewisham ?

Chris contempla le sol et ses cheveux dissimulèrent son visage. Finalement, relevant la tête, elle répondit :

— J'ai fait de l'auto-stop. J'allais à Douvres. Je me disais que si je passais en France, on ne me trouverait pas.

— La route de Douvres est à plus de six kilomètres de la maison, fit observer le major. Comment êtes-vous arrivée jusqu'ici ?

— J'ai marché.

— Quelle blague ! Pas un de vous, les jeunes, ne ferait un mètre à pied.

— Je suis montée dans un camion, reprit Chris d'une voix brève et chantante. Le chauffeur m'a dit qu'il allait à Douvres. Il m'a fait asseoir à côté de lui, dans la cabine, mais il s'est mis à m'embêter. Il s'est arrêté au bord de la route et il ne voulait pas me laisser tranquille. Je l'ai frappé fort, et il m'a poussée hors du camion. J'avais peur qu'il me suive, alors j'ai couru aussi vite que j'ai pu dans un chemin de traverse.

— Pauvre enfant ! soupira Meg.

Mais le major émit un grognement.

— Il faisait très sombre, enchaîna Chris, et je ne savais pas où j'étais. J'ai couru, couru... Finalement je suis arrivée à un village, mais je ne me suis pas arrêtée. J'avais peur qu'on me renvoie à la maison. Ensuite, il y avait une forte côte... Je ne pouvais pas aller plus loin, alors je me suis cachée dans un bois jusqu'à ce qu'il fasse jour.

Meg fronça les sourcils. L'enfant mentait-elle ? Il y avait effectivement une forte côte à mi-chemin du village.

Le major Palmer rompit le silence.

— Je n'en crois pas un mot, déclara-t-il.

— C'est vrai! C'est vrai! cria Chris d'une voix perçante.

Les yeux de Meg allèrent du visage blanc, désespéré, de la jeune fille à celui de Palmer.

— Son histoire me paraît plausible, dit-elle d'une voix lente.

— Ma chère madame Starr! s'écria le major en haussant les sourcils, elle est pleine d'invraisemblances. Laissez-moi appeler la police. Au moins, ils la ramèneront chez elle.

— Oh! non, gémit Chris. Pas la police!

— Il faut faire quelque chose, Chris, dit Meg. Votre famille doit s'inquiéter. Vous êtes partie depuis près de huit jours, n'est-ce pas? Votre père est peut-être allé lui-même à la police.

— Il y a peu de chances! repartit Chris avec mépris. Croyez-moi, il se fiche pas mal de ce qui m'arrive. De toute façon, j'ai laissé une lettre. Je lui disais que j'allais habiter chez une fille que je connaissais et que je chercherais un travail convenable. Je lui disais que je lui ferais savoir comment je me débrouillais.

Meg passa son bras autour des épaules de la jeune fille.

— Donnez-moi le numéro de téléphone de votre père, Chris. Je le préviendrai que vous allez bien. Vous pourrez prendre un autre bain chaud, et je vous apporterai un bon petit déjeuner. Ensuite, vous ferez un long somme. Cet après-midi, je vous conduirai chez vous.

— Non! cria Chris en se dégageant. Je ne veux pas rentrer chez moi! Mon père m'arrachera les yeux.

Le major Palmer se mit à rire.

— J'aimerais connaître votre père, dit-il. Un homme capable d'inspirer le respect à son enfant est un spectacle agréable, de nos jours. Qu'avez-vous fait, petite? Pillé le tiroir-caisse?

Chris pivota sur elle-même pour lui faire face :

— Oui. Et après?

Le major se tourna vers Meg.

— J'avais raison, triompha-t-il. Une voleuse!

— Je ne suis pas une voleuse! Il ne me donnait aucun salaire. (Elle se tourna vers Meg.) Laissez-moi rester ici avec vous. Je vous en prie! Je vous en prie!

Quand Meg, embarrassée et alarmée par le torrent de larmes qui suivit, tenta de se libérer, les bras minces s'accrochèrent à elle comme des tentacules. Par-dessus la tête qui se pressait contre sa poitrine, elle regarda son voisin. Felix Palmer paraissait embarrassé, lui aussi, peut-être même un peu honteux.

— Ça suffit, Chris.

Meg s'efforçait de prendre un ton sévère. La jeune fille leva vers elle un visage inondé de larmes, et les yeux si étonnamment bleus prirent une expression implorante. Meg se surprit à dire :

— Allons, allons, ne pleurez pas. Vous pouvez rester. On arrangera quelque chose.

QUAND Meg descendit, portant le plateau du petit déjeuner de Chris, elle trouva Mme Dawlish en conversation avec le major Palmer.

La face lunaire et jaunâtre de Mme Dawlish portait l'air de désapprobation que Meg redoutait d'ordinaire. Le major, constata-t-elle, s'était rasé et habillé convenablement avant de revenir en hâte par le verger. Elle lui avait promis de ne pas appeler le père de Chris avant son retour.

— Bonjour, madame Dawlish, dit-elle. Je vois que le major Palmer vous a mise au courant des nouvelles. Qu'en pensez-vous ?

Mme Dawlish prit le plateau.

— Pas grand-chose de bon, madame, puisque vous me demandez mon avis. Ça m'a donné un coup de penser qu'elle s'est glissée dans la maison quand j'avais le dos tourné.

— J'ai fait le lit de la chambre de Philip pendant que Chris prenait un bain. Elle s'est endormie aussitôt après avoir déjeuné.

— Déjeuner au lit ! Vous êtes trop bonne, madame. Ça pourrait devenir dangereux. Est-ce qu'on sait d'où elle sort ?

Meg ne put s'empêcher de rire.

— Montez donc jeter un coup d'œil dans la chambre, madame Dawlish, dit-elle, et vous verrez qu'elle ne paraît pas très dangereuse pour l'instant. Elle a l'air de ce qu'elle est : une enfant épuisée qui dort à poings fermés.

Mme Dawlish renifla, mais comme Meg l'avait prévu, la curiosité l'emporta et la femme de ménage reprit :

— Eh bien, je vais porter le plateau à la cuisine, et puis j'irai m'assurer qu'elle n'est pas en train de faire des siennes.

— J'ai noté son numéro de téléphone, dit Meg au major. C'est extraordinaire comme elle répugnait à me le donner. Elle doit avoir très peur de son père, la pauvre petite. Il s'appelle Fred Standford.

Le major forma le numéro, puis il passa le récepteur à Meg. M. Standford répondit presque aussitôt d'une voix brusque et sonore.

— Qu'est-ce qu'elle a fabriqué, encore? demanda-t-il en entendant prononcer le nom de Chris.

Mais lorsqu'il comprit où elle était et que sa fugue ne lui attirerait aucun ennui, il laissa clairement entendre qu'il souhaitait regagner son magasin.

D'une voix plus sèche, Meg répliqua qu'elle garderait l'enfant pendant quelques jours et qu'elle la ramènerait ensuite elle-même, pour lui parler. Il parut hésitant, alarmé même, mais il finit par convenir avec elle du jeudi suivant, dans l'après-midi. Quand Meg lui demanda s'il avait un message pour sa fille, il répondit :

— Demandez-lui donc ce qu'est devenu mon fric : vingt livres.

En raccrochant, Meg avait les joues en feu.

— Il y a des gens qui ne méritent pas d'avoir des enfants, dit-elle à Felix Palmer. Pauvre Chris! Il n'a pas manifesté la moindre inquiétude ni le moindre intérêt. Si elle n'avait pas pris son maudit argent, je ne sais même pas s'il se serait aperçu de son absence.

— Dites-vous bien une chose, répliqua le major : il connaît sa fille mieux que vous. Je regrette de ne pas lui avoir parlé. Je lui aurais demandé quand il lui a donné un transistor de ce prix.

Meg réprima difficilement un mouvement d'humeur.

— Pourquoi avez-vous pris cette enfant en grippe? fit-elle.

— Ce n'est pas une enfant. C'est une petite chipie, rusée et menteuse. Tout, en elle, sonne faux. Oh! peu importe, ajouta-t-il en se dirigeant vers la porte. Elle sera bientôt partie et le plus tôt sera le mieux.

Sur le seuil, il s'arrêta.

— Je crois que je ferais bien d'aller avec vous, jeudi, dit-il. Ces gens pourraient essayer quelque chose... On ne sait jamais.

— J'aime mieux l'emmener seule, merci. Vous avez trop de préventions contre elle, et je ne veux pas compliquer les choses. Voyez-vous, je ramènerai Chris chez moi. J'ai des projets pour elle.

— Des projets? Voulez-vous dire que vous avez envie de l'adopter, ou quelque chose d'idiot de ce genre?

— Et pourquoi serait-ce idiot? Vous me disiez, pas plus tard qu'hier soir, qu'il était dommage que je n'aie pas de fille ou de petite-fille à qui « m'intéresser ». Ce sont vos paroles, n'est-ce pas?

Il la regarda d'un air ébahi, comme si elle avait perdu l'esprit :

— Je constate qu'elle vous a bel et bien embobinée.

— Vous ne voulez pas en démordre. N'éprouvez-vous aucune pitié ? Ne voyez-vous pas à quel point elle est malheureuse ?

Le major rougit, mais il ne détourna pas les yeux.

— La pitié est un sentiment dangereux, madame Starr, déclara-t-il. Je garde la mienne pour les faibles et les persécutés.

— Je sais... Pour les chiens et les chats perdus ! L'ennui, avec vous autres qui vous attendrissez sur les animaux, c'est que vous n'avez aucune compassion pour les êtres humains... (Honteuse de sa sortie, elle lui tendit la main.) Pardonnez-moi, je n'aurais pas dû dire cela. Vous avez été très bon pour moi. Je ne sais pas ce que j'aurais fait sans vous. Mais je ne dois pas vous retenir plus longtemps.

Il prit sa main à contrecœur.

— Eh bien, en ce cas, je n'en dirai pas plus... mais vous le regretterez.

III

C'ÉTAIT un mois de mai exceptionnellement chaud, et le beau temps printanier se transformait en été précoce. Le soleil brillait jour après jour, mais les quelques averses qui tombaient la nuit permettaient au jardin de rester vert.

Les trois semaines écoulées depuis que Meg était rentrée de Londres n'avaient pas été faciles. Mais à présent, alors qu'assise à son bureau devant la fenêtre du salon elle écrivait à Rosa, elle se sentait plus heureuse qu'elle ne l'avait été depuis longtemps.

« Chris, dans l'ensemble, est gentille et docile, écrivait-elle, mais elle peut devenir brusquement hargneuse et cavalière, et quand elle se met une idée dans la tête, rien ne peut l'en faire démordre. L'amélioration, pourtant, est assez extraordinaire pour un temps aussi court. La petite s'étoffe, elle devient presque jolie. Elle paraît toujours contente d'être avec moi et ne veut jamais quitter longtemps la maison ni rencontrer personne. Cela m'inquiète, parfois, et cet après-midi je vais l'emmener à Canterbury pour lui montrer la cathédrale. Elle aime aller au village et fait tout le marché. Comme c'est une vraie petite Londonienne, elle s'est montrée scandalisée que je doive attendre qu'on m'apporte les journaux, et elle va les chercher sur le vieux vélo de Michael, après quoi elle se plonge dedans — non seulement l'*Express*, mais aussi le *Times*. Toutefois, jusqu'ici, j'ai été incapable de lui faire ouvrir un livre. »

Meg releva la tête et contempla la pelouse, sur laquelle Chris, à genoux, repiquait consciencieusement une caisse de jeunes plants. Sur la haie d'ifs sombres, la chemise ample de la jeune fille, qu'elle portait sur un pantalon de toile, faisait une tache bleu vif, tandis que ses longs cheveux blonds, attachés aujourd'hui en queue de cheval, brillaient au soleil.

Il était étrange que Chris se fût montrée aussi soumise au sujet de ses vêtements. Après la lamentable entrevue avec son père, elle avait manifesté le désir de rentrer directement. Mais quand Meg lui avait proposé d'aller faire des courses, soulignant que sa grosse jupe et sa veste de nylon matelassée étaient trop chaudes par ce temps printanier, Chris s'était rendue à ses raisons. Elle semblait presque en état d'hypnose et n'en était sortie que pour discuter sur la longueur des jupes; mais même sur ce point, elle avait rapidement cédé. Il n'était pas naturel qu'une jeune fille ne fût pas heureuse et reconnaissante de recevoir tant de jolis vêtements neufs. Sur le chemin du retour, Chris, comme il lui arrivait souvent, avait cherché à se faire pardonner. Posant la main sur le genou de Meg, elle lui avait dit :

— Merci, vous êtes si bonne pour moi!

Mais aussitôt après elle ajouta :

— Ce n'est plus très loin, n'est-ce pas?

Chris aidait réellement Meg dans le jardin. Bien que Mme Starr eût un arrangement avec une société horticole pour la tonte du gazon, il y avait toujours tant à faire! Gregory, le vieux jardinier, travaillait à temps partiel et ne pouvait s'occuper que du potager. Chris semblait avoir un penchant particulier pour le jardin d'agrément et, quand il faisait beau, elle y passait la plus grande partie de ses journées, parfois allongée sur une couverture, au soleil, son transistor marchant à plein volume.

— Aimes-tu jardiner, Chris? lui avait demandé Meg quelques jours plus tôt.

— Pas vraiment. Je fais ça pour vous aider.

Cela semblait trop beau pour être vrai.

— Tu n'es pas très enthousiaste pour aider au ménage, avait répliqué Meg d'un ton sec.

Chris avait fait la grimace :

— Ce serait aider cette horrible vieille Dawlish, pas vous. Mais je fais la cuisine quand vous me la laissez faire, n'est-ce pas ? (Elle avait posé sa joue contre celle de Meg.) Je ferais n'importe quoi pour vous !

Il était regrettable que Mme Dawlish persistât à se montrer si hostile. « Elle est sournoise, madame », affirmait-elle. Elle accusait aussi Chris d'être gloutonne, toujours à fourrager dans le réfrigérateur. Il fallait avouer que Chris était portée à manger entre les repas; mais n'était-ce pas naturel pour une enfant en pleine croissance ?

Felix Palmer, lui aussi, avait irrité Meg lorsqu'il était venu la voir, curieux de connaître les résultats de son entretien avec la famille de Chris. En apprenant que la jeune fille resterait chez Meg au moins six mois, « le temps de voir comment nous nous entendons », il n'avait pas caché qu'à son avis Meg agissait de façon bien irréfléchie.

— Personne ne veut d'elle, avait-elle protesté. Son père n'est que trop heureux de s'en débarrasser.

Le père de Chris les avait reçues dans son magasin; il était sorti de derrière le comptoir pour serrer la main de Meg. Il était plus petit et plus anguleux qu'elle ne l'aurait cru après avoir entendu au téléphone sa grosse voix bourrue. C'était un petit homme terne, fatigué, amer. Il avait pris sans faire de commentaires le papier sur lequel Meg avait inscrit les noms et adresses de son notaire et de sa banque. Lorsqu'elle avait suggéré qu'elle pourrait se charger de l'avenir de Chris, il l'avait regardée fixement, comme s'il voulait lui donner un conseil, puis s'était ravisé. Il avait accepté les vingt livres qu'elle lui avait données, souriant d'un air sceptique quand Meg lui avait assuré que Chris la rembourserait un jour. Et il avait considéré sa fille avec aversion et lassitude.

La tante avait paru à Meg sotte et incompétente; elle avait cherché à s'excuser :

— Je fais de mon mieux, mais vous savez comment sont les filles, de nos jours; déchaînées, rien dans la tête, sauf les garçons. Je ne sais jamais ce qu'elle mijote.

Felix Palmer avait écouté le récit de Meg sans l'interrompre; et lorsqu'elle avait admis que le père de Chris ignorait tout du transistor, alors que Chris avait déclaré qu'une amie le lui avait donné, il s'était borné à hocher la tête. Quand Meg eut terminé, le major ne fit qu'un seul commentaire : il pourrait être difficile de se débarrasser de la jeune fille au bout de six mois, si elle restait jusque-là. Meg s'était emportée, affirmant qu'elle ne voudrait jamais se débarrasser de Chris, et le major Palmer était parti sans ajouter un mot. Cependant, à la différence de Mme Dawlish, il manifestait des signes d'adoucissement. Il les avait invitées toutes les deux, ce soir-là, à venir boire un verre.

« Il y a tant à réparer, Rosa, écrivait Meg, à présent. Je trouve à la fois absorbant et passionnant de remodeler ce jeune esprit. »

Une nouvelle fois, elle contempla, au-dehors, le jardin ensoleillé. Chris, assise sur ses talons, le transplantoir à la main, considérait fixement la maison. L'immobilité de la jeune fille, son air absorbé, attirèrent l'attention de Meg. Chris examinait quelque chose, très au-dessus de la fenêtre du salon, et elle souriait — un sourire radieux qui transformait le petit visage dur.

— Qu'est-ce que tu regardes, Chris? cria Meg. Un oiseau?

Chris sursauta, bondit sur ses pieds et écarquilla les yeux comme si on l'avait arrachée à un rêve, puis elle s'avança nonchalamment vers la fenêtre. Les yeux bleus rencontrèrent ceux de Meg avec leur expression la plus joyeuse, la plus ingénue — une expression dont Meg avait appris à se méfier.

— Il y a un nid là-haut! On voit un oiseau entrer et sortir.

Meg sourit :

— Une hirondelle. Elles font toujours leur nid sous la lucarne. Je ne savais pas que tu t'intéressais aux oiseaux.

— Oh! si, dit Chris d'un ton léger.

Et plongeant son regard dans le salon, au-delà de Meg, elle ajouta :

— J'avais oublié que vous étiez là. Que faites-vous?

— J'écris à Rosa Maitland, mon amie qui est au Canada. Je veux qu'elle reçoive ma lettre avant de partir pour New York.

— Elle ne revient pas, n'est-ce pas? Je croyais qu'elle était absente pour des mois.

Chris, soudain, paraissait alarmée. En quoi la date du retour de Rosa pouvait-elle bien l'intéresser? La jeune fille était-elle jalouse? Meg la rassura :

— Non, non, Rosa ne va à New York que pour quelques jours. Je voudrais qu'elle m'achète quelque chose là-bas.

— Ah! bon, ça va, soupira Chris. Je veux dire, on n'a besoin de personne, n'est-ce pas? Vous et moi... on est si bien comme ça.

Meg ne sut que répondre à cet aveu apparemment candide. Chris était-elle sincère? Mais pourquoi...

— Il n'est pas encore midi? demanda soudain Chris.

Souriant de ce brusque changement de ton, Meg répondit :

— Midi cinq. Déjà faim? File à la cuisine. Mme Dawlish mange son casse-croûte. Elle te donnera quelque chose à grignoter.

ELLES rangèrent la voiture au garage, et Meg consulta sa montre.

— Six heures et demie, Chris. Va vite te changer.

— Me changer! (Chris était fatiguée et de mauvaise humeur.) Pour traverser le verger et boire un verre chez le vieux renard roux? L'ennui avec vous, Meg, c'est que vous êtes vieux jeu.

— Je t'ai déjà dit de ne pas m'appeler Meg.

— Mar-ga-ret. C'est si long! Je préfère Meg.

Meg eut envie de la secouer.

— Vite, Chris, dit-elle. Le major Palmer a pris la peine de nous inviter; c'est la moindre des politesses de se donner aussi un peu de peine et de ne pas arriver en retard.

Chris renifla et se tourna d'un air maussade vers l'escalier.

L'expédition de l'après-midi n'avait pas été un succès. Dans la cathédrale, Chris avait suivi Meg en traînant les pieds, ne manifestant aucun intérêt pour la perspective impressionnante ni pour la musique d'orgue qui emplissait le vaste édifice de son flot ascendant et descendant. Elle n'avait paru heureuse qu'en retrouvant les rues populeuses de Canterbury, où elles avaient regardé les vitrines. Chris avait acheté des cigarettes. Tout en sachant que c'était une erreur, Meg avait remarqué :

— C'est dommage de tant fumer à ton âge.

— Faut-il toujours que vous me harceliez? avait répliqué Chris d'un ton sec.

Puis, prenant le bras de Meg, elle avait ajouté :

— Ne prenons pas le thé ici. J'ai envie de rentrer.

A présent, suivant Chris au premier étage pour se laver et se changer, Meg se demandait avec lassitude si elle ne perdait pas son temps à vouloir lui élargir l'esprit.

Elle avait pensé que Chris la ferait attendre, mais à sa grande surprise la jeune fille descendit aussitôt après elle.

— Eh bien, est-ce que ça va? demanda celle-ci en tournoyant.

Sa robe, rose et courte, était l'une de ses préférées; elle avait mis des sandales à talons plats, relevé ses cheveux en torsade, ajouté un soupçon de rouge à lèvres et même une touche de fard bleu sur ses paupières. Elle semblait non seulement contente d'elle, mais particulièrement joyeuse.

Meg se rasséréna. Elle ne put s'empêcher de sourire.

— Une vraie transformation en si peu de temps! Tu ferais bien de prendre un chandail, déclara-t-elle.

Elles s'engagèrent dans le sentier qui contournait le bois séparant le jardin de Meg de la propriété de Felix Palmer. La soirée était si douce, si tranquille, qu'on aurait pu se croire en plein été. Les rossignols revenaient tous les ans dans ce bois. Meg et Jocelyn s'étaient souvent promenés ici au clair de lune en écoutant leurs chants limpides. La lassitude de Meg céda la place à une sensation de paix. Pour la première fois depuis la mort de Jocelyn, elle pensait à lui sans souffrance.

Le bungalow du major Palmer, recouvert de bardeaux, avait l'air aussi net et soigné que son propriétaire. Quand Meg souleva le marteau de cuivre en forme de tête de hibou, les deux bassets tournèrent en trombe le coin de la maison. Le major suivait.

— Vous voilà! s'écria-t-il. J'étais allé à votre rencontre par le champ... Je n'avais pas idée que vous viendriez par le sentier.

Il portait un blazer bleu marine à boutons de cuivre, et ses chaussures marron luisaient comme un sou neuf.

— Avant d'entrer, dit-il, je veux vous montrer quelque chose d'extraordinaire. Je n'y comprends rien.

Il les conduisit vers le bois, à travers la pelouse. Au coin où le bois rejoignait la haie qui courait le long du sentier, il y avait une petite mare bordée de joncs. Sur la rive herbeuse, une motocyclette couverte de boue était couchée sur le côté.

— C'est tout? s'exclama Chris. Une vieille moto! Je croyais que vous aviez découvert un trésor enterré ou une bombe!

Le major l'ignora.

— Elle n'est pas vieille, dit-il, c'est un modèle récent. C'est déjà une chose curieuse, madame Starr. Il y en a une autre : les plaques d'immatriculation ont été retirées. Et puis la trousse à outils manque et le réservoir est vide.

Il se pencha en avant et écarta les longues herbes qui s'étaient prises dans le guidon.

— Je lançais une balle aux chiens, après le déjeuner, et ils l'ont perdue dans les roseaux. Quand je suis allé la chercher, j'ai aperçu le guidon qui pointait hors de l'eau. J'ai eu beaucoup de mal à tirer l'engin sur le bord.

— Comment une moto a-t-elle pu échouer dans votre mare? demanda Meg.

— Quelqu'un l'a poussée depuis le sentier jusque dans le bois. Tenez, on voit l'endroit, dans les buissons, où l'on a forcé le passage. Ensuite, on l'a fait basculer dans l'eau. Sans cette longue période de sécheresse, on ne l'aurait pas trouvée avant des mois. Un coup de malchance pour quelqu'un!

Meg fronça les sourcils; il lui déplaisait de penser qu'on eût ainsi violé son petit bois familier qui, quelques instants plus tôt, lui paraissait encore un sanctuaire de paix.

— Mais pourquoi aurait-on voulu la mettre là? dit-elle.

Le major haussa les épaules :

— Pourquoi, en effet, à moins de l'avoir volée? (Il se tourna vers Chris.) Savez-vous quelque chose à ce propos, jeune fille?

Chris resta bouche bée.

— Moi? fit-elle d'une voix aiguë.

— Vraiment, major, s'indigna Meg. Vous trouvez une moto dans votre mare et vous essayez aussitôt d'établir un rapport avec Chris. Pourquoi?

— Ma foi, elles sont toutes les deux tombées du ciel. Inutile de vous emporter comme ça, dit-il avec un sourire. Ce n'était qu'une idée en passant.

Et tout en les guidant à travers la pelouse, il ajouta :

— Il faut laisser ça à la police.

— Est-ce bien nécessaire? demanda Meg d'une voix lente.

— J'en ai peur. Rappelez-vous qu'on a retiré les plaques d'immatriculation. Je leur ai téléphoné immédiatement et ils m'ont promis d'envoyer quelqu'un. Ils voudront peut-être vous poser quelques questions — si vous avez vu ou entendu une moto dans le sentier, par exemple. J'espère que cela ne vous ennuiera pas?

— M'ennuyer? Je veux bien répondre à toutes les questions, mais je n'aime pas du tout l'idée d'une intrusion de la police, et moins encore que cette maudite moto soit apparue ici, et dans ce lieu entre tous.

Chris, qui les précédait de quelques pas, se baissa pour ramasser une vieille balle de tennis, puis la lança vers la grille. Aussitôt, les bassets se précipitèrent à sa recherche, la jeune fille courant derrière eux. Meg observa en souriant la robe rose et les jambes minces qui filaient à travers la pelouse.

— Quelle énergie! dit-elle, tandis qu'ils revenaient, courant toujours. Rien qu'à la regarder, je me sens vieille.

Le major ouvrit la porte d'entrée et s'effaça pour laisser passer son invitée.

— Aucun lieu n'est sûr, de nos jours... comme je vous l'ai déjà dit, énonça-t-il.

Le vaste salon reflétait bien les goûts de son propriétaire : il était propre, en ordre et plutôt laid. Dans chacun des trois fauteuils dormait un chat tigré. Au-dessus de la cheminée de brique était suspendue une grande peinture à l'huile, le portrait d'un homme en uniforme galonné, à col haut. Meg s'en approcha.

— Mon père, expliqua le major, dans la tenue de mess de son régiment, un régiment de Gurkhas dans lequel j'ai servi à mon tour.

— Vous lui ressemblez beaucoup, observa Meg.

— Je ne sais pas s'il en serait flatté. Que puis-je vous offrir?

Felix Palmer, constata-t-elle, s'était mis en frais; il avait allumé inutilement du feu, recouvert la table d'une nappe blanche brodée et disposé des verres, des bouteilles et une assiette de gâteaux secs. Il chassa les chats, fit asseoir ses invitées de chaque côté de la cheminée et s'affaira à préparer les boissons.

Presque tout de suite, Chris quitta son fauteuil et, tenant une cigarette et son verre de xérès, erra dans le salon en examinant les livres.

— J'aime assez cette pièce, annonça-t-elle. Elle n'est pas trop encombrée, comme le salon de Margaret. Comment la gardez-vous si propre avec tous ces animaux dans la maison? Regardez, Meg, un panier plein de petits chats et un bocal à poissons. N'avez-vous pas d'oiseaux, major?

— Assieds-toi, Chris, dit Meg un peu sèchement.

Et voyant la jeune fille ouvrir et refermer vivement le tiroir du bureau de noyer :

— Mais qu'est-ce que tu fais? Tu vas renverser ton xérès!

Felix Palmer, près de la table, se servait à boire.

— Pour rien au monde je n'aurais d'oiseaux, dit-il. Je déteste voir en cage un être vivant.

— Comme vous avez raison! approuva Chris. Je trouve absolument dégoûtant de garder enfermé un animal ou une personne.

« Cette remarque semble m'être destinée, mais pourquoi ? » se demanda Meg en considérant le jeune visage ardent.

Chris, comme si Meg avait parlé, lui lança un coup d'œil alarmé.

— Pourquoi me regardez-vous comme ça? explosa-t-elle. Vous ne savez pas tout de moi, n'est-ce pas? Vous ne savez pas que c'est le genre de pièce où j'aimerais vivre, où tout est simple et ordinaire, où personne ne vous répète tout le temps : « Ne fais pas cela, fais ceci! » (Elle souleva un des bassets.) Tu as de la chance, toi, lui dit-elle. Tu fais ce que tu veux.

« Il serait absurde de me sentir blessée », pensa Meg. Elle constata que la jeune fille, qui s'était plongée dans une de ses rêveries, paraissait soudain beaucoup plus âgée, inquiète, tendue. Meg avait appris à ne pas tenir compte de ces brusques sautes d'humeur, et elle raconta au major les dernières nouvelles de Rosa.

Comme si elle parvenait à une décision, Chris fit descendre le chien de ses genoux, se leva et, leur coupant la parole, demanda sur un ton enjôleur :

— Puis-je jeter un coup d'œil sur le reste de la maison, major?

Palmer décocha un regard à la jeune fille — un regard soupçonneux, pensa Meg.

— Il n'y a pas grand-chose à voir, dit-il. Ce n'est qu'un bungalow très ordinaire.

— J'adore visiter les maisons des autres, repartit Chris.

Et sans attendre de réponse, elle disparut par la porte la plus proche. Le major fit mine de se lever, puis il se ravisa.

— Qu'est-ce qu'elle mijote, cette gamine, à votre avis? demanda-t-il. Bah! je suppose qu'elle s'ennuie, assise là avec de vieilles badernes.

Il devint aussitôt cramoisi, et bredouilla :

— Je ne parlais pas de vous, bien sûr.

Meg éclata de rire :

— Mais c'est ce que je suis pour Chris : une vieille baderne! Je la mets hors d'elle...

Et elle lui raconta l'expédition à Canterbury. Felix l'écouta d'un air sombre; puis, remplissant son verre, il lui demanda :

— Avez-vous des projets pour elle? Je veux dire qu'elle devrait travailler à quelque chose, gagner sa vie, ne pas traîner toute la journée en vivant à vos crochets.

— Mais j'aime bien l'avoir avec moi.

— C'est mauvais pour elle, insista Palmer, têtu. Elle vient d'une famille accoutumée à travailler dur. Vous allez l'habituer à la facilité, la rendre incapable d'affronter un autre genre de vie.

— Chris n'est avec moi que depuis trois semaines, protesta Meg. Mais vous avez tout à fait raison. S'il m'arrivait quelque chose, que deviendrait-elle? J'ai l'intention d'assurer son avenir. Il faut que je téléphone à mon notaire.

— Et vos fils? Seraient-ils d'accord?

— Mes fils peuvent se débrouiller, et de toute façon Jocelyn les a mis à l'abri du besoin. Je suis certaine qu'ils m'approuveraient.

— N'en soyez pas trop sûre. Pourquoi ne pas donner à Chris une bonne formation dans une branche quelconque? Ce serait le meilleur service à lui rendre. Vous avez l'air furieuse, ajouta-t-il en souriant. Chaque fois que nous nous voyons, nous finissons par nous chamailler!

Encore une fois, Meg se radoucit.

— A la vérité, j'ai pensé à un cours de secrétariat pour Chris...

— Comment? (Chris, les yeux agrandis par l'inquiétude, se tenait derrière eux, un petit chat dans les mains.) Oh! Margaret, vous n'allez pas me renvoyer?

Depuis combien de temps était-elle là? se demanda Meg.

— Bien sûr que non, fit-elle d'un ton apaisant. Je pensais seulement qu'à l'automne...

— Ça fait encore des mois, dit Chris. J'ai cru... (Se baissant, elle déposa le petit chat dans le panier.) J'aime vos petits chats, major, et j'aime votre maison.

— Cela vous ferait-il plaisir de garder ce petit chat, si Mme Starr y consent?

Était-ce, de la part de Palmer, un moyen de faire amende honorable? Meg approuva aussitôt :

— Bien sûr, Chris, que tu peux avoir un petit chat!

Il y eut un instant de silence, puis Chris déclara :

— Je n'en ai pas vraiment envie. Il sera beaucoup mieux ici.

— Que veux-tu dire? demanda Meg, vexée. Pourquoi ne prends-tu pas ce chat? Tu pourrais au moins dire merci au major.

— Merci, dit Chris docilement.

Puis, élevant la voix, elle s'écria brusquement :

— Pourquoi? Pourquoi? Pourquoi? Pourquoi dois-je tout vous expliquer? Je ne veux pas de petit chat. Je n'ai pas le temps...

Elle s'interrompit et porta la main à sa bouche.

— Ma chère enfant, dit Meg, qu'y a-t-il?

— Je regrette, Margaret, répondit Chris. Oubliez ça. N'est-il pas temps de partir?

— Il n'est pas encore huit heures, protesta Felix Palmer. (Puis son regard alla de Meg à Chris, et il se leva.) Mais je ne veux pas vous retenir. Les chiens et moi, nous allons vous accompagner jusqu'au verger. C'est une belle soirée.

Laissant la porte d'entrée ouverte, il s'avança aux côtés de Meg, bavardant avec courtoisie et ignorant Chris, qui traînait derrière eux. Les chiens courant devant eux, ils traversèrent le jardin et débouchèrent dans le champ. Au moment où ils atteignaient la barrière qui donnait sur le verger et où le major l'ouvrait pour Meg, Chris leur cria :

— J'ai oublié mon chandail... J'en ai pour une seconde.

Et la jeune fille partit en courant.

— Je vous prie de l'excuser, dit Meg. C'est mal de sa part d'avoir gâché cette délicieuse soirée. Merci de nous avoir invitées.

Il prit sa main tendue :

— N'y pensez plus. J'ai été ravi de vous avoir. Maintenant que le premier pas est fait, il faudra revenir.

Chris, son tricot sur les épaules, accourait vers eux dans l'herbe haute. Son expression maussade et révoltée s'était évanouie, et elle remercia le major avec bonne humeur. Lorsqu'il les quitta et qu'elles s'avancèrent dans le verger, Chris glissa la main sous le bras de Meg en disant :

— Enfin! c'est terminé. Maintenant, nous pourrons passer une bonne soirée ensemble, rien que nous deux.

Meg retira son bras.

— Comment as-tu pu me parler sur ce ton devant le major Palmer? demanda-t-elle. Qu'est-ce qui t'a pris?

— Je ne comprends pas ce que vous voulez dire.

— Mais si, tu le comprends. Quelque chose t'a bouleversée. (Meg s'immobilisa.) C'est cette moto, n'est-ce pas?

Chris la regarda fixement de ses yeux bleus et durs :

— Quelle sottise, voyons! Qui se soucie d'un vieux clou? Bon, je ne vais pas rester là à discuter. Moi, j'ai envie de dîner.

Elle s'éloigna sur la pelouse et rentra par la porte de derrière. Meg soupira et la suivit. L'ombre de la maison, projetée par le soleil couchant, s'étendait vers elle, noire sur le gazon tondu.

IV

Ce soir-là, pour la première fois depuis des semaines, Meg ne put trouver le sommeil. A minuit, encore tout éveillée, elle revivait la scène troublante qui s'était déroulée après le dîner.

Elle était assise dans le fauteuil à oreilles près du feu, Chris agenouillée sur le tapis du foyer et le plateau du café posé entre elles. Chris venait de lui donner une tasse quand soudain le major Palmer fit irruption dans la pièce, pour une fois sans manteau. L'air accusateur, il les foudroya du regard en criant :

— Mon revolver a disparu!

Sursautant, Meg renversa sa tasse, et le café bouillant, traversant sa robe légère, lui brûla les jambes.

— Regardez ce que vous avez fait! s'était alors exclamée Chris, furieuse. Entrer comme ça en trombe! Ne bougez pas, Margaret. Je vais chercher un torchon.

Felix Palmer, ignorant la jeune fille qui passait devant lui en courant vers le vestibule, s'était avancé dans la pièce.

— Mon revolver a disparu, répéta-t-il. C'est cette fille qui l'a pris quand elle est retournée à la maison pour chercher son pull.

— C'est ridicule, voyons! Qu'est-ce que Chris ferait d'un revolver?

Chris était revenue et tamponnait la jupe de Meg avec un torchon.

— Il est complètement fou, dit-elle en levant les yeux sur Meg. Moi, prendre son revolver! Et pourquoi moi?

Posant le torchon sur la cheminée, elle fit un pas vers le major :

— Je parie que votre précieux revolver n'est pas vraiment perdu... Vous avez oublié où vous l'avez mis, voilà tout.

Palmer émit un ricanement rauque.

— En voilà assez, Chris, dit-il. Je sais que vous avez pris mon revolver. Rendez-le-moi immédiatement.

Et comme Chris, haussant les épaules, se tournait vers Meg, il avait empoigné la jeune fille par le bras et l'avait fait pivoter sur elle-même.

Meg s'était levée d'un bond.

— Comment osez-vous, major? protesta-t-elle vivement. Lâchez-la tout de suite! Discutons comme des gens raisonnables.

Quant à toi, Chris, inutile d'être impolie. Assieds-toi et tais-toi.

Meg avait fait de son mieux : elle avait souligné que Chris ne portait rien quand elle les avait rejoints dans le verger, que la jeune fille n'aurait pu cacher le revolver sous sa robe trop ajustée. Cela n'avait servi à rien. L'opinion du major était faite. Il expliqua que le revolver était d'ordinaire soigneusement enfermé, mais qu'après l'avoir rapporté de chez Meg, le fameux matin, il l'avait laissé, avec une boîte de munitions, dans le tiroir du bas de la commode de sa chambre. Il admit à contrecœur que le blanchisseur et l'électricien étaient entrés depuis dans la maison en son absence. Mais quand Meg s'écria triomphalement : « Eh bien, voilà ! Quelqu'un d'autre a eu la possibilité de trouver le revolver », le major Palmer perdit patience.

— Personne, sauf Chris et vous, ne savait que je possédais un revolver, cria-t-il. Réfléchissez un peu, ma chère ! Ne voyez-vous pas qu'il se passe quelque chose de bizarre ?

— Ne criez pas, dit Meg.

Et se tournant vers Chris, elle ajouta :

— Une fois pour toutes, Chris... l'as-tu pris ?

— Bien sûr que non ! (Chris fondit en larmes.) Depuis que je suis arrivée ici, il a une dent contre moi ; et maintenant, il va me mettre la police sur le dos.

— Je dois signaler la disparition de mon revolver, dit le major. Rendez-le-moi, cela nous évitera à tous un tas d'ennuis.

Meg passa son bras autour de Chris :

— Elle vous a dit qu'elle n'y avait pas touché. Je vous conseille de rentrer chez vous et de chercher minutieusement.

— Cette fille vous a ensorcelée ! C'est dangereux, d'être aussi aveugle. Je ne partirai pas avant de vous avoir ouvert les yeux.

Meg s'était alors emportée.

— Sortez de chez moi ! lui avait-elle crié. J'en viens à penser que vous avez trop bu !

A présent, couchée dans son lit, Meg aurait voulu pouvoir effacer ces paroles. En les entendant, le major Palmer la regarda, et son visage, qui était rouge de colère, pâlit soudain et se durcit.

— Très bien, articula-t-il avec une certaine dignité. Je m'en vais. Vous ne me reverrez pas, à moins de m'envoyer chercher.

Après son départ, Meg se tourna vers Chris pour scruter son visage.

— Chris, peut-être as-tu caché ce revolver pour le taquiner ?...

La police nous interrogera sûrement, si on ne le retrouve pas.

Chris se dégagea :

— Je ne l'ai pas pris! Je le jure! Si vous ne me croyez pas, qui me croira?

Et se jetant sur le divan, elle s'était remise à pleurer. Meg s'était assise à côté d'elle, lui avait affirmé qu'elle la croyait, bien sûr... Finalement, Chris se redressa et tendit les bras à Meg :

— Oh! Margaret, je vous aime, vraiment... Vous êtes formidable!

Puis, avec un de ses changements d'humeur surprenants, elle enchaîna brusquement :

— Grâce à Dieu, c'est terminé! Maintenant, je vais vous préparer du lait chaud. Vous avez l'air exténuée.

Et elle s'était précipitée à la cuisine.

Le verre de lait, presque intact, était toujours sur la table de chevet, là où Chris l'avait posé. Meg n'en avait pas eu envie. Elle se redressa et consulta sa pendulette : deux heures moins le quart. Il était inutile de rester couchée plus longtemps; mieux valait descendre, réchauffer le lait et lire quelques pages avant d'essayer à nouveau de dormir. Elle enfila sa robe de chambre, prit le verre, s'avança vers la porte et tourna le bouton. La porte résista et ne s'ouvrit pas. Elle reposa alors le verre sur la table, renversant du lait tant sa main tremblait, puis revint vers la porte et essaya de tourner le bouton à deux mains. Rien à faire : la porte était fermée à clef de l'extérieur...

Aussitôt, une terreur familière lui étreignit la gorge, et elle eut l'impression de suffoquer. Meg s'affolait comme elle s'était affolée un jour, des années auparavant, quand elle s'était trouvée bloquée pendant une heure dans un ascenseur bondé. Elle cogna sur la porte à coups redoublés en appelant :

— Chris! Chris!

Puis elle tendit l'oreille : la maison était silencieuse.

Pivotant sur elle-même, elle courut au téléphone; mais au moment où elle soulevait le récepteur, la porte s'ouvrit et Chris apparut sur le seuil en bâillant, sa robe de chambre bleue non boutonnée. Elle fixa sur Meg un regard ensommeillé et ahuri.

— Que diable se passe-t-il? demanda-t-elle.

Meg s'effondra sur le lit.

— Oh! Chris! s'écria-t-elle, j'ai cru que tu ne m'entendrais jamais. La porte était fermée à clef.

— Elle n'était pas fermée à clef, affirma Chris d'un ton net.

— Si, elle l'était, et de l'extérieur! Ne me refais jamais ça, Chris! Je ne peux pas supporter d'être enfermée.

Chris lui lança un regard dur et froid, et fronça les sourcils.

— Je ne vous ai pas enfermée, Margaret. Pourquoi aurais-je fait ça? (Elle se retourna et se baissa. En se relevant, elle brandit la clef.) La voilà, dit-elle. Elle était sur le tapis du couloir. Personne ne vous a enfermée, Margaret. Pauvre chérie! vous avez dû rêver. (Dans les yeux bleus dansa une lueur de gaieté que Meg y avait déjà observée.) Tenez, vous n'avez pas touché à votre lait. Je vais vous le réchauffer. Si vous l'aviez bu, vous auriez dormi comme une souche, sans cauchemars.

Meg s'appuya sur ses oreillers.

— Laisse la porte ouverte, demanda-t-elle.

Fermant les yeux, elle écouta les pas légers descendre l'escalier. Pourquoi Chris l'avait-elle enfermée dans sa chambre?

Avec un sursaut, elle ouvrit les yeux. Chris se tenait à son chevet.

— Vous vous étiez déjà rendormie, lui dit Chris avec douceur. Mais tenez, avalez ça. Il va être trois heures, grande sotte.

Quand Meg lui tendit le verre vide, Chris proposa :

— Voulez-vous que je reste un petit moment avec vous?

Meg sourit et lui effleura la main :

— Tu es une gentille gosse, parfois. Non, file. Ça va bien, maintenant.

La porte se referma.

Meg éteignit la lampe et resta allongée dans l'obscurité, les sourcils froncés. Elle songeait à la motocyclette, au revolver perdu, à la porte fermée à clef : trois incidents étranges en une seule journée. Se retournant dans son lit, elle essaya de réfléchir. Elle n'avait pas rêvé; alors pourquoi Chris l'avait-elle enfermée? Pourquoi? Pourquoi?... Le sommeil l'engloutit alors qu'elle cherchait encore une réponse.

JUSTE avant l'aube, des trombes d'eau se mirent à tomber. Deux jours plus tard, il pleuvait toujours. Le froid s'infiltra dans la vieille maison; le vestibule sentait l'humidité.

Tout en s'habillant, Meg regarda le ciel gris, au-dehors. Au moins, à Londres, elles pourraient aller n'importe où en taxi. La journée avait été prévue comme une sorte de réparation vis-à-vis de Chris. Meg avait pris rendez-vous avec M. Danby, son notaire, puis avec Ida Rogers, une amie qui avait une fille de l'âge de Chris, pour déjeuner et aller au théâtre.

Il était temps que Chris rencontrât des gens de sa génération; elle devenait beaucoup trop casanière. Meg avait décidé que pendant son entretien avec M. Danby, Chris irait faire des courses. Après le théâtre, elles iraient toutes manger un sandwich et boire un verre quelque part, et Meg rentrerait avec Chris par le train de dix-neuf heures quinze. Mme Dawlish devait leur préparer un bon petit souper froid qu'elles trouveraient à leur retour : saumon, fraises, et une bouteille de vin du Rhin.

Meg rangea sa chambre. Si elles voulaient attraper le train de neuf heures quarante, il ne lui resterait guère de temps après le petit déjeuner. Elle espérait que Chris était prête. La veille au soir, l'enfant lui avait paru apathique, et Meg s'était demandé si la visite de la police ne l'avait pas bouleversée.

Le jeune policier, très solennel, avait d'abord vu Meg seule; il lui avait posé quelques questions et avait noté dans son carnet l'adresse du père de Chris. Ensuite, devant elle, il avait parlé à Chris. Sans manifester la nervosité ou l'hostilité que Meg avait redoutées, la jeune fille avait affirmé simplement qu'elle n'avait pas touché au revolver et qu'elle ignorait tout de la motocyclette. Quand Meg avait demandé au policier ce qui allait se passer maintenant, il avait répondu que l'enquête s'orienterait dans plusieurs directions.

Tandis que Meg s'avançait vivement dans le couloir, la porte de Chris s'ouvrit et elle apparut en chemise de nuit.

— Margaret, je me sens très mal, annonça-t-elle. J'ai une migraine affreuse. Je crois que j'ai attrapé la grippe.

De la voix geignarde que Meg détestait tant, elle ajouta :

— J'ai mal partout. Il faut que je retourne me coucher.

Meg poussa doucement la jeune fille dans la pièce, qui était dans son état de désordre habituel. L'ancienne chambre de Philip avait été transformée en chambre de jeune fille. On y voyait des carpettes blanches et une coiffeuse entourée d'un volant de mousseline. Chris avait monté les affaires de Philip au grenier.

— Faut-il vraiment que tu laisses tes vêtements traîner par terre? demanda Meg en ramassant la robe que Chris avait portée la veille au soir. (Elle se tourna vers la jeune fille.) Tu frissonnes, Chris. Tu as dû prendre froid. Quel dommage!

— Je ne pourrai pas venir à Londres avec vous, gémit Chris. Moi qui étais si contente d'y aller! Mais vous devez partir, ajouta-t-elle en regagnant son lit. Tout est arrangé, et votre madame Rogers serait trop déçue.

— Il n'est pas question de te laisser ici toute seule et malade.

— Ce n'est jamais qu'un rhume. Mme Dawlish sera là ce matin, et je dormirai tout l'après-midi. Si vous n'y allez pas, je serai vraiment malade.

Meg hésitait en pensant à M. Danby, le notaire.

— Je pourrais revenir après le déjeuner, suggéra-t-elle. En ce cas, je serais de retour vers quatre heures.

— Oh! non. Promettez-moi d'aller au théâtre et de prendre le train de sept heures quinze. Je ne me reposerai pas avant.

Et Chris se mit à pleurer.

— Bon, bon, concéda Meg, alarmée par cette véhémence. Inutile de te mettre dans cet état!

— Vous vous amuserez et vous ferez tout ce qui était prévu?

— Je ferai de mon mieux pour m'amuser, dit-elle en souriant à la jeune fille, mais sans toi ce ne sera pas facile.

Un peu plus tard, protégée par son parapluie, Meg se dirigea hâtivement vers le garage. A la grille, elle se retourna. La maison, avec ses murs roses sous le vieux toit d'ardoises, se dressait là, solide entre ses haies de hêtres, pareille à ce qu'elle était depuis des siècles. Comment avait-elle pu la trouver démodée? Elle lui paraissait maintenant sereine et sage, assurée de durer toujours. « En sécurité », avait dit Chris. Si une maison donnait une impression de sécurité, à coup sûr, c'était bien celle-là.

QUAND Meg revint, il pleuvait toujours. Aucune fumée ne s'échappait de la cheminée, ce qui voulait dire que Chris n'avait pas allumé de feu et qu'elle était probablement toujours couchée. Comme sa chambre donnait sur le jardin de derrière, elle n'avait sans doute pas entendu arriver la voiture. Serait-elle contente de voir Meg rentrer de si bonne heure — il n'était que quatre heures et demie — ou serait-elle contrariée?

Pendant tout le déjeuner, Meg avait été obsédée par l'idée que la police, ayant poursuivi son enquête, pouvait revenir pendant que la jeune fille était seule. Tout en essayant de tenir son parapluie, le sac de raisin et les magazines qu'elle avait achetés pour Chris et, en même temps, de trouver sa clef dans son sac, elle se répéta, la conscience un peu coupable, ce qu'elle allait lui dire : « Je sais que je n'ai pas tenu ma promesse, Chris, mais je n'aurais pas profité du théâtre sans toi. »

Meg referma la porte d'entrée, y appuya son parapluie pour le laisser égoutter sur le paillasson et posa son sac sur le coffre, au pied de l'escalier. Elle se souvint de cet autre après-midi, plus de trois semaines auparavant, où elle était rentrée de Londres. Il n'y avait pas de sonnerie de téléphone pour l'accueillir, cette fois-ci; rien qu'un silence pesant. Le vestibule, avec la pluie qui ruisselait sur les vitres, était encore plus sombre que d'habitude.

Chargée des cadeaux destinés à apaiser Chris, elle gravit hâtivement l'escalier. Le lit de la jeune fille était vide; sa robe de chambre, habituellement posée sur une chaise, avait disparu.

Meg suivit le corridor. Chris devait être à la cuisine, peut-être pour se faire une tasse de thé. Meg aurait pu crier : « Chris? Je suis rentrée! » Mais le silence de la maison lui imposait à elle-même le silence. Se sentant un peu comme une intruse, elle entra dans sa chambre.

Quelqu'un avait fermé les rideaux. La lampe de chevet était allumée et la pièce baignait dans une lumière rosée. Meg s'immobilisa sur le seuil, les yeux fixés sur son lit, le grand lit à deux places dans lequel elle dormait naguère avec Jocelyn.

Tout d'abord, la vue des deux formes allongées là, dans le sommeil moite et abandonné qui suit l'amour, ne la révolta pas. Le bras nu du garçon reposait sur les épaules nues de la jeune fille; leurs têtes, l'une blonde, l'autre d'un brun roux, étaient tournées l'une vers l'autre sur l'oreiller. Meg, dans sa stupéfaction hébétée, ne put que penser : « Qu'ils sont jeunes et beaux! » Le sac de raisin et les magazines lui glissèrent des mains et le bruit qu'ils firent en tombant parut retentissant dans le silence enchanté de la pièce. La jeune fille se dressa et, d'un geste vif, instinctif, attrapa sa robe de chambre, au pied du lit, et l'enfila.

— Vous m'aviez promis! hoqueta-t-elle, furieuse. Vous m'aviez promis!

Incapable de détacher son regard du lit, Meg tendit la main vers le bouton de la porte.

— Ah! non, pas question! lança Chris.

Se levant d'un bond, elle la tira brutalement à l'intérieur, claqua la porte et tourna la clef, qu'elle mit dans sa poche.

Meg, comme libérée d'un charme, s'effondra dans un fauteuil.

— C'est ça, dit Chris. Et ne bougez pas ou vous le regretteriez.

Le garçon, maintenant appuyé sur un coude, considérait Meg d'un regard ensommeillé, presque bienveillant. Peut-être était-ce le front large et plat, et les yeux clairs, indifférents, autant que la crinière de cheveux qui lui tombaient jusqu'aux épaules, mais il évoqua dans l'esprit de Meg l'image d'un lion. Lorsqu'il balança ses jambes vers le sol pour enfiler un blue-jean, elle vit jouer les muscles de ses fortes épaules. Malgré sa taille, il ne paraissait pas beaucoup plus âgé que Chris : dix-sept ans, peut-être dix-huit.

— Ainsi, maintenant, vous voilà fixée, dit Chris. Que comptez-vous faire ?

Meg retrouva enfin sa voix :

— Ma chambre, notre lit...

Chris lui sourit, un sourire qui étira ses lèvres minces, découvrant ses dents :

— C'est le seul lit de dimensions convenables de la maison. Les premières nuits, avant votre retour, nous couchions ici.

— Qui est ce garçon ? demanda Meg, abasourdie. Vient-il du village ? L'ai-je déjà vu ?

Chris éclata de rire :

— Il y a peu de chances ! J'ai fait assez attention pour que vous ne le voyiez pas ! C'est Roy Halloran, mon Roy, et il a été ici tout le temps.

Essayant de se ressaisir, Meg demanda :

— Comment quelqu'un a-t-il pu rester dans cette maison pendant des semaines sans que je le sache ?

— Roy était avec moi dans le grenier le jour où vous et le vieux Palmer m'avez découverte. Quand nous avons su que vous reveniez, Roy voulait partir, mais je lui ai fait comprendre que nous n'aurions pas une chance de nous en sortir, avec lui qui traînait la patte. Il s'est esquinté la cheville quand la moto est tombée dans le fossé.

— La moto ! Ainsi, c'est comme ça que vous êtes arrivés !

Regardant Roy, qui se tenait derrière Chris, Meg lui dit :

— Vous feriez mieux de partir avant que j'appelle la police.

Le garçon la fixa d'un air hébété, comme s'il ne comprenait pas, et tendant la main vers un sweater, au pied du lit, il l'enfila par la tête. C'était un pull-over bleu foncé que Meg avait tricoté pour Philip, des années auparavant. Elle protesta :

— Ce sweater n'est pas à vous. Retirez-le tout de suite !

— Vous en avez du culot de parler comme ça à Roy! s'écria Chris, hors d'elle. Si j'étais vous, je ne ferais pas tant d'histoires pour un vieux sweater. Vous avez tout gâché, espèce de vieille idiote! Je pourrais vous tuer!

Meg, consternée, eut un mouvement de recul.

— Ferme-la, Chris, ordonna Roy sans élever la voix.

Pieds nus, il s'avança en boitant vers la fenêtre, dont il écarta les rideaux. Puis, l'ouvrant, il se pencha au-dehors et offrit son visage à la pluie.

— Ne reste pas là! hurla Chris. Ne te montre pas à la fenêtre! Ce fouinard est toujours à traîner partout avec ses chiens. (Elle se rua à travers la chambre et le tira en arrière.) Tu veux être pris? Après tout le mal que je me suis donné!

Il se dégagea d'une secousse, comme un chien se serait libéré d'un petit chat furieux, et se dirigea vers la porte. En la trouvant fermée à clef, il fronça les sourcils et tendit la main pour avoir la clef.

— Non, Roy, dit Chris. Si tu descends sans moi, tu feras une bêtise, comme de sortir avant qu'il fasse nuit. Je t'en prie, sois raisonnable encore un peu de temps. Il y aura peut-être quelque chose dans les journaux de demain.

Il s'avança vers le lit en boitant et s'assit, le visage dans les mains, comme s'il souffrait. Aussitôt, Chris fut à côté de lui, pressa sa tête contre sa poitrine.

— Ne t'en fais pas, dit-elle d'une voix cajoleuse. Je ne les laisserai pas te trouver.

Meg n'aurait pas cru possible que Chris pût parler avec une telle tendresse, que le petit visage anguleux pût s'adoucir à ce point. Puis la jeune fille releva la tête et dit sur un ton différent :

— Allons, Roy, reprends-toi. Qu'est-ce qu'on va faire d'elle?

Leurs regards froids, hostiles, étaient fixés sur Meg. Pour la première fois, il vint à l'esprit de celle-ci qu'il y avait de quoi avoir peur. Mais elle comprit qu'elle ne devait surtout pas le montrer, et elle se força à se lever et à passer devant eux en direction de la coiffeuse. Elle s'assit en leur tournant le dos et retira son chapeau. Elle brossa lentement ses cheveux.

— Qu'est-ce que vous avez manigancé, tous les deux? demanda-t-elle d'une voix ferme. Qu'est-ce que Roy a fait?

— Vous le sauriez, si vous lisiez un peu les journaux, répondit Chris. Tout y était, en première page, et on en a aussi parlé à la radio. Je passe mon temps à répéter à Roy qu'ils sont tous dans le bain, même si c'est lui qui conduisait le camion...

— Tu ne peux pas la boucler, non? coupa Roy.

— Quelle importance, maintenant? Pourquoi je ne le lui dirais pas?

— Je ne veux pas en entendre parler. Voilà pourquoi.

Pivotant sur le tabouret pour leur faire face, Meg intima :

— Chris, tu dois me le dire. Qu'est-ce qu'a fait ton Roy?

— Ne comptez pas sur moi, ricana Chris. Vous avez entendu ce qu'il a dit...

— Très bien. (Meg consulta sa montre.) Il est cinq heures, je vais prendre une tasse de thé. (Elle se leva et tendit la main comme l'avait fait Roy.) Donne-moi cette clef, Chris, et ensuite va t'habiller.

Chris se remit à rire — un petit croassement rauque.

— Chris, fais ceci, Chris, va chercher ça! C'est moi qui donne les ordres, maintenant.

— Oh! ça va, Chris, ouvre-lui. (Roy s'avança de nouveau vers la porte.) J'en ai assez d'être enfermé ici. Laisse-la sortir, qu'elle nous prépare du thé. On peut la surveiller, non?

Après un instant d'hésitation, Chris prit la clef dans la poche de sa robe de chambre et la lui remit.

— Promets-moi de ne pas t'approcher de la fenêtre, cria-t-elle tandis qu'il s'éloignait dans le corridor, laissant la porte ouverte.

Comme Meg partait dans une autre direction, Chris bondit :

— Hé là! Qu'est-ce que vous fabriquez?

— Je vais dans la salle de bains, c'est tout.

— Vous n'allez nulle part toute seule. Roy! Reviens. Il y a une fenêtre, dans la salle de bains. Arrête-la, Roy.

— Tu es complètement idiote, Chris! dit Meg.

Elle donna une poussée à la jeune fille, qui recula en chancelant, et avant que Roy ait eu le temps de revenir elle entra dans la salle de bains, claqua la porte et la ferma à clef.

De la fenêtre, elle apercevait, au-delà du verger, le toit du bungalow de Felix Palmer. Mais si elle appelait au secours, il ne l'entendrait jamais. Il lui aurait été possible de se faufiler par la fenêtre et, au risque de se casser la cheville, de sauter sur l'allée dallée qui était en dessous; mais Meg n'avait aucune intention de se livrer à un geste aussi dramatique. Si elle gardait la tête froide et si elle guettait l'occasion, elle pourrait leur fausser compagnie. Le garçon, si inquiétant qu'il lui parût, semblait avoir l'esprit lent et obtus.

Tout en se lavant les mains — elle prit son temps —, Meg entendait des voix agitées. Elle tourna doucement la clef et ouvrit la porte d'une poussée, les faisant sursauter comme elle l'avait voulu. Poursuivant son avantage, elle passa devant eux et s'engagea dans le corridor.

— Allez tout droit à la cuisine, lui ordonna Chris, qui marchait sur ses talons. Dans votre intérêt, faites ce qu'on vous dit.

Si un étranger, debout sous la pluie, avait pu voir à travers les rideaux de la cuisine, il n'aurait remarqué qu'un groupe familial — la mère, le fils et la fille, peut-être — s'apprêtant à faire un repas substantiel : œufs à la coque, jambon, pain, beurre et confiture, le tout arrosé de thé.

Chris et Roy, assis à la table, surveillaient tous les gestes de Meg, dont l'adresse habituelle avait disparu. Enfin, tout fut prêt. S'asseyant en face d'eux, elle servit le thé.

— Vous ne mangez rien, lui dit Chris au bout d'un moment en poussant vers elle une assiette de pain beurré.

— Je n'ai pas faim, seulement soif.

— Voyons, entre femmes du monde... Vous prendrez bien une tranche de pain beurrée.

— Oh! laisse-la tranquille, veux-tu!

C'étaient les premières paroles de Roy depuis qu'ils étaient entrés dans la cuisine. Il tendit la main vers une tartine et la fourra dans sa bouche.

Meg, tout en buvant, l'examina avec prudence par-dessus le bord de sa tasse. Il avait un beau visage dans le style lourd et imprécis, comme si on l'avait grossièrement modelé dans l'argile et laissé inachevé. La bouche, aux lèvres plutôt épaisses et molles, était particulièrement indécise au-dessus du menton épais. Un visage stupide, pensa Meg, mais pas vicieux.

Il dut se sentir observé, car il lui jeta un coup d'œil gêné. Ses yeux étaient légèrement injectés de sang et d'un bleu si pâle qu'ils avaient l'air vides, comme aveugles. Meg détourna la tête.

Chris, contournant la table, lui apporta sa tasse à remplir.

— Comment as-tu fait pour le nourrir tout ce temps, Chris? demanda Meg.

— Je me suis débrouillée. Vous étiez trop contente que je fasse vos courses, n'est-ce pas? Vos factures seront assez salées, ce mois-ci. Heureusement, vous ne remarquiez jamais quand les restes disparaissaient du garde-manger. Mme Dawlish, elle, s'en apercevait mais elle croyait que c'était moi qui avalais tout. (Posant la tasse de Roy, elle lui caressa brièvement l'épaule.) Pauvre Roy! lui qui a si bon appétit, j'ai dû le rationner pour son bien. Enfermé là-haut toute la journée et ne pouvant pas beaucoup bouger la nuit, quand il descendait, cela ne lui aurait pas réussi de manger trop.

— Et ça ne te gênait pas de voler, de mentir, de tromper?

Les mots avaient jailli avant que Meg pût les retenir.

Chris haussa les sourcils comme si Meg avait dit quelque chose de totalement absurde.

— Bien sûr que non! Je ferais n'importe quoi pour Roy.

Elle lança au garçon un regard d'adoration non déguisée.

— Le fait que je t'aie accueillie chez moi alors que j'aurais pu te livrer à la police n'a rien changé? J'ai fait beaucoup pour toi, Chris, et j'aurais fait davantage.

Chris la contempla avec mépris et lassitude :

— Ce n'est pas pour *moi* que vous l'avez fait. C'est pour une autre fille, celle que vous vouliez que je sois...

Roy lui coupa la parole.

— J'ai fini, annonça-t-il en repoussant son assiette.

Il souleva le sac de Meg, qu'il avait trouvé sur le coffre et pris au passage; il en vida le contenu sur la table. Le poudrier en or passa dans les mains de Chris, qui le mit dans la poche de sa robe de chambre. Puis le garçon compta les billets et la monnaie et les glissa dans la poche-revolver de son blue-jean. Tout le reste, sauf les clefs de la voiture, retourna dans le sac.

— Quel genre de voiture avez-vous? demanda-t-il à Meg.

— Une BMW 2002, dit Meg. Plutôt hors série.

— Elle est rapide?

— Extrêmement rapide, sur les bonnes routes.

— Bon, approuva-t-il en regardant Chris.

Tout à coup, il posa un grand pied sur la table, Meg, incrédule, écarquilla les yeux; puis la colère qu'elle contenait depuis des heures explosa dans un accès de fureur.

— Otez immédiatement votre sale pied de la table, espèce de gros balourd! Comment osez-vous vous conduire ainsi chez moi?

Roy la dévisagea, stupéfait, mais avant qu'il pût obéir, comme il semblait prêt à le faire, Chris envoya une gifle à Meg.

— Ça vous apprendra à insulter Roy! Chez vous? Vous ne comprenez donc pas que nous avons pris la maison? (Elle s'assit et parut se calmer.) C'est votre faute. Si vous aviez tenu votre promesse, cet après-midi, tout aurait pu continuer, et vous vous seriez réveillée un beau matin pour découvrir que j'avais disparu. Vous n'auriez jamais su pourquoi.

Le visage de Meg était en feu :

— Pourquoi ne partez-vous pas, maintenant que je suis au courant? Prenez la voiture, prenez tout ce que vous voudrez, mais que je ne vous voie plus.

— Elle a raison, dit Roy en retirant son pied de la table et en se levant de sa chaise. Viens, Chris, taillons-nous.

— Et jusqu'où irions-nous? (Elle l'observa anxieusement tandis qu'il faisait les cent pas de la porte à la fenêtre.) Oh! Roy, nous avons passé à travers tout ça. Tu sais très bien que notre meilleure chance, c'est de nous tenir tranquilles aussi longtemps que possible. Cette maison est exactement ce qu'il nous faut.

— Jusqu'à ce qu'ils épinglent un des autres et qu'il se mette à table...

— Ce n'est pas encore arrivé, n'est-ce pas? Attends que tout se soit tassé. (Elle l'entoura de ses bras.) Ce sera plus facile, maintenant que nous n'aurons plus à avoir peur qu'elle sache. Tu pourras bouger davantage.

Il la repoussa :

— Et qu'est-ce qu'on va faire d'elle? As-tu pensé à ça, grosse maline?

Encore une fois, leurs yeux calculateurs étaient fixés sur Meg.

— On ne peut pas la garder enfermée, dit Chris d'une voix lente. Il faut qu'elle circule dans la maison comme d'habitude, au cas où il viendrait quelqu'un. L'un de nous devra rester auprès d'elle pour veiller à ce qu'elle se tienne tranquille.

— Ça ne marchera pas, dit-il. Si quelqu'un vient, que tu sois là ou non, il lui suffira de crier qu'on appelle la police.

— Pas si tu as le revolver, idiot. Où est-il donc? (Il regarda autour de lui d'un air vague.) Oh! Roy, cria-t-elle, tu as dû le laisser dans la chambre! Tu ferais mieux d'aller le chercher.

— Le major Palmer avait donc raison! s'exclama Meg. Tu avais bien volé son revolver!

— Évidemment. Quand je suis retournée prendre mon chandail. Je l'ai caché dans la haie, près de la grille, et je suis allée le chercher dans la nuit. Allons, Roy, vas-y.

— Arrête de me casser les pieds, tu veux?

Enfonçant la tête dans les épaules comme pour se défendre, Roy lui tourna le dos.

— Écoutez-moi, vous deux, dit Meg d'une voix pressante. Et Mme Dawlish? Elle sera ici demain à neuf heures, et tous les jours sauf le dimanche. Elle se rendra compte qu'il se passe quelque chose. Vous pouvez difficilement la suivre pas à pas toute la journée avec un revolver! Et j'aime autant vous dire que si elle ne rentrait pas à l'heure habituelle, son mari serait là dans les cinq minutes.

— Il faudra que vous la mettiez demain à la porte. Vous pourriez lui dire que vous vous êtes aperçue qu'il vous manquait de l'argent.

— Ne sois pas sotte, Chris. Nous nous connaissons depuis des années. Crois-tu qu'elle avalerait une histoire pareille?

— Alors, il faudra que je trouve autre chose. (Chris se dirigea vers la porte.) Allons, Meg... oh! j'oubliais, c'est Margaret, n'est-ce pas? Lavez la vaisselle. Roy veillera à ce que vous ne fassiez pas de bêtises pendant que je monte m'habiller.

Meg ne fut pas longue à débarrasser la table. Roy fumait, affalé sur une chaise, les yeux fixés sur le sol. Il ne lui prêtait aucune attention. Lorsqu'elle se mit à laver la vaisselle, elle se rendit compte qu'elle faisait le moins de bruit possible, comme si elle craignait de déranger un animal sauvage, bien nourri, somnolent, inoffensif pour l'instant. Elle avait peine à croire que Roy eût fait quelque chose de louche et de dangereux. Il ne répondait pas à l'idée qu'elle se faisait du criminel type.

Au moment où Meg accrochait le torchon, on sonna à la porte. Roy se leva d'un bond. Meg fut aussi saisie que lui. Elle aurait dû appeler au secours, sans doute, mais il se précipita sur elle à travers la pièce et, avant qu'elle ait pu proférer un son, il était derrière elle et lui appliquait brutalement sa main sur la bouche. Cette main moite et chaude, qui sentait le tabac, la suffoquait et pressait douloureusement sa lèvre supérieure contre ses dents. Roy, d'un bras d'acier, maintenait Meg contre sa poitrine; elle pouvait sentir les battements de son cœur et elle sut qu'il avait plus peur qu'elle.

Chris dégringola l'escalier. Meg l'entendit ouvrir la porte d'entrée et répondre au visiteur, une femme. Puis la porte claqua, on ferma le verrou.

Chris, portant une jupe très courte et un cardigan blanc, entra dans la pièce. Son visage enflammé exprimait la colère.

— Tu peux la lâcher, maintenant, dit-elle à Roy.

Roy libéra Meg, qui s'assit en frottant ses lèvres et son menton tout engourdis.

— On avait bien besoin de ça! Une femme qui recueille des fonds pour le nouveau foyer communal, Mme Jensen. C'est une de vos amies, Meg?

Meg secoua la tête en signe de dénégation. Mme Jensen était une grande et jolie femme dévouée au bien public et extrêmement efficace. C'était une forte personnalité du village — « une commère de classe », disait d'elle Jocelyn.

— Une vraie fouinarde, poursuivit Chris. Sortir par une soirée pareille! Elle a demandé à vous voir, mais je lui ai dit que vous étiez couchée avec une forte migraine. Je lui ai promis que vous lui enverriez l'argent, et vous ferez bien de vous en occuper demain, Meg, ou elle reviendra.

Roy écarta les rideaux et regarda la pluie.

— Que s'est-il passé? lui demanda Chris. Elle a essayé de crier? La prochaine fois, montre-lui ton couteau.

— Un couteau? fit Meg, écœurée. J'aurais dû m'en douter.

Roy roula une des jambes de son blue-jean. Un couteau apparut, fixé à son mollet par une courroie. Il le sortit de sa gaine et le brandit.

— Il est bien affûté, vous voyez, dit Chris. Et facile à manier.

Meg parvint à sourire — avec condescendance, espéra-t-elle.

— Que vous êtes mélodramatiques, tous les deux! s'écria-t-elle. Des revolvers, des couteaux... C'est illégal de posséder un couteau. Si on le trouve sur vous, Roy, vous aurez des ennuis.

Pour quelque raison, cela parut les amuser. Le garçon jeta un coup d'œil à Chris, et ensemble ils furent pris du fou rire. C'était un rire anormalement aigu; ils s'accrochèrent l'un à l'autre, submergés par un accès d'hystérie.

— Oh! Roy, Roy! fit Chris tout en se dégageant doucement. Allons dans le salon. On fera du feu et on allumera la télévision. Ensuite, on mangera le saumon. Il y a aussi une bouteille de vin et des fraises. Amusons-nous, au moins pour ce soir.

Chris prit le jeune homme par la taille et l'entraîna vers la porte.

Pour l'instant, ils avaient oublié Meg. Il lui suffisait de se glisser sans bruit vers la porte de derrière et de s'échapper par le verger... Mais soudain, tandis qu'elle les observait, ses yeux s'emplirent de larmes. C'étaient deux êtres jeunes, désespérés, effrayés, malheureux, qui avaient besoin d'aide. Comme ils suivaient le corridor, elle vit Chris chercher la main de Roy. Des enfants perdus; des enfants dans le noir, qui se tiennent par la main...

Alors qu'elle hésitait, Chris tourna la tête. Un instant de pitié, de faiblesse, et Meg avait laissé passer sa chance.

Chris lâcha la main de Roy et s'approcha d'elle.

— Venez, fit-elle rudement en poussant Meg. Vous alliez filer, n'est-ce pas? Vous ne seriez pas allée loin!

V

LORSQU'ELLE s'éveilla, juste avant l'aube, Meg se demanda pourquoi la lueur des fenêtres se trouvait du mauvais côté du lit. Puis elle se souvint : elle était couchée sur le divan étroit de la chambre de Michael, une couverture jetée sur elle. Sa tête lui faisait mal; elle avait la bouche pâteuse, et ses poignets étaient liés avec ses propres foulards.

A la fin de cette affreuse soirée, ils l'avaient à demi tirée, à demi portée dans l'escalier. Chris brûlait d'impatience de se retrouver seule avec Roy. Elle avait déshabillé brutalement Meg et l'avait laissée retirer ses bas avant de la pousser sur le lit. Roy avait fermé les fenêtres au loquet.

Chris n'aurait pas dû la forcer à avaler tant de cachets de somnifère après le whisky et le vin qu'ils lui avaient fait boire.

— Mais vous voulez me tuer? avait-elle crié.

Roy s'était emparé de la boîte de cachets.

— Trois, ça suffit, avait-il décrété, la voix enrouée par l'appréhension.

— Mais elle en prend depuis des semaines. Suppose qu'ils n'agissent pas? Suppose qu'elle se réveille et qu'elle appelle?

— Les fenêtres sont fermées et, de toute façon, elle ne criera pas deux fois.

Au moment où un sommeil lourd, dû au narcotique, l'envahissait, Meg s'était vaguement souvenue des verres de lait chaud que lui donnait Chris et des nuits de sommeil profond qui s'ensuivaient. C'était alors, pendant qu'elle dormait, inconsciente, derrière la porte fermée à clef, que Roy devait descendre du grenier pour étirer son grand corps, marcher et fumer dans le verger.

Les deux jeunes gens avaient passé la soirée sur le divan, devant le poste de télévision, regardant l'écran entre ce qu'on pouvait encore appeler des séances de câlineries. Au début, Meg était restée tranquillement assise dans le fauteuil à oreilles; puis, incapable de supporter plus longtemps la situation, et pensant que l'alcool lui ferait du bien, elle était allée à la cave à liqueurs, d'où elle avait sorti une bouteille de whisky et un siphon. Comme elle se dirigeait vers la cuisine pour chercher un verre, Chris s'était écriée :

— Hé! Où allez-vous donc? Buvez dans une de ces vieilles tasses que vous avez là. (Elle désignait le placard d'angle où Meg conservait la porcelaine de Worcester de sa grand-mère.) Et pendant que vous y êtes, j'en prendrai un aussi.

En remettant à la jeune fille la tasse pleine, Meg lui avait recommandé :

— Faites attention à cette tasse. Elle a près de deux cents ans.

Chris avait avalé le whisky d'un trait, fait la grimace, et annoncé :

— Cette vieille tasse a assez vécu, tu ne crois pas, Roy?

Et la lançant par-dessus son épaule, elle l'avait envoyée se fracasser sur le mur. Puis, le visage empourpré, elle s'était renversée en riant sur le bras de Roy.

A partir de cet instant, la soirée avait tourné au cauchemar, un cauchemar dont Meg ne se rappelait que des bribes : à la cuisine, elle avait dû empiler le souper froid sur la table roulante pendant que Chris, tenant le couteau de Roy, feignait de la menacer avec une joie terrifiante, allant même une fois jusqu'à lui piquer le bras.

Meg, constatant avec surprise qu'elle avait faim, s'était servie. Roy avait débouché la bouteille de vin, mais refusé même d'y goûter.

— Eh bien, continue avec ta bière, avait dit Chris, buvant un peu de vin et levant la bouteille à la lumière. Dommage de perdre tout ça, avait-elle ajouté. Margaret doit le finir.

Meg avait secoué la tête, mais Chris avait bondi et pressé le verre contre ses lèvres, la forçant à boire jusqu'à le dernière goutte.

Le whisky et le vin, auxquels elle n'était pas habituée, avaient dû monter à la tête de Chris, et la jeune fille avait manifesté une gaieté effrénée, sautant dans la pièce avec des gestes saccadés et remplissant le verre de Meg. Apparemment, il n'y avait qu'à s'exécuter. Meg avait conservé l'image de Chris agitant triomphalement la bouteille vide. Alors Chris, soudain fatiguée de tourmenter Meg, avait tourné son attention vers Roy, le bourrant de coups, riant comme une folle. Meg revoyait les bras de Roy attirer sur le divan la jeune fille surexcitée et l'étreindre en un geste apaisant. Elle avait vu Chris arquer le dos, presser son corps contre celui du garçon, dont elle avait vu la main se glisser sous la jupe bleue. Alors Chris, levant les yeux, lui avait souri pardessus la tête de Roy — un sourire mauvais, rusé, triomphant. Meg l'avait senti : s'il n'avait tenu qu'à Chris, elle aurait été forcée d'assister jusqu'au bout à leurs ébats.

Mais Roy avait soudain repoussé Chris.

— Pas ici, avait-il dit. Si tu en as tellement envie, tu peux venir là-haut.

Comme il atteignait la porte, Chris l'avait rappelé :

— Attends... On ne peut pas encore monter, Roy. On ne peut pas la laisser ici.

Ils extirpèrent Meg de son fauteuil. La tête lui tournait, et elle titubait.

— On ne peut pas laisser le salon dans cet état, avait alors déclaré Chris. Si Mme Dawlish le trouvait comme ça... Il ne faut pas qu'elle s'aperçoive qu'on était trois à table.

Ils abandonnèrent Meg dans le vestibule, effondrée sur un siège, puis Chris s'affaira rageusement, mais efficacement, poussant la table roulante dans le couloir, balayant les débris de porcelaine. La fraîcheur du vestibule et le tic-tac régulier de l'horloge avaient permis à Meg de reprendre un peu ses esprits. La porte d'entrée n'était qu'à quelques mètres... Si seulement elle pouvait trouver la force de l'atteindre... Mais au moment où elle se levait, Chris et Roy avaient fait irruption dans le vestibule. Chris, se plaignant de la lenteur de Meg, l'avait forcée à monter l'escalier en la maintenant d'un bras rigide comme une barre d'acier.

A présent, l'obscurité étouffante pesait sur le visage de Meg; pourtant, si elle tournait la tête, la vue du rectangle gris de la fenêtre ne pouvait que lui rappeler qu'elle était fermée et qu'elle-même était prisonnière. Elle se démena sur le lit, cherchant à libérer ses mains. En vain. Quant à ses pieds, ils étaient attachés avec le cordon de sa robe de chambre au barreau inférieur du lit de cuivre à l'ancienne mode.

Meg détourna son visage de la fenêtre. « Pense à autre chose, lui disait toujours Jocelyn quand elle était gagnée par un sentiment de claustrophobie. Ne te laisse pas dominer. » Et lorsqu'il était là, elle réussissait le plus souvent à se maîtriser. A présent, elle s'accrochait à son souvenir comme si cela avait pu l'aider. Finalement, le sommeil l'engloutit à nouveau.

— RÉVEILLEZ-VOUS, Meg, réveillez-vous tout de suite! (Chris, penchée sur elle, la secouait, lui criait de manifester un signe de vie.) Vous nous avez fait une peur bleue, grogna-t-elle. Nous croyions que vous étiez morte.

A contrecœur, Meg, encore étourdie de sommeil, essaya de se redresser. Le soleil matinal inondait la pièce; la pluie avait dû cesser pendant la nuit.

— Pourquoi vous en inquiéter? fit-elle d'une voix rauque.

Se laissant aller sur l'oreiller, elle referma les yeux.

— Pourquoi? Parce que Mme Dawlish sera ici dans une demi-heure. J'ai décidé que vous seriez couchée avec un mauvais rhume que je vous aurai passé. (Chris libéra les pieds et les mains de Meg.) Levez-vous, ordonna-t-elle.

Quand la jeune fille l'eut tirée hors du lit, la pièce se mit à tourner autour de Meg, qui faillit tomber.

— Je me sens très mal, dit-elle. Il faut que je prenne un bain et que j'avale un cachet d'aspirine.

— C'est vrai que vous avez une mine affreuse, reconnut Chris. Mme Dawlish sera si désolée de vous trouver souffrante! Je vais vous donner un peu d'aspirine, mais vous n'avez pas le temps de prendre un bain. On verra ça quand elle sera partie.

Chris, fraîche et pimpante dans sa chemise et son blue-jean, ses cheveux ramenés en queue de cheval, paraissait avoir quatorze ans; elle ne portait pas trace de la soirée de la veille. D'une petite main ferme et sèche, elle guida Meg vers la salle de bains.

— Lavez-vous en vitesse et mettez cette chemise de nuit. Non, je ne partirai pas; je ne bouge pas d'ici.

L'eau froide, sur son visage, éclaircit les idées de Meg. Tout en se brossant hâtivement les dents, elle s'examina dans le miroir.

Elle avait les yeux gonflés et cernés, assurément très mauvaise mine, mais son visage paraissait à peu près normal. Elle frissonnait, et le contact de la mince chemise qu'elle enfila lui parut glacé.

— Vous feriez bien de vous coiffer.

Chris la poussa dans la chambre, vers la coiffeuse. Meg s'assit. Tandis qu'elle maniait maladroitement le peigne, elle s'aperçut que Roy se tenait à la fenêtre. Il ne se retourna pas.

— Ça va comme ça, décida Chris. Couchez-vous.

Meg se leva, fit un pas vers le lit et s'arrêta.

— Il faut changer les draps, dit-elle. Rien ne me fera entrer dans ce lit.

— C'est ce qu'on va voir. Viens ici, Roy.

— Vous pourrez me faire ce que vous voudrez, mais je ne bougerai pas tant que vous n'aurez pas changé les draps.

Meg s'accrocha à la coiffeuse comme si c'était une ancre. Roy s'approcha d'elle, et elle eut un mouvement de recul.

— C'est bon, dit-il à Chris. Fais ce qu'elle demande.

— Mais, Roy, Mme Dawlish sera ici d'un instant à l'autre.

— Assez, dépêche-toi. Ça ira plus vite, finalement.

Chris se dirigea vers la porte, et Roy attendit à côté de Meg, si près qu'elle pouvait l'entendre respirer; elle n'osait ni bouger ni même tourner la tête. La pendulette, sur la table de chevet, indiquait près de neuf heures. Dehors, la vie quotidienne suivait son cours. Le facteur devait faire sa tournée. Mme Dawlish, ayant poussé sa bicyclette dans la forte côte qui se trouvait à mi-chemin du village, devait approcher du portail de derrière. Bientôt, le camion brinquebalant du laitier la suivrait. Par la fenêtre ouverte arrivaient toutes les senteurs d'une belle journée de juin. Et elle était là, malheureuse, impuissante.

Chris, portant des draps propres, fit irruption dans la chambre.

— Vous pourriez m'aider, non? lança-t-elle à Meg d'un ton hargneux.

Meg borda les draps, guettant, comme Chris, les moindres sons pouvant monter du rez-de-chaussée.

— Voilà! dit Chris. Sautez là-dedans et couchez-vous.

Meg obéit immédiatement et observa Chris, qui rangeait la chambre et fermait les rideaux.

— Rappelez-vous : c'est un mauvais rhume, lui recommanda Chris. Et vous devrez demander à Mme Dawlish de ne pas s'approcher. La voilà, elle est dans la cuisine. Vite, Roy!

Roy se dirigea vers la grande penderie où se trouvaient les robes et les manteaux de Meg. Celle-ci se dressa, consternée, en voyant qu'il tenait le revolver.

— Qu'est-ce que vous allez faire avec ça ? cria-t-elle.

— Chut ! Si vous vous tenez tranquille, il n'arrivera rien, dit Chris, à côté d'elle. Roy restera dans le placard, la porte entre-bâillée. Mais si vous dites ou si vous faites quoi que ce soit d'imprévu, Mme Dawlish pourrait recevoir un mauvais coup.

— Il n'oserait pas !

Se penchant davantage, Chris murmura :

— Écoutez, Roy peut paraître lent et paisible, mais ne vous y trompez pas : c'est un tueur.

Et à voix haute, elle annonça :

— Je vais vous chercher votre café. Restez couchée.

La porte se ferma. Meg demeura immobile, essayant de ne pas regarder le placard. Un des panneaux blancs de la porte était légèrement entrouvert, ne révélant qu'une bande obscure. Ne pouvant se tenir debout dans la penderie, Roy était-il assis par terre ou agenouillé ? Mme Dawlish ne partirait pas avant midi et demi. Combien de temps tiendrait-il ?

— Roy, fit-elle à voix basse, pouvez-vous respirer ?

La fente noire s'élargit, et un petit objet rond et luisant fut pointé droit sur elle. C'était le canon du revolver.

Meg referma les yeux. Quand elle les rouvrit, de longues minutes plus tard, le revolver avait disparu et Chris entrait dans la chambre, tenant un plateau. Meg se redressa, et Chris posa le plateau sur ses genoux. Une grande cafetière, une pile de toasts dans une serviette, du miel, du beurre, un verre de jus d'orange : on aurait pu y voir les attentions d'une fille aimante.

Chris beurra un toast et, ouvrant la porte du placard, le donna à Roy. Il était à genoux parmi les chaussures de Meg, qui eut du plaisir à constater qu'il se trouvait dans une position des plus inconfortables.

— Mme Dawlish va monter d'un instant à l'autre, lui dit Chris. (Elle lui donna une tasse de café.) Bois ça et rends-moi la tasse. Un peu de café ne me ferait pas de mal non plus.

Elle s'assit sur le lit.

— Maintenant, Meg, écoutez-moi. Quand Mme Dawlish montera, dites-lui de faire quelque chose qui l'occupera un bon moment à la cuisine. De nettoyer le garde-manger, par exemple.

— Elle trouvera ça bizarre. Le jeudi, c'est le jour où elle fait les chambres.

— Vous êtes malade, n'est-ce pas? Dites-lui que vous ne pourriez pas supporter le bruit de l'aspirateur à l'étage. Et tâchez d'être convaincante.

On frappa légèrement à la porte de la chambre. Chris n'eut que le temps de pousser la porte du placard et de se percher sur le lit; déjà, Mme Dawlish entrait, portant un vase de roses.

— Il vaut mieux ne pas vous approcher, parvint à bredouiller Meg. J'ai un rhume terrible.

Elle devait faire un effort pour ne pas regarder le placard.

Mme Dawlish s'arrêta au milieu de la chambre, et Chris se précipita pour lui prendre le vase des mains.

— Tenez-vous vraiment à laisser les rideaux fermés par une si belle journée, madame? Le soleil vous ferait du bien.

— Elle a une telle migraine, la pauvre, commença Chris.

Mais Mme Dawlish marcha vers les fenêtres et tira les rideaux.

— Je connais Mme Starr mieux que vous, Chris. Migraine ou pas, elle ne souhaite sûrement pas rester couchée dans le noir. C'est vrai, madame, vous n'avez pas l'air bien. Voulez-vous que je téléphone au docteur MacArthur?

Que se passerait-il si Meg disait oui? Mme Dawlish se tenait exactement devant la porte entrebâillée du placard.

— Ce n'est qu'un mauvais rhume, assura vivement Meg. Je voudrais que vous ne veniez pas si près. Votre mari ne serait pas heureux que vous lui passiez ce rhume.

— Il doit courir le risque. Voulez-vous que je fasse le lit?

— Je l'ai fait, intervint Chris.

Mme Dawlish jeta à la jeune fille un coup d'œil désapprobateur.

— Vous avez l'air bien guillerette, vous, aujourd'hui, remarqua-t-elle. Qu'est devenue la grippe que vous aviez hier? Elle est passée, on dirait. (Elle se tourna vers le lit.) Vous êtes sûre que vous êtes bien, madame?

Levant les yeux vers la grosse figure ingrate qu'elle connaissait si bien, Meg fut submergée par un accablant sentiment d'impuissance. Si seulement elle pouvait transmettre un message muet à Mme Dawlish pour l'inciter à quitter la maison, à chercher du secours, peut-être... Bien entendu, c'était impossible.

— Je suis très bien, ne vous inquiétez pas pour moi, dit-elle.

— Bon, je vais juste m'occuper de la chambre, alors... lui donner un petit coup.

Chris, qui se tenait derrière Mme Dawlish, secouait la tête. Avec effort, Meg répondit :

— Il y a autre chose que j'aimerais que vous fassiez, madame Dawlish. S'il vous plaît, nettoyez à fond le garde-manger.

— Mais c'est le jour où je fais les chambres!

Le visage de Mme Dawlish s'était assombri. Elle regardait fixement le placard. La porte avait-elle bougé?

Prise de panique, Meg se redressa et repoussa le plateau, renversant la cafetière.

— Oh! je vous en prie, faites ce que je vous demande! s'écria-t-elle. J'ai mal à la tête. Si vous faites marcher l'aspirateur au premier étage, vous ne réussirez qu'à me fatiguer.

— Très bien, madame, soyez tranquille, acquiesça Mme Dawlish avec raideur.

Et elle gagna la porte, qu'elle ferma avec des précautions exagérées.

— Vous vous en êtes très bien tirée, approuva Chris en prenant la cafetière. Roy, tu peux sortir et te dégourdir les jambes.

Meg retomba sur ses oreillers; elle était partagée entre le soulagement et le désespoir. Quelle sottise d'avoir espéré que Mme Dawlish devinerait qu'il y avait du danger dans l'air!...

Roy était de nouveau à la fenêtre; il regardait au-dehors; cela semblait plus fort que lui. Chris fronça les sourcils.

— Roy, je descends, maintenant, dit-elle. Il faut que tu retournes dans le placard.

Il pivota sur lui-même et la regarda d'un air revêche :

— Pas question.

— Malheureusement, il le faut. Mme Dawlish pourrait revenir.

Chris s'approcha de lui, le supplia, le cajola, se pressa contre lui. Meg vit le visage hostile et maussade du garçon se détendre peu à peu. Qu'y avait-il en Chris, dans ce corps décharné et cet esprit inculte, qui lui conférait ce pouvoir sur lui?

La jeune fille lui donna un long baiser, puis le repoussa et prit le plateau de Meg. A mi-chemin de la porte, elle se retourna et revint vers le lit :

— Où est la clef du garage?

— Sur le coffre du vestibule, dit Meg.

Puis, se redressant, elle s'écria :

— Oh! Chris, allez-vous partir?

Chris rit méchamment :

— Pauvre vieille Meg! Désolée de vous décevoir, mais nous ne partons pas. Et si je veux la clef, c'est mon affaire.

Elle s'arrêta sur le seuil et ajouta à voix haute :

— Essayez de dormir un peu. Je ne serai pas longue.

La porte se referma. Roy jura à voix basse en s'installant de nouveau dans le placard, puis le silence retomba dans la pièce.

Dans ce silence, Meg entendit aboyer les bassets; Felix Palmer les emmenait faire leur promenade matinale dans le champ. Si seulement elle ne l'avait pas vexé! Il s'était méfié de Chris depuis le début et il serait venu tous les jours pour garder un œil sur elle. Tout ce que Meg avait fait depuis la mort de Jocelyn jouait en faveur de Chris. Prétextant la longue maladie et la mort de son mari, elle s'était coupée de tous les braves gens qui l'avaient invitée. A part les fournisseurs, il y avait peu de chances pour que quelqu'un vînt la voir; généralement, elle passait les commandes par téléphone, et personne ne s'étonnerait si elle restait des semaines d'affilée sans se montrer au village.

Il fallait agir avant qu'il ne fût trop tard. On était jeudi; le jeudi après-midi, Gregory travaillait au jardin. Pourrait-elle faire quelque chose pour attirer son attention? Parviendrait-elle à écrire un mot et à le jeter sur la pelouse sans que Chris s'en aperçût?

Une abeille, entrée par la fenêtre, émettait un bourdonnement monotone. La pièce, chaude, ensoleillée, était merveilleusement silencieuse et paisible; si Meg n'y prenait pas garde, elle allait obéir à Chris et s'endormir...

Elle rouvrit les yeux, brusquement réveillée par des voix. Chris et Roy se tenaient au pied du lit. Chris tendit quelque chose à Roy et l'accompagna jusqu'à la porte. Au moment où il se glissait dans le corridor, elle lui chuchota :

— Fais bien attention.

Puis, visiblement tendue, elle se mit à errer dans la chambre.

— Et si Roy se cogne dans Mme Dawlish? dit Meg.

— Pas de danger, elle est occupée avec le garde-manger.

— Qu'a-t-il fait du revolver?

— Il est sur la coiffeuse. Alors, pas de blagues; il a le couteau.

— Oh! Chris, que va-t-il faire? demanda Meg en s'asseyant.

Chris se jeta dans un fauteuil :

— Tenez-vous tranquille, Meg. Il sera vite de retour.

Meg, comme Chris, regardait fixement la porte. Guettant quoi ? Elle l'ignorait. La pendulette indiquait midi moins le quart.

— Chris..., commença-t-elle d'une voix indécise.

Mais la jeune fille s'était levée. La porte s'ouvrit et Roy entra, respirant péniblement, comme s'il avait couru. Il fit un signe de tête à Chris.

— Ton satané tournevis, dit-il, il n'allait pas. Heureusement que j'en ai trouvé un autre dans le garage.

— Bon, c'est mon tour, maintenant, dit Chris. Je serai de retour ici quand Mme Dawlish viendra voir Meg avant de partir. Pauvre Roy... Rentre là-dedans! N'oublie pas le revolver. Avec de la chance, ce sera la dernière fois.

— Je l'espère bien.

Chris se mit à rire, poussa la porte du placard et s'éclipsa. Meg crut entendre la porte d'entrée s'ouvrir et se refermer. Qu'avait pu faire Roy dans le garage? Pourquoi Chris avait-elle dit : « C'est mon tour, maintenant »?

Un long moment parut s'écouler avant qu'elle entendît ses pas dans l'escalier. Mme Dawlish, tenant son sac, suivait la jeune fille. Toujours très digne, elle annonça :

— Eh bien, je m'en vais, madame. Vous devriez commander des provisions, aujourd'hui. Il ne reste pas beaucoup de saumon...

— Ne vous inquiétez pas, dit Meg. Pour l'instant, je n'ai envie de rien. Quand j'aurai faim, je le dirai à Chris.

— Très bien, alors, fit Mme Dawlish de sa voix offensée.

Mais en se tournant pour quitter la pièce, elle se radoucit :

— Prenez soin de vous, chère madame. Et si vous avez besoin de moi, donnez-moi un coup de fil. Avec ma bicyclette, j'arriverai comme une balle.

Mme Dawlish s'arrangeait d'habitude pour avoir le dernier mot, mais il tombait rarement avec tant d'à-propos.

— Merci... A demain, alors, bredouilla Meg d'une voix dont la faiblesse était convaincante.

Chris suivit Mme Dawlish hors de la chambre puis revint.

— Tu peux sortir, Roy, annonça-t-elle. Je l'ai vue franchir le portail à bicyclette.

Alors seulement Meg se rendit compte que, toute la matinée, chaque nerf, chaque muscle de son corps avait été tendu par l'appréhension.

Roy quitta le placard et posa le revolver sur la coiffeuse.

Soulevant Chris, il la fit tournoyer. La queue de cheval volait autour d'eux. Ils riaient tous les deux à gorge déployée. Enfin, il posa Chris, qui se tourna vers Meg.

— Allez dans la salle de bains et habillez-vous, dit-elle. J'y ai porté votre chemisier, votre pantalon et tout ce qu'il vous faut. Laissez la porte ouverte. Ensuite, vous préparerez le repas.

En se levant, Meg demanda :

— Allez-vous me garder au lit tous les jours sauf le dimanche ? Mon rhume ne pourra pas durer éternellement !

Chris et Roy échangèrent un sourire entendu.

— Avec un peu de chance, on n'aura pas besoin de vous garder au lit, dit Chris. Quelque chose me dit que la pauvre Mme Dawlish va avoir un accident.

VI

MEG avait encore mal au poignet, tant Roy l'avait serrée fort.

— Un accident ? s'était-elle écriée.

Et sottement, elle s'était jetée en travers du lit vers le téléphone. Roy lui avait saisi le poignet, faisant dégringoler l'appareil.

— Regarde ce que tu as fait ! avait hurlé Chris. (Elle avait remis sur la table le téléphone, dont la bakélite était fendue.) Le cadran est faussé. Suppose que personne ne puisse nous appeler ? Il doit fonctionner, ça fait partie du plan.

— Aucune importance, avait affirmé Roy. Même si nous ne pouvons pas appeler, il sonnera.

— On ne peut pas courir de risque. Il faudra attendre près de celui du vestibule.

Dans la cuisine, tout en les regardant déjeuner, Meg se demandait si Chris se rappelait que le jeudi était le jour de Gregory. Elle n'aurait pas dû s'interroger. Comme pour répondre à ses pensées, Chris dit alors :

— Dépêche-toi, Roy. Le jardinier sera ici à deux heures. Je lui dirai que vous êtes couchée, Meg.

Plus tard, dans le vestibule où Chris les avait installés, Meg se demanda si Chris penserait au thé de Gregory. S'il ne le trouvait pas sur la table de la cuisine à trois heures et demie, il pourrait venir chercher Chris. Mais à trois heures vingt, la jeune fille annonça :

— Il va falloir que je prépare le thé de ce vieux raseur. Surveille bien Meg, Roy : elle pourrait essayer de l'appeler.

A quatre heures et demie, le téléphone sonna. Chris se précipita pour répondre.

— Allô! Non, je ne crois pas que ce soit possible. Mme Starr a la grippe... Puis-je lui transmettre un message? M. Dawlish!... Il y a quelque chose qui ne va pas?

Chris sourit à Roy et continua d'écouter.

— Mais c'est terrible! A ce mauvais tournant, près du pont?... Quel hôpital? Je vois... Vous y passerez toute la soirée? Prévenez-moi si l'on peut faire quelque chose. Oui, je vous en prie, rappelez-moi. Mme Starr sera si inquiète.

Chris raccrocha et regarda Roy.

— Le frein a dû lâcher là où nous l'avions pensé; elle n'a pas pu prendre le virage, un camion venait en sens inverse. Elle s'est cassé la jambe et elle est commotionnée. Tout s'est passé exactement comme prévu.

— Vous saviez qu'elle allait avoir un accident! s'écria Meg. Qu'est-ce que vous avez fait?

Chris répondit de sa voix la plus désinvolte :

— J'ai amené sa bicyclette dans le garage pendant qu'elle nettoyait le garde-manger. Roy y a fait un saut et il s'est occupé du frein. Puis j'ai remis la bicyclette devant la porte, et le tour était joué. Pas compliqué, n'est-ce pas?

— Mais Chris... comment avez-vous pu faire ça à une brave femme inoffensive?

Meg avait dû esquisser un geste de menace vers Chris, car Roy la tira en arrière et la retint par les avant-bras. Elle cria :

— Vous le paierez, tous les deux! J'avais pitié de vous, Chris, parce que vous étiez jeunes et désemparés... Dieu me pardonne! C'est terminé. Je vous connais, maintenant, et je ne laisserai pas passer une autre chance. Vous serez punis, je vous le promets!

— Lâche-la, Roy, dit Chris, amusée. Elle ne peut rien faire.

LES jours passaient avec une morne lenteur, dans une anxiété constante. La maison était divisée par une ligne invisible; Meg d'un côté, Chris et Roy de l'autre, attendaient, toujours sur leurs gardes, incapables de se détendre. Meg ne savait plus quel jour de la semaine on était, mais le jeudi n'avait pas dû revenir, car elle n'avait pas aperçu Gregory. Debout devant la fenêtre du salon, elle se disait que ce ne serait plus long, maintenant, que la situation en arrivait à un point critique.

Le temps gris et lourd n'avait rien arrangé. Elle se sentait l'esprit engourdi; elle avait continuellement mal à la tête, peut-être parce qu'elle ne mangeait pas assez. Au petit déjeuner, ce jour-là, elle n'avait eu droit qu'à une tasse de café. Mais elle avait dû préparer pour Roy un grand plat d'œufs au lard.

Les provisions ne manquaient pas, à présent — Chris avait téléphoné à l'épicier et au boucher. Le sentiment d'abandon que Meg ressentait s'était encore accru de savoir que la maison, loin d'être coupée du monde, recevait régulièrement la visite du garçon boucher, de l'épicier, du facteur, du laitier et du blanchisseur, tous des hommes robustes qui auraient aussi bien pu se trouver dans un autre monde. Chris continuait à se rendre au village à bicyclette pour chercher les journaux.

La jeune fille harcelait Meg comme une mouche, trouvant apparemment un soulagement à la tension des longues journées en exaspérant sa prisonnière. Elle refusait de laisser Meg changer de vêtements et la forçait à mettre chaque matin le même pantalon et le même chemisier. Meg devait préparer trois repas par jour, mais Chris, sachant combien la saleté grandissante la démoralisait, lui interdisait de faire le ménage. Quand Meg, pour se calmer les nerfs, avait voulu travailler à la tapisserie d'un tabouret qu'elle confectionnait pour Rosa, Chris la lui avait retirée.

Roy venait parfois au secours de Meg et disait à Chris de la laisser tranquille, mais seulement pour provoquer la jeune fille. Il s'amusait à la mettre en colère. Leurs courtes querelles s'achevaient le plus souvent par des étreintes, mais pas toujours. La veille au soir, quand la télévision s'était « déglinguée », comme disait Roy, ils s'étaient violemment disputés, et Roy avait quitté la pièce en claquant la porte.

Au petit déjeuner, Meg s'était demandé pourquoi ils étaient si silencieux, si préoccupés. S'était-il passé quelque chose dans la nuit, ou tôt le matin, qui les inquiétait? Avaient-ils entendu de mauvaises nouvelles à la radio, ou pas de nouvelles du tout? La veille, Roy s'était mis dans tous ses états parce que les piles du transistor étaient usées. Chris s'en était prise à Meg :

— Il n'y a pas une seule radio dans cette maison, pas même dans la voiture. Préhistorique, voilà ce que vous êtes.

Ils avaient déjeuné plus tôt que d'habitude. Et pourquoi

Chris avait-elle mis une robe et s'était-elle donné la peine de se coiffer ? Elle avait marmonné quelque chose à propos des piles et parlé d'établir une liste de ce qu'il leur fallait.

Meg se trouvait au salon avec Roy, quand Chris fit irruption dans la pièce, tenant un panier à provisions. Elle entraîna Meg vers le bureau.

— Votre carnet de chèques est dans ce tiroir, dit-elle. Prenez-le et sortez du papier à lettres. Nous avons besoin d'argent. Faites-moi un chèque de cent livres.

— La banque ne te versera pas le montant d'un si gros chèque.

— Elle me le versera quand je leur donnerai le mot que vous allez écrire au directeur. Dites-lui que vous avez été malade, que vous partez pour de courtes vacances et que vous le priez de donner cent livres en billets d'une livre à votre amie Mlle Chris Standford. Dépêchez-vous... Je dois attraper le car et être de retour pour une heure.

Meg s'exécuta.

— Bon, je file, dit Chris à Roy. Ouvre l'œil !

Roy ne répondit pas; il se borna à hausser légèrement les épaules, avec une sorte de désespoir. Quand la porte se ferma, il s'effondra dans un fauteuil en tournant le dos à Meg.

Meg comprenait sa détresse. Il n'était que dix heures, et une nouvelle matinée interminable s'étendait devant eux. Elle demeura immobile; le moindre geste pourrait lui rappeler qu'il lui tournait le dos et qu'elle était restée assise au bureau, où n'importe qui pourrait la voir du jardin. Hier encore, debout près de cette fenêtre, elle avait aperçu le major Palmer sous les pommiers, qui regardait vers la maison. Meg avait levé la main pour attirer son attention. Chris, aussitôt, s'était approchée d'elle, parlant et riant avec le plus grand naturel, et l'avait poussée en arrière. D'abord furieuse, elle avait déclaré ensuite qu'il valait peut-être mieux que « le vieux fouineur » ait vu Meg en vie et en bonne santé.

Soudain, comme elle regardait vers les pommiers, Meg s'aperçut qu'elle tenait toujours son petit stylo en or. Sur le buvard, devant elle, avec son carnet de chèques et une lettre de Rosa, il y avait du papier à lettres. C'était enfin l'occasion d'écrire un appel au secours. Elle plierait le papier en petit carré, et essaierait de le jeter par la fenêtre si le major apparaissait à nouveau dans le verger. Sinon, elle le cacherait sur elle et attendrait, peut-être jusqu'à la venue de Gregory.

Au moment où Meg tirait le papier à lettres à elle, la voix de Roy la fit sursauter.

— Vous êtes trop près de la fenêtre. Venez donc ici!

— Venez vous-même. Je reste ici.

C'était la première fois que Meg défiait l'un des jeunes gens, et elle se demanda ce qu'il allait faire. Elle griffonna d'une main tremblante : « Margaret Starr prisonnière au secours danger homme armé. »

Elle entendit Roy repousser son fauteuil et, tournant la tête, vit qu'il se dirigeait vers le divan, d'où il pourrait embrasser toute la pièce du regard. Tandis qu'il s'étendait de tout son long et qu'il arrangeait les coussins sous sa tête, elle plia le papier et le glissa dans la ceinture de son pantalon. Puis, pivotant dans son fauteuil, elle observa Roy entre ses cils, tout en faisant semblant de lire la lettre de Rosa.

Roy se mit à nettoyer ses ongles avec son couteau; Meg savait que le couteau était destiné à lui rappeler qu'il était sur ses gardes. Aujourd'hui, il portait un chemisier de soie verte appartenant à Meg et aussi son foulard bleu à motifs roses noué autour du cou comme une cravate. Une chaîne et un médaillon en or, légués à Meg par une tante, pendaient dans l'échancrure de sa chemise largement ouverte sur sa poitrine nue et lisse. Roy était aussi vain de sa personne que le paon du proverbe. Chris, en revanche, portait des sandales et ne quittait guère son vieux blue-jean.

S'ils gardaient Meg avec eux dans la journée au lieu de l'attacher, comme la nuit, dans la chambre de Michael, c'est qu'elle devait pouvoir se montrer à tout moment si quelqu'un insistait pour la voir. Et de fait, au cours de ces derniers jours, trois personnes étaient venues, bien décidées à lui parler. Ses voisins l'ayant laissée très seule depuis six mois, Meg se demandait s'il ne courait pas au village des bruits mystérieux.

Deux de ces personnes s'étaient présentées le même jour : le pasteur, dans l'après-midi, et Mme Jensen, dans la soirée. Le pasteur ne s'était pas laissé démonter quand Chris l'avait accueilli à la porte d'entrée : il venait parce qu'il avait appris que Mme Starr était malade. La jeune fille l'avait introduit au salon, où Meg avait fait de son mieux pour lui parler naturellement et pour ne pas regarder la porte du bureau, derrière laquelle était caché Roy. Mais le pasteur avait dû sentir la tension de l'atmosphère, car il ne s'était pas attardé.

Quelques heures plus tard, la sonnette de la porte d'entrée avait de nouveau retenti.

— Qu'est-ce que c'est, maintenant? s'était exclamée Chris, en courant à la fenêtre. Zut! C'est encore la Jensen. Vite!

Elle avait poussé Roy dans le bureau et ordonné à Meg d'attendre au salon.

De l'endroit où elle se trouvait, faisant des vœux pour que Mme Jensen s'en allât, Meg apercevait Roy derrière la porte entrebâillée du bureau; il pointait le revolver droit sur elle. C'est alors qu'elle avait eu la certitude absolue que le moment viendrait où il appuierait sur la détente. « Pas maintenant! » avait-elle prié, tandis que les voix du vestibule se rapprochaient.

L'énergique Mme Jensen avait fait une entrée majestueuse, Chris elle-même n'ayant pu l'arrêter.

— C'est à propos de cet argent pour le foyer communal du village, avait dit la jeune fille, lançant un mauvais regard à Meg dans le dos de Mme Jensen. Nous... vous l'avez oublié.

Même lorsque Chris lui avait remis l'argent, cette maudite femme n'avait pas fait mine de partir; mais après avoir haussé les sourcils à la vue du désordre poussiéreux de la pièce, elle s'était installée sur le divan comme pour une longue conversation. Tandis que Chris considérait avec ressentiment sa robe de toile impeccablement coupée, son maquillage soigné et ses cheveux d'un roux éclatant, Mme Jensen avait déclaré à Meg que le meilleur moyen de se remonter après une grippe, c'était d'aller chez le coiffeur et de se faire une beauté. Ensuite, Chris avait appris que le moins qu'elle pût faire, après toutes les bontés dont l'avait comblée Mme Starr, c'était non seulement de s'occuper d'elle, mais aussi de remplacer la pauvre madame Dawlish.

Mme Jensen était allée voir Mme Dawlish à l'hôpital et l'avait trouvée aussi bien que possible, mais blessée de ne pas avoir reçu la visite de Meg. A ces mots, Chris lui avait grossièrement coupé la parole, disant que cette sotte aurait dû comprendre que Margaret n'était pas remise, qu'elles avaient envoyé des fleurs et du raisin... et que pouvait-on demander de plus?

Lorsque enfin Mme Jensen était partie, Chris s'était écriée :

— Sale fouinarde! Il faut qu'elle fourre son nez partout! Je suis sûre qu'elle a deviné quelque chose.

Ces deux visites arrivant coup sur coup avaient bouleversé Chris. Avait-elle senti que le vent tournait, que la maison n'était plus aussi sûre qu'elle avait été? Puis, le lendemain, M. Dawlish était venu. Cette fois, Roy s'était mis dans tous ses états; Chris avait eu beaucoup de peine à le calmer.

M. Dawlish avait frappé à la porte de derrière pendant que Meg préparait le dîner et il avait insisté pour la voir. Manifestement, il était envoyé par Mme Dawlish pour s'assurer qu'elle était bien soignée. Chris, ayant précipitamment caché Roy dans le garde-manger, avait introduit M. Dawlish dans la cuisine; et il était resté là, assis à la table, en face de Meg. Il avait l'air si rassurant, si normal, que Meg avait été tentée de courir sa chance, mais le revolver l'en avait dissuadée. A la seule pensée de sa forme noire, trapue, sinistre, dans la main de Roy, elle avait affirmé à M. Dawlish que Chris était aux petits soins pour elle. Lorsque enfin elle avait vu sa silhouette courtaude et solide sortir de la pièce, suivie de Chris, il lui avait semblé que son dernier espoir s'évanouissait. Et elle avait caché son visage dans ses mains pour dissimuler ses larmes.

Roy, traversant la pièce, avait posé le revolver sur la table.

— J'en ai assez! avait-il crié. Je sors!

Aussitôt, Chris s'était mise à le raisonner, mais Meg avait cru déceler dans sa voix une nouvelle note d'incertitude...

Meg en était là de ses réflexions. Toujours assise à son bureau, elle jeta un coup d'œil en direction de Roy. Les bras croisés derrière la tête, le revolver posé à côté de lui sur le divan, il paraissait perdu dans ses pensées. Elle contempla le jardin avec nostalgie. Pour la première fois depuis des jours, le soleil brillait. Était-ce un heureux présage?

Elle n'avait pas bougé, mais Roy se leva soudain et s'approcha d'elle, glissant le revolver dans sa ceinture. Elle le regarda avec appréhension, mais il se borna à demander :

— Avez-vous des cartes routières?

Meg désigna le tiroir inférieur du bureau.

Sortant le tiroir, Roy en renversa le contenu sur le tapis, s'agenouilla par terre et ouvrit les cartes une par une jusqu'à ce qu'il eût trouvé ce qu'il cherchait : une carte routière à grande échelle des îles Britanniques. Elle devait être déjà ancienne, se dit Meg. Il leva les yeux et fronça les sourcils.

— Donnez-moi ce stylo et de quoi écrire, ordonna-t-il en tendant la main. Et ne restez pas là à me regarder. Allez là-bas et tenez-vous tranquille.

Ses yeux, injectés de sang, étaient menaçants. Meg lui donna son stylo en or et du papier, s'éloigna et s'assit sur le divan.

Roy se plongea dans l'étude de la carte en marmonnant tout seul. Visiblement, il établissait un itinéraire et notait sur le papier des noms de villages et des numéros de routes. Pour la première fois depuis que Meg le connaissait, il paraissait heureux, absorbé par ce qu'il faisait. Fermant les yeux, elle l'imagina sur la motocyclette, le visage contracté, éclairé d'une joie sévère dans le rugissement assourdissant de la machine.

— Vous dormez? fit soudain la voix de Roy. Ça fait deux fois que je vous demande si vous avez une autre carte; celle-ci n'indique pas les nouvelles autoroutes.

Meg se secoua.

— Il y en a peut-être une plus récente à côté, dans le bureau de mon mari, dit-elle.

Sans réfléchir à ce qu'elle disait, elle ajouta :

— Voulez-vous que j'aille voir?

Il ne répondit pas immédiatement. Lui tournant le dos, il semblait additionner des chiffres. Sans relever la tête, il maugréa :

— Oui, c'est ça, allez-y.

Meg atteignit la porte entrouverte du bureau avant d'avoir compris ce que signifiaient ces mots, pour l'un comme pour l'autre. Traversant en courant le bureau, sur l'épais tapis, elle sortit dans le vestibule. Il était difficile de tirer lentement, sans bruit, le verrou de la porte d'entrée. Ses mains tremblaient, son cœur cognait dans sa poitrine, mais enfin elle se retrouva dehors, debout sur le seuil, en plein soleil, respirant l'air tiède et parfumé. Elle s'était échappée!

Comme elle fuyait à travers l'étroite pelouse, vers l'arche feuillue taillée dans la haie de hêtres où Chris s'était cachée et l'avait regardée se diriger vers le taxi, elle entendit le cri de Roy.

VII

Les feuilles de hêtre formaient un écran épais, que le regard de Meg ne pouvait percer. Jetant un coup d'œil vers le passage, elle aperçut Roy qui se ruait dans l'allée en direction du portail, comme elle l'avait prévu. Il hésita, scrutant l'allée de gauche à droite, puis soudain il s'accroupit derrière le portail.

A son tour, elle entendit la voiture qui approchait...

Si seulement elle avait couru droit dans l'allée, elle aurait pu arrêter cette voiture et elle aurait été sauvée! Mais durant les quelques secondes où elle était restée sur le seuil, elle avait décidé que sa meilleure chance d'atteindre le bungalow du major Palmer était de traverser le bois. Comme la voiture ne s'arrêterait pas, Roy devinerait sûrement qu'elle se dirigeait vers le bungalow. Viendrait-il dans sa direction ou traverserait-il la maison pour gagner le verger par-derrière?

Abandonnant la haie, et s'attendant à chaque pas à entendre Roy dans son dos, Meg traversa en courant une pelouse et plongea dans le bosquet qui, de l'allée, masquait le jardin. A quatre pattes, elle se glissa entre les buissons jusqu'à ce qu'elle fût tout à fait cachée. Levant les yeux, elle aperçut les fleurs des groseilliers sauvages, d'un rose vif sur le ciel bleu. Était-ce bien elle, Margaret Starr, qui était tapie là, dans son propre jardin, comme un animal traqué? Elle se vit, en sueur, ébouriffée, ridicule, les cheveux pleins de brindilles. Mais elle se força à demeurer où elle était.

Roy ferait l'impossible pour la trouver avant le retour de Chris. Il devait l'empêcher d'atteindre le bungalow; en même temps, il ne pouvait risquer d'être vu par Palmer ou par quelqu'un d'autre. Meg et Roy étaient lancés dans une délirante partie de cache-cache.

Avec toutes ses haies, ses arbres, ses buissons, ce jardin était idéal pour un tel jeu, et Meg en connaissait mieux que Roy la disposition. Devant elle s'étendait la pelouse, limitée à sa droite par une longue bordure herbacée et par une haie de grands ifs. Entre la haie et le bois, il y avait une bande de gazon tondu, puis un fossé et une clôture. A l'endroit où la haie finissait, une planche enjambait le fossé, puis un échalier menait par-dessus la clôture. D'une façon ou d'une autre, Meg devrait passer par là pour pénétrer dans le bois; c'était le seul moyen pour elle de gagner le sentier sans être vue. Dans son dos, entre le massif et la clôture, il y avait une serre à l'abandon. Il lui fallait trouver une autre cachette. Si seulement elle avait su où était Roy!

A cet instant, quelque chose la poussa à tourner la tête et à regarder derrière elle, entre les buissons moins touffus. Roy se tenait près de l'ancienne serre; elle distinguait la tache émeraude de son chemisier de soie. A coup sûr, il la voyait aussi! Mais il disparut, et elle entendit grincer la porte de la serre. Un silence...

Une brindille cassa, tout près... Il s'éloignait dans l'allée... L'endroit le plus sûr pour elle était peut-être la serre qu'il venait de fouiller... Ou bien devait-elle faire demi-tour vers la maison et essayer d'atteindre le téléphone?

Tandis que Meg pesait le pour et le contre, elle l'entrevit qui courait dans l'herbe, devant elle, se dirigeant à nouveau vers l'arche taillée dans la haie. C'était l'instant où jamais de gagner le bois... Elle se fraya un chemin hors des buissons, s'élança dans l'allée, contourna l'extrémité de la bordure et se jeta derrière la haie d'ifs. Tout en courant vers le fossé, elle se rappela que la planche n'était pas très stable et elle s'obligea à traverser avec précaution. Elle escalada l'échalier sans oser regarder en arrière et se retrouva en quelques secondes dans la pénombre tachetée de lumière du bois... La vue brouillée, évitant les ronces qui s'accrochaient à elle, elle finit par s'appuyer contre un chêne; ici, on ne pouvait la voir, du moins de la maison. Elle essaya de reprendre haleine. Il faisait chaud, dans le bois; tout était silencieux. Dans quelques instants, elle devrait s'avancer vers les arbres qui bordaient la pelouse du major. Par une si belle journée, il était sûrement dans son jardin.

Elle répugnait à quitter l'abri du large tronc; pourtant, à quelques mètres, un fourré de jeunes arbres et de buissons offrait une meilleure protection. Comme elle hésitait, elle se rendit compte que le silence était une illusion; le bois était plein de bruissements et de mouvements furtifs. Et tout à coup, il y eut un autre son, une sorte de grincement : quelqu'un avait marché sur la planche qui enjambait le fossé.

Il était trop tard pour bouger. Roy suivait le sentier à sa droite, sans chercher à se cacher ni à étouffer le bruit de ses pas. Il avait retiré le chemisier de soie et il était nu jusqu'à la taille; ses épaules luisaient quand le soleil, filtré par les feuilles, les effleurait. Bientôt, il fut hors de vue, mais elle l'entendait toujours qui battait les buissons avec un bâton.

Lorsqu'elle cessa de l'entendre, le silence lui parut plus angoissant encore. Roy avait dû atteindre le bout du sentier, là où celui-ci rejoignait le chemin. Avait-il reconnu la trouée par laquelle, avec l'aide de Chris, il avait poussé la motocyclette? Il était peut-être à l'endroit où ils s'étaient arrêtés, au-dessus de la mare, en train de regarder le bungalow, de l'autre côté de la pelouse. Ou bien avait-il senti où elle se cachait et, se déplaçant maintenant furtivement, revenait-il vers elle? Au moment où cette pensée inquiétante lui traversait l'esprit, elle l'entendit à nouveau. Il se frayait un passage dans les taillis épais, à la lisière du bois, en direction du verger. Il n'y avait pas d'issue, de ce côté-là; il lui faudrait retourner à l'échalier en passant près de Meg.

Avant de savoir qu'elle avait bougé, elle se trouva dans le sentier. Elle le suivit sans bruit, franchit la clôture par la brèche et prit pied dans le chemin. Tout son être était tendu vers le bungalow. La haie d'aubépines qui bordait la propriété de Palmer n'était pas assez haute pour la dissimuler complètement, si bien qu'elle rampa le long du talus herbeux jusqu'au portillon. Elle fit jouer le loquet, et sachant que Roy, s'il l'observait du bois, pouvait maintenant la voir, se rua dans l'allée.

Les fenêtres semblaient la regarder foncer, tête baissée, comme des yeux vitreux et surpris. La pelouse, déserte et fraîchement tondue, s'étendait jusqu'à la mare et jusqu'au bois. Le silence aurait dû l'avertir, et de fait, lorsqu'elle escalada les marches du porche, elle se demanda où pouvaient bien être les bassets.

La porte d'entrée était fermée à clef.

Tout d'abord, Meg ne put y croire et perdit du temps à pousser sur le battant. Ce ne fut qu'en voyant le garage vide qu'elle comprit : ce jour-là entre tous, le major avait pris sa voiture et avait emmené les chiens!

Le choc était trop brutal. Meg se laissa tomber sur le seuil, tremblante, effondrée, ne sachant que faire. La pensée de Roy la fit se relever d'un bond. Devait-elle essayer de briser une vitre pour atteindre le téléphone? Le bruit du verre cassé indiquerait à Roy où elle était — s'il ne le savait déjà. Ce fut alors qu'elle songea au message qu'elle avait griffonné et qui était toujours dans la ceinture de son pantalon. Elle le glissa dans la fente aménagée dans la porte pour le courrier.

Meg pensa à la ferme, au bout du chemin. Elle semblait désespérément éloignée, mais c'était le seul espoir. Elle longea furtivement le côté du bungalow. Au moment où elle dépassait la première fenêtre, elle sut que Roy était dans son dos. Il ne faisait aucun bruit, mais chaque muscle, chaque nerf de son corps lui disait qu'il était là.

Son cri déchira le silence de cette journée ensoleillée. Puis une main de fer lui agrippa l'épaule, et l'autre main de Roy s'appliqua sur sa bouche. Elle essaya de lutter, de mordre, d'envoyer des coups de pied, mais il la poussa en avant et lui fit tourner l'angle du bungalow. Une fois dans l'allée de derrière, il la libéra, ne la tenant plus que par le bras. A travers ses larmes de détresse, elle vit son visage menaçant.

— Encore un cri, et vous écopez.

Sa voix était rauque et sa main tremblait sur le bras de Meg. Tout en la ramenant chez elle à travers la prairie, il dit :

— Vous vous êtes crue maline, hein? Vous avez cru m'avoir? Vous ne vous en seriez pas tirée, vous savez. Une chance pour le vieil imbécile qu'il n'ait pas été là.

Ces paroles, prononcées à voix basse, lui firent l'effet d'un coup. Pour la première fois, Meg s'avisa de ce que sa fuite vers Palmer aurait pu provoquer. Quelles chances un petit homme âgé aurait-il eues contre ce jeune bandit armé? Aussi longtemps que Roy tiendrait le revolver, chaque geste qu'elle ferait pour s'échapper mettrait en danger quelque innocent. A cette pensée, les derniers vestiges de sa combativité l'abandonnèrent.

La maison était sombre et glaciale après l'éclat du soleil sur la pelouse — une prison qui se refermait sur elle. Ils allèrent à la cuisine, où Roy lui ordonna de sortir de la bière du réfrigérateur. Puis ils s'installèrent au salon, Meg sur le divan, Roy dans le fauteuil à oreilles, en face d'elle. Sans les verres et les bouteilles de bière posés sur la table, on aurait pu croire qu'ils n'avaient jamais quitté la pièce. Les cartes gisaient sur le tapis, là où Roy les avait laissées.

Il se renversa en arrière, croisa ses longues jambes et, à la surprise de Meg, esquissa un sourire. Puis il dit, comme s'ils n'étaient pas des ennemis, mais des complices :

— Inutile de raconter tout ça à Chris, compris?

CHRIS ne revint pas avant une heure moins le quart. Roy l'entendit avant Meg et se redressa. Ses mains agrippèrent les bras du fauteuil.

Elle entra dans la pièce en coup de vent; elle avait chaud et paraissait inquiète. Jetant un journal sur le divan, elle cria :

— Où est le transistor? J'ai acheté des piles. Il y a quelques mots dans le journal, mais rien de plus que ce qu'on a entendu ce matin. Vite! Il est près d'une heure.

La petite radio verte était à côté du fauteuil de Roy. Chris la prit, la posa sur les genoux du garçon, puis, s'asseyant sur ses talons, le regarda avec impatience s'affairer maladroitement. Lorsque enfin la voix unie, agréable, s'éleva dans la pièce, parlant de tremblement de terre, de grèves, d'accidents, Meg s'aperçut qu'elle s'était aussi penchée en avant. La voix annonça alors :

« Les deux jeunes gens qui ont assisté la police dans son enquête sur la mort de l'agent P. G. Baines, écrasé par un camion au sud de Londres, il y a quelques semaines, ont été inculpés ce matin de vol et de cambriolage. D'après les renseignements obtenus, la police recherche le conducteur du camion, qui serait un dénommé Roy Halloran, et une jeune fille qui est peut-être avec lui. Signalement de Halloran : âgé d'environ dix-huit ans, grand, bien bâti, cheveux longs, yeux clairs. La dernière fois qu'il a été vu, il portait un blue-jean et un blouson de cuir noir. Toute personne reconnaissant ce signalement est priée de se mettre en contact avec le poste de police le plus proche. »

Chris s'empara du transistor, sur les genoux de Roy, et le ferma. Ils se dévisagèrent sans parler.

— « Les renseignements obtenus », ricana-t-elle enfin. Elle est bien bonne! C'est ce Mick! Il a essayé de sauver sa peau.

Roy releva la tête :

— Mick n'aurait jamais... C'était mon copain. Ce doit être Johnnie.

— Mick ou Johnnie, qu'est-ce que ça change? Ils pouvaient rester tous les deux dans la caravane, aller travailler sur le chantier, le lendemain matin, comme si de rien n'était; mais Mick a décrété que tu devais prendre ta moto et filer. Et tu as entendu ce qu'il m'a dit, que je portais la guigne, que tout marchait très bien pour vous trois jusqu'à ce que j'arrive.

Le regard de Roy erra dans la pièce.

— En fait, je ne voulais pas t'emmener, dit-il. C'est toi qui m'as harcelé pour venir. Mick était vert de colère quand il t'a trouvée dans le camion.

— Il m'a laissée rester.

— Qu'est-ce qu'il pouvait faire d'autre? Je t'assure, Mick est un chic type. Il a dit qu'il prendrait contact avec nous quand les choses seraient tassées, qu'il s'arrangerait avec le patron pour que je n'aie pas d'ennuis; il doit m'envoyer ma carte et mon salaire, et ma part.

Chris bondit sur ses pieds et l'écrasa du regard :

— Ta part! Parlons-en! Ils t'ont donné le transistor pour que tu te tiennes tranquille. Il y avait de l'argenterie et des montres dans le sac. Je les ai vues. « On reste en contact, il a dit. Regardez dans les annonces personnelles du *Times.* » Tu as regardé, et alors?

Roy inclina la tête; ses yeux évitaient ceux de Chris.

— Ce doit être Johnnie, insista-t-il. Il est toujours à sec; il a dû essayer de vendre une montre ou quelque chose, et c'est comme ça qu'on les a pincés. Quand il a vu venir une condamnation pour meurtre, il a mangé le morceau.

— Ainsi, c'était ça, dit Meg d'une voix lente. Le garçon que tu suivrais n'importe où a tué quelqu'un... Tué! Les journaux l'ont signalé, à ce moment-là. Le major Palmer a essayé de m'en parler, mais je ne l'ai pas écouté...

— C'était un accident, entendez-vous? s'écria Chris. J'étais là, je le sais! Ce flic est arrivé pendant que, Roy et moi, nous attendions dans le camion, à l'angle de la rue, comme on nous l'avait dit.

Meg scruta le visage de la jeune fille :

— Tu mens. Je connais cette voix-là.

— Je ne mens pas. A quoi ça me servirait, maintenant?

— Très bien. Vous attendiez dans ce camion... Pourquoi?

— Les autres étaient dans une maison, à quelques mètres de là, plus bas dans la rue. La maison était vide, les gens en vacances. C'est du moins ce que croyait Mick. C'était toujours Mick qui organisait tout, et Roy s'occupait de trouver une voiture ou un camion. Celui-là, il l'avait piqué sur un parking...

Roy bondit :

— Tu ne peux pas la boucler, non?

— Meg doit savoir comment ça s'est passé et ne pas croire tous ces mensonges; alors, elle nous aidera.

Meg n'en croyait pas ses oreilles.

— Vous aider? dit-elle. Tu penses que je vous aiderai après cette semaine, après ce qui est arrivé à Mme Dawlish?

— Oui, quand vous saurez. Il le faut, il n'y a personne d'autre. Mick a dit que même si ce n'était qu'un homicide par imprudence, Roy risquait dix ans de prison. Il ne pourrait pas supporter ça. (Chris, d'un geste pressant, posa la main sur le bras de Meg.) Écoutez, Meg; au moins, écoutez. C'était la première fois qu'ils s'attaquaient à une maison; Roy avait un trac fou, et j'essayais de le calmer en le taquinant. Nous étions rangés là depuis peu de temps, quand ce flic a tapé à la vitre... de mon côté. Il a braqué une torche sur nous et nous a demandé ce qu'on faisait là. C'est moi qui ai répondu : ne voyait-il pas que je disais bonsoir à mon fiancé? Alors il a souri et il nous a dit de faire vite, qu'il allait revenir; si nous étions encore là, nous aurions des ennuis. Puis il est parti et il a tourné dans la rue transversale.

Chris s'interrompit et regarda gravement Meg dans les yeux, comme si elle espérait y lire un encouragement.

— Au bout d'une minute, Roy a mis le moteur en marche. Alors Mick et Johnnie sont sortis précipitamment de la maison. Des lumières se sont allumées, et un homme en pyjama a couru après eux. Mick s'était trompé de maison. Comme si ça ne suffisait pas, deux personnes remontaient la rue... Quand Mick et Johnnie ont sauté à l'arrière du camion et qu'on a démarré, ils se sont lancés après nous. Mick nous a crié de tourner dans la rue transversale, parce que c'était plus court. J'ai hurlé : « Non! le flic va nous voir », mais Roy, comme toujours, a obéi à Mick. Il a allumé les phares, et le flic était là, revenant en courant vers nous. Il avait dû entendre les cris. Il a écarté les bras pour nous arrêter, et Roy a freiné. Mick a dit de continuer, que le flic sauterait en arrière...

Chris se tut et, de nouveau, regarda Meg. Mais Meg détourna les yeux.

— Bien sûr qu'il a dû sauter, le pauvre homme, dit-elle, ou du moins essayer. Que s'est-il réellement passé, Chris?

— Il n'a pas sauté! Je vous assure qu'il est resté planté là; il l'a cherché!

Repoussant la main de Chris, Meg demanda :

— Vous êtes-vous arrêtés pour voir ce que vous aviez fait?

— Comment aurait-on pu? Ils couraient derrière nous dans la rue en criant. Mick a dit qu'ils allaient lancer bientôt une voiture de patrouille après nous et qu'il fallait se débarrasser du camion. Alors nous l'avons laissé sur un autre parking et nous sommes revenus à pied jusqu'à la caravane. La moto de Roy était rangée là et...

— La caravane? coupa Meg. Je ne comprends pas.

— Ils vivaient tous les trois dans une caravane, derrière le chantier; il y en a des douzaines, là-bas, pour les ouvriers. Ils construisent un grand immeuble de bureaux à la sortie de Londres, pas très loin de chez mon père. Mick et Roy travaillaient en équipe depuis un an et ils allaient d'un boulot à l'autre; mais ils avaient décidé de rester sur celui-là jusqu'à ce qu'il soit fini. Roy gagnait près de quarante livres par semaine.

Meg inclina la tête. Chris poursuivit :

— Roy ne cessait de répéter : « On l'a tué, Mick. » Finalement, Mick a hurlé : « C'est toi qui l'as tué, espèce d'imbécile, c'est toi qui conduisais! » Quand j'ai dit à Mick que le flic nous avait bien regardés, Roy et moi, il a répondu qu'on ferait bien de prier pour qu'il soit vraiment mort... avant de pouvoir parler. Nous n'en étions pas sûrs. C'est ici, dans la maison, que nous l'avons appris par les journaux.

Chris jeta un coup d'œil sur Roy; debout, les épaules voûtées, il leur tournait le dos.

— Nous sommes allés chez moi, enchaîna-t-elle. J'ai été à la caisse, au magasin — il nous fallait de l'argent. Quand nous sommes arrivés par ici, Roy avait les jetons. Il croyait qu'une voiture de patrouille nous suivait. C'est pour ça que nous avons quitté la grand-route et que nous sommes tombés dans le fossé. Quand nous sommes restés en panne sèche et que nous avons poussé la moto dans cette côte, je lui ai dit de ne pas s'inquiéter, que le flic avait dû mourir sur le coup. Nous avions passé en plein dessus... Je l'ai senti.

Roy se retourna brusquement. Son visage, sous une fine pellicule de sueur, était livide.

— Qu'est-ce que ça peut faire, maintenant? cria-t-il. Tout ce qui compte, c'est de nous tirer d'ici en vitesse.

Chris posa la main sur la sienne :

— Allons, ne t'affole pas. Personne ne sait où tu es.

— La radio a parlé d'une fille qui est avec moi. Des tas de gens savent que tu es ici. Johnnie a dû leur donner aussi ton signalement.

— On ne l'a pas donné à la radio ni dans les journaux. (Chris fronça les sourcils.) Tout de même, c'est embêtant. Le vieux Palmer me connaît. Il a découvert la moto et il est sûr que j'ai piqué le revolver. S'il a entendu aussi les nouvelles...

Elle regarda vers la fenêtre, comme si elle s'attendait à voir le major traverser la pelouse.

— Il n'est pas là, dit Roy. Il est parti en voiture. La maison est bouclée.

— Comment le sais-tu? Tu es sorti? Tu l'as laissée s'échapper? Oh! Roy. (Chris se retourna contre Meg, les yeux froids, tout semblant de faiblesse évanoui.) J'aurais dû voir tout de suite dans quel état vous étiez. Vous avez joué à cache-cache dans les buissons ? Vous pensiez l'avoir semé ?

Meg crut que Chris allait la frapper, comme elle l'avait déjà fait une fois, mais la jeune fille haussa les épaules :

— Ça n'a plus d'importance. Nous avons d'autres soucis.

— Ecoute, dit Roy, nous avons l'argent et la voiture. Taillons-nous.

Il se dirigea vers le vestibule, mais Chris se précipita vers lui :

— Attends, Roy, supplia-t-elle. Il faut dresser un plan.

— Toi et tes plans ! Pour ce qu'ils nous ont réussi !

Jamais encore Meg ne l'avait entendu parler à Chris avec une telle amertume.

— Comment peux-tu dire ça ? explosa Chris. Sans moi, j'aimerais savoir où tu serais maintenant.

— En tout cas, pas ici !

— Tu as été bien content que je te trouve un endroit où te cacher quand tu avais mal à la cheville. Tu as été à l'abri, logé et nourri à l'œil ! Tu as eu de la chance, et tu le sais.

Roy se détourna.

— La chance peut avoir une fin, dit-il. Viens, Chris, filons !

C'était un appel, pas un ordre.

Passant son bras autour de Roy, Chris répondit :

— Si quelqu'un te voit conduire la voiture de Meg, ça paraîtra bizarre. Nous partirons quand il n'y aura pas de danger, vers cinq heures et demie, six heures, au moment où ils sont tous chez eux en train de prendre le thé. Maintenant, il vaudrait mieux manger quelque chose, et ensuite on chargera la voiture — provisions, couvertures, vêtements. On fera comme si, Meg et moi, nous avions fermé la maison pour partir quelques jours en vacances. Il faut que Meg écrive un mot pour le laitier et pour Gregory, et quelques lignes à Mme Dawlish; elle lui dira que, comme elle n'est pas encore très bien, nous allons changer d'air.

Roy regarda le visage enfiévré, convaincu, de Chris.

— Et elle ? dit-il lentement. Dès qu'on sera partis, elle lancera la police à nos trousses.

— Elle ne fera rien du tout. Nous y veillerons.

Toujours enlacés, ils se retournèrent, ensemble, pour faire face à Meg. Elle avait déjà rencontré ce double regard froid. Malgré la chaleur de la pièce inondée de soleil, elle frissonna. Pourquoi n'avait-elle jamais pensé à ce qui lui arriverait lorsqu'ils s'en iraient enfin?

— Qu'allez-vous faire, Chris? demanda-t-elle.

Chris éclata de rire.

— Regardez-la! dit-elle. Elle crève de peur! Pauvre vieille Meg... Que pensez-vous que nous allons faire?

VIII

La petite pendulette en bronze doré de Meg gisait sur le tapis de foyer, à ses pieds; un des panneaux de verre était fendu, mais, miraculeusement, elle marchait toujours. Quelques minutes plus tôt, elle avait sonné cinq heures. De l'endroit où Meg était assise, près de la cheminée, les chevilles et les mains liées à sa chaise par des foulards, elle pouvait suivre la marche de l'aiguille des minutes. Mieux valait garder les yeux fixés sur la pendulette que de voir ce qu'ils avaient fait du salon.

La destruction insensée avait commencé aussitôt après le déjeuner. Ils avaient pris leur repas à la cuisine, dont Chris avait soigneusement fermé les rideaux — elle s'était souvenue que le blanchisseur était en retard, et aussi que, depuis plus de huit jours, on n'avait pas tondu les pelouses : le camion jaune de la société horticole transportant les tondeuses et au moins deux hommes pouvait arriver d'un moment à l'autre au portail de derrière.

Pendant le déjeuner, les deux jeunes gens avaient paru tendus et préoccupés. Quand Meg avait voulu débarrasser la table, Chris l'avait arrêtée : ils n'en auraient plus besoin. A ces mots, Roy avait bondi; il s'était levé, riant et criant :

— On s'en va! On s'en va!

Saisissant la nappe, il avait tout envoyé se fracasser sur le sol, puis il avait fait danser Chris dans la pièce, sur les débris de porcelaine.

Tout d'abord, Chris n'avait pas réagi à son soudain changement d'humeur; mais lorsqu'il s'était mis à jeter les assiettes du buffet sur le sol, dans un tintamarre qu'on aurait pu entendre de l'allée, elle s'était laissé entraîner. C'était Chris qui avait couru chercher les foulards au premier étage; Chris encore qui avait maintenu Meg sur la chaise du salon, en lui conseillant de se taire.

— Roy pourrait devenir mauvais, il est bien parti.

Mais Roy n'avait pas voulu briser la pendulette; elle lui avait glissé des mains quand les deux jeunes gens rassemblaient les petits bibelots qui ornaient la cheminée : le cheval de jade, la tabatière en or et en écaille, l'éventail en ivoire. Ils les avaient empilés, avec d'autres objets qui pouvaient avoir de la valeur, dans le sac où Meg conservait sa laine à broder.

Consternée, Mme Starr avait assisté au massacre : Roy avait renversé le bureau à coups de pied, brisé les meubles, précipité les tableaux sur le sol. Chris, en riant, s'était jointe à lui, s'occupant du contenu du vaisselier d'angle. Quand tout avait été réduit en miettes, ils s'étaient immobilisés, haletants et hilares.

— Tu te sens mieux, maintenant? avait demandé Chris. Viens, on va emballer les affaires.

Lorsqu'ils étaient montés, Meg était restée effondrée sur sa chaise. Pour sa génération, comme pour celles qui avaient précédé, les objets — les biens personnels, humbles ou précieux — méritaient d'être chéris, protégés, conservés intacts aussi longtemps que possible. Pourquoi, alors, ce besoin nouveau, chez tant de jeunes dans le monde, de détruire, de souiller, de dégrader?

Un grand fracas, au-dessus de sa tête, suivi d'un éclat de rire, la ramena à la réalité. Apparemment, ils passaient le temps en saccageant les pièces du premier étage. Elle fit des vœux pour qu'ils ne partissent pas avant six heures. Plus longtemps ils resteraient, mieux cela vaudrait pour elle. Sûrement, le major rentrerait avant six heures et trouverait son petit papier. S'il ne venait pas à son secours, qu'allait-il lui arriver?

Meg les entendit dans l'escalier et se raidit, pensant qu'ils venaient la chercher. Mais ils traversèrent le vestibule sans même lui jeter un coup d'œil. Roy tenait deux valises, Chris un gros paquet. Ce fut elle qui porta le tout jusqu'à la voiture. Meg entendait Roy piétiner avec inquiétude en attendant son retour dans le vestibule. A nouveau, elle les entrevit : ils allaient vers la cuisine; ils en revinrent, portant des paniers de provisions. Puis ils remontèrent au premier étage.

Après ce qui lui parut une éternité, ils redescendirent et entrèrent au salon. Ils avaient passé un moment à se changer; à présent, ils paraissaient nets et propres, presque empruntés, comme s'ils partaient en vacances. Chris s'était maquillé le visage et les yeux; elle portait sa chemise et son pantalon de toile et tenait à la main un sac et un cardigan. Mais Roy, dans une chemise blanche à col ouvert, avec un foulard à pois soigneusement noué dans l'encolure, une veste de tweed appartenant à Philip et les lunettes noires de Meg cachant ses yeux clairs, était transformé. Meg constata que la crosse du revolver sortait du foulard qu'il avait noué autour de sa taille en guise de ceinture.

— Il a l'air tout différent, n'est-ce pas? demanda Chris. (Elle l'examina attentivement.) Mais pas encore assez... Je sais, Roy... Tes cheveux!

Elle s'approcha du bureau renversé et revint avec les ciseaux de Meg.

— Laisse mes cheveux tranquilles, grommela Roy. De toute façon, on cherche les ennuis à traîner comme ça.

— Ça ne prendra pas plus de quelques minutes, insista Chris.

Comme d'habitude, Roy céda, et Meg regarda Chris lui draper le cardigan blanc sur les épaules avant de s'activer avec les ciseaux. Quand le tapis de foyer fut couvert de mèches d'un brun roux, Roy se tâta la nuque. Chris se mit à rire :

— Pas besoin de faire cette tête-là! Il t'en reste encore pas mal.

Elle arracha le cardigan de ses épaules, en secoua les cheveux et lança d'un ton allègre :

— Maintenant, il ne nous reste plus qu'à nous occuper de Meg et à fermer la maison.

Elle s'affaira, chercha un stylo, du papier et des enveloppes, trouva les lunettes de Meg et son buvard, posa le tout sur ses genoux. Puis elle lui délia les mains, tirant nerveusement sur les nœuds et lui faisant mal. Meg protesta :

— Je ne peux pas écrire. J'ai les doigts tout engourdis.

— Il le faut, ordonna Chris. D'abord, le mot pour le laitier. Je le fixerai sur la porte de derrière pendant que vous continuerez avec les autres.

Quand Meg eut écrit le premier mot, Chris le lui arracha des mains et, après lui avoir donné deux autres feuilles de papier, sortit en hâte de la pièce. Deux secondes après, elle était de retour.

Meg était sur le point de refuser d'écrire une ligne de plus, de jeter le stylo et de les défier, quand Chris demanda à Roy :

— Où est ton couteau? Il vaut mieux le sortir.

Allaient-ils s'en servir? A la pensée de l'acier froid, le corps de Meg se contracta. Elle ne pouvait rien faire, sinon mettre le plus longtemps possible à écrire les quelques lignes à Mme Dawlish et à Gregory, et les adresses, sur les enveloppes.

Chris prit les lettres et sortit deux timbres de son sac.

— Nous les mettrons à la boîte en passant, annonça-t-elle.

Et se penchant en avant, elle délia les écharpes qui retenaient les chevilles de Meg aux pieds de la chaise.

— Debout!

Chris mit une main sous son bras et tenta de la tirer. Meg eut un mouvement de recul; elle libéra son bras et se recroquevilla sur sa chaise.

— Vous perdez votre temps, siffla Chris. Vous allez monter, même si on doit vous traîner.

Le vestibule était frais après la chaleur confinée du salon, et cette fraîcheur familière ranima un peu Meg. Tandis qu'ils la poussaient vers l'escalier, elle entrevit, par la fenêtre, les pelouses devant la maison, d'un vert doré dans la lumière de l'après-midi finissant, et le portail si désespérément éloigné.

Lorsqu'ils atteignirent l'escalier, Meg se dégagea d'une secousse et, empoignant le pilastre de la rampe, s'y accrocha des deux mains.

— Je ne ferai pas un pas de plus avant que vous m'ayez dit ce que vous allez faire.

Elle vit Roy jeter un regard à Chris, puis, à sa grande surprise, s'écarter et leur tourner le dos. Les verres fumés dissimulaient ses yeux, mais elle était sûre d'y avoir deviné un doute subit. Le visage de Chris, levé vers elle, était dur comme la pierre; ses yeux, rétrécis, formaient deux fentes bleues. Elle avait l'air d'un petit serpent venimeux prêt à mordre.

— Très bien, je vais vous le dire, articula-t-elle. On va vous mettre dans le grenier, tout au fond, sous la lucarne, là où Roy est resté si longtemps. On vous ligotera et on vous bâillonnera, et on partira en vous laissant là.

Non! ça n'était pas vrai! Ce genre de choses n'arrivait pas à des gens ordinaires comme elle. Meg promena son regard autour du vestibule... La tête lui tournait, elle ne pouvait plus respirer.

— Personne ne viendra, dit-elle enfin. Pas avant des semaines. Vous avez fait ce qu'il fallait pour ça, n'est-ce pas?

Chris jeta un coup d'œil anxieux à Roy et répondit d'un ton léger :

— Oh! je suppose que quelqu'un finira par venir ou que vous parviendrez à vous libérer avant longtemps. Allons, montez!

S'agrippant à la rampe, Meg cria :

— Je vous promets de ne pas appeler la police ! Prenez la voiture et partez, je ne dirai rien à personne.

— Croyez-vous que je vais avaler ça ?

Meg tenta de contrôler sa voix :

— Je pourrais mourir de faim, là-haut, ou de soif. Pourquoi ne tirez-vous pas sur moi, si vous voulez m'assassiner ?

— Vous assassiner ! (La voix de Chris était suraiguë.) Ne fais pas attention à elle, Roy. Tout ce que nous allons faire, c'est de vous mettre au grenier.

— Écoutez-moi, Roy, dit Meg d'une voix insistante et lente, comme si elle s'adressait à quelqu'un parlant une autre langue. Vous avez déjà tué un homme. Vous vous en tirerez peut-être avec une inculpation d'homicide involontaire. Mais si vous me tuez aussi, que pensez-vous qu'il vous arrivera ?

Roy se retourna. Meg vit sa pâleur, son expression d'angoisse.

— Elle a raison, Chris. Je ne peux pas, pas encore une fois. Viens, laisse-la là. Allons-nous-en !

Il se dirigea vers la porte d'entrée. Chris, donnant à Meg un coup qui la projeta en arrière, contre le coffre de bois sculpté, se précipita après lui.

— Ne l'écoute pas, Roy... Il le faut. Je ne te laisserai pas jeter en prison loin de moi !

Roy la regarda avec horreur et répugnance.

— Sors de là, cria-t-il. Je voudrais ne jamais t'avoir connue !

Chris ne cilla pas.

— Roy, murmura-t-elle, tu ne penses pas ce que tu dis.

Il recula tandis qu'elle avançait vers lui, la main tendue, apparemment convaincue qu'il lui suffirait de le toucher pour calmer cet orage. Ils avaient oublié Meg, mais elle ne pouvait bouger. Malade de terreur, elle s'était blottie contre le coffre.

Roy fut pris d'un tremblement incontrôlé. Les mots se bousculèrent sur ses lèvres.

— J'en ai par-dessus la tête de me faire tarabuster, cria-t-il d'une voix rauque. Tu te crois maline, n'est-ce pas ? C'est de ta faute, tout est de ta faute ! Pourquoi a-t-il fallu que tu saisisses le volant ? Rien ne t'y forçait, mais tu l'as fait. C'est toi qui l'as tué... toi, pas moi...

La voix de Chris interrompit ce torrent de paroles :

— Je savais que tu ne le ferais pas. Il t'avait vu. Il t'aurait reconnu. Je l'ai fait pour toi !

Elle voulut l'enlacer, mais il la repoussa rudement. Il retira la veste de tweed et les lunettes noires, les jeta sur le sol, arracha son écharpe, traversa le vestibule à grandes enjambées et ouvrit brutalement la porte d'entrée. Chris bondit après lui... pour s'immobiliser sur le seuil, médusée.

Meg ne put se rappeler avoir marché vers la jeune fille et soutenu son corps frêle et raidi, mais elle ne devait jamais oublier la scène qui s'offrait à eux. Celle-ci se grava pour toujours dans sa mémoire avec une précision et une intensité extraordinaires. Quelqu'un tondait la pelouse dans un ronronnement rassurant. Roy courait à toute vitesse dans l'allée, sa chemise blanche se détachant sur la pelouse verte; l'écharpe rouge nouée à sa taille était exactement de la teinte des roses de la bordure. A mi-chemin, il s'arrêta net à la vue de la voiture blanche, au portail, dont la lampe bleue clignotait, et du groupe d'hommes, dont deux étaient en uniforme.

Le chemin, semblait encombré de voitures en stationnement. Meg aperçut le toit d'un fourgon bleu roi et, derrière lui, un camion jaune. Par quel hasard le blanchisseur et les hommes de la société horticole avaient-ils choisi ce jour-là entre tous pour venir? Roy fit volte-face, et elle vit alors son visage blême, désespéré, ses yeux clairs et hagards. Il tenait le revolver à la main et Meg s'entendit crier :

— Non! Oh! non.

A côté d'elle, Chris fit écho à son cri, lutta brièvement pour se dégager, puis demeura immobile, aussi impuissante, aussi tendue que Meg.

Comme si elle assistait à un film muet aux couleurs éclatantes, Meg vit Roy se ruer vers l'arche taillée dans la haie... et se trouver nez à nez avec le major Palmer, qui écarta les bras comme pour barrer la route à un cheval emballé. Faisant demi-tour, Roy s'élança alors sur une autre allée pour s'arrêter encore. Le blanchisseur, une caisse sur l'épaule, se tenait devant lui entouré de plusieurs hommes; l'un tenait un râteau; tous étaient pâles et le regardaient fixement.

Roy, hagard, regarda le groupe de spectateurs silencieux qui l'encerclaient. Il pointa son revolver d'un côté, puis de l'autre. Personne ne se jeta à terre, personne ne se mit à l'abri. Alors, il se dirigea vers la maison; là, Meg le comprit, il pourrait se barricader dans une pièce et résister quelque temps. Lorsqu'il s'approcha, elle serra Chris plus étroitement, mais brusquement, changeant d'avis, Roy leur tourna le dos et, faisant face à ses assaillants, porta le revolver à sa tempe.

La détonation, cette détonation que Meg redoutait depuis des jours, l'arracha à son état de transe. Tandis que les témoins silencieux de la scène s'animaient soudain et convergeaient vers elles, Chris se mit à se débattre en laissant échapper d'affreuses plaintes de bête blessée. Meg ne pouvait retenir plus longtemps la jeune fille. Alors le major fut à ses côtés, les poussa toutes les deux dans le vestibule et ferma la porte.

IX

Le grand portrait en pied, dans son cadre doré, rendit son regard à Meg; les petits yeux noirs ressemblaient à ceux de l'homme assis en face d'elle. Un peu à contrecœur, elle se tourna vers le major, qui lui disait :

— Ainsi, vous partez... Je vous envie, de suivre le soleil et de nous abandonner à l'hiver.

— Nous ne sommes que début septembre, répondit Meg avec douceur. Le soleil est encore là pour quelque temps.

Et de fait, la pelouse et les arbres qu'on apercevait par les fenêtres étaient baignés de soleil.

Comme Meg avait vendu sa voiture, c'était Rosa qui l'avait conduite chez le major Palmer, ce matin-là, pour qu'elle pût lui dire au revoir et le remercier de tout ce qu'il avait fait. Rosa avait refusé d'entrer avec elle.

— Je sais quand je suis de trop, avait-elle affirmé.

Et comme Meg protestait, elle avait ajouté :

— Quelquefois, tu es vraiment aveugle, Meg. Ou bien refuses-tu de voir ce que tu ne veux pas voir?

Meg, gênée, lança un nouveau coup d'œil au major. Il détourna aussitôt les yeux, mais elle avait eu le temps de voir leur expression. Elle avait tort, elle le savait, d'en être agacée. Sans lui, qu'aurait-elle fait dans ces moments affreux? Elle se rappelait mal la confusion et l'horreur qui avaient suivi la mort de Roy, les voix, les questions, les gens qui se pressaient dans le vestibule. Un seul souvenir était resté précis : le visage de Chris avant qu'on l'emmenât, hébété par le choc, vide, perdu.

Meg en avait honte, mais elle s'était effondrée. Jusqu'au retour de Rosa, qui l'avait alors emmenée chez elle, dans sa maison qui donnait sur le pré communal, Felix Palmer l'avait accueillie chez lui, se souciant aussi peu qu'elle-même de ce qu'on pourrait dire ou penser; il l'avait soignée, nourrie, protégée autant que faire se pouvait des journalistes et des voisins soi-disant secourables.

Elle n'avait reçu que le pasteur quelques minutes; quant à Mme Jensen, refusant de prendre le mot « non » pour une réponse, elle avait forcé tous les barrages et était restée, avait-il semblé à Meg, des éternités.

— Penser que tout le temps que j'étais avec vous, un revolver était braqué sur moi! s'était-elle écriée. J'aurai quelque chose à raconter jusqu'à la fin de mes jours!

Par-dessus tout, Meg serait toujours reconnaissante au major de s'être soucié du sort de Chris, et de l'avoir tenue au courant. Il lui avait parlé du premier soir, au poste de police, où le père de la jeune fille avait refusé toute responsabilité; du tribunal pour mineurs qui avait siégé le lendemain; de la maison de détention provisoire. Plus tard, quand Chris avait passé en jugement avec Mick et Johnnie, le major les avait conduites au tribunal, Rosa et elle.

— Comment puis-je vous remercier? commença Meg.

Mais il écarta la question d'un geste et dit rapidement :

— Je connais bien Singapour... Vous vous y plairez, je crois. Par contre, je ne suis jamais allé en Afrique du Sud. Peut-être vous installerez-vous là-bas pour de bon?

— Oh! non, à mon retour d'Extrême-Orient, après mon séjour chez Philip, je ne resterai qu'un mois chez Michael. Je dois rentrer avant la fin janvier. Chris aura son bébé le mois suivant.

Meg le vit rougir; il se leva et dit :

— Voulez-vous dire qu'après tout ce qu'a fait cette misérable fille... Ne faites pas sottement du sentiment!

— Vous ne comprenez pas. Ce malheureux enfant a dû être conçu chez moi.

Il leva les bras en un geste de désolation :

— Vous êtes incurable!

Meg se leva. Aussi irritée que lui, elle répliqua :

— Incurable? Sans espoir? C'est justement ce que je ne suis pas.

Des larmes qu'elle ne put réprimer lui vinrent aux yeux; cela lui arrivait facilement, ces derniers temps. Elle tourna le dos au major. Il dit alors, toute colère évanouie :

— Asseyez-vous, chère amie. Parlons calmement. Nous ne devons pas nous quereller, pas le dernier jour.

Quand Meg se fut rassise, il posa son mouchoir sur ses genoux. Elle esquissa un sourire.

— Voilà qui est mieux, dit-il. Voyons, avez-vous envie d'adopter cet enfant, si c'est possible? Vous n'envisagez tout de même pas d'avoir encore affaire à Chris?

— Non, non. Je ne pense même pas que je verrai le bébé. Quant à Chris, j'ai voulu lui rendre visite la semaine dernière, mais elle a refusé de me voir, comme elle refuse de parler à qui que ce soit. On m'a dit que personne ne pouvait rien en faire. Elle ne desserre pas les lèvres et elle mange à peine.

— Elle se remettra. Chris est solide.

— Croyez-vous? Il me semble que lorsque Roy est mort, quelque chose s'est brisé en elle, dit Meg. Je suis restée en contact avec la prison et avec l'administration de l'assistance sociale, vous savez. Ils sont trop heureux que quelqu'un s'intéresse à cet enfant à venir. Il naîtra à l'hôpital régional — aucune naissance n'a lieu en prison, paraît-il — et Chris sera autorisée à le garder avec elle pendant six mois.

— Et ensuite?

— Je m'occuperai de le faire adopter, c'est tout.

— N'oubliez pas, dit le major, que ce sera l'enfant d'une fille qui a tué délibérément un innocent et d'un garçon qui était un voleur.

— Je l'oublierai si je peux. Un enfant ne doit pas être tenu pour responsable. Au moins, Chris a fait ce qu'il fallait pour que personne ne puisse dire que Roy a tué le policier. La seule fois où elle s'est animée, au tribunal, ç'a été pour déclarer qu'elle avait saisi le volant du camion... Mais vous l'avez entendue, n'est-ce pas? Ces deux garçons, Mick et Johnnie, n'avaient rien vu, et je ne l'aurais dit à personne, puisque Roy était mort.

— Ainsi, vous le saviez? demanda le major. Chris vous l'avait dit?

Incapable de parler, Meg hocha la tête en signe d'assentiment; elle revoyait la scène, dans le vestibule, elle entendait encore la voix rauque de Roy.

— Pauvre Chris, murmura-t-elle enfin.

— Comment pouvez-vous dire cela?

— Je le peux, maintenant. Voyez-vous, je sais que tout ce qu'elle a fait, le pire même, elle l'a fait pour ce garçon, par amour.

— Par amour! Vous appelez ça de l'amour?

— Oui, et c'est ce qu'il y a de plus triste. (Se levant, Meg s'approcha de la fenêtre.) Rosa m'a dit qu'elle viendrait me chercher au bout d'une demi-heure. Je dois aller faire mes adieux à Mme Dawlish... Oui, la voiture est là, à l'entrée du jardin.

Se tournant vers le major, Meg lui tendit la main.

— Merci encore de ce que vous avez fait pour moi. Vous vous êtes occupé de tout. Philip et Michael m'avaient offert tous les deux de venir auprès de moi, mais c'était inutile. Et merci aussi d'avoir remis de l'ordre dans ma pauvre maison.

Il prit sa main :

— Qu'allez-vous en faire? La vendre? Une grande partie de vos meubles peuvent être réparés.

— Je sais... Rosa va faire le nécessaire. Philip ne veut pas que je vende la maison.

— Pourrez-vous y vivre de nouveau?

Elle secoua la tête :

— Non, ce me serait impossible.

Le major soupira et lâcha sa main; ensemble, ils se dirigèrent vers la porte.

— Mais vous reviendrez au village?

— Oui, bien sûr.

Dans l'entrée, elle se tourna vers lui :

— Si vous n'aviez pas trouvé mon mot, ici, sur le tapis, et appelé la police, je me demande ce qui serait arrivé. Roy serait-il encore en vie?

— N'y pensez plus, dit-il avec douceur. C'est fini.

Contrairement à son attente, il ne l'accompagna pas jusqu'à la voiture, ne lui dit même pas au revoir; appelant les chiens, il se retourna brusquement et remonta les marches du porche.

Quand Meg fut assise dans la voiture, à côté de Rosa, elle jeta un dernier coup d'œil vers le bungalow, son toit brun, pimpant, ses pelouses soigneusement entretenues. Mais au moment où la voiture passa devant sa propre maison, elle regarda la route, droit devant elle.

PHOTO ALFRED A. KNOPF

JON GODDEN

LE visiteur qui souhaite rencontrer la charmante Jon Godden devra se rendre en Angleterre, dans un petit village situé sur la route qui mène de Londres à Douvres, et fort semblable à celui qui sert de cadre à *Un bruit dans la maison.* Il y découvrira, dans une demeure ancienne, Jon Godden, qui vit là, non loin de l'une de ses trois sœurs, la célèbre Rumer Godden.

Jon, comme Rumer, est née au Bengale, où son père appartenait à une compagnie de navigation fluviale. Son enfance se déroule, libre de toute contrainte, dans le cadre d'un parc immense, sous le grand soleil de l'Inde. Aussi, lorsqu'elle part pour l'Angleterre entreprendre des études « sérieuses », a-t-elle du mal à accepter une existence qu'elle trouve morne et sans couleur.

A seize ans, elle étudie la peinture avec l'intention de devenir professeur de dessin. Mais, à l'occasion de courtes vacances en Inde, elle s'y marie et abandonne ses projets. Veuve au bout d'un an, elle rentre en Europe, reprend ses études d'art à Londres et à Paris, et repart enfin pour l'Inde où elle obtient un emploi de décoratrice. Elle se remarie en 1936 et va vivre pendant vingt et un ans à Calcutta. C'est là que ses dons de créatrice trouvent leur expression dans la littérature. Jon Godden se met à écrire avec assiduité, et de cette époque date la parution de sa première nouvelle. La Seconde Guerre mondiale interrompt ces débuts littéraires, et la jeune femme se donne alors tout entière à son rôle d'infirmière bénévole. Mais Jon Godden n'a pas renoncé : son premier roman, paru en 1947, l'oriente définitivement vers son métier de romancière, qui la comble. Jon Godden a, depuis, publié neuf romans, sans compter deux ouvrages écrits en collaboration avec sa sœur Rumer Godden.

Un condensé du livre de

VITAL ALSAR

ET ENRIQUE HANK LOPEZ

Traduit de l'anglais par Georges Mugler

LE 29 mai 1970, un radeau construit en bois de balsa prend la mer, portant à son bord un Espagnol, un Français, un Canadien, un Chilien, et un chat. L'Espagnol, Vital Alsar, est l'initiateur de l'entreprise ; il veut, en partant de la côte de l'Équateur, faire la preuve que les Indiens d'Amérique du Sud ont pu, sept cents ans plus tôt, sillonner l'océan Pacifique et gagner l'Australie sur des radeaux semblables au sien. Pour rendre sa démonstration plus probante, il s'engage, ainsi que ses compagnons, à effectuer avec les moyens les plus primitifs une traversée de près de 1 400 kilomètres qui le conduira en Australie.

C'est une gageure, que menacent les périls les plus divers, de la tempête brutale à la lente usure des nerfs, en passant par les requins, la maladie, l'avarie imprévisible et l'éventuelle famine. La traversée va durer six longs mois, cent quatre-vingts jours pendant lesquels quatre hommes, coincés entre ciel et océan sur une fragile prison flottante, frôleront cent fois la mort, iront jusqu'au bout de toutes leurs limites et découvriront (comme le démontre abondamment le récit coloré de Vital Alsar) les vertus infinies du courage et du rire.

« La survie exige l'entière coopération de tous les hommes, que leur univers soit un radeau, un village, un pays, ou une planète. »

VITAL ALSAR.

1

NOTRE expédition commença par une de ces nuits noires et sans lune, que ma grand-mère, très superstitieuse, aurait jugée « de mauvais augure pour entreprendre quoi que ce soit ».

A deux heures du matin, le 29 mai 1970, dès que les courants marins du río Guayas commencèrent à refluer, un petit remorqueur trapu s'approcha du quai pour prendre *La Balsa* à la traîne. Nous avions d'abord espéré mettre à la voile pour quitter Guayaquil, en Équateur, et accomplir la première étape de notre voyage; mais, devant un fleuve aux courants aussi capricieux, nous avions préféré demander au capitaine d'un remorqueur du port de nous conduire jusqu'en pleine mer.

Malgré cela, la descente du fleuve, qui représentait un parcours de deux cents kilomètres environ, et la traversée du golfe de Guayaquil, avec ses courants violents, demanderaient près de trois jours, car le remorquage ne pouvait se faire qu'à vitesse réduite. Dès l'instant où le câble attaché à l'avant se tendit, *La Balsa* eut l'air d'hésiter, comme un taureau de combat qui renâcle à quitter sa *querencia,* seul endroit de l'arène où il se sente en sécurité.

— Le radeau doit en savoir plus long que nous, remarqua Gabriel. On dirait qu'il pressent un danger.

— Mais non, c'est qu'il n'aime pas qu'on le remorque, répondis-je. Un radeau se plaît à voguer au gré des vents et des courants, et une telle contrainte lui est insupportable. De toute façon, nous atteindrons ainsi l'océan sans dommage, et c'est là que nous affronterons notre véritable adversaire.

En fait, les « adversaires » qui nous guettaient étaient très nombreux et parfois imprévisibles. Nous savions que le climat équatorial, qui règne sur cette partie de l'océan Pacifique, nous exposerait tour à tour à une chaleur torride et à un froid glacial, qu'il se trouverait sur notre route d'innombrables récifs perfides, que nous serions presque journellement escortés par des requins; nous n'ignorions pas que des bagarres pourraient éclater entre nous, qu'un paquebot pourrait nous réduire en miettes par une nuit de brume, et que nous risquions de mourir de faim ou de soif. Mais nous nous gardions bien d'en parler.

Ce matin-là, le soleil se leva derrière nous, révélant la splendeur tropicale de la côte équatorienne. Le golfe de Guayaquil était encore plus agité que nous ne le pensions. La veille, dans la fièvre du départ, je m'étais à peine rendu compte que le radeau bougeait, tant j'étais occupé à arrimer les provisions et le matériel embarqués au dernier moment. A présent, je prenais conscience des secousses et embardées du radeau, tandis que les vagues clapotaient sur la proue.

Cela commença par un malaise, une vague nausée; j'avais l'impression que des serpents se tordaient dans mon ventre. Je me dirigeai alors vers l'arrière d'un pas vacillant, et vomis. Quand je parlai à Marc de ces fameux serpents, il se mit à rire et me conseilla d'aller me coucher.

Mais le lendemain, Marc, Gabriel et Normand étaient malades à leur tour. Ce soir-là, nous tentâmes d'oublier nos estomacs en jouant au poker. A la lueur vacillante de la lanterne qui pendait du plafond bas de notre cabine, je détaillai mes trois compagnons.

Marc Modena, l'aîné de tous, était âgé de quarante-quatre ans. Il avait le teint basané, et un sens de l'humour dépourvu de méchanceté. Nous l'appelions parfois « Pépère ». Son long nez anguleux, sa bouche aux contours fermes semblaient sculptés dans le granit, et sa barbe peu fournie dissimulait un menton volontaire. Marc était déjà parti avec moi sur le *Pacífica,* ce radeau de malheur qui avait sombré près des îles Galapagos en 1966, naufrage où nous avions bien failli périr tous les deux. Mon ami vivait avec sa femme et ses deux filles à Montréal, où il tenait un restaurant, ce qui faisait de lui le chef cuistot et commissaire aux vivres idéal. C'était aussi un marin expérimenté, car il avait servi pendant cinq ans comme timonier dans la marine française.

Le plus jeune membre de l'équipage, Normand Tetreault, était un Canadien de vingt-six ans. Sa barbe et ses cheveux blonds, épais et broussailleux, lui avaient valu le surnom d'« Homme des Bois ». Calme et timide, il était prompt à sourire, mais d'une façon générale, la conversation lui pesait. La plupart du temps, il se bornait à s'exclamer : « Ça alors! » Mais il prononçait ces deux mots avec des inflexions si variées qu'il arrivait à en faire une nouvelle langue à vocabulaire réduit. Dessinateur industriel de son métier, mais marin de cœur depuis toujours, Normand avait construit son propre sloop de haute mer, et était en train d'apprendre la navigation astronomique quand Marc lui avait demandé de nous accompagner.

Normand, Gabriel, Marc et le « cinquième membre de l'équipage », Minet.

Le pessimiste du groupe était Gabriel Salas, un géologue chilien de vingt-sept ans. Plein de charme et l'esprit vif, il avait des yeux gris-bleu qui pétillaient de malice. Il avait entrepris le tour de l'Amérique du Sud en auto-stop, et le hasard l'amena à Guayaquil à l'époque où nous mettions notre radeau en chantier. Il s'offrit immédiatement à nous aider, et travailla aussi dur que tous les autres. Je savais, sans qu'il ait eu besoin de me le dire, qu'il désirait partir avec nous, mais je craignais d'abord qu'il ne fût trop hippie, trop instable, pour une expédition comme la nôtre. A ses heures perdues, il composait des poèmes, et la révolution était son thème de conversation favori. J'étais resté sur la réserve à son égard, espérant découvrir s'il était assez sérieux; mais pour finir je lui demandai :

— Veux-tu venir avec nous, Gabriel?

Il me répondit par un « Hourra! » enthousiaste, puis fouilla dans la poche de son pantalon pour en tirer une pièce d'or qui valait bien cinquante dollars.

— Tiens, dit-il. Je sais que vous avez tous donné bien plus, mais c'est tout ce que j'ai.

Par une curieuse coïncidence, nous étions tous à peu près de la même taille et du même poids, mesurant de un mètre soixante-quinze à un mètre soixante-dix-sept et pesant entre quatre-vingts et quatre-vingt-cinq kilos. Pour dormir, nous allions donc occuper des espaces égaux dans notre cabine, qui avait trois mètres soixante de long sur deux mètres de large et ne dépassait pas un mètre trente-cinq de haut à son point le plus élevé.

Le soir du deuxième jour, nous avions encore presque tous le mal de mer, et nous nous sentions mal en point. Une fois au large nous serions moins secoués. Pourtant, quand nous fûmes tout près d'atteindre la haute mer, Gabriel fut incapable de dissimuler son scepticisme naturel. Pourrions-nous vraiment couvrir huit mille six cent milles, deux fois la distance parcourue par le *Kon-Tiki* de Thor Heyerdahl ? L'expédition du *Kon-Tiki* avait certes prouvé que les radeaux de balsa, construits sur le modèle des anciens radeaux indiens, étaient à l'épreuve de l'océan. Pourtant, beaucoup de gens pensaient que nous allions à l'échec, car, au-delà de l'île proche de Tahiti où Heyerdahl avait fini par échouer son radeau imbibé d'eau, nous allions affronter les périls des mers les plus perfides du monde sur quatre mille trois cents autres milles. D'énormes récifs de corail, qui avaient souvent des centaines de kilomètres de long, allaient nous barrer le chemin, tels des monstres pétrifiés, faisant saillir leur épine dorsale en dents de scie hors des vagues tumultueuses.

Le vice-amiral Samuel Fernandez, de la marine mexicaine, m'avait donné des cartes des mers du Sud, tout en me prévenant :

— De nombreux récifs, parfois même importants, n'ont pas encore été relevés, et des milliers de petits écueils restent cachés au-dessous de la surface, qui sont autant de pièges invisibles, et ne figureront jamais sur une carte.

La vaste étendue d'eau comprise entre les îles Samoa et l'Australie allait donc être particulièrement dangereuse pour une embarcation dépourvue de radar, et naviguer de nuit serait aussi risqué qu'une partie de roulette russe. Des centaines de navires avaient été réduits en miettes dans ces parages.

— C'est de la folie, Vital ! s'était exclamé un vieil ami mexicain. Comment pourrez-vous jamais éviter ces récifs, sans moteur ni radar ?

— C'est justement le but de mon expédition, lui avais-je répliqué. Je veux prouver qu'un simple radeau peut naviguer sur les mers les plus dangereuses et même traverser l'océan Pacifique.

L'entreprise était folle peut-être, mais préparée avec beaucoup de méthode. J'avais passé un nombre incalculable de journées dans les bibliothèques et archives marines du Mexique, de l'Équateur et du Pérou, à compulser des documents jaunis par le temps, à copier des reproductions de radeaux de balsa, que les Indiens Huancavilcas et Incas utilisaient encore à l'arrivée des Espagnols dans le Nouveau Monde, et à étudier leurs surprenantes techniques de navigation. Le capitaine Bartolomé Ruiz, l'un des navigateurs les plus expérimentés de Pizarro, n'affirmait-il pas, dans un rapport au roi d'Espagne, que les Indiens avaient trouvé des moyens plus sûrs et plus efficaces de naviguer dans les zones côtières de l'Amérique du Sud que tout ce qu'il avait pu voir en Europe. Il citait en particulier les dérives spéciales, ou *guaras,* qui donnaient aux Huancavilcas une telle précision de manœuvre sur leurs radeaux de balsa qu'ils arrivaient à se déplacer plus facilement que les galions espagnols.

Un célèbre anthropologue argentin, Juan Moricz, soutient avec preuves à l'appui que de longues traversées ont eu lieu sur le Pacifique à bord de ces anciens radeaux. « Les Huancavilcas, écrit-il, considéraient l'océan comme une « forêt de fleuves », aux courants réguliers qui permettaient d'atteindre la Polynésie et d'en revenir. Ils connaissaient aussi les vents « fastes et néfastes » et savaient appliquer l'astronomie à la navigation. »

Contrairement à nos amis, ma femme Denise n'avait jamais essayé de me dissuader. Sa mère, parfois, essayait de provoquer une objection, en lui demandant par exemple :

— Pourquoi Vital veut-il abandonner ses deux enfants? N'a-t-il donc qu'indifférence à leur égard? Et toi, est-ce qu'il ne t'aime plus?

Mais Denise haussait simplement les épaules.

— Tout ira bien, maman. Tu ne comprends pas Vital. Il faut qu'il prouve ce qu'il veut prouver, et il n'aura de cesse qu'il n'y soit parvenu. Ni moi non plus. Alors, ne t'en mêle pas, je te prie.

Mais je savais que la perspective de devenir une jeune veuve ne cessait de la hanter.

Tout en songeant à ma famille, je m'étais à peine rendu compte que nous sortions du golfe de Guayaquil, et que l'eau, jusqu'alors d'un brun sale, était devenue d'un vert transparent et lumineux. Le Pacifique s'étendait devant nous.

— Ça y est! hurla Gabriel.

D'un même mouvement, nous prîmes de l'eau dans le creux de nos mains pour nous en asperger joyeusement le visage. Après nous avoir salués selon l'usage d'un coup de sirène de brume, le remorqueur nous abandonna à la dérive en pleine mer. Un sentiment mêlé d'optimisme et d'appréhension nous envahit. Désormais, nous allions être seuls sur cette immense étendue d'eau, grâce à laquelle nous pourrions nous nourrir, nous laver et arriver à notre but, et qui pouvait aussi nous faire périr d'un

Sous la supervision de don Cesar Iglesias, des ouvriers indigènes écorcent les troncs de balsa dans la jungle équatorienne (à gauche). *Appariement des troncs à Guayaquil* (au centre). *Les troncs façonnés avant leur assemblage* (à droite).

instant à l'autre. Dans notre enthousiasme, nous faillîmes oublier de remercier le capitaine du remorqueur. Il avait largué de son côté le gros câble de manille, en nous criant qu'il en faisait don à *La Balsa,* tandis qu'il tournait autour de nous avant de reprendre le chemin du port.

— Le capitaine doit avoir une idée derrière la tête, dit Gabriel, en affectant un air soucieux.

— Il pense peut-être aux requins, dit Marc, en désignant deux ailerons qui fendaient l'eau derrière nous.

— Mon Dieu! s'écria Gabriel. Ils doivent avoir plus de trois mètres de long.

— Tu ferais mieux de t'y habituer, lui dis-je. Ils vont nous suivre jusqu'au bout.

Une fois libéré de son câble, notre radeau flottait avec une aisance extraordinaire. Je ne pus que me féliciter du soin que nous avions pris à choisir les troncs de balsa et des longues heures que nous avions consacrées à la construction de notre radeau.

PLUSIEURS semaines auparavant, nous étions partis de Quito, la capitale de l'Équateur, à plus de trois mille mètres au-dessus du niveau de la mer, pour aller à la recherche de nos troncs. Nos guides indiens, suivant la tradition de leurs ancêtres, nous avaient conseillé d'attendre pour abattre un balsa le premier quartier de la lune, époque à laquelle les troncs sont drainés de leur sève.

Ils appelaient ces arbres vidés de leur sève des balsas « femelles », alors qu'ils qualifiaient de « mâles » les troncs plus lourds encore remplis de sève. Nous avions donc attendu patiemment que la lune fût à son déclin, résolus à trouver sept arbres femelles qui rendraient bien sous la main le son creux qu'il fallait.

Nous partîmes de Quito entassés dans une Land Rover, par une belle matinée fraîche. Quand les routes de terre devinrent trop étroites, nous poursuivîmes notre chemin à pied, trois solides mules portant notre équipement de camping et notre attirail de bûcherons. Tandis que nous descendions lentement les pentes montagneuses qui devaient nous amener en fin de compte trois mille mètres plus bas, je fus ébloui par l'étonnante beauté du paysage. C'était l'endroit où le versant occidental de la chaîne des Andes rejoint par des pentes abruptes la jungle qu'il surplombe de très haut, et nous cheminions sur des sentiers suspendus au bord de gorges profondes. En avançant en file indienne le long des lacets qui surplombaient les précipices, nous nous serrions contre les parois rocheuses par instinct de conservation.

A chaque tournant du sentier que nous dévalions, l'air devenait plus chaud et plus humide. Des nuages de vapeur, sourdant du sol, rendaient indistincte la route devant nous. Nous avions l'impression de marcher dans une serre. En approchant de la jungle, nous découvrîmes des cours d'eau aux rives d'argile molle recouvertes d'une mousse luxuriante et d'une végétation exubérante de fougères et de plantes géantes aux feuilles aussi grosses que des oreilles d'éléphant. Des lézards et des serpents rampaient de tous côtés et faisaient vibrer les feuilles en passant. Des oiseaux au plumage bariolé menaient grand tapage.

— Ils n'ont pas l'air d'aimer les Espagnols ni les Français, dit, pour nous taquiner, don Cesar Iglesias, notre expert en bois. Je ne les ai jamais vus si bruyants.

Nos guides, des indigènes de la région, savaient repérer comme par instinct les plus belles forêts de balsas de l'Équateur. A maintes reprises, quand nous rencontrions un bouquet d'arbres de cette espèce, ils frappaient un tronc et écoutaient attentivement. S'il ne rendait pas exactement le son creux qu'ils espéraient, l'un d'eux marmonnait quelques mots à l'intention de don Cesar, qui traduisait pour nous :

— Ce tronc est trop *macho*.

— *Macho?* demanda Normand.

— Demandez donc ce que c'est à votre ami Vital, répondit don Cesar avec un clin d'œil. Il sait tout sur les *machos* et les *hembras*.

Le vieil homme faisait allusion à notre expédition manquée sur le *Pacífica*, et à l'expérience que je pouvais avoir du bois de balsa mâle et femelle. Les troncs de ce radeau s'étaient mis à pourrir en plein océan, et, pour éviter un autre désastre de ce genre, j'avais décidé d'en apprendre davantage sur le bois de balsa. Après avoir lu tous les ouvrages que j'avais pu trouver sur le sujet, je m'étais rendu à l'Institut national de recherches forestières, à Mexico, pour m'entretenir avec des spécialistes. J'avais aussi passé de nombreuses heures à étudier la structure interne du balsa, fort complexe, à l'aide d'un microscope de grande puissance. Puis je m'étais appliqué à faire flotter dans un baquet d'eau des morceaux de bois de balsa préalablement numérotés, afin de noter le degré de flottabilité de chacun. C'est pourquoi, lorsque je revis don Cesar, j'avais du savoir à revendre. Agacé par mon assurance, il décida un soir de me mettre à l'épreuve.

— Parfait, me dit-il en disposant sept morceaux de bois de balsa sur la table. Dites-moi ceux qu'il faudrait choisir pour construire un radeau.

Je les soupesai l'un après l'autre et en examinai la coupe, puis donnai mon avis presque sans hésiter.

— Celui-ci est trop *macho;* celui-là, entre les deux. Voici du bois aux deux tiers femelle; encore un *macho*... et cela, c'est du bon bois femelle.

C'est à cet incident qu'il faisait certainement allusion tandis que nous avancions péniblement à travers la jungle, à la recherche des arbres qu'il nous fallait.

Nous finîmes par trouver un bouquet d'arbres à notre convenance. Même si les troncs femelles étaient plus légers que les *machos* remplis de sève, nous y débitions des blocs qui ne pesaient pas loin d'une tonne. En regardant nos aides tirer de toutes leurs forces pour transporter les énormes troncs un par un jusqu'au bord du fleuve, je me demandais avec inquiétude s'ils allaient vraiment flotter.

Pourtant, mes doutes se dissipèrent lorsque je vis les troncs frapper l'eau l'un après l'autre avec un grand floc! puis remonter rapidement à la surface. La plupart des arbres flottent, mais les balsas sont presque aussi faciles à manœuvrer que des canards en plastique dans une baignoire. Nous n'eûmes guère de peine à attacher les troncs ensemble avec des lianes, puis, après avoir chargé ce radeau provisoire de bambou qui nous serait utile plus tard, nous sautâmes à bord. Le radeau supporta la charge supplémentaire et continua à flotter avec la même aisance.

Nous nous écartâmes de la rive pour gagner le courant bouillonnant qui allait nous entraîner jusqu'à notre chantier de construction, à Guayaquil, près de deux cents kilomètres en aval. De la berge, nos bûcherons faisaient des gestes d'adieu en criant : « *Buena suerte !* » (Bonne chance!)

Le lendemain après-midi, nous atteignîmes le grand port, et nous mîmes immédiatement à l'œuvre. Après avoir détaché nos sept troncs, nous les fîmes tourner lentement, l'un après l'autre, pour trouver la façon dont ils s'ajusteraient au plus près, suivant leurs contours. C'était Marc qui avait la responsabilité de cette opération, et il manipulait les balsas avec un soin infini, cherchant à les apparier le mieux possible.

— C'est une vraie marieuse, fit observer Normand.

— Drôle de mariage, dis-je, vu qu'il n'y a que des femelles.

— Et nous, les quatre *machos*, comment allons-nous supporter la vie commune pendant six mois ? demanda Marc.

C'était là un problème qui n'avait cessé de me tracasser, comme une rage de dents. Comment quatre hommes peuvent-ils vivre ensemble vingt-quatre heures sur vingt-quatre, entassés dans une cellule flottante, et ceci pendant six mois ? Nous avions tous entendu parler de prisonniers qui, pris de claustrophobie, avaient parfois fini par s'entretuer sous un prétexte futile. Certes, nous ne pouvions pas espérer avoir découvert quatre individus parfaitement équilibrés. Mais avec un peu de chance, nos névroses respectives pourraient se révéler complémentaires. Il nous fallait des introvertis et des extrovertis, des optimistes et des pessimistes, des romantiques et des réalistes, des conservateurs et des libéraux, un échantillonnage des vertus et des faiblesses humaines. De plus, nous devions établir un modus vivendi qui, en limitant les points de friction, éviterait une explosion désastreuse.

Le radeau prend tournure à mesure que de lourds madriers sont liés en travers des troncs.

Voilà pourquoi, une semaine environ après notre arrivée à Guayaquil, je me carrai contre le dossier de ma chaise, à l'Hostería Madrid, le restaurant voisin du chantier où nous dînions après le travail, et abordai le sujet d'un air très détaché :

— Après y avoir bien réfléchi, je crois que nous devrions adopter certaines lignes de conduite.

— Comme la division du travail, par exemple ? demanda Marc.

— C'est important, certes, mais je veux parler de nos rapports personnels. Pendant un interminable voyage dans un espace aussi réduit, nous ne pouvons éviter de nous porter mutuellement sur les nerfs, de temps en temps. (J'hésitai et cherchai les mots appropriés.) Tout d'abord, aucun d'entre nous ne devra empiéter sur l'espace personnel d'un autre. Nous ne devrons jamais, et sous aucun prétexte, porter la main sur un camarade. Ni jeu de mains ni corps à corps.

— Mais pourquoi ? demanda Gabriel. Si ce n'est qu'un jeu ?

— C'est justement pour cela, répondis-je. Dès que l'on a empiété sur l'espace d'un autre, même pour jouer, il devient plus facile de porter la main sur lui dans un accès de colère. Voilà pourquoi nous devrons imaginer que chacun de nous est entouré d'une bulle invisible, son domaine privé, que personne n'aura le droit de faire éclater. Et par ailleurs, il ne faudra jamais se critiquer les uns les autres.

Gabriel pianotait doucement sur la table.

— Et tu crois vraiment, demanda-t-il, qu'il suffirait d'une petite critique pour faire éclater une bagarre ?

— Précisément. Quand on commence à se plaindre de la façon de manger ou de ronfler de quelqu'un, peu importe si ce n'est que pour plaisanter, la nature humaine veut que celui qui est ainsi attaqué finisse par vous haïr.

— Tu veux donc que nous devenions des saints ? reprit Gabriel.

— Pendant six mois à peu près, le temps d'atteindre l'Australie. Après, nous pourrons redevenir de simples mortels.

Le lendemain matin, je me levai de bonne heure, pour vérifier l'avancement des travaux sur notre radeau. Marc avait vraiment réussi un mariage parfait entre les sept troncs, en plaçant au centre le plus long, qui atteignait treize mètres. A l'avant, l'extrémité des troncs était taillée en

Il ne reste plus qu'à fixer le mât.
La Balsa *est prête à être mise à l'eau.*

diagonale, pour former une proue effilée. Nous les attachâmes ensuite les uns aux autres avec d'épaisses cordes de chanvre, préalablement trempées dans l'eau pour en augmenter la souplesse, en ajustant les cordes dans les rainures parallèles que nous avions taillées dans le bois. Enfin, pour préserver les troncs, Marc enduisit leur partie inférieure d'une couche d'huile brute.

Nous étions maintenant prêts à nous attaquer à la superstructure. Quatre lourds madriers furent posés en travers des troncs et assujettis solidement avec une corde de chanvre de deux centimètres d'épaisseur. Puis, par-dessus ces poutres, nous posâmes un plancher de bambou refendu, ce qui nous ménageait d'étroits espaces pour emmagasiner nos vivres entre le pont et les troncs. Enfin nous recouvrîmes de nattes de roseaux tressés le plancher de bambou.

C'était un travail lent et fastidieux : il fallait boucler des centaines de nœuds avec une grande précision, car il aurait suffi de quelques attaches mal serrées pour que notre radeau s'en aille en morceaux au milieu de l'océan. Je me surpris à vérifier quelques-uns des nœuds que Gabriel avait faits près de tribord arrière. Ils étaient tous parfaits. Un peu plus tard, voyant Normand vérifier les miens, j'éclatai de rire et lui dis :

— C'est de l'espionnite ! Personne ne fait confiance à son voisin.

Lorsque nous abordâmes la construction de la cabine, Gabriel ne se montra pas moins vigilant, et vérifia l'ouvrage de chacun.

— Il faut surtout faire attention au toit, dis-je. S'il lâche par forte brise, cela nous fera une deuxième voile.

Nous apportâmes donc un soin tout particulier à mettre en place les parois de bambou entrelacé, ainsi que le toit fait de lamelles de bambou et de feuilles de bananier flexibles mais résistantes.

Devant la cabine, nous dressâmes un mât de dix mètres de haut : deux perches en bois de palétuvier dur et à l'épreuve de l'usure, reliées à leur extrémité supérieure de façon à former un V renversé. Il était couronné d'un petit nid-de-pie et d'une hampe de drapeau, où par beau temps nous pourrions battre pavillon espagnol.

Notre voile était un rectangle de bonne toile qui mesurait sept mètres de long sur six mètres de large. Dans un moment de lubie, je l'avais décorée d'un gros soleil flamboyant, au centre duquel j'avais peint une esquisse de *La Balsa*. Nous n'avions pas assez de place pour une voile de rechange, mais disposions en revanche de fil et d'aiguilles en quantité, pour réparer en cas de besoin.

Mais la particularité la plus intéressante de notre radeau était probablement son jeu de *guaras*, dérives verticales ou centrales de quille, qui mesuraient chacune deux mètres à deux mètres cinquante de long sur soixante centimètres de large. Enfoncées entre les troncs, elles faisaient saillie sous le radeau comme de multiples nageoires, trois groupées en forme de V près de l'avant, deux sous la cabine, et quatre autres, parfaitement alignées, à l'arrière.

Les pêcheurs équatoriens, qui dirigent leurs radeaux de balsa à peu près comme le faisaient leurs ancêtres, nous avaient initiés à l'usage des *guaras*. Pour faire tourner le radeau de gauche à droite, il suffisait de faire glisser les *guaras* de tribord plus profondément dans l'eau, tout en remontant celles de bâbord. Les *guaras* placées aux deux angles de l'arrière étaient les plus importantes. Il fallait savoir les manœuvrer pour compenser les vents soufflant de travers. C'est une technique simple, mais capitale, pour maintenir un radeau dans sa route sans dévier.

La touche finale fut apportée par un grand « trône » imposant, fait du meilleur bois de balsa, au siège percé comme les cabinets d'autrefois. Et c'était exactement cela : des toilettes amphibies que nous juchâmes à bâbord, sur une planche spéciale qui surplombait l'eau.

Quelques semaines plus tard, notre radeau achevé, nous pûmes examiner fièrement notre œuvre. Nous n'avions utilisé pour sa construction ni un clou, ni une pointe, ni un seul bout de fil de fer. *La Balsa* était, comme nous l'avions voulu, une réplique presque exacte des antiques embarcations qui avaient navigué sur l'océan Pacifique des milliers d'années plus tôt.

2

LE jour de notre départ, une cinquantaine d'amis et de sceptiques vinrent à bord de notre petit radeau, à Guayaquil, pour nous souhaiter bonne route, ou hocher du chef d'un air consterné. Parmi les optimistes, on comptait la señora Paladines, femme d'un médecin de la ville. Elle portait un grand chapeau extravagant, une robe à fleurs, et tenait dans ses mains gantées de blanc un petit chat noir et blanc, qui n'avait que la peau et les os.

— C'est une mascotte, s'écria-t-elle, pour vous porter bonheur !

— Mais il est tout petit, protestai-je, et la traversée sera rude.

— Rien de tel qu'un chaton pour porter bonheur, insista-t-elle.

Un vieux marin bedonnant grommela :

— Deux ou trois jours, il n'en faudra pas plus pour que ces troncs absorbent l'eau comme une éponge.

— Sottise, coupa la femme du médecin. *La Balsa* atteindra l'Australie, c'est moi qui vous le dis.

Si je lui savais gré de sa confiance, la mascotte qu'elle nous avait donnée ne m'enthousiasmait guère, car nous avions déjà quatre petits compagnons de voyage : un chat bien plus âgé, qu'on appelait Cocos, un gros perroquet, Lorita, et deux autres perroquets plus petits. Il fallait que je pense à me débarrasser de cette petite bête chétive, avant le départ.

Mais pour l'instant, des tâches plus urgentes réclamaient notre attention. Notre poste de radio, acheté d'occasion, assemblage hétéroclite de lampes japonaises, de condensateurs allemands, avec un cadran américain et du ruban adhésif équatorien, tomba soudain en panne. Joe Megan, un Américain qui, par une heureuse coïncidence, dirigeait une des plus importantes sociétés de matériel électronique en Équateur, nous aida à le réparer, tout en nous prévenant que, passé quelques centaines de milles, nous ne pourrions probablement plus émettre le moindre message.

Nous prêtâmes à peine l'oreille à cette mise en garde, tandis que nous entassions dans notre espace disponible deux cents litres d'eau potable, du pétrole pour notre petit réchaud, soixante-cinq litres d'essence pour faire fonctionner la génératrice de notre radio, des rouleaux de corde, quelques livres, des médicaments et de l'attirail de pêche.

Les réserves de vivres étaient du ressort de Marc. Un coffre de bois, derrière notre cabine, contenait cent soixante kilos de fruits en conserve, cent dix kilos par personne de pommes de terre, de bananes et d'oranges vertes, ainsi que vingt-deux kilos par personne de farine, de riz et de haricots secs. Nous comptions, en outre, pêcher du poisson tous les jours.

Il incombait aussi à Marc, qui paraissait prendre sa tâche un peu trop à cœur, de modérer notre appétit naturel. Aucun des suppléments que certains d'entre nous auraient aimé emporter (pizza pour Gabriel, mangues pour moi) ne répondit aux conditions très strictes qu'il avait stipulées.

— Sans réfrigération, cela se gâterait, décréta-t-il.

C'est ainsi que j'avalai mes trois dernières mangues, pendant que nous cousions soigneusement la magnifique toile de Salvador Dali par-dessus le soleil dont j'avais orné notre voile. Dali nous avait offert un « portrait » stylisé de notre radeau, comme porte-bonheur, et nous avions décidé de le protéger par un étui de plastique et de l'exposer tous les dimanches, si le temps le permettait.

Absorbé par tous ces préparatifs, j'oubliai complètement le petit chat. Quelques heures après notre départ, cependant, lorsque, couché dans la cabine, je le sentis passer par-dessus ma jambe nue, je dus enfin me rendre compte que notre mascotte forcée était toujours parmi nous.

— Au diable cette maudite bestiole! hurlai-je en me penchant vivement pour l'attraper.

Gabriel saisit le petit chat et le tint hors de ma portée.

— Je m'en occuperai, il dormira avec moi, plaida-t-il, se tournant vers Marc et Normand pour quêter leur appui.

Voyant que je ne pourrais pas le faire changer d'avis, je finis par céder. « Ils ne tarderont pas à déchanter, me dis-je, et ils en viendront vite à ne plus pouvoir supporter l'odeur de chat. »

A ma grande déconvenue, cette petite bête, que mes compagnons avaient baptisée « Minet », fut le seul être à bord à ne donner aucun signe de mal de mer pendant ces premiers jours de traversée. Il arpentait le pont en trottinant sur ses petites pattes blanches, avec un air de santé exaspérant.

— Je déteste les chats bien portants, grommelais-je.

Et pourtant, je ne pouvais résister au charme insolent de cette petite bête, à son refus de déplaire, trait commun à tant de vauriens. C'est pourquoi, lorsque je vis une énorme lame balayer la proue et entraîner Minet dans ses remous, je bondis au secours du petit chat, me heurtant à Gabriel et à Marc, qui obéissaient à la même impulsion. Lorsque la vague se retira, nous découvrîmes Minet, accroché au rebord du radeau, ses petites griffes aiguës enfoncées dans le bois, secouant sa tête trempée et miaulant furieusement. Gabriel prit le chaton dans sa main et regagna en tanguant la cabine pour y attraper une serviette et le sécher.

— Tais-toi, mon Minet, lui murmurait-il à l'oreille.

Peu après cette aventure qui avait failli mal se terminer, Minet était de retour sur le pont, où il faisait des cabrioles, jouait avec les crabes que les vagues jetaient à bord, ou encore tournait autour de Normand pendant qu'il remontait un thon qui se débattait furieusement. Lorsque Normand se mit à dépecer le poisson, Minet lapa le sang sur le pont, comme si c'était du lait.

Ayant été moi-même incapable d'absorber autre chose que du bouillon chaud depuis que nous avions pris la mer, j'eus un moment le cœur soulevé par son appétit. Et pourtant, je ne pouvais m'empêcher d'envier l'élan vital de cet animal.

Malheureusement, ni Minet ni Cocos n'étaient propres. Ils avaient monopolisé un coin de la cabine, et bientôt l'odeur devint insupportable.

— Gabriel, dis-je, tu avais pourtant promis de dresser ces chats. Maintenant, tu vois le résultat : c'est dégoûtant.

— Je tâcherai de faire mieux, dit-il en haussant les épaules, maintenant que je ne suis plus aussi malade.

— Tu n'arriveras jamais à les rendre propres, dis-je. Il n'y a qu'une solution : les laisser dehors. Et cela s'applique aussi aux oiseaux.

— Dehors! protesta-t-il. Mais les vagues vont les emporter.

Il y eut un long et pénible silence, mais j'étais décidé à ne pas céder, sachant que ma sensibilité aux mauvaises odeurs finirait par me faire perdre mon sang-froid.

— Tu as probablement raison, me répondit enfin Gabriel d'une voix éteinte. C'est idiot de se disputer pour des chats.

Et il emmena Minet et Cocos hors de la cabine.

Le troisième ou le quatrième jour, nous fûmes escortés par plusieurs gros dauphins, une multitude de thons et de bonites, sans compter d'autres espèces que nous ne pouvions identifier. Peu avant le coucher du soleil — un incroyable embrasement qui gagnait l'horizon entier — une multitude de poissons volants passèrent en sifflant à côté de notre voile et quelques-uns tombèrent avec bruit sur le pont. Les voyant approcher de la cabine en gigotant, Cocos courut se mettre à l'abri, mais Minet se mit à tourner autour de l'un d'eux, en lui donnant des coups de patte.

— Minet, *cuidado !* (fais attention!), cria Gabriel en le retenant par la queue. Tu vas te faire assommer.

Nous utilisions les petits poissons volants comme appât pour attraper des dauphins de quinze kilos à la chair plus comestible. Quant aux gros, nous les faisions frire à la poêle. Ils étaient donc fort utiles, mais souvent aussi bien gênants. La nuit, ils arrivaient sur nous en volant dans les airs, invisibles, et souvent nous heurtaient en pleine figure. L'un d'entre eux me fit un œil au beurre noir qui me taquina pendant une semaine.

Les vagues jetaient sur le pont d'autres petits poissons et en particulier des sardines, et l'une des dernières corvées du quart de nuit consistait à les ramasser pour le repas du jour. De temps à autre, Minet participait à la rafle, et il lui arrivait d'aller porter une sardine dans la cabine pour l'offrir à l'un des dormeurs. Je n'appréciai pas la plaisanterie quand il essaya de m'en faire avaler une au beau milieu d'un ronflement prolongé.

Nous ne souffrions plus désormais du mal de mer, mais chez moi la nausée avait fait place à la fièvre. Nous mangions tous d'un solide appétit, en particulier lorsque Marc nous préparait des filets de requin farcis au crabe. La plupart du temps, cependant, nos repas à base de poisson étaient plus frugaux. J'étais moi-même un médiocre cuisinier et Normand comme Gabriel n'avaient rien de maîtres queux. Comme la corvée de cuisine se trouvait également répartie entre nous, nous faisions donc de bons repas un jour sur quatre.

Peu après l'aube de notre sixième journée en mer, le vent changea soudain de direction et se mit à souffler de l'arrière avec une force accrue. Nous eûmes bien du mal à amener la voile et faillîmes passer par-dessus bord avant d'être parvenus à l'affaler. Les vagues devenaient de plus en plus hautes et nous poussaient en avant à un train d'enfer. Nous craignions surtout de venir en travers, car il aurait alors suffi d'une lame pour nous retourner. Nous réussîmes cependant, en manœuvrant les *guaras,* à maintenir *La Balsa* dans le sens des lames qui, semblables à des chaînes de montagnes couronnées d'écume, fonçaient sur nous l'une après l'autre, nous soulevaient, puis nous laissaient derrière elles.

Vingt fois, cent fois, les crêtes déferlaient et se brisaient dans le creux de lame que nous venions de quitter. Mais de temps en temps, une grosse lame « solitaire » brisait le rythme et déversait sur nous, par le travers, des tonnes d'eau. Si l'une de ces lames nous avait atteints quelques secondes plus tôt, l'avalanche assourdissante aurait écrasé notre cabine comme un chapeau de paille. Redoutant cette possibilité, nous restions à l'extérieur, accrochés aux barrotins, tandis que le radeau tanguait puis, secoué d'embardées, vacillait et tournoyait, comme une allumette dans un tourbillon. Nous avions fort heureusement laissé les *guaras* dans la bonne position, si bien que le radeau se dirigeait de lui-même, alors qu'aveuglés par les vagues nous étions absolument incapables de le gouverner.

Puis, progressivement, le grain s'éloigna, et le paysage alpestre devint une prairie ondoyante.

VERS la fin de notre première semaine en mer, nous atteignîmes le courant de Humboldt, cette imposante masse d'eau froide qui, partant de l'Antarctique, remonte vers le nord, passe au large des côtes du Chili et du Pérou, puis oblique vers le nord-ouest pour traverser le Pacifique juste au-dessous de l'équateur. En vérifiant la température de l'eau, je constatai qu'elle était beau-

Vital attrape, littéralement au vol, un poisson volant (à gauche).
Après une tempête, nos sacs de couchage sont mis à sécher sur le toit de la cabine (à droite).

coup plus froide que je ne m'y attendais. La mer était aussi d'un vert plus riche, plus profond, qui indiquait une abondance de plancton, ces petites espèces de la vie marine, allant des micro-organismes jusqu'aux méduses, qui, entraînées par les courants, constituent la nourriture de prédilection des poissons et autres gros habitants des mers. Comme nous allions suivre le courant de Humboldt bien au-delà des îles Galapagos, nous étions assurés d'avoir une provision régulière de poisson frais.

A mi-chemin de cet archipel, nous nous habituâmes à vivre sans vêtements, pour deux raisons. D'une part, les vagues et les embruns nous aspergeaient sans arrêt, sans compter la pluie assez fréquente, et nous comprîmes vite que nous ne serions plus jamais complètement au sec jusqu'à la fin de notre expédition. Nous avions passé des heures à tordre nos vêtements et nos couvertures, puis à les étendre, pour les trouver de nouveau trempés dès que les lames formaient barrage devant nous. D'autre part, il y avait le soleil, qui dardait des rayons de feu. Chaque jour, peu après l'aube, nous quittions chandails, chaussures et chemises, pour ne garder finalement sur nous que des pagnes aussi courts que possible. A l'intérieur de la cabine, il faisait quarante-six degrés; on avait l'impression d'entrer dans un four.

— Je pourrais faire cuire un poisson, là-dedans, disait Marc.

Dans l'impossibilité de nous abriter du soleil de midi, nous restions donc assis ou couchés sur le pont, inertes, devenant plus bruns que les indigènes qui nous avaient aidés à abattre les balsas. Nous finîmes par avoir des crevasses et nos cheveux devinrent si secs qu'on aurait dit de la paille de fer chargée d'électricité. Pour comble, Normand et moi nous couvrîmes de furoncles, provoqués par l'eau salée, qui nous démangeaient furieusement.

Mais quand le soleil disparaissait à l'horizon et que la brise nocturne se mettait à souffler, la température baissait de vingt-cinq à trente degrés en quelques heures. Alors, dans le froid soudain glacial, nous étions secoués de frissons et n'avions d'autre ressource que de nous envelopper dans nos vêtements et couvertures encore humides, et nous blottir à l'intérieur de la cabine.

— Je n'aurais jamais cru qu'on pouvait se geler et attraper une pneumonie sous l'équateur, dit un soir Gabriel.

— Ne t'en fais pas, Gabriel, le rassura Marc, dès le lever du soleil, tu regretteras la fraîcheur.

Grâce à un vent de sud-est soutenu, nous suivions une route qui nous mènerait largement au sud des îles Galapagos. Par temps clair, je vérifiais notre route avec le sextant. J'observais généralement le soleil au moins trois fois, avant de relever notre position sur une carte. Nous progressions à une allure lente mais régulière, qu'il nous était possible d'estimer en jetant à l'eau des bouts de feuilles de bananier, pour compter ensuite les secondes qu'il fallait au radeau pour les dépasser. Si nous mettions dix secondes à nous éloigner du repère, il fallait en déduire que notre radeau, de quatorze mètres de long, avançait de soixante-cinq mètres par minute, et couvrait donc approximativement trois milles à l'heure ou soixante-douze milles par jour. Cette progression, mètre par mètre, aurait pu apparaître décourageante, mais nous refusions de nous laisser abattre.

Lorsque nous atteignîmes la partie la plus rapide du courant de Humboldt, les lames devinrent plus fortes. Un matin qu'il était de quart, Normand fut surpris par une grosse lame qui déferlait sur l'arrière. Elle l'enleva avant qu'il n'ait pu crier au secours. Heureusement, après quelques secondes d'affolement, il réussit à remonter tant bien que mal sur le radeau.

— Qu'est-ce qui t'a pris ? lui demandai-je. Tu voulais chasser le requin ?

— Ça alors ! répondit-il d'une voix mourante.

— Eh bien, dis-je en guise de conclusion, pour chasser le requin, il faut toujours avoir une corde autour de la taille.

C'est ainsi qu'il devint de règle pour tous les hommes de quart d'être attachés au mât par un long filin. Au moment même où je parlais, j'avais remarqué deux requins qui suivaient le radeau à quelque sept mètres de distance. Ils auraient pu transformer Normand en chair à pâté.

Comme nous n'étions que quatre, nous prenions chacun deux quarts de trois heures à la barre par vingt-quatre heures. Ces premiers jours, où nous n'étions encore que des marins d'eau douce assez mal aguerris, furent les plus éprouvants. Épuisé, les muscles rompus, je me traînais jusqu'à mon sac de couchage, mais inéluctablement, juste quand je m'endormais, quelqu'un me réveillait pour une question urgente. Je ne réussis donc pas à me débarrasser de mes violents accès de fièvre, qui persistèrent longtemps après la fin de mon mal de mer.

— Tu ferais mieux de te reposer un jour ou deux, finit par me conseiller Marc.

Mais n'ayant presque jamais été malade, je tombai dans l'erreur de croire que la meilleure façon de combattre la maladie était de l'ignorer. Tout en prenant de l'aspirine, je continuai donc à faire ma part de travail, trempé de sueurs froides et pris parfois d'étourdissements passagers.

De toute façon, même si je l'avais voulu, je n'aurais pas eu le temps de me reposer. Le neuvième jour, juste avant le coucher du soleil, nous fûmes pris dans une grosse tempête qui nous entraîna peu à peu vers le nord. Pour tenter d'éviter les courants perfides qui passaient juste au sud des îles Galapagos, nous amenâmes la voile et amarrâmes nos *guaras*, dans l'espoir qu'elles nous permettraient de garder notre cap à l'ouest. Après quoi, nous rappelant comme la cabine avait bien résisté à la première tempête, nous allâmes nous y réfugier.

Les vagues atteignirent bientôt trois à quatre mètres de haut.

— Attachez-vous par la taille! hurlai-je, en donnant l'exemple et en fixant solidement le bout pendant de la corde à un mât. On va être secoués!

— Qu'allons-nous faire des animaux? demanda Gabriel, qui tenait déjà Minet dans ses bras.

— Je m'occupe de Cocos, dit Marc. Vital peut prendre Lori, et Normand les deux petits perroquets.

Puis ce fut l'avalanche. Une énorme masse d'eau resta suspendue au-dessus de nous pendant quelques secondes d'angoisse mortelle, puis elle s'abattit avec fracas, envahissant la cabine et faisant tourner le radeau sur lui-même. Poussant des cris d'effroi, Lori battit des ailes pour essayer de m'échapper. Minet laissa échapper un miaulement de frayeur, mais aussi de colère, et redoubla de protestation au moment où la lame suivante s'engouffrait par l'ouverture et inclinait dangereusement la cabine.

Malgré tout, notre abri de bambou tint bon pendant les deux heures que dura la tempête; sous l'effet de la tension accrue, les nœuds des cordes ne faisaient que se resserrer. Mais quand le calme revint, le chaos régnait à l'intérieur, et notre matériel de couchage éparpillé n'était plus que loques informes.

Gabriel, avec Minet fièrement juché sur son épaule, fut le premier à quitter la cabine, pour inspecter rapidement les dégâts à la lueur d'une lampe de poche. Nous le suivîmes.

— Ce n'est pas trop grave, dit-il. Nous nous en sommes assez bien tirés.

— C'est plutôt notre cap qui m'inquiète, dis-je, pris de nouveau d'un léger étourdissement. Cette fichue tempête nous a probablement entraînés trop au nord.

Sentant les ondes brûlantes d'un nouvel accès de fièvre gagner ma poitrine et ma tête, je rentrai dans la cabine d'un pas mal assuré. Nous approchions des îles Galapagos, où ma première

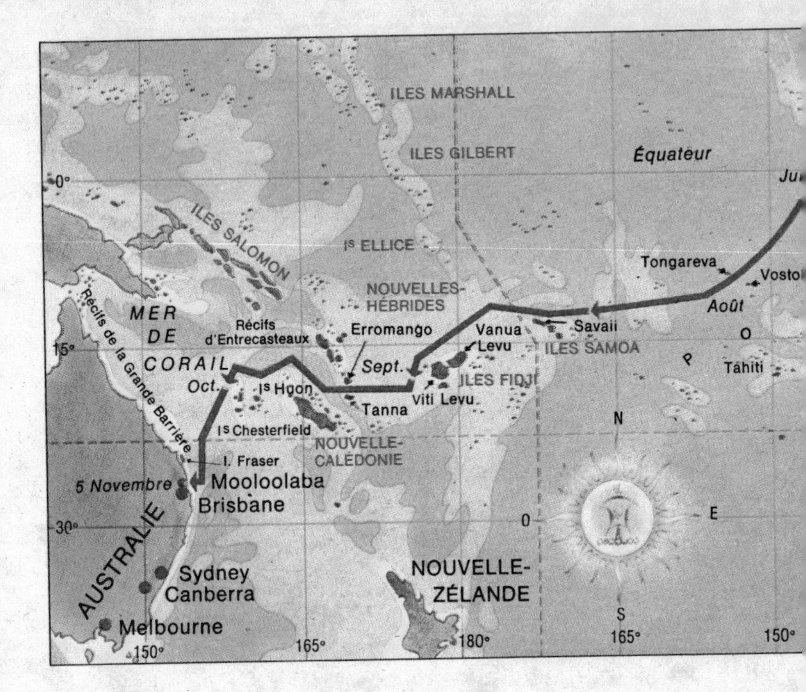

expédition en radeau s'était fâcheusement terminée, et je ne pouvais m'empêcher d'y songer.

Les vents et les courants marins nous avaient entraînés dans les dangereux tourbillons au nord des Galapagos. Là, nous avions interminablement tourné en rond, emprisonnés dans une énorme boucle de contre-courants et de vents irréguliers, incapables de rejoindre le courant de Humboldt, qui nous aurait portés de nouveau vers l'ouest. Nous étions restés des jours, des semaines, des mois enfin, sans voir un bateau à proximité. Notre seul contact avec la terre ferme était notre radio, qui fonctionnait souvent mal. Enfin, après cent quarante-trois jours en mer, le radeau s'était mis à prendre l'eau, car les troncs de balsa, dont la sève fermentait, pourrissaient de l'intérieur.

Je me rappelais l'échange de messages frénétiques que nous eûmes alors avec les radios amateurs qui avaient suivi notre expédition, et aussi l'inclinaison bizarre que prit le *Pacífica* quand

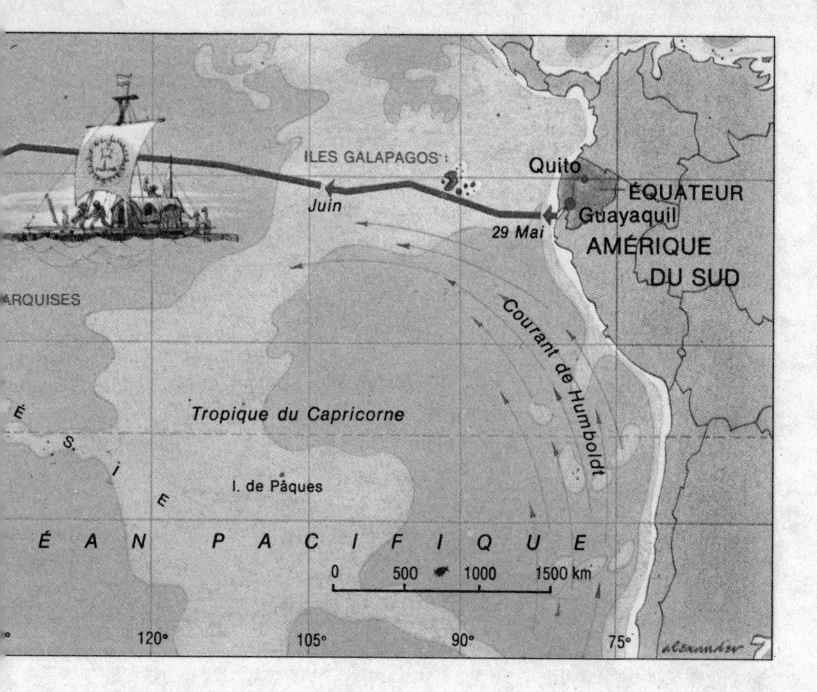

son arrière commença à s'enfoncer. Tandis que plusieurs requins allaient et venaient au-dessus des troncs déjà submergés, nous avions grimpé sur le toit de la cabine, puis, comme la cabine elle-même allait couler, nous avions été miraculeusement sauvés par un navire allemand, deux heures juste avant que le radeau ne fût complètement englouti.

J'avais maintes fois revécu ce cauchemar, tout comme Marc d'ailleurs, mais nous avions toujours été décidés, l'un comme l'autre, à recommencer.

Le lendemain matin, la mer était encore houleuse, mais grâce au soleil qui inondait notre pont recouvert de nattes, tout semblait net et resplendissant. Peu à peu, le calme revint.

— Tu as l'air d'aller beaucoup mieux, Vital, dit Marc.

— Oui, je crois, lui répondis-je. C'est le moment de me replonger dans mes cartes.

Avec l'aide de Normand, j'étalai la carte de navigation que

m'avait offerte l'amiral Fernandez et repérai notre position à l'aide d'un compas et de mon sextant d'occasion.

D'après mes calculs, les vents alizés de sud-est et le courant de Humboldt nous avaient fait progresser vers le nord-ouest à raison de cinquante ou soixante milles marins par jour. Nous courions donc à nouveau le risque de tomber dans le piège qui avait été fatal au *Pacífica*. Avec une infinie précaution, je fis tourner la voile de quelques degrés vers l'ouest, modifiant ainsi notre route de nord-ouest à ouest-nord-ouest. Avec un peu de chance, nous rejoindrions ainsi le gros du courant de Humboldt, qui nous entraînerait vers l'ouest, à dix ou vingt milles au sud des îles Galapagos.

— Quel dommage que nous ne passions pas plus près, me dit Gabriel. Ces îles sont magnifiques, à ce qu'on dit.

— C'est vrai, lui répondis-je.

Je lui décrivis les blocs de lave noire déchiquetés qui sortaient de la mer, polis depuis des siècles par les eaux du Pacifique et étincelant sous le soleil équatorial comme des diamants noirs. Je lui parlai aussi des lézards bariolés, des cormorans aux ailes inutiles qui pataugeaient le long des côtes, des iguanes marins qui avaient l'air de petits monstres préhistoriques, et des otaries folâtres qui se laissaient porter par les brisants, avant d'aller se sécher sur le sable chaud, où elles finissaient par prendre une teinte beige clair.

— Il y a aussi dans la région d'énormes tortues, ajoutai-je.

— Je sais, repartit Gabriel, Normand en a attrapé une ce matin. (Il fit un geste du pouce par-dessus son épaule.) Nous l'avons attachée à l'arrière.

— J'ai une idée, intervint Marc. Nous allons la remorquer derrière nous pour attirer d'autres poissons. Les dorades sont très friandes de chair de tortue.

Gabriel perça un trou à l'extrémité de la carapace et y attacha une ligne solide, puis nous descendîmes l'énorme tortue dans l'eau. Quelques minutes après, une véritable procession de dorades, de thons et de sardines nous suivait à la traîne. Ce soir-là, il y eut au menu de la dorade à la Modena, puisque, fort heureusement, c'était Marc qui était de corvée de cuisine.

Après le dîner, nous étions tous installés sur le pont à jouer au Parcheesi, tout en faisant des conjectures à propos du temps. La conversation étant venue à tomber, je perçus soudain les grincements, les gémissements qui s'échappaient continuellement du radeau, sous nos pieds. Sans cesse, le pont, les traverses, le mât, la cabine et les *guaras* luttaient contre les cordes qui les maintenaient. Aucun radeau, construit avec des clous et des vis rigides, n'aurait pu tenir bien longtemps sur une mer pareille. Et nos cordes, allaient-elles résister à ce frottement continuel ?

Le lendemain matin, j'en inspectai quelques-unes, et fus soulagé de constater qu'elles étaient en excellent état et bien nichées dans leurs entailles. Quant au balsa, je ne pus y déceler aucun signe d'usure anormale. La voile, de son côté, avait subi sans déchirure l'assaut des vents violents. Seul le soleil que j'avais peint en son centre était un peu passé.

Voyant que j'examinais la voile de près, Marc passa le doigt sur le bord inférieur de la toile.

— Heureusement que nous avons mis la toile de Salvador Dali dans un étui de plastique, dit-il. Les vents marins auraient tôt fait de l'abîmer.

— Comment as-tu fait pour le décider à la peindre ? me demanda Gabriel.

Dès le début, j'avais été convaincu qu'il nous faudrait, pour orner notre voile, une belle peinture, dont la vue nous inspirerait courage tout au long de l'expédition jusqu'en Australie. En tant qu'Espagnol, je désirais naturellement que ce fût l'œuvre d'un de mes concitoyens : Picasso ou Dali. Mais il ne pourrait s'agir que d'un cadeau, car nos moyens ne nous permettaient pas de nous offrir le moindre croquis de l'un de ces grands maîtres. Je m'aperçus rapidement qu'il serait impossible de joindre Picasso, mais réussis à obtenir le numéro de téléphone de Dali à Madrid, et l'appelai. Ce ne fut que plus tard que je me rendis compte qu'il était trois heures du matin quand le téléphone sonna chez lui.

— Al-lô, articula une voix enrouée.

— Vous êtes bien Salvador Dali ? demandai-je.

— Je crois, me répondit-il, tout endormi.

— Je suis Vital Alsar, dis-je, l'homme qui va tenter une traversée en radeau d'Équateur en Australie. J'aimerais que vous fassiez une peinture pour décorer ma voile.

Il y eut un long silence à l'autre bout du fil.

— Êtes-vous toujours là, maître ?

— Oui, je vous écoute.

Je me lançai alors dans un discours précipité sur le besoin

que j'avais d'un talisman, en soulignant bien le fait que je ne pourrais pas le payer. Je conclus en demandant :

— Ferez-vous ce tableau pour moi?

Il y eut un nouveau silence angoissant.

— *Olé !* s'exclama-t-il d'une voix soudain plus animée. *Olé ! Olé ! Como tienes cojones, hombre. Sí, te lo doy.*

Il voulait dire que j'avais un culot monstre, tout en ajoutant que j'aurais la toile.

Quelques mois plus tard, dans la salle de banquet d'un hôtel, devant une foule de journalistes et de reporters de la télévision, armés de flashes et de caméras, Dali étalait une toile sur le parquet et y improvisait son chef-d'œuvre destiné à *La Balsa.* C'était une composition assez abstraite où un radeau, un cœur et un énorme soleil se profilaient sur un fond où l'on devinait deux gigantesques *cojones* — testicules — éternel symbole espagnol du courage et de l'audace.

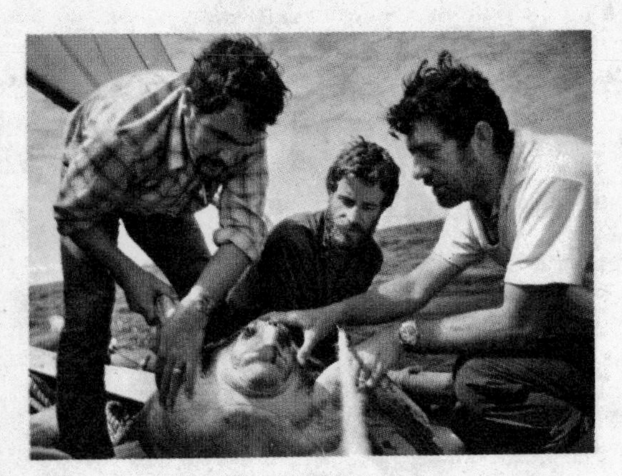

Vital, Gabriel et Marc examinent une tortue géante.

Plus tard dans l'après-midi, lorsque je me glissai dans la cabine, je vis Minet assis devant le tableau de Dali que nous avions détaché de la voile et rangé contre la paroi du fond. Le petit chat fit un bond comme un cambrioleur pris sur le fait. Il tenait encore dans sa patte un bout du fil dont nous nous étions servis pour ourler la toile. Il fila comme une flèche entre mes jambes et s'échappa.

« Voilà un petit chat qui n'a pas froid aux yeux, pensai-je. Un authentique voyou. »

Au cours du dîner, j'étais sur le point de raconter aux autres le dernier exploit de Minet, quand je fus interrompu par un bruit de râpe. Cela venait de Gabriel. A chaque bouchée, il faisait grincer ses dents contre le fond de sa cuillère, puis, avec ses incisives supérieures, il raclait la nourriture en produisant un crissement semblable à celui d'une pelle sur du ciment nu. Ce n'était que grincements, crissements, grincements, crissements tout au long de chaque repas. Cela commençait à m'agacer au-delà de toute expression, mais en vertu de la règle que j'avais moi-même établie, je ne pouvais pas lui faire de remarque à ce propos.

Plus horripilante encore était la façon dont Marc mangeait les jours où Gabriel ou Normand faisaient la cuisine. Il montrait son dédain pour les plats qu'ils nous servaient en laissant retomber sa mâchoire inférieure après chaque bouchée, et restait ainsi, la lippe pendante, pendant trois ou quatre secondes, avant de déglutir au prix d'un gros effort.

Parfois, quand j'étais à bout de nerfs, j'allais me réfugier dans ma retraite favorite, derrière la cabine, pour y attendre que ma rage contenue s'apaise peu à peu.

Nous avions chacun un refuge de ce genre, où nul ne venait nous déranger. Pour Normand, c'était le coin tribord avant; pour Marc, l'angle bâbord arrière; quant à Gabriel, il affectionnait l'intérieur de la cabine. Nous restions ainsi à l'écart pendant un laps de temps qui allait d'une demi-heure à plusieurs heures, et seul Minet osait troubler notre retraite. Mais il avait lui-même son coin réservé, le bord du toit de la cabine, vers l'avant, où il restait assis, aussi immobile qu'une gargouille.

3

GRACE à Dieu et à de forts vents de sud-est, nous réussîmes à passer au large des Galapagos sans tomber dans le piège des perfides contre-courants. Mais notre période de chance touchait à sa fin.

Nous commençâmes à perdre nos animaux familiers. Ils succombèrent l'un après l'autre à une étrange infection virale qui, je l'appris plus tard, était voisine de la psittacose, cette fièvre fatale et très contagieuse, à laquelle certains oiseaux sont sujets et qu'ils transmettent facilement à d'autres animaux ainsi qu'à l'homme.

L'un de nos jeunes perroquets, Fernando, en fut la première victime. Le premier jour en mer, il avait poussé quelques jurons, mais peu après, il n'arriva plus guère qu'à émettre un faible cri enroué. Finalement, le 16 juin, il tomba pour ne plus se relever. Nous fîmes très lentement descendre sa cage dans l'océan, et la regardâmes s'enfoncer doucement, tandis qu'une centaine de sardines se précipitaient sur cette aubaine.

Cocos, notre vieux chat, devait succomber ensuite. Il avait été malade, par intermittence, dès le début de notre voyage, sans force pour se défendre contre les tours machiavéliques que lui jouait Minet. Comme il avait dû souffrir de voir à côté de lui ce jeune chat éclatant de santé!

— Un petit chat qui boit du sang, c'est increvable, dit Marc un matin, en regardant Minet gambader autour de Cocos qui somnolait, inerte, essayant vainement de l'entraîner dans une bagarre pour rire. Tenez, ajouta-t-il, voilà les parfaits symboles de la vie et de la mort.

Et effectivement, quelques heures plus tard, Cocos se traînait dans un coin de la cabine, où il s'étendait tranquillement pour mourir. Quand je découvris son corps sans vie, Minet était en train de lui flairer la tête, dans l'espoir, semblait-il, de le ranimer. Après avoir enveloppé Cocos dans un sac, nous le laissâmes tomber dans la mer.

L'autre petit perroquet, Isabel, fut la troisième victime. Après sa mort, Gabriel assuma le rôle de médecin de bord pour soigner notre dernier perroquet, qui était lui aussi très malade. Mais notre ami procédait de façon assez peu orthodoxe. Il essaya de guérir Lorita en lui chantant une berceuse, tout en lui versant du vin dans le bec. Deux heures plus tard, l'oiseau battait follement des ailes en tournoyant dans sa cage, mais tout à coup, après un grand cri rauque, il s'écroula, mort.

Nous ne pouvions dissimuler notre émotion. Marc enveloppa doucement la pauvre bête dans une vieille chemise bleue, et la jeta par-dessus bord, aussi loin qu'il le put. Aussitôt, un requin de deux mètres cinquante se jeta sur ce mets imprévu.

C'était un sinistre rappel de ce qui nous menaçait tous. Ma fièvre avait obstinément résisté à des doses massives d'aspirine, et je pensais être atteint d'une forte bronchite. (Je devais apprendre plus tard que je souffrais probablement de la même maladie qui avait emporté nos animaux favoris, mais heureusement, à ce moment-là, je l'ignorais.) Faible et déprimé, je voyais tout sous le jour le plus sombre. Quand j'essayais de jouer au Parcheesi, les dés pesaient dans ma paume comme de gros morceaux de plomb. La nuit, quand j'essayais de m'endormir, les battements de mon cœur me semblaient plus forts que le bruit des troncs frottant l'un contre l'autre, et des cordes qui grinçaient sans cesse. Je devais souffrir ainsi pendant quarante-cinq jours, dont quinze où j'eus à peine la force de quitter la cabine. Mais la fièvre finit par céder, et je pus voir le soulagement inscrit sur le visage de mes compagnons, quand ils s'aperçurent que j'allais mieux.

C'était peut-être pour célébrer mon retour à la vie que Gabriel, qui connaissait ma manie de la propreté, installa une machine à laver originale. En suspendant ses pantalons et ses chemises sous le radeau, où les vagues qui déferlaient produisaient une agitation naturelle, il obtenait une lessive à l'eau de mer assez satisfaisante.

— Je vais prendre un brevet, dit-il, et lancer une affaire au Chili.

Mais après quatre ou cinq lavages, ses pantalons étaient en lambeaux, et il abandonna son idée, en affirmant :

— De toute manière, les machines à laver ne sont qu'une absurde invention de la société capitaliste.

Et de se lancer dans un long discours sur les bienfaits du socialisme. Inévitablement, il en arrivait à attaquer le gouvernement des États-Unis, ce qui provoquait de vives protestations de la part de Marc et de la mienne.

— Tu déraisonnes, lui disais-je. Il y a plus de liberté aux États-Unis que nulle part ailleurs au monde, même pour les pauvres.

— Comment peux-tu dire cela, Vital ? s'indignait-il, en tapant sur l'aviron de queue pour donner plus de poids à ses paroles. Regarde comment ils traitent les Noirs.

De telles discussions se poursuivaient pendant des heures, à grand renfort d'éclats de voix et de coups de poing sur le pont.

Un beau soir, notre débat fut écourté par la soudaine apparition d'une énorme paire de mâchoires, grandes ouvertes sur une double rangée de dents pointues, qui s'approchait du radeau comme pour en croquer une bouchée de deux mètres de large. Puis les mâchoires se refermèrent lentement, et semblèrent se détourner. Nous ne fîmes qu'un bond jusqu'au bord du radeau, pour apercevoir un énorme « monstre marin », qui avait une large tête aplatie comme celle d'un crapaud, avec deux yeux ridiculement petits sur les côtés, et portait sur son dos démesuré un aileron de près de deux mètres de haut. Tout son corps était couvert de plancton phosphorescent, si bien qu'on le distinguait nettement au clair de lune. Devant lui nageaient une multitude de poissons-pilotes au corps rayé, qui me firent penser à des hommes de main armés précédant un caïd de la pègre.

— *Mira,* Minet, souffla Gabriel au petit chat juché sur son épaule et fasciné par le spectacle, tu as devant toi l'animal le plus repoussant du monde.

— Est-ce que ces poissons lui ouvrent la voie ? demanda Marc. Ou les suit-il parce qu'il est trop bête pour se diriger tout seul ?

Nous eûmes la réponse presque instantanément. Le monstre plongea soudain, abandonnant son escorte, mais les poissons rayés s'enfoncèrent rapidement dans l'eau à sa suite, pour reprendre leur poste en avant-garde, comme des acolytes fidèles qui essaient par tous les moyens de prévenir les désirs du patron.

Je devais apprendre plus tard qu'il s'agissait probablement d'un requin-baleine, espèce qui atteint souvent vingt-cinq mètres de long, pour un poids de près de vingt tonnes. Notre spécimen n'atteignait que la moitié de cette taille, mais nous sentions tous qu'il ne fallait pas l'exciter, parce qu'il pourrait devenir terriblement dangereux. Marc fit remarquer :

— D'un simple coup de queue, il mettrait ce radeau en pièces !

Le requin géant, au-dessous de nous, semblait indécis, flairant les bernacles sous les troncs de tribord, et nous faisant légèrement pencher de l'autre côté.

— Cette sale bête nous taquine, dis-je.

Puis, lorsque l'énorme animal se roula et fit le gros dos sous l'avant, le radeau entier se balança d'avant en arrière, en grinçant et en craquant tant qu'il pouvait. Pendant vingt minutes, le monstre resta sous *La Balsa,* qu'il continuait à bercer, tandis que nous attendions tous la poussée plus brusque qui nous ferait immanquablement chavirer. Enfin Marc saisit une dorade d'une quinzaine de kilos qu'il avait commencé à découper pour le dîner, et la lança aussi loin qu'il put vers tribord. Aussitôt, l'escorte de poissons rayés fila vers le butin et le monstre les suivit.

— Tu es un génie ! dis-je à Marc.

— C'est idiot de ne pas y avoir pensé plus tôt, grommela-t-il. Mais maintenant, adieu la dorade à la Modena pour ce soir. Nous mangerons tout simplement du thon.

Mais cuisiné par Marc, le thon n'avait rien d'ordinaire. Quant à celui que préparait Gabriel, c'était une autre histoire. Le lendemain soir, après avoir peiné pendant plus de deux heures sur notre petit réchaud, Gabriel nous servit des filets de thon qui nageaient dans une sauce graisseuse fortement épicée et qu'accompagnait une montagne de haricots noirs. Ce ne fut qu'à la troisième bouchée de haricots que je décelai l'odeur de pétrole.

— Gabriel, tu nous as empoisonnés! hurlai-je.

— Qu'est-ce qui ne va pas? répondit-il, en mastiquant tranquillement sa bouchée.

— Les haricots! Il y a du pétrole dedans.

— C'est vrai qu'ils ont un goût un peu spécial, finit-il par admettre. Je vais aller vérifier, cela vaut mieux.

Cela peut paraître invraisemblable, mais il avait bel et bien fait cuire les haricots dans du pétrole au lieu d'eau, ayant confondu les récipients respectifs. Comment avait-il réussi à ne pas provoquer d'explosion, ni d'incendie, seul son ange gardien aurait pu nous le dire.

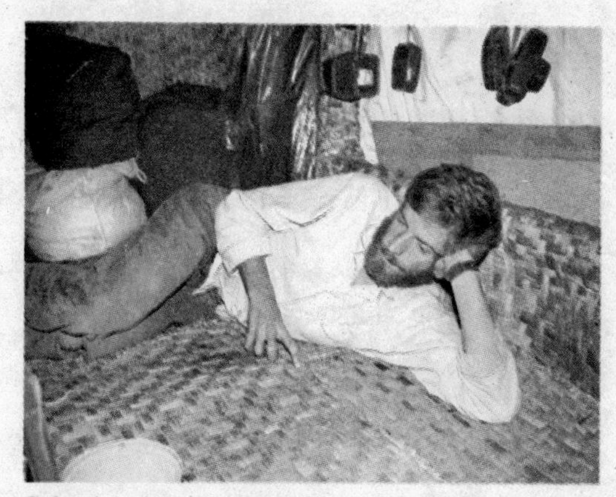

Gabriel se repose sur une natte, dans la cabine.

L'attitude de Normand, ce soir-là, me parut bizarre. Il n'avait rien remarqué d'anormal à propos des haricots, et aurait probablement mangé toute sa part, si nous ne l'avions prévenu. Quand Gabriel et moi nous mîmes à rire de cette méprise, Normand se contenta de fixer d'un œil vide, par-dessus nos têtes, les flots qui commençaient à s'assombrir.

— Notre ami n'a pas l'air dans son assiette, dit Gabriel, quand nous fûmes de retour dans la cabine.

Durant les quelques jours qui suivirent, son état, quelle qu'en fût la cause, ne s'améliora pas. Il obéissait aux ordres de façon mécanique, tel un robot barbu.

Il nous fallait trouver un moyen de le tirer de cette mélancolie avant qu'il ne fût trop tard. S'il avait une dépression nerveuse sur le radeau, ce serait désastreux. Je le voyais déjà sombrer dans un état catatonique, ou encore, peut-être, verser dans l'excès contraire et avoir des accès de colère folle ou de violence qu'aucun d'entre nous ne saurait maîtriser.

Cette humeur bizarre durait déjà depuis trois jours quand je le vis debout à l'arrière, les yeux fixés sur l'horizon lointain. Je lui lançai en français, avec mon meilleur accent parisien :

— Vous voyez la tour Eiffel à votre gauche, monsieur. Mais peut-être que cela ne vous intéresse pas, vous autres, Marseillais?

Il esquissa un faible sourire, mais pas un mot ne sortit de ses lèvres. Une heure plus tard, toujours confiant en mes capacités de psychologue amateur, je m'avançai vers lui et lui dis d'un ton sévère et autoritaire :

— Veuillez me montrer votre billet, monsieur. Nous ne pouvons pas tolérer de passagers clandestins sur ce bateau.

Cette fois, il n'y eut aucune réaction. Pas un muscle de son visage ne tressaillit.

Il était clair maintenant qu'il fallait utiliser des moyens plus radicaux, quelque chose qui l'obligerait à réagir. Un peu de psychodrame ferait peut-être l'affaire. Je pris donc un poisson volant dans le panier de la cambuse et me mis à le découper avec un couteau, sachant que Minet ne tarderait pas à accourir pour lécher le sang. Cela ne manqua pas, et quelques secondes plus tard, il se faufilait entre mes jambes pour atteindre les petites flaques rouges. Élevant la voix, je traitai alors le chat de tous les noms, l'empoignai et le lançai à travers le pont tout droit dans la direction de Normand. Il l'attrapa par simple réflexe, tandis que je me précipitais vers lui, simulant toujours une violente colère.

— Donne-moi cette sale bête, hurlai-je, que je la noie!

— Jamais de la vie, gronda Normand; c'est mon chat, tu n'y toucheras pas.

Mon stratagème avait réussi. J'avais fini par établir le contact avec lui.

Soudain, Normand eut un large sourire. Il dit seulement :

— Ça alors!

Mais ces mots résonnèrent comme une musique à nos oreilles.

Cet incident nous avait rappelé combien nous étions vulnérables. Que ferions-nous, par exemple, si l'un de nous tombait sérieusement malade, ou souffrait d'une blessure grave, comme une morsure de requin? En prévision de telles éventualités, j'avais demandé à quelques amis personnels, médecins au Mexique, qui avaient commandité en partie notre expédition, de me donner quelques rudiments de secourisme. Au cours de ce stage, j'avais été frappé à la fois par la résistance et par la fragilité du corps humain. Cela m'obligea aussi à envisager l'horrible éventualité d'être appelé un jour à exécuter moi-même une opération de fortune. Je gardais d'ailleurs notre couteau de boucher toujours bien affûté. Mais ce qui me tracassait le plus, quand je pensais à une éventuelle opération, c'était le mouvement incessant du radeau, même sur une mer d'huile.

Si je pensais surtout aux blessures infligées par les requins, c'est qu'ils étaient sans cesse autour de nous. Il suffisait de jeter une boîte de conserve vide par-dessus bord pour qu'un requin l'attrape aussitôt dans sa gueule; un morceau de bois ou un bout de papier, et il n'en fallait pas plus pour en appâter un autre. C'était très tôt ou tard dans la journée qu'ils se montraient le plus menaçants, quand ils avaient l'estomac vide. Nous en harponnâmes une centaine pendant notre expédition, surtout pour les empêcher de faire peur aux poissons qui nous suivaient, car c'était là notre garde-manger naturel.

Un après-midi, vers la mi-juin, Gabriel vidait un thon à l'arrière du radeau, quand tout à coup une énorme lame déferla sur le pont, amenant avec elle un requin de deux mètres de long. Le nez du poisson heurta de plein fouet la hanche de Gabriel, et le projeta contre la cloison arrière de la cabine. Croyant que quelqu'un lui avait joué un tour, Gabriel s'écria avec une colère simulée :

— Qu'est-ce qui te prend ?

Ce fut alors seulement qu'il remarqua le requin, qui se débattait sur le pont.

— *Mira el monstruo !* s'exclama-t-il.

Marc tua la bête d'un coup de harpon.

Il était toujours dangereux de tuer un requin à bord du radeau, car on n'était jamais sûr qu'il fût bien mort. En se penchant sur un de ces poissons apparemment sans vie, on risquait d'être renversé soudain d'un coup de queue. Un jour que nous avions éventré une de nos prises et détaché son cœur encore battant, nous avions senti l'organe continuer à battre encore plusieurs minutes entre nos mains. Un cœur de requin peut ainsi fonctionner parfois après la mort pendant plus d'une demi-heure.

Ces animaux ont une volonté de vivre incroyable. Je me rappelle un requin de plus de deux mètres qui nous avait suivis sur plusieurs milles à l'ouest des Galapagos. Nous venions de prendre un assez gros dauphin, quand le squale arriva comme une flèche et lui arracha la queue. Marc criblait le dos du requin de coups de harpon, mais malgré tout le sang qui giclait de ses blessures, l'animal ne cessa de refermer ses mâchoires sur le dauphin que lorsqu'il l'eut presque entièrement dévoré. Alors, dans un dernier sursaut désespéré, il mourut.

Une nuit que je dormais d'un sommeil agité, souffrant encore par intermittence de ma forte fièvre, j'entendis un étrange grignotement. Je franchis silencieusement le seuil de la cabine, pour voir, sous un resplendissant clair de lune, des milliers de poissons ronger les bords de notre radeau, tout en fixant sur moi de toutes parts leurs yeux grands ouverts couleur de néon. Mais quelqu'un derrière moi cria mon nom, ce qui les fit disparaître. C'était Marc.

— Il y avait là des milliers de poissons, lui dis-je.

— Mais non, il n'y avait rien. Tu dois avoir eu un cauchemar.

Ce n'était effectivement rien d'autre qu'une hallucination provoquée par la fièvre, et les marins, m'a-t-on dit, y sont particulièrement sujets. Le commandant Joshua Slocum, un Américain qui a fait le tour du monde en solitaire, à bord du *Spray*, parle des visites d'un fantôme qui prétendait être le navigateur de Christophe Colomb. J'aime à croire qu'il s'agissait de l'esprit de Juan de la Cosa, auteur de la célèbre carte du monde, qui avait accompagné Colomb lors de son expédition vers le Nouveau Monde. Il était originaire de ma ville natale, le port de Santander.

Dès l'enfance, j'ai acquis la conviction que sans l'aide de Juan de la Cosa, « l'Orgueil de Santander », l'Amérique n'aurait peut-être jamais été découverte. Son souvenir m'obsédait quand, assis sur le port, je regardais les chalutiers sortir de la baie pour s'engager dans les remous perfides du golfe de Gascogne. Je me rappelle les femmes pleurant leurs maris qui n'étaient jamais revenus. La mer cruelle avait marqué de son empreinte le caractère de ces gens rudes, pessimistes, et enclins à la rêverie. J'adorais les marins; c'étaient des gens courageux au grand cœur. Et pourtant, ils redoutaient la mer; ils acceptaient sa loi.

Je passai bien des jours heureux à naviguer et à pêcher dans les eaux côtières.

— Ce garçon finira sous la dent des requins, prophétisait mon père. Toujours en train de vagabonder sur l'océan. Tous les marins sont fous.

— Et Christophe Colomb? demandait alors ma mère, avec une nuance de défi dans sa voix toujours douce.

— Il était fou, lui aussi, répondait mon père. Le plus casse-cou de tous. Pensez, mettre le cap à l'ouest pour arriver à l'est!

Mon enfance fut marquée par la guerre civile espagnole. Toutes les nuits, la ville de Santander, tenue par l'armée républicaine, était bombardée par les avions allemands. Nous survécûmes, ma famille et moi, mais à plusieurs reprises notre vie ne tint qu'à un fil.

En 1954, avide de connaître le monde, je quittai l'école et m'engageai dans la Légion étrangère espagnole, où je devins lieutenant à deux barrettes à l'âge de vingt-deux ans. Affecté au Maroc, je commandais un bataillon qui gardait des dépôts de munitions le long de la frontière algéro-marocaine et repoussait les attaques des rebelles algériens. C'est là que je tombai par hasard sur une édition espagnole de l'aventure du *Kon-Tiki*, qui me fit une si forte impression que je commençai à caresser l'espoir de partir moi-même un jour sur mon propre radeau de balsa.

Mais avant de pouvoir penser sérieusement à ce projet, je devais terminer mes études et trouver un gagne-pain. Avec l'intention de devenir professeur de langues, je m'inscrivis à l'Alliance française, à Paris, pour un cours de français. Pour payer mes frais d'études, ma chambre et ma subsistance, je travaillai comme débardeur, garçon de café et déménageur, en suivant mes cours après les heures de travail.

Nous présentons à Minet son ennemi juré, le requin.

Je passai ainsi trois ans et demi à Paris, et autant en Allemagne, où j'appris la langue tout en gagnant ma vie comme ouvrier du bâtiment. Entre-temps, mon idée d'expédition sur l'océan était devenue une obsession. Cela coûterait bien sûr beaucoup d'argent (malgré tous les fonds que j'avais quémandés et le matériel et les conserves que j'avais pu resquiller, les frais de la première expédition devaient s'élever à près de huit mille dollars). Aussi, le jour où un employé de l'entreprise où je travaillais me dit qu'il y avait au Labrador des emplois intéressants et bien payés, décidai-je de remettre à plus tard ma carrière de professeur de langues et de prendre l'avion pour le Canada.

Je travaillai quatre mois dans les mines de fer de Wabush Lake, et arrivai à mettre de côté, presque en totalité, les quatre mille dollars que j'avais gagnés. Encore bien loin du but que je m'étais fixé, je gagnai Montréal, où je trouvai un poste de professeur d'espagnol dans un cours de langues. Lorsque j'eus enfin le pécule nécessaire, j'avais déjà fait la connaissance de Marc Modena, et nous étions tombés d'accord pour entreprendre la traversée du Pacifique en radeau.

4

Au mois de juin, alors que nous filions, portés par un courant d'ouest, laissant les Galapagos loin derrière nous, nous eûmes pendant plusieurs nuits une brume épaisse, qui nous causa bien du souci.

D'après mes cartes, nous étions justement en train de traverser des routes de navigation, et nous ne nous dissimulions pas le danger d'une collision nocturne avec un navire qui n'aurait pas aperçu nos faibles fanaux. Le brouillard, particulièrement de nuit, devait être l'un de nos pires ennemis.

Une nuit que nous avancions à travers une succession d'épaisses nappes de brume, avec une visibilité allant de moins de deux mètres jusqu'à un maximum de soixante-dix, Marc aperçut soudain des feux droit devant nous. Un gros bateau se dirigeait sur nous à toute vitesse. Marc se saisit d'une torche et essaya de faire des signaux à l'intention du navire qui approchait, mais le monstre fonçait toujours droit sur nous. Marc arriva enfin à mettre à feu deux fusées qu'il fit partir en l'air. Le navire se dessinait maintenant devant nous, menaçant, tel un rhinocéros ivre d'une rage meurtrière.

Je hurlai :

— Préparez-vous à sauter!

Mais ce ne fut pas nécessaire. Le navire obliqua à droite,

fonçant à toute vapeur, et nous dépassa en soulevant un tumulte de vagues qui nous frappèrent par le travers.

— Un vrai miracle, dis-je à Marc, que nous en ayons réchappé.

Quand le remous se fut calmé, nous vîmes, à la faveur d'une éclaircie, que le bateau avait stoppé environ deux milles plus loin.

— Nous ferions peut-être mieux de leur faire savoir qui nous sommes, dis-je.

Le navire revenait d'ailleurs au ralenti vers *La Balsa* tandis que l'équipage échangeait des signaux avec nous. Marc et moi sautâmes dans notre canot pneumatique, et nous nous mîmes à ramer vers le bateau, dirigeant vers lui le faisceau de notre torche électrique pour annoncer notre arrivée. J'espérais vérifier notre position (la veille, le ciel était resté trop nuageux pour permettre un relevé au sextant), et aussi obtenir peut-être un peu de pétrole, pour remplacer les deux litres que Gabriel avait gâchés avec ses haricots.

Une fois à bord, nous fûmes conduits directement à la cabine du commandant. C'était un Chinois, mince, d'une raideur toute militaire, qui nous examina avec les yeux les plus froids que j'aie jamais vus.

— Que désirez-vous? dit-il sèchement, dans un anglais heurté et teinté d'un léger accent.

— Je voudrais vous remercier de ne pas nous avoir tués, lui répondis-je, et vous présenter nos excuses pour vous avoir contraint à stopper. Je sais que cela coûte très cher.

— Tout à fait exact, répondit-il, sur un ton toujours aussi hostile.

— Mais maintenant que nous sommes à bord, poursuivis-je, peut-être pourriez-vous nous donner votre position?

Il consulta sa carte, nous donna le point, puis ajouta, sans lever les yeux :

— Voilà, l'incident est clos.

— Pourriez-vous nous céder un peu d'eau demanda Marc, et peut-être aussi du riz?

Le capitaine nous considéra avec un mépris glacial, puis se tourna vers un de ses officiers et dit d'un ton sec :

— D'accord. Et donnez-leur un kilo de sucre et deux kilos de riz. Pas plus!

Alors que nous nous préparions à partir, je fis une nouvelle démarche auprès du commandant :

— Notre radeau est à trois milles d'ici environ, et dans cette obscurité... Vous pourriez peut-être nous rapprocher un peu ?

Il acquiesça, sans l'ombre d'un sourire. Mais lorsque le bateau se remit en route en direction de notre radeau, qui n'était qu'un point lumineux à peine visible sur l'horizon obscur, l'un des marins remarqua que notre canot pneumatique avait disparu.

Je me précipitai vers le bastingage de bâbord et scrutai l'obscurité, mais sans rien découvrir.

— La corde a dû se détacher, dis-je au commandant.

— Avez-vous vraiment besoin de ce youyou? questionna-t-il, comme s'il s'agissait d'une babiole sans importance.

— Nous n'en avons pas d'autre, lui répondis-je.

Le bateau se mit à tourner en rond, balayant les eaux sombres de ses deux énormes projecteurs, et nous finîmes par découvrir le bateau pneumatique, à quelque deux cents mètres plus loin. Mais le commandant était maintenant furieux.

— Si vous voulez récupérer votre maudit canot, vous n'avez qu'à aller le chercher à la nage!

Je savais que les projecteurs avaient dû attirer des requins, et crus qu'il plaisantait, mais il était on ne peut plus sérieux.

— Très bien, dis-je alors, j'y vais. J'espère que vous apprécierez le spectacle, commandant!

A la fois bouillant de colère et malade de peur, je descendis l'échelle de corde. A mi-chemin, je plongeai. M'attendant à tout moment à rencontrer un requin, je couvris ces deux cents mètres en nageant comme si le diable en personne était à mes trousses, pour me hisser enfin dans le canot.

Engourdi de fatigue, je pris cependant les rames et revins au bateau, mais au moment où je posais les pieds sur l'échelle, mes muscles endoloris me lâchèrent. Perdant prise, je retombai dans l'embarcation. J'étais sur le point de faire un deuxième essai, quand je vis Marc descendre. Le commandant lui avait enjoint de regagner le canot avec les quelques provisions dont l'équipage nous avait gratifiés. Il nous abandonnait ainsi à deux milles au moins de *La Balsa.*

— Ignoble individu! s'écria Marc, en brandissant le poing en direction du pont.

Les vagues ne cessaient de déferler dans notre canot, et il me fallait écoper, pendant que Marc ramait. Les lames étaient si hautes que nous perdions souvent de vue le fanal de notre radeau et, pour comble de malheur, la brume était de nouveau tombée.

— Nous allons les perdre, s'inquiéta Marc. Le canot est trop chargé.

Nous jetâmes donc par-dessus bord le riz, le sucre et l'eau pour ne garder que deux bouteilles de vin de riz qu'un des marins nous avait offertes. Enfin, après plus d'une heure et demie d'efforts, nous atteignîmes *La Balsa* et nous laissâmes tomber, épuisés, sur le pont. La nuit avait été dure, et tout cela pour deux bouteilles de vin de riz.

ENFIN, la brume se leva, et nous eûmes plusieurs journées de temps calme, qui nous permirent d'étudier la faune marine incroyablement variée qui nous entourait. Ce qui nous fascinait le plus était le plancton, d'une phosphorescence si vive qu'à la nuit tombée il faisait ressembler la mer à un vaste lit de braises incandescentes traversé d'éclairs de feu.

Les « braises » étaient en réalité de minuscules crevettes et bernacles, et les « éclairs de feu » des thons qui plongeaient sous le radeau. Mais les mirages les plus spectaculaires étaient les étranges tourbillons de feu que nous voyions glisser à la surface de l'eau, à deux ou trois cents mètres de nous.

— Ce sont des dorades qui se poursuivent en rond, prétendait Marc.

— Balivernes, rétorquait Gabriel, ce sont des soucoupes volantes.

Le jour, le spectacle, bien que moins fascinant, avait tout autant d'intérêt. Des poissons et des mollusques de toutes espèces nageaient ou flottaient constamment autour de nous, et se trouvaient projetés sur le pont par les lames. Ce fut le cas, un après-midi, d'une petite pieuvre dont Minet essaya d'attraper l'un des tentacules qui s'agitait devant lui. Mais soudain, la pieuvre enroula son appendice autour de la patte du petit chat, et Minet, aussi surpris qu'effrayé, s'enfuit en courant sur le pont, essayant vainement de se dégager, jusqu'à ce que j'intervienne pour le libérer. Dans la confusion, nous manquâmes renverser la casserole de riz que Marc était en train de préparer pour le dîner.

— Faites donc attention, grommela-t-il, vous allez faire rater mon expérience.

Il préparait une timbale de riz aux bernacles, assaisonnée d'origan, de thym et d'autres épices. Seul un chef français était capable de composer un plat raffiné avec des ingrédients aussi simples. La timbale était délicieuse.

Malgré notre alimentation à base de produits marins riches en protéines, aucun de nous ne maigrissait, peut-être parce que nous ne prenions pas assez d'exercice. Au début, nous nous étions astreints à des mouvements de gymnastique, mais nous ne tardâmes pas à y renoncer, convaincus que nos occupations de routine suffiraient à nous maintenir en forme. C'était vrai pour nos jambes, qui restaient fermes et musclées, grâce aux mouvements continuels du radeau. Quant à nos muscles pectoraux et abdominaux, des séances de nage quotidienne dans l'océan ne leur auraient pas fait de mal, mais espadons et requins nous interdisaient d'y songer.

— Que d'eau! Que d'eau! s'exclamait Gabriel. Et dire qu'on ne peut même pas se baigner.

Cette baignade qu'il souhaitait tant, Gabriel devait l'avoir plus tôt que prévu. Un soir qu'il était assis à l'arrière, pendant son quart habituel de trois heures, une grosse lame fit basculer le radeau vers bâbord, et le précipita dans la mer. Totalement pris de court, il se débattit quelques instants avant de se mettre à nager vers *La Balsa.* Ce fut le moment que choisit un gros dauphin taquin pour se mettre à lui mordiller le gros orteil. Le radeau avait déjà avancé de cinq ou six mètres, et il dut nager de toutes ses forces pour le rattraper.

— Je croyais que c'était un requin, nous expliqua-t-il plus tard, et mon adrénaline n'a fait qu'un bond.

J'étais si soulagé qu'il n'ait pas péri noyé ou dévoré par les requins que j'omis de lui demander pourquoi il ne s'était pas attaché un filin autour de la taille. J'y pensai le lendemain matin, mais résolus cependant de ne pas aborder le sujet.

D'ordinaire, les bruits qu'il faisait en mangeant m'agaçaient suprêmement. Mais à ma grande surprise, il ne racla pas sa cuillère au petit déjeuner. Pas plus d'ailleurs qu'au déjeuner ni au dîner.

— As-tu remarqué comme Gabriel a mangé discrètement aujourd'hui? demandai-je à Marc dans la soirée.

— C'est sa baignade d'hier soir, me répondit-il. Je pense que cela a dû lui calmer les nerfs. A Guayaquil, il ne faisait jamais de bruits pareils. Ce n'est pas par manque d'éducation; ce n'est que de la tension nerveuse.

A l'entendre analyser nos petites bizarreries, on aurait pu prendre Marc pour un professeur de psychologie. En fait, c'était un autodidacte. Né en France, il avait été fait prisonnier par les S. S. à l'âge de quatorze ans et interné dans un camp de concentration. Après s'en être évadé, il avait rejoint la résistance française et fait pendant deux ans de la contrebande d'armes. Puis, à dix-sept ans, il s'était enrôlé sur un navire de commerce, ce qui lui avait permis de visiter presque tous les grands ports du monde. Mais il ne s'était pas borné à faire son éducation sentimentale et à découvrir des civilisations variées : il avait aussi lu un grand nombre de livres en édition de poche sur les sujets les plus divers. Toujours attiré par l'aventure, il s'était engagé dans la marine française le jour de ses vingt et un ans, et avait aussitôt pris part à la guerre d'Indochine. A force de voir un si grand nombre de gens sous leur meilleur et sous leur plus mauvais jour, Marc, de bonne heure, était devenu un sage. Les remarques qu'il faisait d'une voix douce forçaient toujours l'attention.

Malheureusement pour Gabriel, l'effet thérapeutique de sa baignade fut de courte durée, et au bout de quelques jours ses grincements et raclements recommencèrent de plus belle. Si nous avions pu obtenir des programmes de musique sur notre poste de radio, je l'aurais fait marcher à plein volume pour noyer le bruit de cette infernale cuillère, mais notre émetteur-récepteur ne nous donnait droit qu'à des messages périodiques sur ondes courtes.

Notre seul lien avec le monde était ces conversations avec la poignée de radios amateurs qui maintenaient le contact avec nous. Quinze jours environ après avoir quitté l'Équateur, nous eûmes nos premières liaisons avec une femme, nommée Liliana, qui opérait de Guayaquil. Elle avait une voix apaisante, pleine de chaleur et de passion contenue.

— J'oublie mon mari, mes enfants et tout le reste, quand je pense à vous autres à bord de *La Balsa,* nous confia-t-elle un jour.

Plus tard, en progressant vers l'ouest, je me rendis compte qu'avec la différence d'heure, il était bien plus de minuit quand elle nous contactait. Une telle fidélité n'était-elle pas touchante ?

— Quand nous arriverons en Australie, lui promis-je une nuit, nous attraperons pour vous un gros ours koala.

En écoutant la belle voix douce de Liliana, nous laissions fatalement courir notre imagination. Quel âge avait-elle ? Comment était-elle physiquement ? Marc, pour sa part, affirma qu'elle avait plus de trente ans mais moins de quarante.

— Et elle est grande, mince, et brune, ajouta-t-il.

— Jamais de la vie! protesta Gabriel. C'est une blonde aux yeux gris-vert, aux lèvres pleines et charnues.

— Mais non, dis-je, pour les taquiner, c'est une grosse dame de cinquante ans, une originale. Seule une femme simple et sans prétention peut avoir autant de charme.

Mais en fait, je la voyais sous les traits d'une jeune femme de trente-deux ans, mince comme une liane, brune au teint mat et extrêmement sensuelle.

Les autres radios amateurs suscitaient des réactions moins passionnées. Mon excellent ami, l'amiral Samuel Fernandez, restait en contact étroit avec *La Balsa* par l'intermédiaire d'un amateur de Mexico. De Guadalajara, au Mexique, un autre amateur du nom de Rafael Corcuera nous envoyait régulièrement des messages d'encouragement qui traduisaient sa sollicitude. D'autres encore suivaient notre expédition : ils nous demandaient notre position et la notaient sur leurs cartes. Parfois, les amateurs nous permettaient d'entrer en liaison directe avec nos familles. Je pus ainsi parler deux ou trois fois à ma femme Denise, qui se montra toujours d'excellente humeur, et ne me donna que de bonnes nouvelles de nos deux petites filles.

Le 10 juillet, un radio amateur de Santiago du Chili établit une communication entre Gabriel et sa mère.

— Comment vas-tu, mon fils? lui dit-elle en espagnol, d'une voix frémissante d'émotion.

— Je vais bien, maman, répondit-il. Nous sommes presque à mi-chemin. Tout est pour le mieux.

Il y eut un petit silence, puis on entendit de nouveau la voix inquiète de la mère :

— As-tu besoin de quelque chose? Je te l'enverrais tout de suite.

Fort heureusement, la communication fut interrompue juste à ce moment-là et elle ne put pas nous entendre éclater de rire.

Deux jours plus tard, nous arrivâmes dans une zone de calme plat. Il n'y avait pas la moindre brise, la voile pendait mollement, et le radeau dérivait à une vitesse d'escargot sous les rayons impitoyables du soleil. Hébétés et épuisés par la chaleur torride, incapables aussi de supporter les relents fétides du chat et les odeurs corporelles qu'on respirait à l'intérieur de la cabine, nous rôdions sur le pont comme des âmes en peine.

— Il y a de quoi devenir fou, dit Marc, quand le soleil se fut couché le deuxième jour de cette épreuve. On a l'impression d'être dans une étuve.

— Il me semble que je sens un peu d'air, dis-je avec plus d'espoir que de conviction. Demain, cela devrait aller mieux.

Grâce à Dieu, le lendemain matin, une forte brise gonfla notre voile comme une gorge de pigeon, et nous retrouvâmes le moral, comme l'indiquent ces notations dans mon journal de bord :

Le 14 juillet

Hier, nous avons parcouru cent trente-deux milles, à raison de cinq milles et demi à l'heure pendant vingt-quatre heures. Le courant est très fort et le vent souffle de l'est. Je suis presque guéri. Marc vient de vérifier les provisions, et il nous en reste très peu, peut-être pas assez pour atteindre les îles Samoa. Il faudra nous nourrir uniquement de poisson, ou peut-être de soupes au plancton.

Le 17 juillet

Bonne pêche. Des centaines de poissons volants, poursuivis par des dauphins. Une multitude de thons et de requins. Tout le monde sent le poisson, et Minet plus que n'importe qui.

Les dauphins espiègles nous tenaient compagnie presque continuellement. Ils semblaient extrêmement sociables et grégaires, se déplaçaient d'habitude par groupes de sept ou huit, nageant côte à côte en parfaite harmonie. Ils communiquaient entre eux dans un langage fait de petits cris et sifflements aigus, que nous entendions souvent pendant qu'ils tournaient autour de notre radeau, sautant en chœur par-dessus les vagues comme des danseuses de music-hall. Le dauphin, qu'on appelle parfois « la plus petite des baleines », est peut-être dans la faune marine l'animal le plus facile à approcher, mais aussi, pour cette raison même, le plus vulnérable. Ils étaient si confiants que nous avions presque scrupule à les attraper.

Le 19 juillet

Sur un radeau, on ne fait vraiment qu'un avec la mer, sensation qu'on n'éprouvera jamais en bateau; rien ne s'interpose entre la mer et vous; on est en contact direct, physique, avec elle. On sent les courants, les changements de température. Parfois, on voit littéralement les bras d'un nouveau courant avancer vers vous en clapotant, à une vitesse qui peut atteindre dix nœuds ou plus. La température de l'eau est sujette à de brusques changements, particulièrement près de l'équateur, qui peuvent la faire varier de cinq degrés en l'espace de quelques secondes.

Je suis convaincu que, pour sentir la nature, il faut savoir s'y intégrer. Il faut apprendre à ne faire qu'un avec la mer, avec les poissons. La mer est semblable à une femme, tour à tour douce et violente, amène et capricieuse, et ses sautes d'humeur sont incompréhensibles. Elle est semblable à un premier amour, pur et virginal, mais troublé de remous et de tempêtes qui sans cesse vous mettent à l'épreuve et vous déconcertent. Si vous voulez conquérir la mer, il faut d'abord lui prouver que vous en avez la force. Elle vous poussera à bout, mais si vous triomphez de l'épreuve, elle vous ouvrira les bras pour vous protéger.

Le 30 juillet

Aujourd'hui, nous passons 142° 5' *ouest, longitude à laquelle le* Kon-Tiki *a fini par s'échouer sur le récif de Raroïa, après avoir parcouru quatre mille trois cents milles depuis les côtes du Pérou.* La Balsa *n'a mis que soixante-deux jours pour couvrir cette distance, alors qu'il en avait fallu cent un au* Kon-Tiki, *et nous passons mille milles au nord de Raroïa.*

Ce serait faire preuve de fausse modestie que de minimiser la fierté que nous ressentîmes alors d'avoir renouvelé l'exploit de Thor Heyerdahl dans son expédition historique à bord du *Kon-Tiki.* Mais maintenant nous allions affronter la partie la plus difficile de notre aventure, les eaux traîtresses des mers du Sud.

Presque tous les marins qui ont navigué dans le Pacifique peuvent parler des embûches que présentent les parages des îles Samoa, des îles Fidji, des Nouvelles-Hébrides, et des récifs de Saumarez. On y rencontre des centaines de barrières de récifs, dont la plupart ne figurent sur aucune carte, ainsi que des ouragans et des cyclones, qui ont réduit bien des vaisseaux en miettes.

C'était là notre véritable défi; nous voulions prouver que les Incas et les Indiens Huancavilcas avaient pu s'aventurer dans ces eaux, qui comptent parmi les plus dangereuses du globe, sur des radeaux de balsa comme le nôtre.

— C'est par ici que le *Kon-Tiki* a commencé à se disloquer, nous rappela Gabriel. Comment va se comporter notre radeau?

Nous décidâmes donc de vérifier l'état des troncs. Trois heures plus tard, après les avoir soigneusement examinés dans la partie immergée, nous eûmes la satisfaction de constater que tout allait pour le mieux et que le bois n'avait quasiment pas absorbé d'eau.

Mais tout aussi dangereux que les récifs et les ouragans étaient l'ennui et les frottements inévitables entre membres de l'équipage. Nous ne pouvions d'ailleurs manquer de devenir instables et irascibles, à force de nous plier jour après jour à la même routine monotone. Il y avait des moments où tout semblait aller mal, où les raclements et grincements de la cuillère de Gabriel semblaient plus insupportables que jamais, et où même le calme naturel de Normand me portait sur les nerfs. Ces jours-là, nous nous évitions totalement, nous enfermant plus que jamais dans notre isolement respectif.

L'eau douce était un autre problème. Marc me confia que nos provisions allaient probablement s'épuiser avant que nous ayons atteint l'Australie.

— Il ne nous restera plus alors qu'à mâcher du poisson cru pour étancher notre soif, dit-il.

Je n'étais personnellement pas trop inquiet sur ce point; ce que j'avais lu à propos des Huancavilcas et des Incas m'avait rassuré. Ils mâchonnaient du poisson cru, mais savaient aussi exprimer le jus de morceaux de poisson qu'ils tordaient dans des linges. De plus, sur des animaux plus gros comme la dorade ou le thon, ils arrivaient à recueillir le liquide des glandes lymphatiques. J'en fis l'expérience, et trouvai ce breuvage détestable, mais le pourcentage en sel était si faible qu'en dépit du goût âcre ma soif fut vite étanchée.

Nous avions bien sûr besoin d'une certaine quantité de sel dans notre alimentation. Marc nous fournissait donc des comprimés de sel que nous prenions les jours où il faisait particulièrement chaud, quand la température atteignait quarante-six degrés dans la cabine et que la transpiration achevait de nous déshydrater. Il lui arrivait aussi d'ajouter vingt pour cent d'eau de mer à notre ration d'eau douce.

Gabriel faisait la grimace après chaque gorgée.

— Si nous avions quelques feuilles de coca à mâchonner, ce breuvage serait plus facile à avaler, dit-il. C'était ce que faisaient les Incas. Ils avaient découvert que la cocaïne détruisait

En plein Pacifique, Vital et Normand règlent les voiles tandis que La Balsa *file bon train.*

les saveurs les plus fortes. J'aurais dû prévoir d'en emporter.

— Pour devenir drogué? objecta Marc.

— Vous autres, croulants, n'avez que ce mot à la bouche, repartit Gabriel. Toutes les idioties qu'on peut raconter sur la marihuana!... Il y a pourtant des recherches qui ont prouvé qu'on arrive plus facilement à s'en passer que du simple tabac, et qu'elle est moins dangereuse que l'alcool.

La drogue, la politique et la guerre du Viêt-nam étaient nos principaux sujets de conversation, et, bien entendu, nous n'arrivions jamais à un accord unanime. Lorsque la conversation devenait trop sérieuse, Normand se mettait à chanter : « On ne peut pas vivre sans amour... », ou du moins ce qu'il en savait.

Marc met à jour le journal de bord. Derrière lui, les « toilettes amphibies » de La Balsa.

— C'est encore quand il prend son bain qu'il a le plus de voix, fit observer Marc un matin que Normand était étendu à l'arrière du radeau, se laissant asperger par les vagues.

Nous prenions tous nos bains de cette manière, en nous agrippant à une corde enroulée autour d'un barrotin, pour éviter d'être emportés par-dessus bord. L'eau était fraîche et revigorante, mais laissait toujours sur nos corps une couche de sel très irritante. C'était Gabriel qui s'en plaignait le plus.

— La première chose que je ferai en arrivant en Australie, c'est de prendre une bonne douche chaude pour me débarrasser de ce fichu sel, disait-il en se grattant le dos. Et après, je m'offrirai un repas pantagruélique.

Pour je ne sais quelle raison, il lui était venu une peur maladive de mourir de faim, et tous les matins il demandait à Marc où en étaient nos provisions.

— Tout va bien, répondait Marc.

— Tu en es bien sûr? insistait Gabriel.

— Naturellement. Même si nous épuisons toutes nos provisions de riz et de conserves, il nous reste plus de poisson frais que nous ne pouvons en manger.

— Et si nous tombons dans une autre zone de calme plat?

Pour apaiser ses craintes, je lui expliquais que dans le pire des cas nous pourrions toujours nous nourrir de plancton. Heureusement, nous n'y fûmes jamais obligés, mais nous prîmes la précaution d'en ramasser dans un linge suspendu à l'avant.

— Quelle horreur! dit Gabriel. On dirait une bouillie de germes gras et visqueux. Plutôt mourir de faim que d'avaler cela.

— Ne t'en fais pas, Gabriel, lui dit Marc en me donnant un coup de coude, j'en ferai un délicieux ragoût avec une bonne sauce au vin.

Le plancton, les algues, les bernacles et les crabes s'étaient peu à peu amoncelés sur le fond et les bords de *La Balsa*. Un jour, Gabriel alla explorer le dessous du radeau, pendant que Normand et Marc veillaient aux requins.

— Nous avons un vrai jardin botanique là-dessous! s'exclama-t-il en remontant.

Des algues longues et épaisses comme du lierre menaçaient de grimper sur le pont, mais nous arrivions à contenir cet envahissement par des nettoyages réguliers.

Nous eûmes moins de succès pour combattre les légions de petites fourmis qui se nourrissaient de ces algues. Malgré toutes les précautions que nous avions prises, les fourmis s'étaient dissimulées dans les troncs de balsa poreux avant notre départ de Guayaquil. Elles n'avaient fait surface qu'une fois au large et maintenant elles avaient envahi tout le radeau et se réfugiaient dans nos sacs de couchage, où leurs petites piqûres agaçantes nous empêchaient de dormir. Dans la journée, lorsque nous étions assis sur le pont, elles grimpaient sur nos jambes et nos bras et partageaient tous nos repas.

— Ces bestioles ne dorment donc jamais? demanda Gabriel, qui venait d'en ôter une de son assiette de petit déjeuner.

— Par roulement, lui répondit Marc. L'équipe du matin vient d'arriver.

C'est la nature qui nous fournissait notre meilleure arme contre les fourmis. Par gros temps, les lames en enlevaient un bon nombre. Naturellement, nous étions aussi exposés au même danger. Nous eûmes à essuyer une de ces fortes tempêtes au début du mois d'août. Nous vîmes fondre sur nous des nuages sombres de mauvais augure, venant de l'est, qui masquaient le soleil et que les vents déchaînés poussaient avec violence.

— Chacun à son poste, criai-je. Cette fois-ci, c'est sérieux. Arrimez tout solidement!

Tandis que le vent hurlait comme un démon en furie, nous nous mîmes à ferler la voile en tirant de toutes nos forces. A deux ou trois reprises, Normand faillit être emporté par-dessus bord, pendant qu'il s'efforçait de plier le bord inférieur. Durant près d'une demi-heure, inondés par les lames qui se succédaient, nous nous battîmes avec les cordages, mais réussîmes enfin à ferler la voile. Soudain, comme nous achevions de l'amarrer, un énorme mur liquide arriva sur nous. Le radeau, pris par le travers, fut soulevé et emporté par-dessus le dos de la lame, juste au moment où sa crête écumante se brisait en mugissant. Nous passâmes à travers les tourbillons d'écume qui nous engloutissaient, puis glissâmes jusqu'au fond du large creux. Un instant après arrivait un nouveau mur liquide, qui projeta notre radeau en l'air et l'emporta à travers un nouveau rideau d'écume.

— En voilà encore une autre! hurla Marc en s'agrippant au mât.

J'entendis Normand s'exclamer :

— Ça a...

Mais un coup de tonnerre assourdissant couvrit sa voix.

La pluie nous aspergeait avec la puissance d'une lance d'incendie, cinglant le pont et la cabine pendant dix à quinze minutes. Accroché au mât, je levai les yeux vers les nuages sombres et m'exclamai :

— Chisco! (C'était le nom d'amitié que je donnais à mon saint favori, San Francisco.) Chisco, écoute-moi. Pourquoi nous as-tu trahis ainsi? Pourquoi ne pas nous avoir prévenus?

Tant bien que mal, *La Balsa* parvint à supporter la fureur des éléments. Puis soudain, comme au coup de sifflet d'un invisible arbitre céleste, la tempête se calma, et notre radeau se mit à flotter sur les vagues comme une mouette.

Une heure plus tard environ, Gabriel m'aborda.

— Tu n'aurais pas dû parler sur ce ton à saint François, me dit-il, en tournant entre ses doigts sa pièce porte-bonheur. Ce n'était pas sa faute.

Mon prétendu blasphème n'était en réalité qu'une façon pudique de dissimuler ma croyance profonde en un Être suprême, dont Chisco n'était que le substitut. Je soupçonne que la plupart des marins, même ceux qui se vantent d'être des hommes durs, grands buveurs et coureurs de jupons, dissimulent dans leur cœur un reste de piété. Ils affrontent jour après jour les éléments et ne peuvent manquer de s'interroger sur le pourquoi de ces forces gigantesques qui, pour le terrien, ne sont que des lignes sur une carte aperçue pendant un bulletin météorologique à la télévision.

5

PENDANT le reste de cette première semaine d'août, vents et courants demeurèrent faibles, mais nous progressâmes quelque peu vers l'ouest. A la surface de l'eau, qui bougeait à peine, s'étaient accumulés écume, algues, et objets divers jetés au large : boîtes de bière, assiettes de carton, et même une canne en bambou avec une poignée de plastique. Heureusement, une forte brise nous éloigna bientôt de ce cimetière écologique.

Le 8 août, dans l'après-midi, alors que nous quittions les longitudes de la Polynésie, pour nous diriger vers la Mélanésie, nous eûmes un contact radio, entrecoupé de parasites, avec Rafael Corcuera, à Guadalajara, au Mexique. Avant de nous quitter, il s'enquit de l'état de nos provisions.

— Gabriel prétend que nous allons mourir de faim, dis-je en riant, et moi-même, je meurs d'envie de manger un bon steak frites, mais Marc tient à ce que nous mangions du poisson cru pendant deux mois encore.

Je ne le savais pas, mais la communication était très mauvaise, et les seuls mots que Rafael avait captés étaient : « mourir de faim... je meurs... » et « poisson cru ». Nous croyant dans une situation désespérée, il avait lancé un appel d'urgence à l'amiral Fernandez, à Mexico. A eux deux, ils s'étaient mis en liaison avec la base navale américaine de Pearl Harbor, pour prévenir qu'un radeau se trouvait en détresse quelque part entre la Polynésie et la Mélanésie.

Le 11 août au matin, alors que nous faisions honneur à un petit déjeuner de poissons volants, nous reçûmes un message incohérent de Guadalajara, nous informant qu'un navire se portait à notre secours. J'essayai de dire à Rafael que nous n'avions besoin de rien, mais notre émetteur ne fonctionnait apparemment plus.

— Mais au nom du ciel, pourquoi veut-il nous envoyer un navire ? demandai-je.

— Ne t'en fais pas pour cela, Vital, me rassura Marc. Rafael agit dans les meilleures intentions. Il se fait simplement de la bile à tout propos.

Mes compagnons ne semblaient pas aussi décidés que moi à poursuivre notre expédition sans la moindre aide, et comme j'étais nettement en minorité, je n'insistai pas.

— Bon, dit Marc, pourquoi ne ferions-nous pas un petit concours ? Le premier qui apercevra le navire aura gagné dix mille points, à ajouter à son total de canasta.

Depuis notre départ de Guayaquil, nous avions en effet poursuivi jour après jour une longue partie de canasta, et nous avions presque tous des totaux excédant un million de points.

Ce fut Normand qui, en fin d'après-midi de cette même journée, aperçut un petit point noir au nord-est.

— Voilà le bateau ! s'exclama-t-il, songeant manifestement aux points supplémentaires qu'il venait de gagner.

La tache minuscule s'agrandit peu à peu, et nous vîmes bientôt qu'il s'agissait d'un bâtiment de guerre assez important. Arrivé à quelques milles de nous, le vaisseau nous contacta par radio. C'était le USS *Granville S. Hall*, unité de onze mille six cents tonnes affectée à des missions spéciales scientifiques. J'imaginais sans peine combien notre radeau devait paraître primitif aux officiers et à l'équipage.

Lorsque le *Hall* ne fut plus qu'à un mille de nous, il stoppa, et mit à la mer une vedette qui s'approcha de *La Balsa* dans un grondement de moteur et un V d'écume blanche. A peine trois minutes plus tard, elle accostait notre radeau, et deux matelots montaient à notre bord. Après nous avoir chaleureusement salués, ils nous dirent que leur commandant nous invitait à dîner.

— Nous ne voulons pas vous déranger, répondis-je dans mon anglais hésitant. Vous êtes trop aimables.

— Cela ne nous dérange pas du tout, répondirent-ils en souriant. Tout le monde a envie de vous connaître.

Après avoir attaché un câble à notre avant, ils se mirent à remorquer *La Balsa* vers leur bâtiment. Entre-temps, j'avais entendu un appel à la radio, qui semblait marcher mieux, et je retournai dans la cabine pour y répondre. C'était Joe Megan qui nous appelait de Guayaquil.

— Vital, s'exclama-t-il, je ne puis y croire, *amigo* ! Je viens de contacter un bateau américain, le USS *Hall*, qui se trouve tout près de vous. Ils m'ont dit que vous vous trouviez à l'ouest des longitudes de la Polynésie.

— Bien sûr, répondis-je, il y a déjà plusieurs jours que j'ai communiqué notre position.

— Oui, je sais, reprit-il, mais je ne croyais vraiment pas qu'avec ce poste de fortune que j'ai rafistolé pour vous, vous auriez pu transmettre au-delà des Galapagos.

Tout à coup, la voix grave et puissante de l'amiral Fernandez, qui parlait de Mexico, vint interrompre la communication.

— Je vous ai toujours fait confiance, Vital, disait-il. Toutes mes félicitations. Je vous embrasse.

J'étais tellement absorbé par cette conversation que je n'avais pas remarqué l'agitation qui régnait hors de la cabine. Tout à coup, je ressentis une violente secousse et, me précipitant sur le pont, je vis l'énorme masse grise du *Hall* se dresser au-dessus de nous. La vedette nous avait amenés trop près du bateau.

— Attention! hurla une voix, comme nous heurtions de nouveau la coque, dans un fracas de bois qui se brise.

« Voilà la fin du voyage, me dis-je, l'estomac noué. Le radeau va être réduit en miettes. »

En poussant sur la coque avec des perches de bambou, nous arrivâmes, non sans peine, à éloigner le radeau. Puis le navire s'écarta, car le commandant avait vu le danger où nous étions.

— Nous avons entendu quelque chose craquer, là, en bas, nous lança un matelot.

— Ce n'étaient que les toilettes, répondis-je en essayant de dissimuler la contrariété que j'éprouvais à la vue des débris informes de bois de balsa broyé.

Nous fimes un geste d'adieu à Minet qui, planté sur le seuil de la cabine avec un air distant, semblait nous dire :

— Partez donc, et laissez-moi tranquille!

Puis nous sautâmes dans la vedette pour couvrir la courte distance qui nous séparait du bateau.

On nous fit un accueil extraordinaire. Tout l'équipage voulut nous serrer la main, nous taper sur l'épaule ou nous féliciter, en nous posant mille questions sur *La Balsa.* Enfin, on fit place au commandant lui-même, W. P. Karmenzid, qui nous serra la main à tour de rôle, son visage bronzé aux traits bien dessinés éclairé d'un sourire. C'était un Indien de la tribu navajo. Quelle merveilleuse coïncidence, cette rencontre ici, au milieu de l'océan Pacifique, d'un bâtiment de guerre géant commandé par un Indien d'Amérique et d'un minuscule radeau semblable à ceux que d'autres Indiens, peut-être indirectement apparentés à ses ancêtres, utilisaient déjà il y a des milliers d'années.

— Bienvenue à bord, nous salua Karmenzid. Vous êtes ici chez vous. J'espère que vous nous pardonnez pour les dégâts que nous vous avons causés. Vous devez être épuisés et affamés. On nous a prévenus que vous n'aviez presque plus de provisions.

— Mais qui vous a dit cela ? m'exclamai-je, en croyant à peine mes oreilles.

— C'est le señor Corcuera, l'amateur radio de Guadalajara. L'état-major de Pearl Harbor nous a transmis le S. O. S. il y a deux jours.

— Je n'y comprends rien, grommelai-je. Nous mangeons fort bien, et nous avons tout le poisson qu'il nous faut.

Puis soudain je me rappelai ma conversation avec Rafael, et je poursuivis avec un sourire :

— Ce pauvre Corcuera ! Il n'a pas compris que je plaisantais. Je lui ai dit : « Gabriel croit que nous allons mourir de faim, et moi je meurs d'envie de manger un bon bifteck frites... », mais il y avait tellement de parasites qu'il n'a dû comprendre que quelques mots par-ci, par-là.

Le commandant sourit à son tour, ainsi que ses trois officiers.

— Eh bien, même si vous n'êtes pas en détresse, reprit-il, nous sommes heureux de vous accueillir, commandant Alsar.

Nous acceptâmes son invitation avec joie et dévorâmes avidement un repas plantureux, où figuraient biftecks frites, asperges à la crème, betteraves marinées, biscuits chauds avec du beurre, tarte aux pommes et glace.

— Vous devez nous trouver un appétit de requins, dis-je, en guise d'excuse, en acceptant une deuxième portion de tarte.

— Tout ce que nous possédons est à votre disposition, m'assura le second avec l'accent traînant et mélodieux du Sud.

Et ce n'étaient pas de vaines paroles. Plus tard, quand nous regagnâmes la vedette, nous y découvrîmes plusieurs caisses de conserves et un réservoir plein d'essence pour la génératrice de notre radio.

En remontant à bord de *La Balsa*, nous retrouvâmes Minet perché sur le toit de la cabine comme une gargouille arrogante.

— Ces Américains sont incroyables, commenta Gabriel en hissant à bord une grosse caisse de fruits en conserve. Ils sont d'une générosité sans égale.

Je n'avais pas oublié qu'il les traitait précédemment de « *gringos* matérialistes et cupides », et lui répondis en retenant un sourire :

— Oui, Gabriel, ils ont cette réputation.

Mais dès que le *Hall* eut disparu à l'horizon qui s'assombrissait, je lançai :

— Maintenant, *amigos,* il ne nous reste plus qu'à jeter tout cela par-dessus bord. Ils sont trop loin pour nous voir.

— Mais pourquoi ? demanda Gabriel ébahi.

— Parce que nous devons nous débrouiller par nos propres moyens, expliqua Marc.

— Et aussi parce que c'est bien trop lourd, ajoutai-je. Nous devons transporter le minimum de charge.

A contrecœur, Gabriel nous aida à jeter à la mer ces dons de l'Amérique. Il réussit cependant à sauver un peu d'essence et quelques boîtes de pêches et d'ananas, en nous persuadant que nous pourrions les utiliser sans infirmer notre théorie de la survie sans aide extérieure.

Trois ou quatre jours plus tard, comme nous approchions d'une passe entre les îles Tongareva et Vostok, Gabriel, qui, assis à côté de moi à l'avant, contemplait le coucher de soleil entre ses yeux mi-clos, me dit :

— Nous n'aurions pas dû jeter ces vivres à la mer, nous allons certainement en avoir besoin.

Je savais qu'il se faisait sérieusement du souci, mais j'essayai de traiter ses appréhensions à la légère.

— Mais nous avons tous les poissons que nous voulons, Gabriel.

— Aujourd'hui déjà moins qu'hier, insista-t-il. Le vent faiblit et le courant est plus lent. Je crois bien que nous allons vers une nouvelle zone de calme plat.

Ses yeux gris-bleu regardaient fixement au loin, derrière moi, et ses mâchoires se crispaient, tandis qu'il pinçait ses lèvres gercées.

Je me souvins alors de la fameuse expédition Donner, qui fut prise dans une tempête de neige dans les Andes, et dut finalement avoir recours au cannibalisme. Assis là, au milieu de l'immense solitude du Pacifique, sachant que nous pouvions vraiment mourir de faim si nous nous trouvions prisonniers d'une zone sans vie, d'une mer sans poissons, j'essayai de m'imaginer en train de dévorer la chair d'un de mes compagnons. « Plutôt mourir », me dis-je. Et pourtant, pouvais-je en jurer?

— Enfin, Minet, au moins, ne mourra jamais de faim, conclut Gabriel. Il mangerait n'importe quoi, même cet abominable plancton.

Nous observions le petit chat, occupé à un nouveau jeu. Tapi sur le tronc extérieur, à bâbord, il donnait de sa patte droite des coups dans l'eau, comme pour taquiner un poisson. Tout à coup, il perdit l'équilibre et tomba à la mer en poussant un miaulement de détresse. Gabriel arriva en même temps que moi au bord du radeau.

— Mon Dieu! s'exclama-t-il. Regarde-moi cela!

Minet était déjà remonté à la surface, et avait entrepris de regagner le radeau à la nage, en battant l'eau de ses pattes de devant, tout en miaulant furieusement.

J'aidai Gabriel à le repêcher et constatai :

— Il a parcouru au moins un mètre cinquante à la nage!

— Plus que cela, renchérit Gabriel, en serrant le petit chat trempé et grelottant dans ses bras. Cela fait bien deux mètres!

Normand et Marc nous avaient maintenant rejoints, et riaient avec fierté. Quant à Minet, il s'ébrouait avec une charmante arrogance.

— Maintenant que nous savons que ce chat sait vraiment nager, suggérai-je, il faut lui donner des leçons. Nous commencerons demain.

— Tu es fou, Vital, dit Gabriel. Il va se noyer.

— Un jour, il aura peut-être besoin de nager pour sauver sa peau, répondis-je, surtout dans les parages agités que nous atteindrons bientôt.

La première leçon commença après mon quart du matin. Sous les yeux de Normand et Gabriel, qui se tenaient en équilibre sur le tronc de bâbord comme des champions du cent mètres nage libre, je saisis Minet et le lançai doucement dans l'eau à deux mètres environ du radeau. Presque aussitôt, le petit chat revint à la surface et se mit à nager vers nous en poussant des miaulements furieux. Il lui fallut moins de quinze secondes pour regagner le radeau.

— *Bravo gatito !* s'écria Gabriel en le hissant à bord.

Quelques minutes plus tard, je le lançai à quatre mètres environ. Il revint de nouveau à la nage, avec des coups de pattes plus réguliers qu'avant. Cette fois, il accepta nos félicitations comme un champion endurci, se pavanant sur le pont la queue en l'air.

Nous renouvelâmes l'expérience encore deux fois au cours de la journée, utilisant le dinghy en caoutchouc pour emmener le petit chat à sept, puis à dix mètres du radeau.

— Demain, il ira encore plus loin, dis-je, en l'essuyant avec ma chemise.

J'étais décidé à prouver jusqu'à l'extrême limite sa faculté de survie. Donc, le lendemain après déjeuner, pendant que les autres faisaient une petite sieste sur la natte à l'arrière du radeau, je montai dans le dinghy avec Minet pour m'éloigner avant qu'on ne puisse m'en empêcher. Quand Gabriel m'aperçut, j'étais déjà à plus de trois mètres.

— Ne fais pas ça! hurla-t-il. Il va se noyer!

Mais je continuai à ramer, tout en murmurant des encouragements à Minet, qui était assis avec un air de tranquille assurance sur le bord du canot pneumatique. Enfin, après avoir parcouru dix-sept ou vingt mètres, j'écartai les rames et envoyai le chat d'une poussée dans la direction du radeau, en lui criant :

— *Buena suerte !*

Sans une seconde d'hésitation, il se mit à battre l'eau de ses petites pattes blanches, en miaulant doucement pour se donner du courage, comme un barreur qui donne la cadence pendant une course d'aviron. Il avait pris un si bon départ que je me sentis immédiatement soulagé.

Puis tout à coup Minet s'arrêta. Il se débattit quelques instant dans l'eau, puis, poussant un miaulement angoissé, il rebroussa chemin vers le dinghy à toute allure. J'avais déjà les avirons dans l'eau et m'élançai vers lui en deux coups de rame affolés, car j'apercevais un requin, long de deux mètres, qui fonçait dans notre direction. Je me penchai en avant, au risque de faire chavirer le canot, et attrapai Minet à l'instant même où le requin, la gueule grande ouverte, arrivait sur nous. Il manqua

Minet de cinquante centimètres. Pendant que je ramais vers le radeau avec Minet blotti sur mes genoux, le requin revint à la charge après avoir décrit un demi-cercle. A deux reprises, il attrapa une de mes rames entre ses dents, mais chaque fois j'arrivai à l'en dégager. L'animal finit par plonger et disparaître, et Minet et moi remontâmes sur le radeau.

— Je regrette, dis-je aux autres. Ce n'était vraiment pas malin de ma part.

— Ne t'en fais pas, me dit Gabriel pour me rassurer. Minet a tiré une leçon de cette aventure. Il a vu la mort en face... et sauvé sa peau.

Le 25 août à midi, après avoir fait le point à l'aide du sextant, je m'aperçus que nous étions en train de franchir le cent soixantième méridien, et que nous avions donc parcouru les deux tiers du chemin nous séparant de notre but. Sur cet océan sans route ni repère, ce n'était qu'une borne invisible parmi d'autres, mais elle avait pour nous une signification spéciale, presque métaphysique. Nous étions en train de gagner la partie en accomplissant ce que tout le monde avait cru impossible.

Marc déclara :

— Il faut célébrer cela ! J'ai gardé quelque chose pour cette occasion. Je l'ai mis sous la natte derrière la cabine.

Nous nous pressions autour de lui pendant qu'il soulevait la natte de bambou, pour tirer de sa cachette un objet enveloppé dans plusieurs couches de feuilles de bananier. C'était une bouteille de champagne.

— J'en ai une autre en réserve, dit-il, pour le jour où nous arriverons en Australie.

Normand sortit des tasses de plastique jaunes, et nous portâmes un toast à *La Balsa*.

Quelques heures plus tard, je décidai d'examiner à nouveau les troncs. Je m'inquiétais surtout de l'eau qu'ils pourraient absorber par les rainures que nous avions pratiquées pour les cordes. Je me penchai par-dessus le tronc de bâbord et examinai une rainure juste au-dessous du niveau de l'eau. Le bois était tendre et gluant d'écume autour des bords de l'entaille, mais quand j'essayai de le presser avec le pouce, le bois ne s'enfonça que d'un centimètre à peine. Pas mal, me dis-je, mais pour plus de sûreté, j'y introduisis avec précaution la pointe d'un pic à glace, pour retirer quelques menues particules de bois de balsa. Elles avaient l'air sèches — d'un blanc floconneux et aussi sèches que de la sciure.

— Voilà! dis-je à Marc en lui montrant les prélèvements. L'intérieur est toujours parfaitement sec.

L'examen des six troncs restants donna le même résultat. Quant aux cordes, elles étaient également en très bon état.

Ces constatations satisfaisantes sur l'état de santé de *La Balsa* nous remontèrent considérablement le moral. Nous nous mîmes à chanter, à plaisanter et à manger de plus belle, et nos parties de canasta n'en finissaient plus. Les vents et les courants eux-mêmes nous étaient favorables et nous entraînaient vers le sud-ouest à raison de cent trente milles par jour en moyenne. Les îles Samoa n'étaient plus très loin, ce qui incita Gabriel à faire des conjectures à propos des femmes que nous y verrions peut-être.

Toujours dans le même ordre d'idées, il proposa d'essayer de contacter Liliana sur notre radio rafistolée, pour écouter sa voix enchanteresse. Après avoir beaucoup tâtonné, nous finîmes par l'entendre.

— Bientôt, nous serons à Pagopago, chuchota Gabriel pendant une interruption de la conversation, due aux parasites. Il paraît qu'on y trouve les femmes les plus sensationnelles du monde. Mais elles nous sont réservées, à Normand et à moi. Vous, les aînés, les hommes mariés, vous vous contenterez de rester sur le radeau.

Il nous expliqua ensuite qu'il leur apprendrait à chanter des romances de son pays, à danser la *cueca*, à dire « Je vous aime » en français, en espagnol, en allemand et en grec, et à lui gratter ce dos couvert de sel qui le démangeait si fort.

Soudain, plus aucun son ne sortit du poste de radio.

— Fichu appareil, dis-je, en le frappant du poing avec colère. Il y a sûrement quelque chose de cassé.

Pendant plusieurs heures, Marc et moi essayâmes de réparer le poste, mais, malgré nos efforts, il refusa de fonctionner.

— Eh bien! Joe Megan avait raison, constatai-je. Cette radio ne pouvait pas marcher éternellement. Il va falloir que nous nous en passions pendant la fin de l'expédition.

Le lendemain, je démontai de nouveau le poste, toujours sans résultat. Le troisième jour, Gabriel me remplaça; à intervalles réguliers, il appliquait de fortes claques sur le dessus et les côtés de l'appareil, tout en essayant de l'amadouer par quelques mots gentils en espagnol et en français. Tout à coup, la radio rendit un son grave, plaintif.

— Ça marche ! s'exclama Gabriel. Écoutez-moi ces parasites, n'est-ce pas merveilleux ?

Quelques instants plus tard, nous entendîmes la voix brouillée de l'amiral Fernandez.

— Vous m'entendez ? Vous m'entendez ? répétait-il sans cesse. Il y a deux jours que nous essayons de vous contacter. Depuis mercredi, nous ne vous entendons plus en phonie. Je reçois simplement une sorte de cliquetis qui vient de votre émetteur.

Je hurlai dans le micro, mais de toute évidence, seul le cliquetis lui parvenait.

— Si vous m'entendez, reprit Fernandez, déconnectez la bobine d'émission et utilisez-la comme un manipulateur télégraphique.

Je suivis ses instructions, préparai la bobine et attendis ses ordres.

— O. K., dit-il, j'ai l'impression que vous m'entendez. Alors, donnez-moi trois longs clics.

— Cliiic... Cliiic... Cliiic...

— Parfait. Rappelez-vous maintenant qu'un long clic veut dire « oui » et que deux clics courts signifient « non ». Je vais vous poser des questions précises. Répondez par oui ou par non. Faites-vous entre vingt et trente milles par jour ?

— Clic clic (Non).

— Allez-vous plus vite ?

— Cliiic (Oui).

— Faites-vous plus de cinquante milles ?

— Cliiic.

— Plus de cent ?

— Cliiic.

— Entre cent vingt et cent trente milles ?

— Cliiic.

Fernandez recueillit ensuite des renseignements précis sur notre position, notre cap approximatif, la vitesse du courant, ce qu'il nous restait de vivres et d'eau potable à bord, ainsi que sur notre état de santé. Il nous promit de contacter un radio amateur australien et de le mettre au courant de notre façon de communiquer.

— Vous serez bien plus près de lui, conclut-il, et les signaux seront plus clairs.

Je savais cependant qu'il ferait tout ce qui était en son pouvoir pour garder le contrôle du réseau qui nous reliait aux amateurs du monde.

Quelques jours plus tard, notre liaison par les ondes faillit être coupée. Pendant que j'étais en communication, Normand s'occupait généralement de la génératrice, et la sortait de la cabine pour que je ne sois pas dérangé par le bruit. Cet après-midi-là, il était perché sur le tronc de bâbord, tenant le petit moteur sur ses genoux, quand une grosse lame le fit tomber par-dessus bord. Serrant la génératrice sur son cœur comme un arrière de rugby étreint son ballon, Normand réussit à saisir un cordage de sa main libre. De tribord, Gabriel accourut alors à son secours, attrapa le moteur d'une main et hissa Normand à bord de l'autre.

— Pas mal, ce numéro, dis-je. Dix secondes chrono pour tomber à l'eau et en ressortir.

— La prochaine fois, nous ferons payer l'entrée, dit Gabriel, en me tendant la génératrice ruisselante. Toutes mes excuses cependant pour avoir enfreint la règle qui interdit de toucher un camarade, ajouta-t-il en plaisantant.

— Elle ne s'applique pas en cas d'urgence, répondis-je.

Il n'avait pas été facile, au début, de faire respecter la règle qui interdisait tout contact physique. Nous étions tous des Latins, habitués à toucher le bras de notre interlocuteur pendant une conversation, et à dire bonjour à nos amis, hommes ou femmes, en les embrassant affectueusement. Mais à présent, nous étions en train d'acquérir une réserve qui est plutôt dans le caractère des Anglais. Je commençais à me sentir tellement à l'aise dans cet isolement volontaire que je me demandais si je retrouverais, par la suite, mon penchant pour les démonstrations d'affection.

D'autres contingences étaient plus difficiles à supporter. Chaque jour, les fourmis semblaient croître en nombre, et parfois je priais qu'une tempête vînt en débarrasser notre radeau.

Un soir du début de septembre, comme nous approchions des îles Samoa, les dieux décidèrent apparemment d'exaucer mon vœu. Le coucher de soleil avait été d'une beauté éblouissante, un embrasement qui parait d'ocre et d'orangé le vaste chaos des nuages qui s'amoncelaient à l'horizon. La mer elle-même semblait une flamme ondoyante. Mais dès que cette orgie de couleurs prit fin, les nuages se firent menaçants, et la mer, sombre et houleuse, ne présageait rien de bon.

Puis soudain le vent se leva et cingla notre voile, la faisant claquer contre nos têtes tandis que nous l'amenions à la hâte.

— Agrippez-vous aux cordages! criai-je au moment où une lame de cinq mètres soulevait le radeau pour le lancer comme un bolide sur sa crête d'écume. Agrippez-vous aux...

Une seconde lame nous inonda, avant que j'aie pu terminer ma phrase. Mes camarades s'étaient déjà attachés, et j'attrapai vivement un cordage pour en faire autant. Mais avant que j'aie pu atteindre le mât, une véritable muraille liquide nous prit par le travers, se brisa au-dessus de la cabine et me précipita violemment sur le pont. Assommé et tout étourdi, je parvins cependant à agripper le mât au moment où une lame plus forte encore s'engouffrait par l'ouverture de la cabine, pour s'écouler par les fenêtres en emportant un sac de couchage.

Nous nous trouvions dans la situation d'aveugles dans une maison d'épouvante, ne sachant d'où allait venir l'attaque suivante. Ballottés en tous sens, nous nous accrochions au mât et aux traverses commes des crabes effrayés, en essayant de nous remonter le moral avec des plaisanteries où le cœur manquait.

— Les dieux t'ont exaucé, Vital, me cria Gabriel. J'ai vu trois fourmis emportées par la dernière lame.

— Non, ce n'est pas vrai, répondis-je, entre deux gorgées d'eau de mer. C'est moi qui les ai avalées.

Enfin, après deux heures d'un supplice sans répit, les rafales se calmèrent, nous laissant engourdis d'épuisement.

Le lendemain matin, nous inspectâmes les dégâts. Le pont et la cabine n'étaient plus qu'un champ de bataille jonché de débris trempés. Le sac de couchage déchiré de Marc pendait mollement d'une traverse, mon short en lambeaux avait échoué sur le réchaud portatif, et une chemise rouge effilochée était enroulée autour du tronc de bâbord comme un bandage trempé de sang. Notre antenne de radio s'était entortillée autour du bout-dehors endommagé, et des éclisses de bambou sortaient du toit de la cabine comme les épis rebelles d'une chevelure d'écolier.

— Cela aurait pu être pire, dis-je, me rabattant sur un cliché.

— Nous n'y échapperons pas, je le crains, nous avertit Marc. Nous entrons dans la zone des cyclones.

Nous le savions depuis longtemps (l'amiral Fernandez avait clairement indiqué sur notre carte les changements de climat), mais cette première nuit de tempête avait servi à nous rappeler, de manière plutôt éloquente, les dangers qui nous attendaient.

Nous eûmes à essuyer deux autres grains avant d'atteindre Samoa. Nous profitâmes de quelques intermèdes ensoleillés pour resserrer les traverses de notre cabine branlante, réparer le bout-dehors craqué, laver et sécher nos chemises et pantalons dont la couleur avait passé au soleil. Notre trousseau était maintenant réduit à douze articles : quatre chemises, quatre pantalons, et quatre sacs de couchage, mais comme nous passions la plus grande partie du temps en pagne, nos besoins vestimentaires étaient des plus réduits.

Une forte houle, à l'arrière, annonce la tempête proche.

Le 12 septembre, à l'aube, nous aperçûmes à l'horizon la première terre depuis les îles Galapagos, que nous avions passées plus de treize semaines auparavant. C'était la côte ourlée de vert de Savaii, une île de l'archipel de Samoa, longue d'une centaine de kilomètres. Marc, Gabriel et moi nous mîmes à hurler :

— Saamooaa! Saamooaa!

Normand, quant à lui, se contenta de roucouler:

— Ça aaalors!

Dans nos jumelles (l'unique paire que nous possédions), nous pûmes apercevoir le clocher d'une église néo-gothique, entourée de palmiers d'un vert éclatant. Nous voyions aussi en imagination de ravissantes jeunes filles en pagne, dansant sur la plage.

— Ces filles sont maintenant converties au christianisme et habillées des pieds à la tête, fit observer Marc, et d'ailleurs vous ne les verrez pas.

— Et pourquoi donc? demanda Gabriel.

— Parce qu'une barrière de récifs nous en sépare, et qu'il vaut mieux ne pas s'en approcher.

Momentanément déçu, Gabriel regardait avec envie cette île belle et fertile.

Assuré par une corde autour de la taille et équipé de son ciré, Vital fixe une guara.

— Il y a peut-être un passage dans les récifs, suggéra-t-il.

— C'est possible, répondis-je. Les cartes ne sont pas précises à ce point-là.

Nous continuions à dériver au large de Savaii, et c'était pour nous un supplice de Tantale que de voir les grands cocotiers se courber doucement sous la brise, les oiseaux multicolores voleter parmi les arbres, tandis que les brisants à crête blanche roulaient vers les plages de sable. A midi, nous étions à la hauteur de l'église, dont la partie inférieure nous était partiellement cachée par un récif déchiqueté. Comme le vent avait tourné et nous entraînait trop près du récif pour notre sécurité, nous amenâmes la voile.

Comme nous dérivions de plus en plus vers l'île, je scrutai l'eau pour tenter d'apercevoir l'écume des brisants qui, en déferlant contre les récifs, révèlent leur présence, car à cet endroit les écueils submergés présentaient un piège dangereux. Mais les seuls brisants que je vis étaient ceux qui déferlaient au loin sur les plages de la côte.

Au coucher du soleil, nous n'étions plus qu'à trois milles de la côte et dérivions toujours vers le sud-ouest en direction de l'île. Le long de la côte apparaissaient des lumières clignotantes et de légères spirales de fumée.

— Vous sentez cette odeur de cuisine? dit Gabriel d'un air affamé.

— C'est ton imagination qui travaille, lui répondit Marc. Le vent souffle de l'autre côté, et ce que tu sens, c'est le poisson qui cuit dans cette poêle.

— Pourquoi ne pas leur faire des signaux? suggéra encore Gabriel. Qu'en penses-tu, Vital? Ils viendront peut-être jusqu'ici et nous indiqueront les récifs à éviter.

Marc envoya deux fusées, et une demi-heure plus tard nous vîmes une vedette se diriger vers nous. Il y avait trois hommes à bord, un Néo-Zélandais et deux Samoans ; ils nous assurèrent que le vent allait tourner et je leur demandai s'ils pouvaient nous apporter quelques fruits.

— Il est peut-être déjà trop tard pour aller à terre et revenir, dit le Néo-Zélandais. Pourquoi ne nous laissez-vous pas vous remorquer jusqu'à l'île? Là-bas, vous trouverez tout ce que vous voudrez, et je suis sûr que tous ces braves gens seraient ravis de vous voir. Ils sont très gentils... et quelque peu curieux aussi...

— Et les récifs ? demandai-je.

— Il n'y en a pas entre ici et la baie, me répondit-il.

Devant l'aimable et souriante insistance des insulaires, nous cédâmes et acceptâmes de passer une heure ou deux dans la baie, mais nous ne nous attendions pas à l'accueil qu'ils nous réservaient. Dès que nous approchâmes du bord, une ribambelle de gens, des femmes pour la plupart, grimpèrent sur le radeau en riant. Ils se mirent à fureter dans tous les coins, jetèrent des coups d'œil curieux dans la cabine, se penchèrent pour voir de plus près la façon dont étaient assujettis les troncs, et terrorisèrent tellement Minet qu'il finit par se cacher.

— Je vous en prie, je vous en prie ! leur criai-je enfin, nous sommes très fatigués, laissez-nous dormir un peu !

La plupart des femmes étaient d'une beauté si remarquable que Gabriel en resta ébloui et sans voix. Plus tard, quand il fut un peu remis de ses émotions, il nous confia :

— Un jour, je reviendrai ici pour faire plus ample connaissance avec elles.

On nous laissa enfin tranquilles vers trois heures du matin, mais nous étions plus épuisés qu'après avoir essuyé une tempête. En prenant le quart de nuit, je dis à Marc que nous partirions dès que nous aurions un vent favorable. Mais de bon matin, des visiteurs devancèrent la brise espérée et nous apportèrent des monceaux de fruits et des plats chauds. Après avoir fait honneur au menu des insulaires, nous fîmes de grands gestes d'adieu à nos nouveaux amis, et poursuivîmes notre voyage.

Minet était sorti de sa cachette et s'amusait avec des crabes près de l'arrière, poussant un miaulement de douleur bien imité chaque fois que l'un d'entre eux essayait de lui pincer la patte. Nous étions si fascinés par sa petite comédie qu'aucun de nous ne remarqua l'énorme albatros au bec crochu et aux grosses pattes palmées, dont les ailes avaient une envergure de deux mètres à deux mètres cinquante, qui planait au-dessus de nous.

L'oiseau nous prit par surprise, fondit sur nous comme une ombre, et saisit Minet dans son bec. Déséquilibré par sa proie qui se débattait, l'albatros n'en tenta pas moins de reprendre son vol. A plus de deux mètres en l'air, Minet faisait de furieux efforts pour se libérer, et il força finalement l'oiseau de proie à le lâcher juste derrière la cabine.

— Assassin! hurla Gabriel, en courant vers son protégé qui,

comme tout chat qui se respecte, avait atterri sur ses pattes. Je le tuerai, cet oiseau!

Il y avait une large entaille au cou de Minet; une grosse touffe de poils, large de cinq centimètres, avait été arrachée, mais il semblait plus furieux que blessé.

— Heureusement que cet oiseau avait les pattes palmées, dit Marc en examinant la blessure. S'il avait eu des griffes comme un aigle ou un faucon, adieu, Minet! Ce chat a eu la chance d'être trop lourd pour le bec de son ravisseur.

Nous nettoyâmes la plaie, appliquâmes un antiseptique, et entourâmes doucement le cou du petit chat d'un bandage; il ne lui fallut que quelques heures pour le réduire en lambeaux avec ses griffes. Ce fut Marc qui trouva la solution :

— Entourons ses pattes de moufles de gaze, suggéra-t-il, sinon sa blessure ne se cicatrisera jamais.

Et notre Minet déambula ainsi sur le pont, les quatre pattes garnies de manchettes de gaze et le cou entouré d'une collerette. De temps en temps, il léchait une de ses moufles pour procéder à sa toilette. Curieusement, l'idée ne lui vint pas d'arracher avec ses dents les bandages de ses pattes.

— Cela détruirait ses effets, fit observer Marc quand je lui en fis la remarque. Minet est bien trop cabotin pour gâcher un bon numéro.

6

Nous avions beau avoir parcouru les deux tiers de la distance qui nous séparait de l'Australie, la plupart des dangereux récifs et bancs de roches, ainsi que les fortes tempêtes, étaient encore devant nous. Il nous fallait maintenant réussir à passer entre dix barrières de récifs importantes, dont neuf, d'après nos calculs, se présenteraient de nuit. S'il y avait une erreur dans mon plan de navigation, nous ne le saurions sans doute qu'au moment de l'effroyable choc, en pleine nuit.

Après avoir quitté Savaii, nous avions voulu descendre en latitude, mais la forte brise du sud qui souffla tout l'après-midi du 15 septembre nous poussait irrémédiablement vers le nord-ouest. Le vent soufflait de plus en plus fort à mesure que l'heure avançait; il soulevait des vagues de plus de six mètres de haut et risquait de nous pousser vers le périlleux banc de Pasco, dont nous n'étions éloignés que de soixante milles.

Mais bientôt nous eûmes à faire face à un danger plus immédiat. Notre radio de bord, qui était toujours en panne d'émission mais non de réception, nous permit de capter un bulletin météorologique en provenance de la Nouvelle-Zélande, qui annonçait des vents de soixante-dix à quatre-vingts kilomètres à l'heure.

— Mettez les panneaux en place! hurlai-je.

J'enfermai aussitôt le poste de radio dans des sacs en plastique qui fermaient hermétiquement, et le suspendis au plafond de la cabine. Pendant ce temps, Gabriel amenait la voile, tandis que Marc et Normand arrimaient solidement divers autres objets. Juste avant le coucher du soleil, d'épais nuages s'accumulèrent au-dessus de nous, et de l'est nous parvint le long hululement du vent. Comme il augmentait de vitesse, cette plainte devint un cri aigu, qui me glaça jusqu'à la moelle, car il me rappelait les *lloronas* des contes de mon enfance, ces sorcières folles qui rôdaient la nuit en poussant des cris épouvantables.

— Je n'ai jamais entendu le vent hurler de manière si étrange, dit Gabriel.

Il soufflait maintenant en rafales, atteignant quatre-vingts kilomètres à l'heure, et soulevant des lames de dix mètres, qui faisaient tournoyer *La Balsa* comme une boîte d'allumettes. Les vagues elles-mêmes produisaient un curieux vrombissement.

— Ce sont les plus grosses qui s'enroulent sur elles-mêmes, hurla Marc à mon intention. Ces énormes lames ne se brisent pas, elles se retournent à l'intérieur, dans un mouvement de roue.

Espérant y être plus en sécurité qu'au-dehors, nous nous réfugiâmes dans notre fragile cabine. Par l'ouverture, nous n'apercevions que les vagues démontées qui nous assaillaient de tous côtés, et soulevaient le radeau par des claques brutales qui nous faisaient rebondir au hasard, comme des dés mal lancés. Chaque fois, le plancher de la cabine s'inclinait de quarante-cinq degrés, nous faisant d'abord glisser les uns par-dessus les autres, impuissants, contre une paroi, puis nous renvoyant violemment contre la paroi opposée, tandis que d'énormes masses d'eau se déversaient par l'ouverture et ressortaient par les fenêtres, après nous avoir chaque fois trempés de la tête aux pieds.

Tout à coup, une énorme lame s'engouffra par la fenêtre de bâbord et entraîna Marc, dont la tête alla heurter le poste de radio. Il ouvrit la bouche pour crier, mais aucun son n'en sortit et il s'effondra sur le sol.

— Marc! criai-je, en me portant vers lui, pris de panique.

A mon grand soulagement, il n'était qu'évanoui, mais il me fallut quelques minutes pour le ranimer. Enfin, il secoua la tête d'un air égaré et demanda :

— Où suis-je?

— Sur *La Balsa,* lui répondis-je. Tu t'es fait assommer par une lame.

Pendant un instant, il parut méditer ma réponse, puis son regard s'éclaircit, et il s'agrippa à un barrot en cornière pour se redresser.

— Ça va bien maintenant? lui criai-je encore.

Il me répondit par un vigoureux hochement de tête.

Par l'effet de quelque miracle, notre cabine de bambou tint bon, pliant sous la violence des rafales, mettant à dure épreuve les cordes qui l'assujettissaient. Aucune cabine moderne, même du modèle courant à armature métallique, n'aurait résisté à une telle pression.

Une heure ou deux avant l'aube, la tempête se calma et le vacarme perdit de sa violence, ce qui nous permit de faire l'inventaire des dégâts.

— Le bout-dehors a encore craqué, dit Marc en passant la main sur la cassure précédente, qu'il avait consolidée avec une grosse corde, mais heureusement, c'est au même endroit.

Il se déplaçait plus lentement que d'habitude; de toute évidence, il n'était pas encore remis du coup qu'il avait reçu à la tête.

Deux caisses de provisions avaient volé en éclats; les nattes de bambou qui recouvraient le pont étaient en lambeaux, et les feuilles de bananier avaient été arrachées du toit de la cabine. Le pont était jonché de menus débris et entre les troncs découverts frétillaient des centaines de sardines vaironnes. Dans la cabine, nos sacs de couchage trempés d'eau sentaient plus mauvais que jamais. Gabriel déclara :

— Il est temps de penser au nettoyage de printemps.

— Nous sommes à la mi-septembre, lui rappelai-je.

— Je le sais, rétorqua-t-il, mais ici, dans l'hémisphère Sud, c'est le printemps.

Avec toutes les petites tâches qui nous occupèrent ce jour-là, il nous fut plus facile d'oublier les nuages gris et menaçants que le vent d'est amenait vers nous. Nous procédâmes au grand nettoyage de notre radeau pendant qu'il faisait les montagnes russes d'une vague à l'autre, tout en gardant, cependant, un œil inquiet sur l'horizon.

La deuxième tempête fut sur nous quelques heures après le coucher du soleil. Une fois de plus, les vagues s'enflèrent jusqu'à dix-sept mètres de haut, et pendant que l'eau s'engouffrait dans notre cabine pour en ressortir aussitôt, nous essayâmes de faire passer la nuit plus vite en plaisantant. Nous riions, et parfois de manière hystérique, comme il arrive lorsqu'on est mort de fatigue ou terriblement effrayé. Je dois dire pourtant en toute honnêteté que j'avais dépassé le stade de la peur. J'étais conscient du danger, certes, mais j'avais la conviction que nous triompherions de cette terrible épreuve, et que, sans elle, notre expédition n'aurait aucun sens. Je me disais aussi que c'était peut-être saint François lui-même qui nous avait envoyé ces vents.

— Chisco! dis-je à mi-voix, tu es un vrai coquin.

— Tu te remets à parler à ton saint? me demanda Gabriel.

— Je ne fais que le remercier pour cette magnifique tempête, lui répondis-je.

Gabriel était persuadé que les rafales m'avaient fait perdre la raison.

La tempête accaparait tellement notre attention que personne ne s'aperçut de la disparition de Minet. Ce fut Marc qui remarqua tout à coup son absence.

— Il est avec Normand, dit Gabriel, qui n'y voyait rien dans l'obscurité.

— Mais non, il est avec toi, répliqua Normand.

Alors Gabriel bondit sur ses pieds, et criant « Minet, Minet! » essaya de franchir l'ouverture, au moment où une masse d'eau s'y engouffrait.

— Attrape-le, Vital, me cria Marc, ou il va passer par-dessus bord.

En tirant de toutes mes forces j'arrivai, avec l'aide de Normand, à ramener Gabriel dans la cabine.

— Ne crains rien pour Minet, le rassura Marc, en mettant autant de conviction que possible dans sa voix, il est coriace.

Mais Gabriel restait inconsolable.

— Il s'est noyé, dit-il, en revenant s'asseoir dans son coin.

Il n'ouvrit plus la bouche de tout le reste de la nuit, mais nous savions qu'il était malheureux. Je ressentais moi-même de la tristesse.

La tempête s'était calmée avant l'aube, et quand nous sortîmes de la cabine au lever du jour, un calme irréel nous accueillit. Comme je restais là, immobile, essayant de m'accoutumer à ce silence subit, j'entendis un miaulement angoissé. Minet était agrippé à l'un des supports inclinés du mât, ses pattes entourant le bois comme celles d'un ourson sur un arbre.

— Minet, Minet! hurla Gabriel. Descends!

Mais Minet était trop effrayé ou trop épuisé pour bouger. Gabriel grimpa donc au poteau, et ramena le chat sur le pont, les yeux pleins de larmes. Oubliant notre propre fatigue, nous accueillîmes par des acclamations, des rires et des caresses notre petite mascotte si tenace. Minet avait prouvé qu'il était plus qu'un dur à cuire, un véritable héros.

La tempête reprit vers le milieu de l'après-midi. Marc passa par-dessus bord, peu après avoir pris son quart de six heures. Ébranlé et fatigué par le choc qu'il avait reçu deux nuits auparavant, il avait en outre les doigts couverts d'ampoules, pour avoir resserré les nœuds de notre cabine. C'est pourquoi, lorsque le radeau fit une brusque embardée, il lâcha la *guara* de bâbord et tomba de l'arrière à la renverse, en criant : « A l'aide! » Sans perdre un instant, Normand et moi le hissâmes à bord, à l'aide du filin attaché autour de sa taille, en bandant tous les muscles de nos bras fatigués.

Je me rendis compte alors que j'aurais dû l'obliger (au lieu de l'inciter seulement) à laisser quelqu'un d'autre prendre son quart.

— Marc, lui dis-je, en ma qualité de commandant de ce navire, je dois t'ordonner de regagner tes quartiers. Nous ne pouvons pas nous permettre d'avoir un chef cuistot fatigué qui pourrait nous empoisonner.

Il sourit et se glissa à l'intérieur de la cabine pour se reposer, autant que c'était possible avec cette mer si mauvaise.

Mon allusion à sa cuisine était ironique, car pendant ces trois jours de tempête, aucun d'entre nous ne s'était occupé de ce détail. Nous avions vécu de ce qu'il restait des fruits frais et du pain qu'on nous avait donnés à Savaii. Comme nous avions envie d'un plat de poisson frit ou même cru!

En dehors de la faim, nous ressentions tous une immense lassitude : tous nos muscles étaient endoloris, et nos mains, comme celles de Marc, enflées et blessées à force de manier les cordages. Ces derniers, comme il fallait s'y attendre par un temps aussi capricieux, étaient tantôt lâches et tantôt tendus à craquer, à quelques minutes d'intervalle.

Le 18 septembre, le temps se mit enfin au beau, ce qui me permit de déterminer notre position en latitude et en longitude. Je découvris que la tempête nous avait entraînés au nord-ouest, vers une zone infestée de récifs, mais que nous avions apparemment côtoyé le banc de Pasco la nuit du 15 septembre. Nous étions pour l'instant en train de contourner sans dommage le banc Isabella, autre récif perfide. Il était curieux de rencontrer des noms espagnols loin de tout, ici, au milieu du Pacifique Sud. Nous autres, Espagnols, avons laissé partout la marque de notre passage.

Nous voulions descendre le plus près possible de la côte nord de Vanua Levu et de Viti Levu, deux des principales îles Fidji, puis mettre le cap au sud et enfin à l'ouest, pour passer au sud de la Nouvelle-Calédonie. Je tenais surtout à éviter les Nouvelles-Hébrides, chaîne d'îles volcaniques située entre les Fidji et la Nouvelle-Calédonie, et qui, sur une distance de près de quatre cents milles, représentait un cauchemar, même pour les navires munis d'appareils de détection modernes. En empruntant l'itinéraire que j'avais choisi, nous éviterions la plupart des îles et des récifs, sans compter les célèbres récifs australiens de la Grande Barrière.

Nous avions maintenant passé une quinzaine de semaines en haute mer, et avions acquis une nouvelle forme de courage, le courage tranquille, éprouvé, du matador endurci, tout différent de la témérité du jeune *novillero,* qui en est encore à se convaincre qu'il n'a pas peur des taureaux. Tels de bons matadors, nous essayions de garder cette « élégance devant le danger », si bien décrite par Ernest Hemingway.

Marc répondit à ma métaphore hispanique avec un scepticisme typiquement français.

— Rappelle-toi, me dit-il, que Manolete lui-même a fini par rencontrer un Miura. (On sait que le célèbre matador Manolete fut tué en 1947 par un taureau qui provenait de l'hacienda de Miura, réputée pour élever les taureaux les plus dangereux d'Espagne.)

— Alors, nous mourrons comme Manolete, et avec élégance, je l'espère.

Comme l'indique mon journal de bord, nous ne devions pas affronter les jours suivants de réels dangers, mais il semblait bien que de sérieuses difficultés nous attendaient.

Le 23 septembre

Nous sommes descendus de quelques degrés en latitude, mais ce n'est pas suffisant. Un assez fort courant nous pousse vers l'ouest. D'après les cartes marines, ce courant se dirige vers le sud à une vitesse d'un demi-nœud, mais d'après nos constatations, il nous entraîne vers l'ouest à une allure de deux nœuds et demi. Cela ne me plaît pas.

Le 1er octobre

Pour passer au large de l'extrémité sud de la Nouvelle-Calédonie, il nous faudra naviguer au cap 200, et pour ce faire, nous avons besoin d'un vent d'est ou de nord-est, pas de ce vent du sud qui souffle aujourd'hui!

Nous accusons Dieu, le diable et la nature ! Comment se fait-il que Chisco ne se manifeste jamais quand nous avons besoin de lui?

NORMAND avait passé plusieurs heures à essayer d'attraper un gros espadon qui nous suivait à la trace depuis le lever du soleil. Il plongeait sous *La Balsa* et ressortait de l'autre côté, en transperçant l'eau avec une rapidité affolante de son épée de deux mètres de long. Puis il se roulait dans les flots et battait les vagues de la queue comme un dauphin espiègle.

— Il ne se laisse pas prendre à mon appât, me dit Normand.

— Il n'a pas assez faim, lui répondis-je, mais cela ne saurait tarder, avec tout l'exercice qu'il prend.

Enfin, l'espadon attrapa l'appât de Normand, mais sans toucher à l'hameçon. Comme il s'éloignait, un énorme requin gris surgit des profondeurs comme une torpille et d'un féroce coup de mâchoire sectionna la queue de l'espadon. Mortellement blessé, il fut bientôt dévoré, dans un remous sanglant, juste au-dessous de la surface.

— Voilà notre dîner qui s'en va, dit tristement Normand.

— Pourquoi ne mangerions-nous pas un peu de requin? suggéra Marc. Il y a là de quoi faire un plat de filets succulent.

— Pas aujourd'hui. Il est trop gros, ce cannibale. Je ne suis pas de force.

Je savais ce que Normand voulait dire : le manque de sommeil et de nourriture, pendant les trois jours de tourmente, nous avait affaiblis. Nous capturions généralement des requins de deux à trois mètres de long. Leur peau coriace et leurs muscles d'acier les rendaient difficiles à découper. Certains d'entre eux étaient couverts de rémoras, ces poissons parasites noirs et visqueux, qui s'accrochent aux gros animaux marins par une sorte de ventouse en forme de disque placée au sommet de leur tête aplatie.

Chose curieuse, Minet ne manifestait aucun intérêt pour les rémoras; peut-être le dégoûtaient-ils? Mais sa passion pour les crabes finit par lui créer des ennuis. Un après-midi, il taquinait un gros crabe que Normand avait pris, quand tout à coup le crustacé attrapa la patte de devant gauche de Minet dans une de ses grosses pinces. Le chat poussait des miaulements de détresse, et arpentait le pont en boitillant, tout en donnant à l'animal des coups de sa patte libre pour essayer, mais en vain, de se libérer de cet étau. Normand dut sectionner la pince du crabe pour arriver à l'ouvrir.

— Minet, lança-t-il au chat, tu n'es qu'un imbécile.

Visiblement vexé, Minet alla se cacher, et nous n'entendîmes plus, de temps à autre, qu'un faible miaulement, qui semblait venir de derrière la cabine.

— Il veut nous punir, dit Marc. Il se cache, dans l'espoir que nous le croirons mort ou disparu.

Il nous imposa cette pénitence pendant plusieurs heures, puis, quand le soleil descendit sur l'horizon, il quitta sa cachette pour se pavaner d'un bout à l'autre du pont.

— Ne riez pas, dis-je en gardant mon sérieux, sinon il va retourner se cacher.

Nous n'aurions d'ailleurs pas eu le temps de voir une nouvelle fois Minet dans son numéro, car une tempête se préparait encore. Nous eûmes juste le temps d'amener la voile avant le premier coup de vent, qui fit battre le bout-dehors contre le mât. Pendant plusieurs heures, nous fûmes ballottés par les vagues dans l'obscurité, et nous écoutâmes la symphonie de sons divers que les vents, toujours plus forts, tiraient des cordages tendus. (Quand les cordages les plus minces vibraient intensément, nous savions que le vent était fort; quand les cordages de plus d'un centimètre d'épaisseur commençaient à bourdonner, le vent était très fort, et quand nous entendions les cordages de deux centimètres de diamètre rendre un son profond, comme celui d'une contrebasse géante, il était temps de condamner les panneaux.) Solidement plantés sur nos jambes pour soutenir l'assaut des lames, nous sentions sous nos pieds le libre jeu des troncs qui s'enfonçaient et remontaient comme les touches d'un piano, au rythme de la mer en furie.

— Faisons le quart toute la nuit, me suggéra Gabriel. Les deux autres, et surtout Marc, ont besoin de repos.

— Bonne idée, répondis-je.

Le grain d'ailleurs se calmait déjà. Peu après l'aube, Marc et Normand sortirent de la cabine pour nous relever.

— Pourquoi ne nous avez-vous pas réveillés? nous reprocha Marc.

Aucun de nous ne lui reprocha sa mauvaise humeur.

— Ce soir, nous allons avoir un dîner de rois, prédit Gabriel, avant de sombrer dans un profond sommeil. Marc a l'air d'un autre homme.

Le lendemain, au milieu de l'après-midi, Marc nous dit qu'il se sentait mieux, mais que l'état du radeau laissait à désirer.

— Les troncs semblent avoir plus de jeu, Vital, dit-il. Avec toutes ces tempêtes, les cordes se sont détendues, et les rainures se sont creusées.

Nous allâmes vérifier, et constatâmes qu'effectivement les cordes s'étaient enfoncées beaucoup plus profondément dans le bois de balsa, ce qui expliquait le jeu qui existait entre les sept troncs principaux. Cela nous causa beaucoup de souci, au moment d'amorcer notre route en zigzag entre les dangereux récifs que nous allions rencontrer. Un radeau aux troncs étroitement arrimés aurait été bien plus facile à manœuvrer.

Le 5 octobre, nous nous aperçûmes que nous ne pourrions pas passer au sud de la Nouvelle-Calédonie. Je décidai donc de faire route entre les îles Erromango et Tanna, au sud de l'archipel des Nouvelles-Hébrides.

— Ce sera un passage étroit et dangereux, expliquai-je à Gabriel, qui avait étudié les cartes avec moi. Il se trouve à cet endroit toutes sortes de récifs qui ne figurent pas sur les cartes.

Debout à l'avant de notre petit radeau qui plongeait et rebondissait, à la poursuite du soleil couchant, nous cherchions à apercevoir les deux îles entre lesquelles nous devions passer. Le coucher de soleil était magnifique : des nuages duveteux couleur de flamme escortaient au-delà de l'horizon le disque orange étincelant. On aurait juré que la terre était plate et que le soleil, basculant au bord, allait s'abîmer dans l'espace. Mais quand l'astre eut disparu, nous n'avions toujours pas vu la moindre trace d'Erromango ou de Tanna, et le vent changeait de direction.

— Je te retiens, Chisco, murmurai-je à mi-voix. Nous allons naviguer sans visibilité. Pourquoi faut-il que nous affrontions toujours ces dangers de nuit ?

Se détachant sur fond de mer, un membre de l'équipage vérifie le gréement.

Personne n'eut le cœur à dormir. Nous fîmes tous le quart. Aux deux coins de l'avant, Marc et moi essayions de scruter l'obscurité. Normand et Gabriel, postés à l'arrière, se relayaient à la *guara* de bâbord, prêts à changer de cap si c'était nécessaire. Aux environs de minuit, je crus voir une vague se briser contre un récif invisible, mais ce n'était que l'aileron dorsal d'un requin, qui découpait autour du radeau un cercle d'écume. Il fut vite rejoint par un autre et, à eux deux, ils nous suivirent pendant des heures comme des vautours.

— Erromango et Tanna, murmura Marc d'un ton rêveur. Es-tu sûr que ces îles existent ?

— Elles sont sur ma carte, répliquai-je.

Peu après l'aube, Gabriel put vérifier l'existence d'Erromango. Il désigna l'extrémité d'une île qu'on voyait à l'horizon, derrière nous et légèrement au nord-est, et me dit :

— Tu vois, nous l'avons doublée pendant la nuit.

Tanna, qui devait se trouver derrière nous au sud-est, n'était même pas visible.

Le lendemain, tard dans l'après-midi, nous longeâmes la

frange nord des récifs de l'Astrolabe, de triste renommée, et nous en approchâmes assez pour voir des blocs de corail déchiquetés qui émergeaient des vagues sur des milles et des milles. A l'aide de mes puissantes jumelles, j'étudiai une partie d'un récif submergé. On aurait dit un immense jardin de rocaille, parsemé d'anémones et de branches de corail, qui ressemblaient à des plantes fossilisées aux tons pourpres, jaunes, verts et rouges. Il y avait aussi, çà et là, des touffes de mousse vert sombre, des objets couverts de piquants qui ressemblaient à des cactus, et des poissons de toutes dimensions, formes et couleurs : étrange fantasmagorie de flore et de faune dont la mer a le secret.

— Maintenant, il nous faudra passer au nord-ouest des récifs d'Entrecasteaux et des îles Huon, dis-je à Gabriel. Nous verrons bien si le radeau va tenir. Ces parages comptent parmi les plus traîtres du monde.

Dans la soirée du 10 octobre, nous eûmes un contact avec Rafael Corcuera. A l'aide de notre système de cliquetis, qui nous faisait perdre beaucoup de temps, nous lui communiquâmes notre position approximative, sans nous douter que nous nous trouvions à moins de neuf milles des redoutables récifs d'Entrecasteaux.

Puis, au moment de terminer, j'entendis la voix d'un radio amateur néo-zélandais du nom de Gus. Il s'adressait à Rafael, mais nous l'entendions très distinctement.

— Ils sont en danger! disait-il. Ils vont tout droit sur les récifs.

La voix de l'amiral Fernandez l'interrompit :

— Allô, la Nouvelle-Zélande, la Nouvelle-Zélande, je suis d'accord avec vous. Ils courent un grand danger... Le vent souffle de l'est et les entraîne irrémédiablement vers les récifs... Il faut les prévenir... Leur émetteur ne marche plus... Pouvez-vous faire envoyer un avion?

La nuit était déjà tombée quand nous entendîmes l'appel pressant de notre ami de Mexico. Une fois de plus, nous courions peut-être au désastre, dans la nuit sans lune; et cette fois encore, nous passâmes dix heures à veiller.

Mais au lever du jour, les récifs d'Entrecasteaux étaient loin derrière nous, à peine visibles, même avec nos jumelles.

Vers onze heures du matin, nous entendîmes un petit avion survoler les parages dangereux. Cinq heures plus tard, quand nous établîmes de nouveau le contact avec notre réseau d'amateurs, j'entendis une voix qui disait :

— L'avion n'a rien remarqué. Je pense donc qu'ils ont réussi à passer. S'ils avaient heurté un récif, il y aurait eu des épaves.

J'essayai de les rassurer, mais manifestement ils ne recevaient pas mon cliquetis.

Après une demi-heure d'essais infructueux, je retournai donc à mes cartes marines, pour vérifier notre route.

Le 12 octobre

Nous avons dépassé les îles Huon, et leur barrière de récifs, encore une fois pendant la nuit. C'est incroyable ! J'ai l'impression qu'une main nous guide. Je n'arrive plus à dormir la nuit, dans la crainte d'être réveillé par l'écrasement de notre radeau contre un récif.

Le vent souffle de l'est, mais nous ne pouvons pousser au sud autant que nous le voudrions, car le courant nous entraîne droit vers l'ouest. C'est presque plein sud qu'il faudrait naviguer pour éviter les îles Chesterfield et leurs récifs, qui atteignent entre un mètre cinquante et cinq mètres cinquante de haut.

La nuit, il faudrait être à un demi-mille au plus d'un récif pour apercevoir l'écume des brisants, et à ce moment-là il serait probablement trop tard pour qu'un radeau sans moteur pût changer son cap. Mais à chaque épreuve nouvelle, nous étions plus fiers des performances de notre embarcation.

Le 13 octobre

Pas de vent aujourd'hui. Nous nous reposons et laissons le léger courant nous emporter au sud des îles Huon. Nous avons chanté tout l'après-midi après avoir fait honneur à un bon déjeuner de poissons volants préparé par Marc, puis nous avons joué aux dés avec de forts enjeux.

Gabriel a dit : « Pour une fois, nous avons de la chance », mais Marc lui a répondu : « Si la chance nous sourit aujourd'hui, j'ai peur de ce qui arrivera demain. »

Marc avait raison, mais les difficultés que nous allions rencontrer n'étaient pas du tout celles qu'il prévoyait.

7

Le lendemain, nous entrâmes de nouveau dans une zone de calme plat. Il n'y avait ni courant ni brise. La chaleur du soleil était intolérable et nous forçait à rechercher l'ombre relative de la cabine. Rien ne bougeait, sauf quelques cancrelats et fourmis.

Il n'y avait plus de poissons nulle part ; ils avaient disparu en même temps que le courant. Nous eûmes donc au menu du poisson de la veille, et le mangeâmes cru, pour ne pas produire de chaleur supplémentaire en allumant le réchaud. Ce mets nous parut tiède et amer. Ni Marc ni moi ne pûmes l'avaler, mais nous vîmes Normand et Gabriel mâcher la chair coriace avec une obstination morne et résignée, comme s'ils étaient en train de faire leur dernier repas.

Au coucher du soleil, la chaleur devint plus supportable, mais il n'y avait toujours pas de vent. Le lendemain matin, la situation n'avait pas changé. D'après mon sextant, nous n'avions pas progressé d'un mille en vingt-quatre heures.

Enfin, juste après que le soleil brûlant eut basculé par-dessus l'horizon, une douce brise se mit à souffler du nord. Deux heures plus tard, nous nous trouvions engagés dans un courant qui nous entraînait vers le sud, alors que le vent, qui augmentait de force, nous faisait avancer à cinq milles à l'heure, au moins. Nous entonnâmes *la Cucaracha* et *la Marseillaise,* nos voix se chevauchant comme des vagues insouciantes.

Pendant quelques jours, tout fut presque parfait, pendant que nous nous dirigions vers un passage au nord des récifs de Chesterfield.

— Nous sommes à moins de sept cents milles de l'Australie, dis-je à Marc, après avoir fait le point avec mon sextant, et le radeau est toujours en excellent état.

— Sauf qu'il a pris du jeu par-ci par-là, ajouta Marc, et qu'il aurait besoin d'un bon coup de rasoir.

Les algues, qui ressemblaient à des barbes broussailleuses, avaient en effet repoussé sur les troncs extérieurs.

— Il faudrait prendre quelques photos avant de couper ces algues, dit Gabriel.

Nous sautâmes tous les deux dans le dinghy, et nous éloignâmes de quelques centaines de mètres à la rame. De cette distance, *La Balsa* avait l'air terriblement fragile et primitif, et je me dis que nous n'avions guère pris conscience de l'étendue des dangers que nous allions affronter, ni de la fragilité de notre protection.

— J'ai repensé à cette dernière grosse tempête, dit Gabriel d'un ton rêveur, comme s'il avait lu dans mes pensées. C'était plus dur que je ne l'aurais cru.

— Que veux-tu dire par là ? lui demandai-je.

— Je n'arrive pas à trouver les mots pour décrire cette curieuse sensation que je viens d'éprouver en regardant le radeau. Soudain, j'ai eu froid dans le dos. C'est bête, n'est-ce pas ?

— Non, c'est très courant, répondis-je. On appelle cela l'« obusite ». C'est le mal du soldat qui, tant que bombes ou obus explosent tout autour de lui, arrive à dominer sa peur, mais la ressent de nouveau après coup.

Nous nous mîmes à prendre des photos du radeau, Gabriel tenant les rames pendant que je faisais fonctionner l'appareil, puis l'inverse. En revenant vers *La Balsa,* nous lui trouvions une élégance un peu ridicule, une allure à la Don Quichotte, avec sa voile gonflée, qui contrastait avec la pauvre apparence de la cabine. Le légendaire Homme de la Manche aurait été fier, je n'en doutais pas, de naviguer sur notre petit radeau.

Gabriel s'exclama :

— C'est le plus beau radeau du monde !

Je ne pouvais qu'approuver. C'était un brave petit bateau, qui avait tenu bon dans des circonstances exceptionnellement difficiles. Je m'inquiétais néanmoins du relâchement que nous avions constaté dans les cordages, Marc et moi. La nuit, couché dans la cabine, je sentais les troncs frotter les uns contre les autres, comme si les cordes étaient usées et prêtes à céder. Les *guaras*, elles aussi, commençaient à avoir du jeu, ce qui rendait plus ardue la navigation dans des passages étroits. Le radeau allait-il tout à coup se désintégrer, alors que nous approchions des récifs Chesterfield, ou tiendrait-il jusqu'à ce que nous atteignions les récifs de la Grande Barrière, encore plus dangereux ?

— NOUS devons approcher d'une île, me dit un jour Gabriel en désignant de la tête le nuage en forme d'entonnoir qui se profilait devant nous, au loin.

— Ce sont probablement les récifs Chesterfield, dis-je, en étudiant ma carte.

Après avoir rapidement calculé combien de temps il nous faudrait pour les atteindre, je conclus que nous devrions les doubler dans l'obscurité.

Encore une fois, nous restâmes de quart toute la nuit, mais sans apercevoir de brisants pouvant signaler des récifs invisibles. Pourtant, d'après mes calculs, nous avions dû doubler le premier des récifs Chesterfield vers minuit, et le dernier juste avant l'aube. Nous fûmes au comble de la joie quand se leva une forte brise matinale, soufflant de l'est, qui, combinée avec un courant se dirigeant vers le sud, nous entraînerait vers le sud-ouest.

Les jours et les nuits qui suivirent se passèrent à faire des zigzags entre d'autres récifs. Certains, ne figurant sur aucune carte, se trouvaient juste au-dessous de la surface et étaient donc particulièrement dangereux pour de petites embarcations sans radar.

— *La Balsa* a son radar particulier, dit Marc, tandis que nous nous faufilions entre les arêtes vives d'un massif de corail, situé à un mètre cinquante au-dessous de l'eau. Je crois que les algues qu'elle a sur le ventre lui servent d'antenne.

Minet, comme d'autres chats marins, avait aussi acquis un radar intérieur qui lui permettait de prévoir le gros temps bien avant ses premiers signes. Parfois, quand le ciel était tout à fait dégagé, il allait se réfugier dans un coin de la cabine, et quand un grain survenait, quelques heures plus tard, tout le monde était surpris, sauf Minet.

Le 26 octobre

Minet a de nouveau prévu le temps sans se tromper, hier. Il s'est mis tout à coup à pleuvoir à verse.

Aujourd'hui, nous avons entendu pour la première fois un radio amateur de Sydney, du nom de Sid Molen. Cela nous a fait paraître l'Australie bien plus proche. Il a une voix forte et se montre très bref et efficace.

Nous nous dirigions maintenant vers les récifs de la Grande Barrière, une des zones les plus meurtrières du monde pour tout ce qui navigue. Marc se pencha par-dessus mon épaule, quand je déployai notre carte sur les lattes du pont pour étudier les formes déchiquetées de ce banc de récifs d'une longueur incroyable, et y chercher un passage praticable à marée haute.

— Cette zone claire pourrait bien être une trouée, confiai-je à Marc, avec plus d'espoir que de conviction.

— J'en doute. D'après ce qu'on m'a dit, il n'y a pas de passage sûr. Nous ferions mieux de nous préparer à la catastrophe.

— Il reste pourtant une possibilité, poursuivis-je en montrant une série de lignes onduleuses sur la carte. Il existe un courant qui va vers le sud en longeant la face est du récif. A mon avis, il y a quinze pour cent de chances qu'il nous entraîne.

— Et comment es-tu arrivé à un calcul aussi précis? me demanda Marc en souriant.

— C'est très simple, répondis-je. Avec trente pour cent de chances, on a la partie belle, mais j'estime que dans notre cas elle ne l'est qu'à moitié...

Une fois de plus, je me sentais pareil à un matador, au matin d'une course importante, qui se demande comment les taureaux vont se comporter à quatre heures de l'après-midi. Peut-être les récifs de la Grande Barrière seraient-ils pour nous aussi fatals que le taureau de Miura pour Manolete.

Le ciel s'obscurcit avant que nous n'arrivions en vue du récif, et le vent, qui soufflait de l'est, tourna au sud-sud-est. Normand, qui avait grimpé jusqu'au nid-de-pie pour scruter l'horizon avec les jumelles, ne vit rien, que les derniers reflets ambrés du soleil sur les vagues houleuses. Marc et Gabriel se tenaient près du bout-dehors et essayaient de faire tourner la voile juste assez pour modifier le cap sans perdre le vent. Finalement, lorsqu'il fit trop noir pour voir à plus de cent mètres, je leur dis d'amener la voile.

— Nous risquons fort de heurter ce récif avant même de le voir, dis-je, tenant le compas près de mes yeux. Je crois que nous ferions mieux de ralentir et de nous laisser dériver pour le moment. J'espère que le courant est assez fort pour nous tirer d'affaire.

Mais même en l'absence de voile, le vent continuait à nous pousser vers l'ouest. Nous avions tout arrimé en prévision du choc, et il ne nous restait plus qu'à prier en espérant un miracle.

— C'est le moment d'invoquer ton saint, Vital, dit Gabriel. Nous avons besoin de lui.

Il n'y avait dans sa voix aucune trace de raillerie, mais seulement la ferveur d'un athée résolu mais ambivalent.

Tous debout à l'avant, nous essayions de percer l'obscurité, chacun d'entre nous perdu dans ses pensées. Avions-nous parcouru toute cette distance, près de huit mille milles, en déjouant les pires obstacles, simplement pour échouer si près du but ?

Il n'est pas dans ma nature d'accepter aisément la défaite.

— Chisco ! implorai-je tout bas, ne voulant pas laisser voir aux autres à quel point j'étais désespéré, Chisco, donne-nous une chance. Je ne te demande pas un miracle, sapristi ! Juste une petite chance.

Et nous continuions à dériver vers les récifs redoutés, nous armant de courage pour le choc qui allait venir et ouvrant tout grands les yeux pour tenter d'apercevoir la crête blanche des vagues se brisant contre l'invisible barrière. La mer devint encore plus sombre et agitée quand la lune se cacha derrière un banc de nuages, et la tension, à bord, montait un peu plus à chaque minute qui passait.

Tout à coup, la brise faiblit.

— Nous sommes terriblement près, dit Marc. J'entends le ressac contre les récifs. Je vois aussi de l'écume, là-bas, à ta droite. A trois cents mètres environ.

Pas de doute, c'était bien à ma droite ! Nous avions inexplicablement viré de bord, et nous dérivions maintenant vers le sud, avec les récifs à bâbord.

— Nous sommes dans le courant ! m'exclamai-je. Nous allons passer !

Peu avant minuit, une bonne brise venant du nord nous incita à hisser de nouveau la voile. Quand les premières lueurs de l'aube éclairèrent l'orient, nous vîmes la barrière de récifs surgir à côté de nous, éblouissant déploiement de corail resplendissant et de plantes multicolores.

Le 28 octobre, nous avions dépassé les récifs de la Grande Barrière, et poursuivions notre route vers le sud où un dernier obstacle, les récifs de Saumarez, nous attendait au sud-est. Il soufflait un vent rond, et le ciel était bleu et limpide. C'était une journée parfaite pour pêcher et prendre des bains de soleil. Minet, juché sur le toit de la cabine, observait Marc occupé à tirer à bord un dauphin, qui battait furieusement des nageoires. Le petit chat attendit de voir le sang gicler, puis il descendit du toit d'un bond souple et lapa jusqu'à la dernière goutte la petite mare de sang aux pieds de Marc.

— Minet a pris de bonnes manières, dit Marc. Il ne fait plus de bruit quand il boit.

— Il a plus de cinq mois maintenant, répondis-je. Ce n'est plus un bébé.

Nous fûmes interrompus par Normand, qui criait du haut de son nid-de-pie :

— Je vois un bateau, un gros bateau rouge, là-bas!

Je pris mes jumelles et vis un navire immobile. Lorsque nous fûmes plus près, j'aperçus dans son flanc un trou béant. Après avoir déroulé ma carte marine, je constatai qu'on signalait une épave, précisément sur l'un des récifs de Saumarez. Comme je devais l'apprendre plus tard, il s'agissait de l'épave du *Francis Blair*, un liberty ship américain qui avait sombré sur un récif en 1942. Par la suite, il avait servi de cible pour des manœuvres de la R. A. F., ce qui expliquait pourquoi il était peint en rouge.

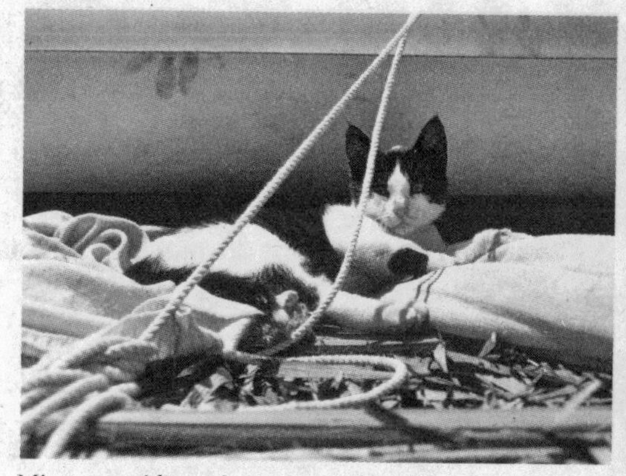

Minet, comédien né et incorrigible chenapan, s'est installé confortablement pour un petit somme réparateur.

— S'il s'agit bien de l'épave signalée, dis-je à Gabriel en me reportant à ma carte, on devrait apercevoir vers le sud-est quelques gros rochers.

Et c'était bien le cas. A une distance de trois milles environ, deux écueils aux arêtes affilées se dressaient hors de l'eau comme des ailerons de requin. Au-delà, nous ne distinguions qu'une ligne d'écume blanche, à l'endroit où les vagues se brisaient sur d'autres récifs.

— Je vois encore une ligne blanche à bâbord, me signala Normand, et une autre derrière l'épave.

Soudain, nous nous rendîmes compte que nous nous trouvions au centre d'un vaste banc de récifs en forme de croissant et que le vent nous poussait sans trêve vers le danger mortel que représentaient ces lignes blanches, au loin. Déjà je pouvais voir les écueils qui se trouvaient au-dessous de nous, à une vingtaine de mètres sous l'eau.

— Si nous passons ce banc-là, dit Marc, nous aurons une sacrée veine.

En approchant de cette première barrière de corail à peine submergée, j'éprouvais à la fois de la frayeur et du ravissement devant l'extraordinaire spectacle qui nous était offert. Sous l'eau transparente d'un vert émeraude, les arabesques de corail chatoyaient des couleurs les plus vives de la palette d'un peintre, et des milliers de poissons allaient et venaient vivement parmi les plantes sous-marines aux formes de rêve. Ce devait être le plus beau moment, et aussi le plus dangereux, de tout notre voyage.

Les vagues se brisaient avec fureur sur deux blocs de corail qui émergeaient de l'eau à un demi-mille l'un de l'autre. Nous avancions entre eux en zigzaguant, évitant parfois de moins d'un mètre un corail meurtrier, et de son perchoir, dans le nid-de-pie, Normand continuait à nous signaler que nous nous dirigions toujours vers une blanche ligne de brisants.

A l'arrière de la cabine, je me livrais à un va-et-vient effréné entre les quatre *guaras*. Il m'arrivait par exemple d'enfoncer les dérives de bâbord, pour les remonter dix secondes plus tard en voyant que le radeau se dirigeait vers un nouveau récif. Pendant ce temps, Marc, à l'avant de la cabine, courait comme un fou d'une dérive à l'autre, pour en modifier la position d'après mes propres manœuvres. C'était une sorte d'acrobatie où chaque fraction de seconde comptait.

Soudain, nous nous trouvâmes cernés par des récifs.

— Nous sommes pris au piège, lançai-je à Marc. Il va falloir essayer de passer par cette trouée.

Nous virâmes donc vers une passe qui s'ouvrait dans l'écume bouillonnante. En nous approchant, nous vîmes que l'espace libre était à peine assez large pour laisser passer le radeau, mais il était trop tard pour rebrousser chemin. C'était le moment ou jamais de mettre à l'épreuve la maniabilité de *La Balsa*. Je déplaçai d'environ quinze centimètres la dérive de tribord arrière, pour corriger un léger gîte à gauche, puis nous nous engageâmes dans la trouée, où l'écume nous aspergea des deux côtés. Soudain, nous entendîmes un affreux grincement au-dessous de nous, puis des craquements, et un choc nous fit tomber sur le pont, quand nos *guaras* accrochèrent rochers et corail. Trois *guaras* se brisèrent, mais en l'espace de quelques secondes, pendant lesquelles, terrorisés, nous retînmes notre souffle, la barrière de récifs fut franchie, et nous nous retrouvâmes flottant sur des eaux profondes et bleues...

Il ne nous restait plus qu'une étape jusqu'en Australie.

8

A L'INSTANT même où nous franchissions les récifs de Saumarez, Normand entonna à pleine voix sa chanson favorite. Nous la reprîmes en chœur avec de grands éclats de rire, nous délivrant de la tension qui nous avait oppressés. Le seul à ne pas goûter nos extravagances était Minet. Il restait assis dans son coin, retroussant sa moustache avec l'air désapprobateur d'un maître d'école à l'heure de la récréation de midi.

— Il sent qu'il n'est pas de la fête, expliqua Gabriel.

— Il miaulait pourtant, d'habitude, quand Normand chantait, tu te rappelles ?

La soudaine réserve du petit chat nous inquiéta, mais juste avant le coucher du soleil, il alla se blottir sur les genoux de Gabriel en ronronnant doucement. Cette nuit-là, il fit le quart avec moi, et durant trois heures ne me quitta pas. Lorsque Normand vint me relever vers trois heures du matin, Minet grimpa aussitôt sur ses genoux. Il était clair qu'il avait décidé de tenir compagnie à tous ceux qui étaient de quart.

Il me vint alors à l'esprit que notre petit chat avait peur de rester seul. D'une façon ou d'une autre, il avait senti que nous approchions de la fin du voyage et que nous quitterions alors *La Balsa*, seul foyer qu'il eût jamais connu. Mon journal de bord reflète les inquiétudes que me donna le cinquième membre de notre équipage.

Le 30 octobre

Aujourd'hui, nous avons progressé d'environ quarante milles vers le sud, et nous pensons avoir atteint les premiers courants australiens. Tout le monde est heureux sauf Minet, qui continue à errer comme une âme en peine. On dirait un enfant qui s'attend à être abandonné par des parents qui viennent de divorcer.

Voici le nombre des points que nous avons obtenus jusqu'ici à la canasta : Marc : 1 617 380; Vital: 1 331 525; Normand : 1 268 905; Gabriel : 1 257 350. Bien que j'hésite à porter un jugement sur nos capacités respectives, je crois qu'on peut admettre que de vieux durs à cuire comme Marc et moi ont plus de patience dans de tels jeux que des gamins comme Gabriel et Normand.

Le 1er novembre

Nous prenons de la vitesse. Aujourd'hui, nous avons avancé de soixante-deux milles vers le sud. Nous pouvons dire maintenant sans présomption que nous sommes quasiment en Australie. L'île Fraser, bien que nous ne puissions pas la voir, est droit à l'ouest de nous. La malchance semble nous avoir quittés. Nous avons dû la laisser derrière nous sur les récifs de Saumarez.

Le 3 novembre, peu avant trois heures de l'après-midi, nous établîmes le contact avec Sid Molen, à Sydney. Je devais apprendre plus tard que Molen, technicien de télévision chevronné, était resté en liaison permanente avec Rafael Corcuera pendant plusieurs mois. Le 24 octobre, Rafael lui avait demandé d'assurer à son tour le contrôle du réseau d'amateurs qui suivait notre expédition, et lui avait appris comment nous communiquions par cliquetis. Donc, quand Molen nous appela cet après-midi-là, il y avait déjà sur la fréquence des amateurs du Queensland, du Victoria et de la Nouvelle-Guinée, qui étaient tous à l'écoute lorsqu'il entama une série de questions :

— Avez-vous besoin d'aide urgente? Y a-t-il un malade à bord?

Je répondis par un « clic clic » qui voulait dire « non ».

— Avez-vous assez de vivres et d'eau?

— Cliiic (oui).

— Aimeriez-vous qu'un navire vienne vous escorter?

— Cliiic.

Nous espérions en effet aborder à Brisbane, et je souhaitais avoir un navire d'escorte, pour le cas où un coup de vent menacerait de nous pousser à la côte. Au terme d'une traversée de huit mille milles, je ne voulais pas que notre radeau fût détruit dans un atterrissage en catastrophe.

— Pouvez-vous attendre demain? demanda Sid.

— Cliiic.

Je pus lui donner notre longitude avec assez de précision, mais n'ayant pas pu calculer notre latitude à cause du temps couvert, je ne lui en donnai qu'une approximation. En fait, nous étions à trente-sept milles au nord de la position que j'indiquai à Sid, et cette erreur devait provoquer beaucoup de confusion. Le 4 novembre, tout le monde croyait que nous étions bien plus au sud et que nous nous dirigions vers Brisbane, où le capitaine E. Whish, coordinateur des secours air-mer, se préparait à aller à notre rencontre.

Le 5 novembre, à trois heures et demie du matin environ, Normand aperçut à l'horizon une lumière qui clignotait toutes les sept secondes et demie. En consultant ma carte à la lumière d'une torche, j'identifiai ce signal comme celui du phare de Double Island Point, juste au sud de l'île Fraser.

Lorsque le soleil se leva trois heures plus tard, la pointe sud de l'île Fraser était effectivement en vue, et je sortis immédiatement l'émetteur pour lancer des cliquetis impératifs. En moins de cinq minutes, tout notre réseau de radios amateurs était sur la fréquence. Quand on communiqua notre position au capitaine Whish, il répondit :

— Étant donné leur position d'hier, ils ne peuvent pas se trouver là.

— Vous trouvez-vous au sud de Danger Point? nous demanda-t-on.

— Clic clic (non).

— Très bien; alors seriez-vous au nord-est de Double Island Point?

— Cliiic... Cliiic... Cliiic (Oui, oui, oui).

— D'accord, Vital, nous allons envoyer immédiatement un avion pour vous repérer!

Le premier avion nous survola à neuf heures vingt du matin, et largua une boîte de bière avec ce message : « Bienvenue en Australie. » Puis ce fut un autre avion bourré de journalistes, suivi de plusieurs autres, qui bourdonnèrent au-dessus de nous comme des abeilles amicales.

Effrayé ou contrarié, Minet s'était caché dans la cabine, refusant de sortir sur le pont pour s'associer à nos manifestations de joie délirante. Un peu plus tard, quand je pénétrai dans la cabine, je le trouvai blotti dans le sac de couchage de Gabriel, en train de miauler doucement, comme un enfant qui a le cœur gros. Je le pris sur mes genoux, et essayai de le consoler par des caresses.

Minet avait-il compris, par intuition peut-être, que la famille que nous formions sur ce radeau allait bientôt se disperser? Il n'y aurait naturellement qu'un seul d'entre nous à pouvoir le prendre en charge, et nous supposions tous que ce serait Gabriel. De toute façon, que le petit chat, après avoir quitté le radeau, nous regrette ou non, nous étions tous convaincus que lui nous manquerait beaucoup. Il nous avait donné à tous une leçon magistrale dans l'art de survivre envers et contre tout, et il avait su faire face à tous les dangers avec la bravoure d'un soldat de fortune.

Je l'emportai sur le pont pour qu'il rejoigne sa famille, et il fut invité à prendre part au repas que Normand avait préparé. Pendant que nous mangions, je remarquai que Marc ne laissait plus retomber sa mâchoire, en signe de mépris pour la cuisine d'amateur de Normand. Ce qui me frappa aussi, c'est que Gabriel mangeait silencieusement, sans aucun des raclements et crissements qui lui étaient coutumiers. Ce fut mon premier repas agréable depuis que nous avions quitté Guayaquil.

Je pensai alors à tout ce que nous avions prouvé pendant cette expédition. Nous avions démontré que quatre hommes peuvent vivre ensemble sur une « prison flottante » pendant plus de cinq mois, sans succomber à l'envie de s'entre-tuer. En fait, en nous en tenant strictement aux deux règles que j'avais édictées, nous avions réussi à éviter ne fût-ce qu'une dispute sérieuse. Un radeau ou un bateau sur l'océan est en réalité un microcosme où chaque individu doit se sentir responsable du salut de la communauté. La survie exige l'entière coopération de *tous* les hommes, que leur univers soit un radeau, un village, un pays, ou une planète. L'expédition de *La Balsa* avait démontré qu'une telle coopération était possible.

De surcroît, nous avions prouvé qu'un radeau pouvait se gouverner avec beaucoup de précision, et qu'il n'était pas livré aux caprices des vents et des courants. N'avions-nous pas traversé sans dommage quelques-unes des mers les plus dangereuses du monde, et réussi à passer, de nuit, neuf bancs de récifs meurtriers? Nous avions prouvé aussi qu'un radeau de balsa, constitué de bons troncs « femelles », restait en mesure de flotter sur des distances considérables. Maintenant que nous touchions au terme de notre expédition, les troncs ne s'enfonçaient guère dans l'eau que de deux centimètres et demi de plus qu'à notre départ de Guayaquil. Si nous avions voulu retourner en radeau en Amérique du Sud, je suis persuadé que nous aurions pu le faire, après avoir resserré les cordes. Éric de Bisschop, le navigateur français connu pour ses expéditions en radeau, qui mourut en 1958, croyait à des migrations circulaires, du Pérou en Polynésie, puis de nouveau vers l'Amérique du Sud, grâce à des courants d'ouest en est. Un jour, j'entreprendrai peut-être moi-même une expédition aller-retour de ce genre.

C'étaient là les pensées qui me venaient à l'esprit pendant que nous franchissions les derniers milles qui nous séparaient de l'Australie, accompagnés par une escorte d'avions de tourisme et une multitude de bateaux de plaisance. On nous offrait des fruits, des sucreries, de la bière, et on nous posait mille questions sur notre radeau. Nous nous dirigions vers ce qu'on appelle la Côte du Soleil, mais c'était le nom du port, Mooloolaba, qui me fascinait le plus, avec son enchaînement harmonieux de voyelles musicales et de consonnes douces, évoquant le mystère et la beauté.

Lorsque nous pénétrâmes dans l'estuaire du Mooloolah, il faisait trop obscur pour que nous puissions éviter un obstacle éventuel. Nous acceptâmes donc de nous laisser remorquer jusqu'au port par un bateau à moteur. Peu avant minuit, nous nous approchâmes du môle, que nous pouvions à peine discerner.

Puis, soudain, il y eut une explosion de lumière et de bruit. Des fusées volantes, des chandelles romaines, des feux de Bengale bleus, et d'autres feux d'artifice de toutes sortes furent tirés des quais, tandis que des centaines d'amis nous acclamaient et criaient : « Bienvenue en Australie! » au moment où *La Balsa* entrait dans le port.

CET accueil délirant fut troublé par l'irruption de deux officiers de santé, qui emportèrent Minet dans une cage métallique. Nous savions que l'Australie avait des règlements de quarantaine très stricts quant à l'importation d'animaux, mais nous ne nous étions pas attendus à voir arriver des fonctionnaires à minuit. Nous nous promîmes de libérer Minet dès le lendemain.

Nous quittâmes le radeau après avoir jeté l'ancre, et gravîmes une échelle de bois à l'entrée de la jetée, en nous congratulant sur le plaisir de nous retrouver sur la terre ferme. Une foule de gens était amassée sur le quai, et ils se reculèrent pour nous laisser un passage. Tout en répondant à leurs cris de bienvenue par de grands gestes, je me mis à avancer dans l'espace dégagé; mais soudain, avant même d'avoir pu faire trois ou quatre pas, je sentis mes jambes se dérober sous moi. Gabriel et Normand s'écroulèrent à côté de moi et Marc, vacillant, alla s'effondrer dans les bras de deux spectateurs. Nous éprouvions la réaction de l'homme ivre, que connaissent tous les marins quand ils remettent les pieds sur la terre ferme. Seulement, pour nous, l'effet était plus accentué, car les mouvements d'un petit radeau sont bien plus importants que ceux d'un gros bateau.

Quoique tenant à peine sur nos jambes, nous serrâmes les mains de centaines d'hommes, femmes et enfants, mais il s'avéra presque impossible de signer les carnets, bouts de papier, menus et serviettes en papier qu'on nous pressait dans les mains pour obtenir un autographe.

— Je ne peux pas rester immobile, ne cessais-je de leur répéter dans mon anglais à l'accent prononcé.

Une heure environ après notre arrivée, je pus parler à ma femme et à nos deux petites filles. L'amiral Fernandez les avait réunies autour de sa station d'amateur pour me féliciter. Ma femme, Denise, semblait parfaitement heureuse et ravie, et ma fille aînée, Marina, me demanda de lui rapporter une maman kangourou « avec un bébé dans sa poche ». Mais la petite Denise, âgée de quatre ans, avait l'air intimidée, troublée peut-être par la complexité des cadrans et boutons qui garnissaient l'émetteur-récepteur de l'amiral. Soudain, je me sentis triste et coupable, et j'avais la gorge serrée en l'imaginant devant cet appareil de radio, froid et métallique, essayant de communiquer sa tendresse à un père qui l'avait quittée depuis si longtemps.

— Tu t'es pas noyé? me demanda-t-elle enfin.

— Non, je suis toujours là, *mi corazón,* lui répondis-je, et tout le monde va bien.

— Le petit chat est toujours là? demanda-t-elle.

— Oui, Minet est toujours avec nous.

— Ramène-le à la maison, papa, dit-elle avec un intérêt subit.

Je lui aurais promis la lune dans un papier d'argent, mais notre conversation fut soudain coupée par des parasites aigus, qui frappèrent mon tympan comme un couteau invisible.

Vers une heure du matin, nous tînmes une conférence de presse au yacht-club de Mooloolaba, qui était plein de monde. Assis sur de solides chaises de bois, nous nous sentions plus d'aplomb pour affronter une véritable forêt de microphones et de caméras de télévision.

— Comment vous sentez-vous, commandant?

— Épuisé et heureux.

— Et affamé aussi, ajouta Gabriel, suscitant un éclat de rire.

— Avez-vous eu peur quelquefois?

— Assez fréquemment, répondis-je, mais j'ai fait en sorte de le cacher, surtout à moi-même.

Plus tard dans la nuit, un radio amateur de la ville me fit savoir qu'il venait d'être contacté par Rafael Corcuera, qui désirait nous féliciter. Nous eûmes une conversation enjouée et amicale, et pourtant, je décelai dans la voix de Rafael une curieuse pointe de tristesse.

Le lendemain matin, nous nous présentâmes au bureau du port du Service de la quarantaine australienne. Il était dix heures; vingt ou trente reporters et cameramen de la télévision nous avaient devancés et encombraient la salle d'attente aux murs gris, probablement dans l'espoir de photographier « le chat qui avait appris à nager au milieu des requins ».

— Nous venons pour le chat, dis-je à l'employé à la figure avenante qui se trouvait derrière le bureau.

— Je regrette, monsieur, me répondit-il en lorgnant avec inquiétude le voyant rouge d'une caméra de la télévision. Il faut que cette bête reste en quarantaine, vous savez.

— Combien de temps?

— Eh bien, trente jours, monsieur. Il faut que nous vérifiions si elle n'a pas de maladies contagieuses, comme nous le faisons pour tous les animaux.

— Et après, que se passera-t-il? demanda l'un des reporters.

L'employé s'éclaircit la voix, remua quelques papiers, puis répondit, en détournant de nous ses yeux bleus embarrassés :

— Je préférerais ne pas vous le dire.

— Mais nous tenons à le savoir, insistai-je en me penchant par-dessus le bureau.

— Eh bien, finit-il par répondre, tout à fait à contrecœur, je crains qu'il ne faille s'en débarrasser.

Tout le monde en eut le souffle coupé, même les journalistes, pourtant réputés blasés.

— Vous voulez dire que vous allez la tuer? cria quelqu'un du fond de la pièce.

Un tollé général s'éleva. Plusieurs agents de police du bureau d'immigration voisin firent irruption dans la pièce pour calmer le tapage. Quant à l'employé, il disparut dans un bureau contigu.

— Nous ne permettrons pas cela, cria une journaliste, cela va barder pour vous tous.

En quelques heures, la nouvelle s'était propagée dans toutes les villes et provinces d'Australie. Les agences de presse transmettaient des articles vengeurs qui condamnaient le Service de la quarantaine et réclamaient de nouvelles lois interdisant le massacre d'animaux innocents. La photo de Minet figurait à la première page de tous les journaux, et dans le bulletin télévisé du soir, on passa le reportage de notre démarche du matin au port. Dans les éditoriaux, les journalistes fulminaient et exigeaient du gouvernement qu'il libérât « cette chatte héroïque » qui avait survécu à la traversée la plus dangereuse de toute l'histoire.

— Ils en parlent toujours au féminin, fit remarquer Gabriel.

— C'est qu'en anglais Minet sonne comme un nom féminin, expliquai-je; mais gardons-nous bien de les détromper. Une chatte provoque encore plus de sympathie.

Et c'était bien vrai. Des milliers de lettres, envoyées par des femmes surtout, submergeaient les journaux et les administrations : « Sauvez Minet », « Libérez l'héroïne », « Ne la laissez pas mourir ». Sous cette avalanche de protestations, aucun gouvernement doué de sens politique ne pouvait se permettre de rester indifférent. En l'espace de vingt-quatre heures, plusieurs députés avaient demandé à l'administration de revenir sur les dispositions en vigueur. Le lendemain, un porte-parole du gouvernement annonça que « l'affaire Minet » était examinée en haut lieu.

Le gouvernement australien fut heureusement tiré d'embarras par la femme d'un capitaine au long cours dont le navire était sur le point de quitter Brisbane.

— J'adopterai Minet, annonça-t-elle dans une dépêche qui soulagea fort les fonctionnaires de la quarantaine. La petite chatte trouvera un foyer sur le *Sued*, qui quittera votre pays dans cinq jours.

Comme nous devions voyager dans toute l'Australie, pour

assister à des réceptions, pendant deux ou trois semaines, nous décidâmes de lui laisser Minet, étant bien entendu que Gabriel irait chercher le petit chat dans l'un des ports où le *Sued* ferait escale. Mais quand la femme du commandant apprit un peu plus tard à Gabriel que Minet semblait « extrêmement heureux » à bord du gros paquebot de ligne, il accepta, non sans regret, de le lui laisser.

« *Ce petit chat est un vrai marin,* devait-il m'écrire par la suite, *et je ne crois pas qu'il s'acclimaterait au Chili. D'ailleurs, où pourrais-je lui trouver assez de sang à boire ?* »

Après avoir fait notre tournée triomphale des grandes villes, les doigts enflés à force d'avoir serré des mains, et les joues tirées à force de sourire, Marc, Normand, Gabriel et moi-même nous séparâmes. Nous organisâmes une soirée d'adieu sur le radeau, sentimentale à souhait et bien arrosée, qui dura jusqu'à l'aube. Nous parlâmes de Minet et de tous les dangers que nous avions surmontés, et c'est au milieu des rires et des embrassades amicales qu'on évoqua la difficulté d'observer mes deux règles de base.

— Chaque fois que tu t'éclaircissais la voix, Vital, j'avais envie de te donner un coup de poing, me confia Gabriel. Un après-midi, c'était au mois d'août, je crois, tu t'es éclairci la voix vingt-neuf fois en l'espace d'une heure. Je les ai comptées.

Normand parla à son tour des raclements et grincements que Gabriel faisait entendre en mangeant.

— A la fin, j'ai dû me résoudre à aller manger dehors, parce que je ne pouvais plus le supporter.

— Je devais être nerveux, expliqua Gabriel, plutôt embarrassé. Je suis content d'ailleurs qu'aucun d'entre vous ne m'en ait fait la remarque, car si j'avais cru que je faisais des bruits si affreux, j'aurais tout à fait cessé de manger.

— Non, Gabriel, répliqua Marc avec un sourire narquois et en secouant lentement la tête, rien n'aurait pu t'empêcher de manger. Je t'envie ton estomac, mon vieux, et aussi la faculté que tu as de dormir quand personne d'autre n'arrive à fermer l'œil. Avec un don pareil, tu t'en tireras toujours.

Échangeant ainsi pardons et félicitations, nous cimentâmes une amitié rare, cette solide camaraderie d'hommes qui ont fait un long voyage et risqué la mort ensemble, en faisant la nique aux dieux du hasard.

Deux jours plus tard, après avoir pris mes dispositions pour faire expédier *La Balsa* chez moi, en Espagne, je quittais l'Australie à bord d'un Boeing 707. Par les hublots, je considérai les eaux étincelantes du Pacifique avec un mélange de tendresse et de crainte. Avions-nous vraiment traversé cette immense étendue d'eau sur un radeau primitif? Cela semblait à peine possible.

J'eus une réaction encore plus singulière quand l'hôtesse m'informa qu'il nous faudrait vingt-trois heures pour atteindre Mexico.

— Vingt-trois heures! m'exclamai-je, en oubliant qu'il nous avait fallu près de six mois pour effectuer une traversée plus courte, mais il y a de quoi attraper la claustrophobie!

Malgré l'escale prolongée à Tahiti, j'eus l'impression d'être en prison dans l'énorme jet presque vide. Comme je regrettais ma liberté de mouvements sur *La Balsa*, la mer palpitante toute proche, le cortège amical des poissons qui nous suivaient, et la joie d'être le maître de son propre destin!

En atterrissant à Mexico le lendemain, je trouvai à l'aéroport ma femme, mes enfants et plusieurs amis, et ce ne furent que larmes, rires et chaleureuses embrassades. Mais cette escale fut brève. Ma femme et moi-même devions prendre un autre avion presque immédiatement, car le président de l'Équateur, José Maria Velasco Ibarra, nous avait invités à une réception pour fêter notre retour à Guayaquil. Quelques heures plus tard, nous retrouvâmes donc de nombreux amis, comme don Cesar Iglesias, la señora Paladines, Joe Megan, et les nombreux Équatoriens qui nous avaient apporté aide et réconfort dès le début de notre aventure.

Puis nous reprîmes l'avion pour Mexico. Le lendemain matin, j'emmenai mes petites filles dans un parc d'attractions pour fêter mon retour. Elles portaient des robes neuves de couleur vive; leurs petites nattes friponnes attachées par des rubans dansaient sur leurs épaules. Elles m'entraînèrent du manège aux voitures tamponneuses et de là aux farces et attrapes, sans compter les différents stands de rafraîchissements. Mais devant les montagnes russes, je rechignai, et dis à mes filles :

— C'est trop dangereux.

— Mais maman nous y emmène tout le temps, plaida Marina, en serrant mon pouce dans sa petite main.

— Elle doit être folle, grommelai-je entre mes dents. Il faut avoir perdu l'esprit pour monter sur l'un de ces engins de mort.

— Qu'est-ce que tu dis, papa? demanda Denise.

— Rien, rien, répondis-je. Je me disais seulement qu'on pourrait aller faire un autre tour de manège.

Elles me suivirent sans protester, mais j'entendis distinctement Marina souffler à sa sœur :

— Je crois que papa a peur...

Elles étaient trop jeunes, bien sûr, pour comprendre la différence entre risques inutiles et risques calculés. J'achetai donc leur silence avec du pop-corn et de la barbe à papa, et me bornai à faire la morale à ma femme, qui venait de nous rejoindre.

— Il n'y a aucune honte à avoir peur des montagnes russes, Vital, me répondit-elle, tout à fait à côté de la question. Nous avons tous des frayeurs irraisonnées. Il paraît que Manolete avait peur des chats.

Le lendemain, je fis un rapide aller-retour en avion, pour aller voir Rafael Corcuera à Guadalajara. Voulant lui faire une surprise, je ne l'avais pas prévenu. Mais quand sa femme m'ouvrit la porte, je lus sur son visage qu'un malheur était arrivé.

— Rafael est mort, me dit-elle d'une voix étouffée, en me faisant entrer dans la salle de séjour modestement meublée. Il s'est éteint juste après la fin de votre expédition. Depuis longtemps, il souffrait d'une terrible maladie, mais il s'est accroché à la vie jusqu'à votre arrivée en Australie.

Elle s'arrêta, passa ses doigts tremblants dans sa chevelure grisonnante, ses yeux noirs pleins de larmes.

— C'est votre magnifique expédition qui l'a maintenu en vie, reprit-elle. Jour après jour, il marquait votre avance sur la carte, et il avait l'impression de naviguer avec vous. Il ne cessait de s'inquiéter pour votre provision d'eau et les terribles tempêtes qui vous attendaient près des Samoa, et quand il a entendu votre appel au secours au moment où vous étiez en train de mourir de faim, il n'a pas fermé l'œil pendant quarante-huit heures. Quand votre émetteur est tombé en panne, il contemplait souvent la carte en murmurant : « Où sont mes fils? »

— Sa sollicitude nous a été d'un grand secours, dis-je, ne voulant pas lui révéler que notre appel d'urgence n'était qu'un malentendu.

— Nous avons fini par lui descendre son lit au sous-sol, où était sa station, poursuivit la señora Corcuera. Il était devenu trop faible pour monter et descendre l'escalier.

Elle m'y conduisit, et me montra le journal d'écoute de son mari, et les cartes couvertes d'annotations. Je ressentis un mélange de fierté et de tristesse quand je vis combien, vers la fin, son écriture avait perdu de sa vigueur.

— Nous aimions beaucoup votre mari, dis-je, en regardant le lit aux couvertures soigneusement pliées. Nous avons toujours senti sa présence à bord. Il était pour ainsi dire le cinquième membre de l'équipage de *La Balsa*.

— Rafael aurait été fier de vous entendre dire cela, répondit-elle en soupirant, et moi, je vous suis reconnaissante d'avoir prolongé sa vie.

La semaine suivante, à Madrid, le gouvernement espagnol m'offrit une grandiose réception dans le splendide palais du général Franco. Ce fut une magnifique cérémonie, au cours de laquelle je reçus un beau médaillon de bronze. Je ne pouvais pourtant m'empêcher de ressentir une certaine pitié pour le général Franco. Il était là, entouré de tout ce que l'argent peut procurer : tapisseries précieuses, étincelants dallages de marbre, tapis d'Orient, vases étrusques, draperies de velours rouge, serviteurs stylés répondant au moindre appel. Et pourtant, ce palais me semblait une cage dorée. Le général n'avait pas libre accès à ce monde qui était pour moi la seule réalité. Il ne pouvait pas faire une promenade solitaire sur une avenue bordée d'arbres, ni dîner dans une de ces merveilleuses tavernes de gitans de la Plaza Mayor. Comme tous les chefs d'État, il ne pouvait aller nulle part sans ses gardes du corps et avait depuis longtemps renoncé à cette précieuse vie privée, qui était pourtant l'apanage du plus humble de ses concitoyens.

— Ça doit être merveilleux de naviguer sur un radeau. Comme je voudrais pouvoir m'évader de tous les soucis futiles du monde où nous vivons!

S'il avait pu l'utiliser, je lui aurais volontiers offert *La Balsa* sur-le-champ. Mais ce fut lui qui m'offrit une aide financière pour créer à Santander, ma ville natale et celle aussi du cartographe de Christophe Colomb, un musée de la marine où *La Balsa* est aujourd'hui exposée en permanence.

Cela incitera peut-être quelqu'un d'autre à relever le défi de l'océan, à l'instar des Huancavilcas, et à voguer librement vers le soleil couchant.

Un Possédé de l'Aventure : Vital Alsar

L'AUTEUR de *La Balsa* s'efface, nous venons de le constater, devant le récit de sa prodigieuse expédition. Mais cet homme, dont la photo nous est apparue au fil des pages, qui est-il? Il s'est très tôt découvert la passion de la mer à Santander, en Espagne, où il est né en 1933. Dès la fin de ses études, il tente vainement d'entrer dans l'administration portuaire de sa ville natale, puis, de guerre lasse, s'engage dans la Légion étrangère espagnole. Il découvre alors, au hasard de ses lectures, l'ouvrage de Thor Heyerdhal relatant l'expédition du Kon-Tiki. Son destin en sera bouleversé.

Désormais, il n'a plus qu'un seul objectif : traverser l'océan Pacifique sur un radeau. Pour réunir les fonds nécessaires à la réalisation de ce projet, il va travailler sans relâche, et nous le trouvons tour à tour débardeur, ouvrier soudeur, professeur de langues étrangères en France, en Allemagne, au Canada.

En 1966, sa première tentative de navigation à bord d'un radeau se solde par un échec. Sans se décourager, Vital Alsar, aussitôt, prépare une seconde expédition, celle de 1970, dont il fera le récit dans *La Balsa*. Le succès total de l'entreprise l'encourage à organiser un nouveau voyage. Cette fois, ce sont trois radeaux qui, naviguant de conserve, partiront du Mexique pour gagner l'Australie. Ils se laisseront guider uniquement par les courants, ces « routes de la mer », que les anciens habitants de l'Amérique pratiquaient, affirme Alsar, aussi aisément que nous utilisons nos autoroutes. C'est encore un triomphe : la flottille, en 1972, atteint son objectif sans encombre.

Vital Alsar déclare n'avoir plus qu'un dernier projet : il se propose d'effectuer, en 1975, un périple qui, prenant pour point de départ la côte de l'Équateur, le conduira à travers la Polynésie.

clash!

Un condensé du livre de
ALFRED COPPEL

Traduit de l'américain
par France-Marie Watkins

Illustrations de Don Stivers

La Troisième Guerre mondiale aura-t-elle lieu ?

Acceptons, avec l'auteur de ce roman, le jeu de la politique-fiction et imaginons le Moyen-Orient à quelque dix ans d'ici. Bien du temps a passé depuis la guerre du Kippour, mais, en dépit d'accords de paix signés par les Américains et les Russes, la situation entre Israël et les pays arabes demeure explosive. Il suffirait de l'étincelle d'un incident banal ou d'un malentendu pour mettre le feu aux poudres et déclencher l'effroyable engrenage qui conduit au cataclysme. Certes, les deux grands ne l'ignorent pas, et ils redoublent de prudence. Mais les terroristes, dont le sort n'a pas été réglé, sont prêts à toutes les audaces pour obtenir les avantages qui jusqu'ici leur ont été refusés.

Cet incident, un commando de Palestiniens va le provoquer. La paix chancelle, les armes se préparent, y compris la plus atroce, l'arme atomique. Partout des hommes de bonne volonté s'acharnent à empêcher un conflit mondial : leurs efforts conjugués aboutiront-ils à temps ?

1

DANS le soleil levant, les montagnes du Sinaï hérissaient leurs cimes noires et pointues. L'éclat du ciel pâle effaçait les distances, mais Enver Lesh, une carte d'état-major à la main, savait qu'une vingtaine de kilomètres séparaient les premières collines de la mer, à laquelle il tournait le dos. En supposant que son rendez-vous avec le commando d'Abou Moussa ait lieu à l'heure prévue, on pourrait atteindre le pied des montagnes en fin d'après-midi. Une fois là, le groupe aurait quitté le secteur soviétique pour pénétrer dans la zone démilitarisée, où il n'aurait plus à affronter que les patrouilles de l'O. N. U., fortes de quelques revolvers et d'un traité. Aucun problème : on avait déjà tué des observateurs des Nations unies.

Pas trace du sous-marin albanais qui avait déposé Lesh sur cette plage déserte, entre Charm el-Cheikh et El-Tor, au sud de la péninsule du Sinaï. On ne distinguait plus qu'une légère tache d'huile sur les eaux du golfe de Suez. De la plage, le terrain s'élevait vers une plaine rocheuse, sans une dune, sans un oued. C'était le seul vrai danger pour l'homme en combinaison léopard qui se dressait solitaire dans ce décor désert avec six caisses d'armes et de munitions.

Puissant et musclé, Lesh approchait de la cinquantaine. Ses yeux bleus très clairs se cachaient derrière des lunettes noires qui s'appuyaient sur son nez busqué, lequel avait été cassé et mal remis. Une moustache tombante encadrait sa bouche mince et son menton charnu.

Il détenait le rang de colonel dans l'Armée de libération du peuple albanais. Dans sa jeunesse, il avait combattu en Corée avec les Volontaires du peuple chinois. Durant les années soixante, il avait lutté dans les rangs du Viêt-cong. Ensuite, il avait organisé des cadres maoïstes au Bengale-Occidental, d'où il était retourné en Indochine pour lutter aux côtés des Khmers rouges. Soldat professionnel toujours engagé avec les dissidents, il devait à présent rencontrer le commando Abou Moussa, du Front arabe pour la libération de la Palestine.

Lesh n'avait aucune vie privée, seulement un idéal politique. Il se plaisait à citer cette phrase de l'anarchiste du dix-neuvième siècle Bakounine selon lequel : « La passion de la destruction est aussi une passion créatrice. » Le fanatisme du Front arabe, qui avait mobilisé les vestiges des anciennes organisations terroristes palestiniennes, lui convenait parfaitement. Il éprouvait une joie cynique à constater que le monde devait s'accommoder d'une paix peu convaincante, et que les tueurs de métier ne couraient aucun risque de se trouver sans emploi.

SOUDAIN, il les vit arriver, venant du sud. Ils étaient quatorze, tous montés et traînant des bêtes de rechange. La colonne de chameaux avançait à une allure ondulante, comme quelque bizarre convoi de navires, sur une mer de sable et de cailloux. Leurs ombres interminables se distinguaient peu à peu, tandis qu'ils approchaient de la plage dans un silence inquiétant.

A un kilomètre environ, le conducteur de la colonne fit un signe et les hommes se dispersèrent. Leur chef ne voulait pas risquer de tomber dans une embuscade. Lesh approuva sa prudence. Il leva ses mains vides au-dessus de sa tête et attendit. Le groupe le rejoignit en silence et l'entoura.

Quelques-uns des hommes rejetèrent leurs djellabas noires pour montrer des armes qui révélaient la pauvreté de leur équipement : des mitraillettes Uzi de fabrication israélienne, des fusils d'assaut soviétiques AK-47 hors d'âge, une antique mitraillette Thomson américaine et trois mitraillettes Sten *made in England.*

Le chef du commando frappa sa monture pour la forcer à s'agenouiller, et elle sauta ensuite à terre — car c'était une femme qui dirigeait cette petite troupe. Lesh s'avança pour la saluer. Il n'avait pas revu Leila depuis leur dernière réunion, à Beyrouth, deux mois auparavant. La terroriste approchait de la quarantaine. Elle avait été belle, jadis, dans le style des femmes arabes, avec des traits fins et d'immenses yeux noirs, mais les escarmouches continuelles, les fuites dans le désert, avaient desséché cette beauté. Ses prunelles avaient la dureté de l'obsidienne; ses lèvres étaient minces et cruelles, son nez droit coupant comme une lame.

Avec elle, on ne perdait pas de temps en vaine courtoisie.

— Je t'avais dit qu'il nous faudrait au moins cinquante hommes, dit Lesh de but en blanc.

— Je n'avais pas d'autres chameaux pour les amener. Je dispose encore de vingt hommes à Feiran. Cela devrait suffire, car il s'agit de vrais soldats, prêts au sacrifice.

Elle entendait par là qu'ils avaient fait leur paix avec Allah et qu'ils ne rêvaient plus que de mourir pour l'islam. Lesh la comprit d'autant mieux qu'en Albanie aussi des musulmans avaient sacrifié leur vie pour des causes sauvages et mystiques.

— Dis à tes hommes de charger les caisses, ordonna-t-il.

— Que nous as-tu apporté ?

Lesh ouvrit une des caisses, et des fusils d'assaut soviétiques flambant neufs apparurent.

— Comme promis, déclara-t-il.

Jamil fit charger ces armes sur les animaux de bât et, tirant de ses fontes une djellaba et un chèche, elle les tendit à Lesh. Tandis qu'il les revêtait, elle lui dit :

— Il m'avait semblé, à Beyrouth, que ton gouvernement n'était pas tellement décidé à nous aider. Je me trompais ?

— Non, mais ils se sont décidés. Les Russes et les Américains nagent en pleine idylle. Tirana souhaiterait qu'ils s'aiment un peu moins. On espère que nos anciens amis chinois en prendront bonne note et réagiront comme il convient. Mais de toutes façons, je serais venu même sans instructions. J'ai tué beaucoup de choses durant ma vie ; pas une seule colombe, pourtant. Ce sera ma première.

Avec un rire menaçant, il monta sur son chameau. Jamil en fit autant, donna un signal, et la troupe s'ébranla, ne laissant derrière elle que des empreintes dans le sable.

UNE fine pluie d'automne tombait sur Washington. Par les hautes fenêtres du Bureau ovale, le Président apercevait les lumières de Pennsylvania Avenue. Il s'en détourna pour se laisser tomber dans son fauteuil, conscient d'être plus fatigué qu'il est normal chez un homme qui n'a pas atteint la soixantaine. Il se massa le bras, l'épaule, et résolut d'oublier cette douleur sourde dont il souffrait.

Son visiteur attendait en silence, assis tout raide de l'autre côté du bureau. Le vice-président Talcott Quincy Bailey affichait toujours un air de supériorité morale. Aristocrate par sa naissance dans une grande famille de Nouvelle-Angleterre, riche par héritage, libéral par conviction, Bailey avait été en quelque sorte imposé au Président comme second au moment des élections. Mais il plaisait à cette coalition d'intellectuels et de pacifistes qui parlaient encore du scandale du Watergate et de la crise politique américaine des années 70. Quant au Président, il savait que sans les électeurs de Bailey le parti n'aurait pas obtenu la majorité.

« Il faut reconnaître, pensait le Président, que mon vice-président semble plus chez lui que moi, à la Maison-Blanche. » Avec sa longue silhouette ascétique, ses cheveux cendrés, à peine teintés d'argent, qui lui descendaient jusqu'à la nuque, son visage patricien, Bailey représentait un mélange séduisant de virilité et de raffinement. Le Président, au contraire, perdait ses cheveux et incarnait plutôt le style bonhomme des pionniers de l'Ouest. Ce qui l'inquiétait le plus, chez son second, c'était de le voir à ce point convaincu que tous les problèmes du pays, depuis vingt ans, venaient d'abord et surtout du pouvoir accordé aux militaires. Bailey méritait bien son surnom de Colombe.

La discussion qui les retenait tous les deux après minuit portait sur une demande de crédits militaires supplémentaires, réclamés par le gouvernement pour entretenir, trois années encore, un contingent américain dans les forces chargées d'assurer le maintien de la paix au Sinaï. Aux yeux de Bailey, l'argent dépensé en armes et en troupes était scandaleusement gaspillé. En outre, il estimait dangereux pour les États-Unis de maintenir une force isolée si proche des Soviétiques et dans un coin du monde si explosif.

Certes, le Président était le premier à l'admettre, la situation au Proche-Orient comportait des risques d'affrontement. Mais lui-même, comme son prédécesseur qui avait signé, avec les autres grandes puissances soucieuses de régler la question israélienne, le traité de paix connu sous le nom d'Accords de Malte, estimait qu'à l'âge nucléaire et avec la division qui paralysait l'O. N. U. il n'y avait pas d'autre choix que le maintien des troupes.

— J'ai étudié vos suggestions, Talcott, dit-il, et je ne vois pas le moyen de réduire notre contingent.

— Si c'est votre dernier mot, monsieur le président...

— Parfaitement. D'ailleurs, j'ai parlé à Fowler Beal, et il n'y aura pas de problème à la Chambre des représentants.

— Le président de la Chambre est un homme très souple!

Beal, fidèle ami du Président, était plus connu pour sa loyauté à toute épreuve que pour son intelligence. En entendant le jugement exprimé par Bailey, le regard du Président se durcit.

— C'est en effet le genre d'hommes auxquels je tiens, répliqua-t-il. Je souhaite d'autre part, tout particulièrement, que *vous* rencontriez Rostov dans le Sinaï pour signer le renouvellement du traité.

Bailey eut quelque peine à se maîtriser. Mettre son nom sur les Accords de Malte, c'était inviter ses partisans à approuver le traité et toutes ses conséquences. Malgré l'expérience amère du Viêt-nam, les États-Unis prétendaient encore jouer les gendarmes du monde. Il déclara, glacial :

— Je vous comprends parfaitement, monsieur le président.

— Et de grâce, épargnez-moi vos grands airs! Vous êtes d'une suffisance!

— Si vous le dites, monsieur le président... Ce sera tout pour ce soir?

Il allait se lever quand, d'un geste, le Président l'arrêta.

— Excusez-moi, Talcott. Je me suis laissé emporter. Sans doute suis-je fatigué. Ma femme et mes filles sont à Palm Springs. J'espère pouvoir les rejoindre pour quelques jours. L'air du désert me fera peut-être du bien.

Il sourit avec cette candeur juvénile qui lui donnait tant de charme. Puis il passa à un autre sujet :

— Il y a une question personnelle que j'aimerais que vous régliez pour moi dans le Sinaï.

— A vos ordres, monsieur le président.

— Je voudrais vous confier une lettre pour le juge Seidel. Je souhaiterais savoir s'il ne serait pas disposé à revenir. La justice fédérale a grand besoin de lui.

Bailey s'abstint de tout commentaire. Jason Seidel avait connu le Président sur les bancs de la faculté de droit; tous deux appartenaient à l'aile modérée du parti. Ensuite, après avoir été parlementaire sous quatre gouvernements et juge fédéral pendant douze ans, Seidel avait pris la décision sans précédent de démissionner de la magistrature pour se charger d'une mission, en qualité de chef d'état-major, auprès du jeune général Tate, dans le secteur du Sinaï que contrôlaient les Américains. A présent, le juge Carmody, âgé de quatre-vingts ans, allait démissionner de la

Cour suprême et, visiblement, le Président envisageait de nommer Seidel à ce poste. A cette idée, Bailey frémissait d'indignation. Il estimait scandaleux de remplacer un vieux libéral comme Carmody par un conservateur comme Seidel, qui avait de nombreuses amitiés dans l'armée.

— Voilà que vous reprenez vos airs puritains, Talcott, remarqua le Président. Je ne doute pas que la nomination de Seidel soit assez mal vue chez vos amis universitaires, mais pour d'autres milieux, elle présente beaucoup d'avantages.

Le vice-président rougit :

— Allez-vous me faire votre discours sur l'importance de la modération, monsieur le président ?

— Non. Je suis trop fatigué et vous l'avez déjà entendu. Restons-en là. Bonsoir, Talcott, et bon voyage.

— A vous aussi, monsieur le président.

Lorsque Bailey quitta le Bureau ovale, le Président aperçut dans le couloir l'indispensable sous-officier qui le suivait partout comme une ombre, et qui tenait sur ses genoux la serviette contenant les codes de guerre nucléaire. Un homme semblable, porteur des mêmes documents, se tenait prêt dans quelque corridor du Kremlin. Cette pensée ne manquait jamais d'émouvoir le Président, car elle lui rappelait combien la paix est fragile et combien elle dépend de la sagesse et du sang-froid des hommes.

De l'autre côté de la table verte, le colonel Youdenitch, commandant en chef des forces aériennes soviétiques, alluma avec un briquet d'argent une cigarette turque. Le colonel Novotny, directeur du K. G. B. (service de la sécurité de l'État), regardait distraitement par les fenêtres poussiéreuses et le capitaine Zakharov, commandant des forces navales, écoutait d'une oreille distraite l'interprète qui lisait le rapport sur les violations qui auraient été commises dans la zone démilitarisée. Ce genre de rapports constituait une sorte de rite qui survenait inévitablement à toutes les réunions du haut état-major, qu'elles aient lieu à El-Arich, quartier général du contingent soviétique, ou au quartier général américain d'Es Shu'uts. On lisait donc les plaintes, qui étaient réfutées et qui sombraient dans l'oubli après avoir été classées à Zone Center, le quartier général des observateurs des Nations unies, situé dans la zone démilitarisée.

La lecture durait depuis près d'une heure, et le général William Tecumseh Tate commençait à perdre patience. Son regard se fixa sur la grande carte d'état-major qui tapissait un mur et représentait la péninsule du Sinaï. On y voyait les cinq secteurs qui, selon les Accords de Malte, divisaient le territoire séparant l'Égypte d'Israël. La zone démilitarisée était traversée par une ligne de démarcation qui suivait le trente-quatrième méridien à l'est de Greenwich. Les forces des observateurs des Nations unies y patrouillaient; elles étaient constituées par des soldats de quatre pays neutres — la Suède, la Hongrie, l'Indonésie et l'Inde —, qui se relayaient tous les mois. A l'ouest de cette zone se trouvaient le secteur soviétique et celui de la République arabe unie; à l'est, les secteurs américain et israélien. Chaque secteur servait de base à une partie des forces chargées d'assurer le maintien de la paix.

On étouffait dans cette pièce où le soleil pénétrait librement par des fenêtres dépourvues de stores. Les Soviétiques siégeaient en grand uniforme, tout chargés de médailles, comme le vieux général Oulanov l'exigeait. Tate, relativement à l'aise dans sa tenue d'été à col ouvert, pensait que Youri Oulanov avait bien le droit d'imposer sa volonté à ses hommes. Après tout, c'était un grand soldat. Il avait commandé une compagnie à Stalingrad, alors que Tate n'était encore qu'un petit militaire imberbe, jouant sur l'esplanade de l'école de guerre de San Francisco.

Le groupe de Tate comprenait le capitaine Elizabeth Adams, sa secrétaire WAC (auxiliaires féminins de l'armée), et le colonel Seidel, son chef d'état-major, familièrement surnommé Juge. Il ne manquait à l'appel que le lieutenant-colonel Dale Trask, nouveau commandant du groupe aérien tactique, qui s'était porté volontaire pour un vol d'entraînement au-dessus des secteurs américain et israélien à bord d'un Shrike, avion à décollage et atterrissage vertical. A contrecœur, Tate n'avait pas décommandé cette mission.

Le magnétophone du capitaine Adams ronronnait tandis qu'elle prenait note des plaintes russes. Tate, accablé par la voix monotone de l'interprète, déclara distinctement :

— Je propose que nous mettions de côté ces affaires de routine pour étudier la coordination de nos systèmes de sécurité durant la visite de notre vice-président et celle du vice-président du Praesidium de l'Union soviétique. Il ne nous reste plus beaucoup de temps.

— Notre vice-président n'est pas encore dans le Sinaï, répliqua le général Oulanov. Nous ne pouvons rien faire avant son arrivée.

Au ton catégorique de son collègue, Tate comprit que son offre avait suscité la méfiance slave. Il tenta de la calmer :

— Si le vice-président du Praesidium arrive par avion, veuillez avoir l'obligeance de nous soumettre son plan de vol. Nous ne voudrions pas que survienne le moindre incident.

— L'aviation soviétique est capable de voler, sans votre aide, de Moscou à El-Arich, général, riposta le colonel Youdenitch.

Tate réprima un mouvement d'humeur, cependant que le général Oulanov toisait sévèrement son subordonné et consentait à fournir quelques renseignements :

— Le camarade Rostov arrivera à Alexandrie aujourd'hui, en fin d'après-midi. Demain, il se rendra directement par hélicoptère à Zone Center pour la réunion.

Tout en tirant sur sa pipe, Seidel intervint d'une voix posée :

— Survoler en hélicoptère la zone démilitarisée, même s'il s'agit de l'appareil d'un vice-président du Praesidium, exige l'approbation de toutes les puissances signataires, ainsi que celle des Nations unies.

— Pourquoi ces autorisations ne seraient-elles pas accordées ? demanda Novotny.

— Nous n'avons pas le temps d'obtenir l'accord desdites puissances ni celui des Nations unies, répondit Tate. Le vice-président du Praesidium devra voyager par terre, comme d'ailleurs accepte de le faire le vice-président des États-Unis.

Et se tournant vers Oulanov, il ajouta :

— Avec votre permission, général, nous allons ajourner cette réunion. Le responsable américain de la sécurité rencontrera demain ses homologues soviétique et suédois à Zone Center pour compléter les dispositions indispensables. Le général Eriksson a fixé le rendez-vous pour onze heures précises. Liz (cette fois il s'adressait au capitaine Adams), ayez la gentillesse de téléphoner à Beaufort, à l'héliport, pour qu'il rassemble les journalistes. Je désire rentrer immédiatement à Es Shu'uts avec eux.

Elizabeth Adams quitta la pièce pour se rendre au centre de communications. Elle marchait, perdue dans ses rêves familiers, car elle était amoureuse du général. Elle songeait sans cesse à ce visage encore jeune mais déjà buriné, au corps d'athlète dans un uniforme toujours impeccable, à l'adresse, à l'assurance avec lesquelles Tate remplissait une mission particulièrement délicate, et le cœur virginal de la secrétaire-capitaine brûlait de passion. Naturellement, le général était loin d'imaginer que le capitaine Adams rêvait que son chef l'enlaçait sous les étoiles du désert.

A trente ans, Liz était déjà une vieille fille, trop bien élevée en outre, dont le seul acte de rébellion avait été de s'engager dans les auxiliaires féminins de l'armée, après avoir obtenu un diplôme de sociologie. Elle avait presque constamment peur, surtout des Russes, qu'elle considérait comme des Huns et des Mongols, avides de détruire tout ce qu'ils étaient trop sauvages pour comprendre. Mais entre elle et ces périls imaginaires se dressait la haute silhouette de William Tate, le plus jeune général de l'armée américaine.

Ce dernier aurait été touché et navré s'il avait pu se voir avec les yeux du capitaine Adams. Il se savait un bon soldat, un patriote convaincu, comme tant d'autres. Mais il savait aussi que sans l'intérêt personnel que lui avait témoigné le Président, il ne commanderait pas aujourd'hui le contingent américain au Sinaï.

Le point faible de Tate, il ne l'ignorait pas, c'était son échec en tant qu'époux et père. Sa femme l'avait quitté trois ans plus tôt. Son fils, un étudiant aux longs cheveux, se rangeait parmi les plus chauds partisans du vice-président Bailey. Il n'avait pu être question de voir le jeune homme poursuivre la tradition militaire de la famille.

Et surtout, il y avait Deborah, le capitaine Deborah Zadok, de l'armée israélienne. Pour un homme comme Tate, placé dans une position aussi délicate, ce ne pouvait être qu'une relation dangereuse. D'ici peu, il l'aurait parié, Donaldson, le chef de la C. I. A. locale, enverrait une dénonciation secrète au Pentagone, révélant que le général se compromettait avec une jeune femme soupçonnée d'être une espionne israélienne.

Tandis que les officiers se dirigeaient vers la sortie, Oulanov attira Tate à l'écart.

— On m'a rapporté, dit-il avec son fort accent slave, que les « militaristes » de Pékin voient d'un mauvais œil le renouvellement du traité. Il ne faudrait pas oublier qu'ils disposent toujours de marionnettes dont ils tirent les ficelles. Vos services de renseignements n'ont rien découvert ?

— Rien, répondit Tate. Tout est calme dans notre secteur, même du côté du Front arabe.

— Entre nous, William, murmura Oulanov, je peux vous dire que le vice-président du Praesidium arrivera par mer. Il a rencontré hier les Syriens à Latakieh. Novotny m'en voudrait s'il apprenait que je vous ai mis au courant, mais je pense que cela vaut mieux.

— Merci, Youri Dimitrievitch, chuchota Tate.

Il éprouvait une légère inquiétude. Entre Latakieh, sur la côte syrienne, et Alexandrie croisaient les bâtiments de la VIe flotte américaine et la marine israélienne; en outre, le secteur faisait l'objet d'une surveillance constante de la part des patrouilles aériennes. Après réflexion, il ajouta à l'intention de son collègue soviétique :

— N'oubliez surtout pas d'envoyer un interprète suédois avec votre responsable de la sécurité. Vous savez comme il est difficile de communiquer avec le général Eriksson.

Oulanov fit un effort pour sourire.

— Vous sentez-vous fatigué, Youri? s'inquiéta Tate.

— Oui, fatigué de discuter avec des Cosaques emportés, des fanatiques libyens, des Égyptiens incompétents... et des capitalistes yankees. Je ne suis plus jeune, William.

— Allons donc! Koutouzov avait votre âge lorsqu'il combattit Napoléon à Borodino.

— C'était une autre époque. Une telle bataille nous détruirait aujourd'hui.

Tate n'en doutait pas. Le monde moderne vivait sur un « baril de poudre nucléaire », et l'étincelle risquait de jaillir du Sinaï. Chacun pouvait voir les drapeaux soviétique et égyptien claquer allègrement au vent du désert. Entre eux se dressait le mât portant les couleurs des Forces de la Paix, avec l'emblème que tous, de chaque côté du trente-quatrième méridien est, arboraient sur leur uniforme : un cercle formé de deux demi-cercles, un rouge et un bleu, et traversé par deux flèches.

Oulanov serra la main aux Américains et se dirigea d'un pas traînant vers sa voiture. Le sergent Anspaugh, pilote de l'hélicoptère américain, apparut dans la Dodge vert foncé qui servait à Tate. Elizabeth Adams se tenait assise à côté du conducteur, dont la séparait une boîte noire que de malins savants avaient conçue pour brouiller d'éventuels micros posés dans la voiture par les Soviétiques. Tate s'assit à l'arrière, avec Seidel, et Anspaugh démarra.

— Rostov arrive par mer, de Latakieh, annonça Tate à Seidel. Nous ferions bien d'avertir l'Aéronavale de ne pas s'amuser avec des bâtiments battant pavillon rouge. Et vous, capitaine Adams, avez-vous demandé à Beaufort de réunir les journalistes?

Il se sentait anxieux et avait hâte de rentrer dans son quartier général. Liz déclara :

— Ils devraient déjà se trouver à l'héliport, mon général.

Tate regretta sa décision, car il se méfiait des journalistes. Tom Vano, de l'U. P. I., et Abel Crissman, de Reuter, étaient des types réguliers, mais d'abord des professionnels dont le travail passait avant les consignes de sécurité. Tate ne pourrait donc pas envoyer de messages au cours de son vol dans l'hélicoptère, ni même empêcher Trask d'effectuer son inspection aérienne des secteurs américain et israélien, ni avertir personne de l'arrivée imminente de Rostov par mer. Tous ces messages devraient attendre qu'il atteigne Es Shu'uts.

— Qu'est-ce qui vous tracasse, Bill? demanda Seidel.

— Une intuition, Juge. Une sorte d'avertissement que j'ai déjà ressenti avant d'être attaqué, jadis, par les Viets. Il y a trop de secrets, trop de mensonges, dans toute cette histoire. Je donnerais gros pour qu'on en ait fini avec la signature à Zone Center. Et j'aurais préféré qu'ils envoient quelqu'un d'autre que leur vice-président du Praesidium.

Seidel partageait cette appréhension. Quelque temps auparavant, il avait écrit au Président, à titre privé, pour critiquer la décision d'envoyer Bailey, la Colombe, se frotter aux soldats professionnels du contingent américain. Il espérait que Tate n'oublierait pas que son visiteur était le numéro deux des États-Unis, l'homme qui pouvait devenir le commandant en chef des forces armées les plus puissantes du monde.

A PRÈS de seize mille mètres d'altitude au-dessus de Ras Kheitat, le soleil de midi avait l'éclat dur de l'acier poli. Vues de là-haut, les montagnes du Sinaï ressemblaient à une couverture fripée, rouge et brune. Juste devant le nez plongeant de son avion Shrike, Dale Trask apercevait la ligne bleue de la Méditerranée, à plus de deux cents kilomètres au nord.

Au-delà de son aile droite s'étendait le golfe d'Akaba, vert émeraude vers les côtes du Sinaï et de l'Arabie, d'un bleu incroyable au centre.

Trask vira légèrement et aperçut presque directement sous lui l'extrémité méridionale du grand oued, dont le ravin aux multiples branches semblait partager en deux la péninsule. Au bout de ce lit desséché s'étendait Zone Center, mais à cette altitude on n'en distinguait pas les bâtiments. Trask savait qu'il survolait le côté oriental de la zone démilitarisée; il avait l'intention de se diriger vers le nord pour examiner le terrain à l'ouest de cette zone, grâce à son visoscope grand angle qui lui permettait d'entrevoir les secteurs soviétique et égyptien.

Le Shrike pouvait passer en quelques secondes de la vitesse réduite, son allure actuelle, à Mach 3. Capable de planer, de décoller et d'atterrir à la verticale, c'était, estimait Trask, le plus magnifique appareil, la plus belle arme tactique, que possédaient les États-Unis. Ç'aurait été épatant d'en avoir eu au Viêt-nam.

Trask souleva un instant le pare-soleil de son casque et examina le sol, sous lui, de ses petits yeux d'un gris métallique. Sa mâchoire déformée, qui le forçait à porter un masque à oxygène fait sur mesure, avait été écrasée par les coups de pied d'un soldat nord-vietnamien; ses mains brûlées, qui le faisaient parfois encore souffrir, étaient l'œuvre de civils nord-vietnamiens.

Les mains y étaient passées en premier. Étourdi et légèrement blessé par des éclats de roquettes, Trask avait atterri dans un village près d'Haiphong. Les paysans, fous furieux, l'avaient entraîné dans une maison en feu et lui avaient tenu les mains sur un brasier. On lui avait ensuite démoli la mâchoire pour le punir d'avoir craché au visage d'un militant pacifiste américain venu lui rendre visite dans son camp de prisonniers de guerre. Ce compatriote tenait des propos séditieux tandis qu'un Nord-Vietnamien prenait des photos, et Trask n'avait pu y tenir. Après le départ de l'agitateur politique et du photographe et devant l'échec de leur tentative, le garde avait envoyé sa botte dans la figure du prisonnier pour lui apprendre à respecter la propagande.

Dale Trask en rêvait encore la nuit. Ce n'était pas tant la douleur qui le rongeait que la haine frustrée, le désir de vengeance.

Il mit le Shrike en piqué pour lui faire gagner de la vitesse, tout en regardant monter le compteur du machmètre, qui atteignit 1,5.

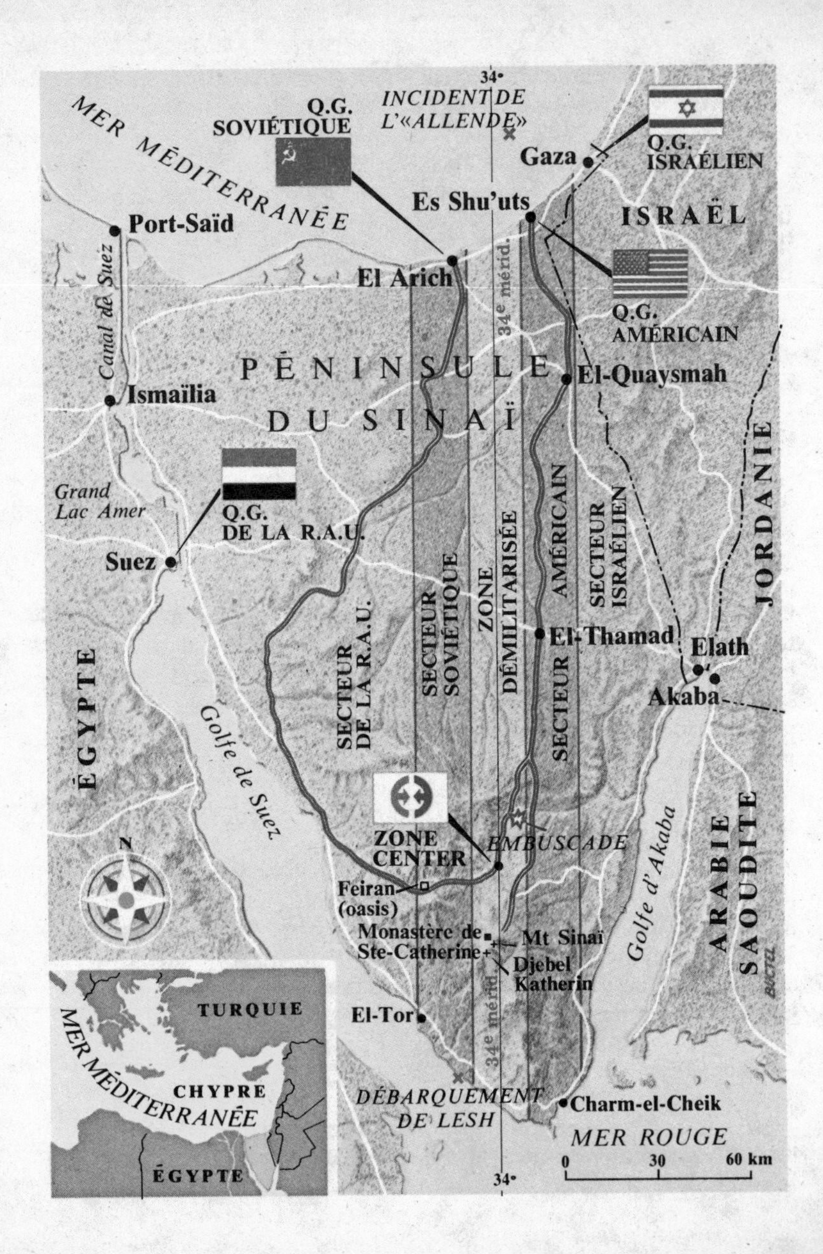

34°
MER MÉDITERRANÉE
Q.G. SOVIÉTIQUE
INCIDENT DE L'«ALLENDE»
Gaza
Q.G. ISRAÉLIEN
Es Shu'uts
ISRAËL
Port-Saïd
Canal de Suez
El Arich
34e mérid.
Q.G. AMÉRICAIN
PÉNINSULE DU SINAÏ
El-Quaysmah
Ismaïlia
Grand Lac Amer
Q.G. DE LA R.A.U.
Suez
SECTEUR DE LA R.A.U.
SECTEUR SOVIÉTIQUE
ZONE DÉMILITARISÉE
SECTEUR AMÉRICAIN
SECTEUR ISRAÉLIEN
JORDANIE
El-Thamad
Elath
Akaba
ÉGYPTE
Golfe de Suez
ZONE CENTER
EMBUSCADE
N
Feiran (oasis)
Monastère de Ste-Catherine
Mt Sinaï
Djebel Katherin
Golfe d'Akaba
ARABIE SAOUDITE
El-Tor
TURQUIE
MER MÉDITERRANÉE
CHYPRE
ÉGYPTE
DÉBARQUEMENT DE LESH
Charm-el-Cheik
MER ROUGE
0 30 60 km
34°

— Spearchucker, ici le poste de contrôle d'Echo Sierra.

La voix au fort accent texan de l'officier de radar en service au Q. G. d'Es Shu'uts trahissait un ennui profond.

Trask répondit dans son micro :

— Spearchucker vous reçoit. A vous, Echo Sierra.

— Le radar détecte une sorte de puce d'eau à l'intérieur des limites. Voulez-vous aller voir, ou bien j'envoie un héli?

— Ici, le colonel Trask, répondit le pilote en rougissant de colère. Ne transmettez plus rien sans veiller à ce que vos messages soient brouillés.

Il enfonça rageusement le bouton du code du jour sur son ordinateur de bord en pestant contre les fainéants de Tate. Un navire inconnu avait violé les eaux territoriales du secteur américain, et l'officier de radar traitait l'affaire comme un jeu! Lorsqu'on le rappela, la voix de son interlocuteur révélait la confusion.

— Désolé, mon colonel, mais nous n'avons pas l'habitude de brouiller les messages de routine.

— Vous le ferez désormais, répliqua sèchement Trask. Maintenant, donnez-moi ma position.

— Vecteur 05 degrés. Cet objet non identifié pourrait être un bâtiment nucléaire de surface ou un destroyer lance-missiles du type Guevara. Il vient juste de franchir la limite des quinze kilomètres.

Les Accords de Malte exigeaient que toutes les forces navales respectent une distance de quinze kilomètres entre elles et les côtes occupées.

Trask donna à nouveau tous les gaz et activa les rétrofusées arrière; quand il plongea, l'aiguille du machmètre dépassa le deux pour frémir sur le trois : trois fois la vitesse du son! A cette allure, l'appareil pouvait atteindre la Méditerranée en moins de quatre minutes et parvenir comme un bolide à l'altitude zéro. Les passagers du navire intrus, quels qu'ils fussent, pensa Trask avec une froide satisfaction, allaient avoir droit à un bang supersonique de première!

— Echo Sierra. Je veux quatre Shrike avec tout leur armement et prêts à décoller d'El-Quaysmah.

L'interlocuteur parut impressionné :

— A vos ordres, Spearchucker.

On entendit un murmure dans l'arrière-fond, puis une autre voix résonna :

— Ici, l'officier commandant le radar, mon colonel. Quatre appareils au sol à El-Quaysmah, j'en prends note. Votre position corrigée est actuellement 049. L'intrus a été identifié. C'est un destroyer du type Guevara qui a dépassé la ligne des quinze kilomètres.

— Bien, Echo Sierra, répondit Trask. Veillez à ne pas vous rendormir, hein ? Et signalez-moi régulièrement ma position. Je veux que mon zinc vise droit ces salauds de rouges.

Sous le masque à oxygène, sa bouche déformée se tordit en un sourire hargneux. L'équipage du Guevara allait avoir sa fête. A cette idée, les doigts de Trask frémissaient d'impatience et son cœur frappait à grands coups.

LE destroyer lance-missiles *Allende*, ayant atteint (selon les calculs de son navigateur) un point situé à quinze kilomètres exactement des côtes du Sinaï, vira de bord pour longer la plage lointaine.

L'*Allende* était le troisième exemplaire d'un nouveau type de navires lance-missiles soviétiques à propulsion nucléaire. Sa coque au profil bas et son étrave évasée lui permettaient de glisser sur l'eau en échappant souvent à la détection des radars. Pour l'alléger, on ne le chargeait que de quelques canons de 40, mais il était équipé, pour sa défense, de missiles SAM (mer-air) dont les rampes de lancement se trouvaient sous le pont, à l'abri du vent, pour améliorer l'aérodynamisme du bâtiment. On les montait sur le pont pour s'en servir. Ce genre de navires rapides et mortels, destinés à prendre en chasse les porte-avions américains et à les détruire avant qu'ils ne puissent déclencher des raids aériens nucléaires, portaient tous des noms de révolutionnaires d'Amérique latine.

Dans le carré des officiers, le vice-président du Praesidium soviétique, Anatoly Borisovitch Rostov, et ses deux secrétaires travaillaient depuis le début de la matinée à étudier les listes de fournitures militaires réclamées par les Égyptiens, dont les exigences devenaient toujours plus coûteuses et moins réalistes.

Rostov estimait que c'était du gaspillage que de donner aux pays arabes autre chose qu'un matériel ancien et peu perfectionné. Ne s'étaient-ils pas fait constamment battre par les Juifs ? Quoi qu'il en fût — et malgré les vantardises arabes d'une part, les ambitions sionistes de l'autre —, Rostov pensait que l'avenir du

Proche-Orient dépendait des deux grands, l'Union soviétique et les États-Unis.

L'interphone bourdonna dans le carré des officiers, et la voix du capitaine Serghei Bogdanov retentit :

— Camarade vice-président, nous sommes sur la ligne territoriale du secteur américain. Vous avez exprimé le désir de les voir et de les écouter.

— J'arrive, répondit Rostov.

Il monta rapidement sur la passerelle où soufflait une brise tiède. Le capitaine Bogdanov, dont la haute stature anguleuse contrastait avec la silhouette rondouillarde du numéro deux soviétique, le salua militairement.

— Nous sommes à quinze kilomètres de leur côte, camarade vice-président. Vous pouvez la voir d'ici.

Mais Rostov fut déçu. Il ne distinguait qu'une ligne brumeuse de sable blanc, au-delà de laquelle on devinait les dunes lointaines du désert. Il avait espéré, quand on avait décidé de l'envoyer par mer, voyager sur le pont et jouir du merveilleux automne de la Méditerranée. Mais on ne pouvait rester sur le pont de l'*Allende* et l'on crevait de chaud dans l'étroit espace intérieur.

— Nous sommes branchés sur leur radio, camarade vice-président. Voulez-vous les écouter ?

Rostov hocha distraitement la tête. Il songeait à sa prochaine rencontre avec le vice-président américain, qu'il ne connaissait pas encore. Bogdanov donna à mi-voix un ordre au poste de renseignements opérationnels installé dans les soutes, et les haut-parleurs transmirent des bruits confus et tonitruants qui firent sursauter Rostov.

— Que se passe-t-il ?

— Les Américains brouillent leur radio, répondit le capitaine. Peut-être à l'occasion d'un exercice quelconque.

Rostov ne quittait pas des yeux la côte étrangère, au-dessus de laquelle apparut bientôt un petit point noir. On eût dit d'abord que c'était un oiseau ; ensuite, comme il se rapprochait sans bruit mais à une vitesse effarante, on distingua ses ailes longues et minces, sa forme de croix. Avant qu'on ait pu donner l'alarme chacun vit qu'il s'agissait d'un avion de chasse. Il fut précédé d'une onde de choc étourdissante, qui meurtrissait encore les tympans de l'équipage de l'*Allende* quand il survola le bâtiment, le frôlant presque, suivi de nouvelles ondes provoquées par le déplacement de l'air. Elles balayèrent la passerelle, soulevant les cartes, dispersant les objets.

— Était-ce un appareil américain, camarade capitaine? demanda sèchement Rostov.

L'officier, violet de colère et d'humiliation, bredouilla :

— Oui, camarade vice-président.

Les écrans verdâtres du radar s'animèrent, et l'officier des renseignements opérationnels s'écria :

— Il fait demi-tour, camarade capitaine. Il revient!

TRASK réduisait en effet sa vitesse et virait pour revenir épingler l'intrus, le clouer tout vif sur les eaux territoriales américaines. Tout en exécutant la manœuvre, il parlait dans son micro :

— Echo Sierra, ici, Spearchucker. Message à l'intention des commissaires des Accords de Malte : destroyer lance-missiles russe, type Guevara, découvert dans le secteur américain à 11 heures 47, heure locale. Une copie de ce message sera transmise aux observateurs à Zone Center. Informez la VIe flotte. Spearchucker poursuit ses investigations.

— A vous, Spearchucker. Le radar montre que le sillage du destroyer est juste sur la ligne de démarcation.

Peut-être les espions communistes se trouvaient-ils à présent sur la ligne, songea Trask, mais ils l'avaient certainement franchie auparavant et ils allaient le payer.

— Spearchucker, lui dit son interlocuteur, aurez-vous besoin de l'appui d'appareils en état d'alerte?

Il sourit. A courte distance, un Shrike était de taille à tenir tête à n'importe quel destroyer.

— Négatif, contrôle Echo Sierra, répondit-il. Surveillez les radars. J'y vais, maintenant.

Il distinguait le navire, gros point noir sur le bleu de la mer, qui filait à une vitesse accrue vers le large.

« Ah! non, se dit-il, tu ne l'emporteras pas au paradis, sale espion rouge! » Il ralentit encore pour atteindre une vitesse de deux cents nœuds, actionna ses réacteurs de stabilisation et survola l'eau à une quarantaine de mètres, Contournant lentement le destroyer, il le devança et indiqua nettement au bâtiment qu'il souhaitait le voir reprendre sa direction précédente.

L'officier de quart le regardait à travers des jumelles; un technicien, à ses côtés, filmait avec une caméra.

— C'est ça, mon gars, murmura Trask. Rince-toi l'œil.

Il fila sur bâbord, très près, coupa le sillage, cependant que des officiers à galons dorés se bousculaient sur le pont. Un timonier leva un projecteur et lança, en code international, le message optique : « Écartez-vous. »

En guise de réponse, Trask tourna les boutons de sa radio pour se brancher sur la fréquence qui servait à la fois aux contingents soviétique et américain, et émit le message suivant :

— Au capitaine du navire non identifié. Vous avez violé les eaux territoriales américaines. Réduisez votre vitesse et identifiez-vous immédiatement.

Mais les Russes renouvelèrent leurs signaux : « Écartez-vous. »

Sans tenir compte de la réponse, Trask ouvrit les volets placés sur le fuselage de son appareil pour sortir les caméras de télévision et transmettre des images du destroyer au centre de contrôle d'Es Shu'uts. Les Russes n'apprécieraient guère d'être ainsi filmés alors qu'ils filaient à bord d'un de leurs derniers prototypes. Ensuite, Trask repassa devant le navire, tourna et se mit à planer. Il pouvait voir la fumée blanche qui s'échappait des fusées de son Shrike.

— Vous avez violé les eaux territoriales du secteur américain, répéta-t-il dans son micro. Dernier avertissement. Identifiez-vous!

Son cœur battait d'excitation. L'ennemi refuserait-il d'obéir?

A fond de train, ce dernier poursuivait sa route. Maintenant, la passerelle était encombrée d'officiers et de matelots. Dans cette foule, Trask remarqua un civil. Les canonniers dégageaient deux canons antiaériens de 40. Le signalisateur continuait d'envoyer des messages rageurs.

Avec un frisson de plaisir, Trask souleva sur le tableau de commande les manettes métalliques rouges qui mettaient au jour les têtes des roquettes, logées dans les supports aménagés sous les ailes. Il y avait là trente missiles capables de transformer en passoire le formidable destroyer. Mais celui-ci réagit comme un cheval au galop auquel on inflige brutalement le mors. Il vira de bord et, changeant de route, fonça vers la terre, dans un grand bouillonnement d'écume.

Une voix à l'accent slave hurlait dans les écouteurs de Trask :

— Nous sommes un bâtiment soviétique dans les eaux internationales! Vous commettez un acte de piraterie inqualifiable!

Tandis que Trask manœuvrait son appareil pour garder ses

roquettes pointées sur la passerelle, le destroyer décrivit un demi-cercle et ralentit. L'aviateur avait la bouche sèche, les muscles tendus à se rompre.

— Appareil américain à vaisseau soviétique, dit-il d'une voix vibrante. Vous avez été repéré naviguant sans autorisation dans les eaux contrôlées par le contingent américain. Indiquez-moi immédiatement le nom de votre bâtiment et la nature de votre mission.

Après un long silence, une voix étranglée de colère répondit :

— Ici, le navire soviétique *Allende,* se rendant en mission de routine de Latakieh à Alexandrie. Je vous avertis que je compte protester contre votre banditisme dans des eaux internationales...

— J'enregistre votre protestation, commandant, répliqua Trask. Vous pouvez poursuivre votre route, mais je vous conseille de ne plus violer les eaux territoriales américaines; cela pourrait avoir de graves conséquences.

— Qui êtes-vous? demanda le Soviétique.

— Le lieutenant-colonel Trask, appartenant au contingent américain du Sinaï.

— Vous aurez de nos nouvelles, colonel Trask!

L'aviateur éclata d'un rire silencieux. Il se sentait comme vidé, les muscles de son dos et de ses cuisses se relâchaient voluptueusement. Aurait-il attaqué les rouges s'il l'avait fallu? Oui, sans doute. Il donna tous les gaz et s'éleva, fonçant vers la côte, tandis que les cris rageurs des Soviétiques résonnaient dans ses écouteurs.

Très haut au-dessus des monts Saïan, à la frontière méridionale de l'Union soviétique, le satellite espion Cosmos-623 se mit à bourdonner dans l'espace. Il avait effectué son dernier passage au-dessus de la mer Rouge, de la péninsule du Sinaï et de la Méditerranée orientale. A présent, il diffusait les informations enregistrées sur ses bandes de mémoire, à toute vitesse et sur fréquence ultra-haute. Ces renseignements consistaient en données recueillies par des appareils à infrarouges, en transmissions radio interceptées et en clichés codés par un ordinateur. Les photos étaient d'une qualité exceptionnelle, car la région survolée par Cosmos-623 était presque totalement dépourvue de formations nuageuses.

A la station d'observation soviétique d'Outata, sur la frontière de Mongolie, les signaux de Cosmos étaient enregistrés sans interférences et automatiquement par des ordinateurs, avant d'être décryptés et envoyés, par l'émetteur terrestre, à Baïkonour, où les experts les examinaient. Ce jour-là comme les autres, les informations furent triées et expédiées au G. R. U. (Service de renseignements de l'armée), à Moscou, où elles parvinrent vingt-six minutes seulement après avoir été transmises par Cosmos-623. Les techniciens qui traduisaient les bandes perforées et les transformaient en images étaient entourés d'officiers du G. R. U. et du K. G. B. Lorsqu'on eut connaissance du message lancé par le destroyer lance-missiles *Allende,* une réunion précipitée du Politburo fut convoquée. Le Premier ministre quitta sa datcha de Pouchkino pour gagner Moscou en toute hâte.

Quand les photographes emportèrent les derniers documents, un brouhaha de protestations emplit la salle sévèrement gardée. Les caméras de Cosmos-623, capables de saisir clairement des points de détail, avaient filmé, au-dessus des eaux bordant le Sinaï, un Shrike planant au-dessus du sillage de l'*Allende.* Certains clichés révélaient même les têtes menaçantes des roquettes.

Dans l'assistance se trouvait le lieutenant-colonel Goukovski, du G. R. U., officier de liaison entre l'Armée rouge et le département D du K. G. B. Ce département se consacrait à la « désinformation », c'est-à-dire à fournir aux États-Unis les renseignements soigneusement triés que le K. G. B. et le G. R. U. voulaient bien communiquer. Entre autres avantages, on montrait ainsi aux Américains la puissance des services de renseignements soviétiques. Les photos prises par les Cosmos, par exemple, étaient régulièrement adressées à un sergent du service de renseignements photographiques nommé Kamenev, qui, avec l'approbation de ses supérieurs, les revendait aux agents du Mossad, le service de renseignements israélien. Kamenev avait l'impression que ses clients étaient des Tchèques. Ces derniers faisaient parvenir les documents à Jérusalem, où ils étaient remis à la C. I. A. Le service de contre-espionnage américain se doutait bien de la manœuvre et faisait de même de son côté.

Les photographies prises par Cosmos-623, qui révélaient l'acte de banditisme commis par le Shrike américain contre le destroyer *Allende,* furent donc rapidement acheminées dans le circuit par le lieutenant-colonel Goukovski. Mais dans sa précipitation, il n'examina pas soigneusement les clichés, particulièrement ceux

qui montraient l'extrémité sud du Sinaï. Depuis quelques jours déjà, Cosmos enregistrait la progression, apparemment sans but, d'un groupe de Bédouins qui, parti d'Akaba, contournait les montagnes du centre de la péninsule et se dirigeait vers le nord-ouest, en direction des côtes du golfe de Suez. Si le lieutenant-colonel Goukovski avait pris la peine d'étudier la route suivie par ce groupe, il aurait constaté que les Bédouins s'avançaient maintenant droit vers le nord-est, en s'écartant de la côte. En outre. un examen des photographies au microscope lui aurait révélé que le guide qui, sur son chameau, dirigeait l'expédition n'était pas un Arabe mais un homme à peau claire, doté d'une grosse moustache, dont la fiche aurait aisément pu être retrouvée par les ordinateurs dans les fichiers du G. R. U. et du K. G. B.

En toute ignorance donc, Goukovski laissa ce précieux renseignement figurer parmi les documents confiés à Kamenev pour être « vendus aux Tchèques ». Il commettait ainsi la plus énorme gaffe de sa vie.

3

LE général Tate apprit la rencontre de Trask avec le destroyer soviétique alors que son hélicoptère s'apprêtait à atterrir sur la base aérienne à l'ouest d'Es Shu'uts. Le message lui fut transmis par un officier des transmissions d'Echo Sierra, où toutes les radios crépitaient sous l'afflux des messages russes qu'elles interceptaient. L'exploit du colonel Trask avait causé autant d'effet qu'un pavé lancé dans un nid de frelons.

Seuls Tate et Beaufort, qui pilotait l'hélicoptère, étaient en liaison radio. Liz Adams et le Juge Seidel relisaient le rapport de la réunion avec les Soviétiques; quant aux journalistes Crissman et Vano, ils contemplaient par les hublots la forêt d'antennes et de radars hérissant la zone interdite.

Tate sentit ses cheveux se dresser sur sa tête, et son estomac se noua de fureur. Selon le rapport des officiers chargés du radar, le destroyer soviétique avait franchi une ou deux fois la limite des quinze kilomètres. On ne mentionnait pas la présence de Rostov à bord, mais il était évident qu'un incident avait eu lieu. Tate regretta amèrement d'avoir autorisé Trask à voler sans l'avoir averti des délicats problèmes que posait la situation. On pouvait comprendre la haine de cet ancien du Viêt-nam pour les communistes, mais à plus forte raison, il convenait d'éviter de le mettre en contact avec les Soviétiques. Il devait son affectation dans le Sinaï à l'amiral Stuart Ainsworth, président du comité général d'état-major et sans doute l'anticommuniste le plus acharné de Washington.

Peu de temps auparavant, Tate avait envisagé de renvoyer Trask à l'amiral Ainsworth, aussi courtoisement que possible. Maintenant le problème avait une autre ampleur! Le moins qu'Oulanov pût faire était d'exiger la mutation de Trask, dans l'heure, concession qu'aucun chef militaire ne pouvait accorder, car elle passerait pour un signe de faiblesse.

— Nous avons de petits ennuis avec nos liaisons civiles par satellite, dit Tate aux journalistes. Il faudra que vous transmettiez vos articles sur la réunion du comité par le réseau militaire. L'officier de service vous indiquera la marche à suivre.

C'était une tactique dilatoire. Dès que les reporters arriveraient au Q. G. américain, ils apprendraient l'incident survenu au large et en saisiraient l'importance. Mais il s'agissait de gagner du temps. « Du temps pour quoi ? » se demandait Tate. Militairement, l'acte de Trask se justifiait. Politiquement, c'était une lourde faute. Si les Soviétiques le voulaient, ils pouvaient y trouver un prétexte pour annuler la réunion prévue à Zone Center. L'hélicoptère se posa; deux voitures d'état-major s'approchèrent. Quand les deux journalistes, Crissman et Vano, furent partis dans la première voiture et qu'il ne resta plus que des militaires sur le terrain, Tate dit à Liz Adams :

— Appelez immédiatement la section de communications et dites-leur de couper, sans avertissement, la liaison avec le satellite civil. Vous préviendrez ensuite le commandant Paris qu'il doit me consulter personnellement avant de laisser passer des communications civiles sur le secteur militaire. Enfin, vous irez me chercher le colonel Trask et l'amènerez dans mon bureau au pas de course, sans qu'il fasse de déclaration à qui que ce soit. Prenez le sergent Robinson avec vous. Si nécessaire, je l'autorise à placer Trask aux arrêts de rigueur.

Liz hocha la tête en ouvrant des yeux ronds.

— Trask a intercepté le bateau de Rostov sur la limite des quinze kilomètres, reprit Tate en se tournant vers Seidel lorsqu'ils furent seuls. Cette manie du secret qu'ont les Russes et l'impulsivité du protégé d'Ainsworth nous ont mis dans un fichu pétrin. Dépêchons-nous, Juge, nous avons un sacré boulot à faire!

Dans le bureau des opérations, l'officier de service tendit un télex à Tate qui lut :

VICE-PRÉSIDENT ET COLLABORATEURS QUITTENT WASHINGTON PAR AIR FORCE POUR ARRIVER ECHO SIERRA 20 H 30. AINSWORTH.

— La Colombe va réclamer la tête de Trask, observa Seidel.

— Je ne demanderais pas mieux que de la lui offrir, répondit Tate, mais je ne peux pas, Juge. Pas maintenant.

LE capitaine Deborah Zadok rangeait ses papiers dans le bureau du groupe de liaison israélien et s'apprêtait à gagner le mess des officiers. Quelques instants plus tôt, elle avait vu le général Tate et le colonel Seidel revenir de l'aéroport dans la jeep de la base. Parmi tous les officiers américains, c'était le jeune général qui surgissait le plus souvent à l'improviste, sans cérémonie ni escorte, dans les avant-postes ou les bivouacs des unités. Il se conduisait un peu comme un général israélien, ce qui était loin de déplaire à Deborah. Elle avait espéré, sans trop y croire, qu'il passerait à son bureau, en revenant d'El-Arich. « Peut-être à ce soir... », avait-il dit.

Il était arrivé quelque chose dans le secteur américain. Le réseau de communications semblait surchargé et la plupart des messages étaient brouillés ou codés. Il paraissait peu probable que toute cette activité soit due à la visite imminente du vice-président. On avait dit au général Rabin que l'armée se montrerait aussi discrète que possible durant le séjour de Bailey.

Deborah fit glisser un panneau qui dissimulait un lavabo, un miroir et un sèche-mains à air. « Le désert s'américanise, pensa-t-elle. Les gadgets se glissent partout. » De sa fenêtre, elle apercevait les nouvelles constructions qui transformaient le petit village endormi d'Es Shu'uts, en partie détruit par les guerres de 1956, de 1967 et du Kippour, en 1973, en une sorte de banlieue yankee. A l'ouest, sur la route qui bordait la côte, se dressait la Maison de Verre, une tour d'acier et de plastique de dix étages qui abritait les bureaux du contingent américain et qui scintillait au soleil. Au sud-est s'étendait un ensemble de bâtiments militaires gris et bas, entourés de vertes pelouses et de massifs de fleurs. La bannière étoilée et le drapeau portant le cercle et les flèches des Forces de la Paix flottaient doucement dans le vent brûlant. De l'autre côté de l'enclos militaire s'élevait l'hôtel Falasha, en forme de paravent, dont les deux ailes, face à la mer, unissaient la pierre au verre. Il appartenait à un consortium israélo-américain et logeait les civils américains qui travaillaient à Es Shu'uts.

Deborah passa un peigne dans ses épais cheveux noirs. Elle se reconnaissait un certain charme, sans plus. Son principal atout, c'étaient ses yeux, en forme d'amande et d'un bleu profond, que Bill Tate appelait des yeux circassiens. En toute candeur, elle estimait que son corps n'était pas mal conservé pour une femme d'une trentaine d'années. Certes, elle n'avait pas la taille de ces longues Américaines qu'on rencontrait à la piscine, mais il émanait d'elle une force, une féminité troublante auxquelles le général, que toutes ces Américaines convoitaient, n'avait pas résisté.

En évoquant le visage mince de Bill, ses yeux tantôt bleus, eux aussi, tantôt gris comme un ciel d'hiver, elle se demandait si ce bel Aryen blond pouvait être heureux avec elle. Il l'est, se dit-elle, à condition que je me donne à lui chaque fois que l'occasion s'en présente. Peut-être n'était-ce pas de l'amour, mais en tout cas on ne résistait pas à ce vertige. Quelle importance? Les services de renseignements du Mossad ne se souciaient guère des sentiments de Deborah, leur fidèle agent.

Interrompant sa rêverie, le vidéophone retentit. Quand elle décrocha, le visage rond et barbu de Dov Rabin apparut sur l'écran.

— Avez-vous déjà déjeuné, Deborah? Sinon je vous invite au Falasha.

Tous les propos échangés au vidéophone dans le secteur américain étaient enregistrés et examinés par Sam Donaldson, le responsable local de la C. I. A. Deborah devina donc qu'il ne s'agissait pas d'une simple invitation à déjeuner.

— Je vous rejoins dans dix minutes, dit-elle. Shalom, mon général.

Au Falasha, elle retrouva Dov Rabin, comme toujours vêtu de sa chemise militaire ouverte sur la poitrine et de son pantalon fripé. Ils mangèrent rapidement, presque sans parler, et descendirent ensuite sur la place. Quand ils furent sûrs que personne ne pouvait les entendre, Rabin prit la parole :

— On m'a rapporté que le commando Abou Moussa est peut-être dans le Sinaï, venant du sud de la Jordanie.

Deborah savait que ce commando, dirigé par la légendaire Leila Jamil, représentait le groupe le plus discipliné et le plus fanatique du Front arabe.

— Dois-je avertir le général Tate ? demanda-t-elle calmement.

— Il chercherait à savoir comment vous êtes au courant.

— Voyons, Dov, il sait quel métier je fais, il n'est pas stupide.

— Sans doute, mais les intérêts américains ne coïncident pas toujours avec les nôtres. N'oubliez jamais qui vous êtes et quelle est votre tâche, capitaine.

— Comment le pourrais-je ? soupira tristement Deborah.

— Je comprends. Mais nous sommes tous obligés de commettre des actes qui nous déplaisent : notre patrie l'exige. Une sorte de conspiration du silence protège en ce moment votre liaison avec le général, parce que presque tout le monde lui est dévoué ; mais un jour, peut-être, si les journalistes n'ont rien de mieux à se mettre sous la dent, ils vendront la mèche. Naturellement, nous nierons que vous apparteniez à nos services de renseignements. Mais on ne nous croira pas, et vous devrez être renvoyée. En êtes-vous conscients, tous les deux ?

— Oui, murmura Deborah. Cela n'aura guère d'importance, car pour lui aussi ce sera la fin, ou du moins celle de sa carrière.

— J'en suis navré, Deborah.

— Sans doute l'êtes-vous en effet.

— N'empêche que nous devons nous servir de vous aussi longtemps que possible. Nous n'avons pas le choix.

Silencieuse, Deborah fixa l'horizon azur en rêvant qu'elle partait loin, très loin, avec Bill Tate, dans un endroit où ils seraient seuls et libres.

— Les Américains ont des ennuis à cause de ce va-t-en-guerre de Trask, reprit Rabin. Il a intercepté, ce matin, un bâtiment russe qui aurait franchi la limite des quinze kilomètres. Malheureusement, Rostov était à bord, et les Russes crient au scandale. On a même craint qu'ils annulent la cérémonie de renouvellement des accords. Je doute qu'ils aillent jusque-là, mais ils saisiront l'occasion d'embarrasser les Américains. Ils savent que le vice-président n'aime guère les militaires des Forces de la Paix.

— Jamais les Américains ne quitteraient le Sinaï sans notre accord, répliqua Deborah.

— Ils ont bien quitté le Viêt-nam. Pardonnez-moi, ma chère, mais vous auriez tort de trop compter sur eux.

Quand Deborah regagna son bureau, elle avait le cœur lourd.

TOUT l'après-midi, le commando Abou Moussa avait progressé vers les montagnes. Discernant une odeur d'eau dans le vent sec, les chameaux redressaient la tête et grognaient de temps à autre.

— Encore deux crêtes, annonça Leila Jamil qui dirigeait la petite colonne, Lesh chevauchant à ses côtés. Et ce sera Feiran.

Lesh hocha la tête. Il ne parlait pas, car il était perdu dans ses pensées. Sans doute les hommes du commando Abou Moussa étaient-ils des guerriers d'élite, les survivants de ces groupes de terroristes qui avaient répandu le sang à Munich, Khartoum, Paris et New York, mais leur comportement puéril lors de la distribution d'armes, leur familiarité à l'égard de Leila, leur chef, montraient qu'ils ignoraient la discipline. Il faudrait les mettre à l'épreuve.

A Feiran, la troupe s'augmenterait de vingt nouveaux éléments pour qui l'on ne disposait pas de montures. Pourtant, si l'on voulait rejoindre le vice-président américain, il y avait quatre-vingts kilomètres à parcourir en vingt-quatre heures. Il importait aussi de choisir une place pour l'embuscade, dans la zone démilitarisée où seuls avaient le droit d'accéder les soldats suédois des forces des Nations unies, sous les ordres du général Eriksson. La route qui reliait El-Thamad à Zone Center semblait particulièrement convenir pour l'attaque. La poignée de soldats suédois n'aurait sans doute pas la moindre envie de livrer une bataille si près du secteur américain...

Peut-être les Russes arriveraient-ils plus tôt que prévu, ce qui poserait un problème, mais c'était peu probable. Les Soviétiques se montraient toujours ponctuels, ou volontairement en retard pour faire attendre les Américains. De toute façon, ils ne changeraient sans doute pas l'issue d'une attaque surprise. Talcott Bailey serait mort et les accords américano-soviétiques sérieusement ébranlés, sinon anéantis. Pour un tel résultat, Lesh acceptait de sacrifier tout le commando, lui-même compris.

— Qu'est-ce qui te préoccupe, Lesh ? lui demanda Leila Jamil.

— Des problèmes de logistique, grommela-t-il en ôtant son chèche pour s'éponger la nuque. Ces vingt hommes qui nous attendent à Feiran ne pourront jamais faire quatre-vingts kilomètres à pied en un jour.

— Tu sais quand l'Américain doit arriver ?

— Approximativement. La réunion a lieu demain à dix-huit heures.

Jamil réfléchit, puis déclara en haussant les épaules :

— Nous trouverons des bêtes.

Lesh changea de position sur sa selle et contempla les montagnes, à l'est. Un pic de deux mille six cents mètres dominait les autres.

— Le djebel Katherin, dit Jamil. La montagne sacrée.

Lesh savait que ces déserts avaient jadis été sillonnés par des pèlerins chrétiens venus se recueillir devant la châsse de sainte Catherine, décapitée sous le règne de l'empereur Maxence et dont la dépouille avait été miraculeusement transportée sur le plus haut sommet du Sinaï.

— Peut-être pourrons-nous transporter tes vingt hommes comme sainte Catherine a transporté ses os, ricana-t-il.

— Ce n'est pas aussi fou que tu le penses, répondit Jamil. Le monastère de Sainte-Catherine se trouve au pied de la montagne, juste sous le mont Sinaï. Les Bédouins qui s'occupent des troupeaux de chèvres des moines disposent de méharis. La nuit, ces bêtes sont attachées dans l'oasis de Feiran tandis que leurs gardiens patrouillent à pied.

— Vingt chameaux ?

— Davantage.

— Je t'avais sous-estimée, Jamil, dit Lesh, tandis qu'un sourire éclairait son visage.

Il consulta sa montre. Bientôt trois heures de l'après-midi : c'était parfait. En ce moment, le vice-président des États-Unis devait voler vers son rendez-vous avec la mort.

DANS le salon qu'on avait aménagé dans l'avion spécial, une discussion opposait d'une part John Emerson, agent du Service secret, et le colonel Benjamin Crowell, aide de camp du vice-président, de l'autre Talcott Bailey en personne. Ce dernier avait déclaré, de manière cassante et précise, qu'il n'avait pas la moindre intention d'arriver au quartier général de l'O. N. U., à Zone Center, accompagné d'une importante escorte militaire.

— Je remplis une mission pacifique, conclut-il. Je refuse de me présenter devant les Russes entouré par un bataillon des reîtres de Tate.

Crowell s'efforça de dominer son exaspération. Le colonel était un Noir, au service de l'armée depuis vingt ans. La Corée et le Viêt-nam l'avaient convaincu que, pour traiter avec les communistes, il fallait montrer sa force. Il estimait que c'était pure folie, de la part du vice-président, que de traverser le Sinaï sans une escorte adéquate. Et il n'avait pas mâché ses mots. A présent, découragé, il laissait Emerson parler à sa place.

— Je n'oublie certes pas la nature pacifique de votre mission, dit ce dernier. Mais... je vous prie de bien vouloir reconsidérer la question de...

— Il ne s'agit pas d'affronter la foule d'une grande ville, interrompit Bailey impatiemment. Nous nous rendons dans le désert du Sinaï où ne vivent que quelques malheureux Bédouins.

— Justement, intervint Crowell. Nous ne connaissons pas ces gens. Qui sait ce dont ils sont capables ?

— John, coupa le vice-président en se tournant vers Emerson, je vous fais confiance. Prenez vos dispositions pour que je sois entouré par le moins de soldats possible.

C'était un ordre, et Emerson s'inclina. En quittant le salon pour rejoindre ses trois collègues dans la cabine avant, Bailey cligna de l'œil à l'adresse de Crowell et haussa imperceptiblement les épaules.

John Peters Reisman, dit Jape, le chargé de presse du Président, provisoirement détaché auprès de Bailey, ne s'était pas mêlé à la discussion. Le Président l'avait prié de veiller à ne pas irriter Talcott. Il resta donc étalé dans son fauteuil, écoutant d'une oreille distraite les arguments du colonel Crowell.

Le secrétaire du vice-président, Paul Bronstein, assis de l'autre côté de la travée, était un jeune barbu de New York. En son for intérieur, il donnait raison à Crowell : c'était risqué de voyager par route dans le Sinaï sans une escorte importante. Loin de prendre cette attitude pour un geste de bonne volonté, les Soviétiques l'interpréteraient comme un signe de faiblesse. Mais Bronstein ne tenait pas à prendre parti dans l'affrontement qui opposait son patron à l'armée. En outre, Crowell le mettait mal à l'aise; il ressemblait si peu aux Noirs que Bronstein avait rencontrés durant sa brève et brillante carrière, rien de commun avec ces leaders des ghettos, ces agitateurs universitaires, ces militants engagés dans la lutte pour l'égalité civique et ces jeunes antimilitaristes. Si Crowell avait glissé dans son langage quelques mots d'argot hippie ou un brin de rhétorique révolutionnaire, Bronstein se serait senti en terrain familier. Mais le grand colonel était d'abord un soldat, ensuite seulement, un Noir.

La discussion fut interrompue par l'arrivée du sergent chargé des télex, qui tendit un message à Talcott Bailey et précisa :

— Ça vient de la Maison-Blanche, monsieur le vice-président.

Lorsqu'il lut le feuillet, Bailey grimaça de colère. Puis il tendit la dépêche à Crowell, qui la parcourut et la passa ensuite à Reisman.

— Voilà votre réponse, Benjamin, déclara Bailey. Vous conviendrez que l'heure n'est plus à provoquer les Russes en déployant nos forces.

— Puis-je voir, Jape? demanda Bronstein.

Reisman lui remit le télex et remarqua calmement :

— Cet incident tombe mal, mais ce n'est pas bien grave.

— Un incident! explosa Bailey. Un des soudards de Tate attaque le bateau du vice-président, le Président dit qu'il va protester officiellement, et vous appelez ça un incident!

— Le patron ne me paraît pas trop bouleversé, répondit Reisman.

— Pour lui, c'est facile, ricana Bailey, qui rougit aussitôt, honteux de la déloyauté de ses paroles.

Bronstein relut la dépêche et observa :

— Le Président dit qu'il sera à Palm Springs et impossible à joindre lorsque la protestation sera remise.

— Il faut reconnaître qu'il choisit le moment propice pour améliorer son swing au golf, remarqua Reisman en souriant.

Le vice-président le rappela sèchement à l'ordre :

— Je ne trouve pas ça drôle, Jape.

— Je ne plaisantais qu'à moitié. Il compte sur vous, monsieur le vice-président, pour expliquer à Rostov qu'il s'agissait d'une erreur.

— Quoi qu'il en soit, reprit Talcott Bailey, il ne saurait plus être question d'escorte militaire. Avec cet « incident » sur les bras, je vais être forcé de faire l'impossible pour convaincre les Soviétiques que nous avons confiance en eux. Ma suite comportera donc le strict minimum de militaires. Bien entendu, vous serez là, Crowell, et je suppose que je devrai subir un membre de l'état-major du général Tate. Mais je tiens à spécifier que nous obéirons *dans les moindres détails* aux termes de l'accord. Aucun avion n'approchera pour mon compte de la zone démilitarisée. Je m'en remets à vous pour y veiller.

— A vos ordres, monsieur le vice-président, dit Crowell.

Reisman réprima un soupir. Il se sentait mal à l'aise dans son rôle d'espion au service du Président. « Que faudrait-il faire, pensait-il, pour que le vice-président comprenne que le monde n'est pas un endroit où les agneaux et les lions peuvent gambader de concert ? L'éducation des gens au pouvoir coûte parfois cher, et ce sont les innocents qui la payent de leur sang. »

4

Assis derrière son bureau, le général Tate examinait l'aviateur qui se tenait devant lui. Le lieutenant-colonel Trask portait encore sa tenue de vol et le masque à oxygène avait laissé des marques rouges sur sa mâchoire déformée. Ses yeux brillaient de colère, mais il se maîtrisait encore.

— Les rouges avaient pénétré dans la limite des quinze kilomètres, mon général, expliqua-t-il d'une voix sèche. Les enregistrements du radar le confirmeront.

Tate regardait Trask tout en réfléchissant. Il songeait aux tortures que l'officier avait endurées au Nord-Viêt-nam, aux traces que ces sévices avaient laissées. Le déséquilibre émotionnel était si important que ses anciens protecteurs avaient abandonné cet homme, redoutant de lui confier un poste de responsabilité.

Derrière Trask se tenait le sergent Crispus Attucks Robinson, colossal et silencieux. Sa figure semblait taillée dans l'ébène. L'unique ruban bleu pâle de la Médaille d'honneur sur sa poitrine intimidait davantage Trask que sa formidable apparence. Pour un soldat, cette décoration désignait un être d'élite.

— J'espère en effet que les enregistrements confirmeront vos propos, colonel, dit enfin Tate. Le vice-président demandera sûrement à les voir, et je ne pourrai pas refuser.

Le colonel Seidel, assis à côté du général, intervint :

— J'ai examiné les bandes, mon général, le bâtiment russe était *sur* la ligne des quinze kilomètres lorsqu'il fut intercepté.

— Il se trouvait dans nos eaux territoriales, répliqua Trask.

Agacé par le ton catégorique de l'aviateur, Tate fit un effort pour se contrôler et remarqua :

— Mais vous saviez qu'on attendait Rostov, le vice-président du Praesidium soviétique. Un officier en mission dans ce secteur devrait ne jamais oublier combien les Russes se montrent susceptibles dès qu'on touche à leur dignité.

— Je me fiche de leur dignité! Les rouges espionnaient, et ils ont eu ce qu'ils méritaient. En outre, ce n'était pas la peine de m'envoyer chercher par votre sergent devant tous mes hommes.

— Colonel! tonna Bill Tate, scandalisé par ce manque de discipline. Je vous prie de surveiller vos paroles.

— Je fais mon boulot comme je l'entends, mon général. Et j'en connais qui seraient d'accord avec moi.

Voilà que ce crétin invoquait la protection de l'amiral Ainsworth! Devant un tel défi, Tate sortit de ses gonds.

— Garde à vous, colonel!

Trask se raidit, les yeux ronds. Jamais personne ne lui avait parlé sur ce ton. Il n'en croyait pas ses oreilles.

— Si vous vous permettez une autre réflexion de ce genre, poursuivit Tate, je vous mettrai aux arrêts et vous renverrai à Washington. Compris?

— Mais, mon général, je...

— M'avez-vous compris?

— Oui, mon général.

— Je veux que vous sachiez une chose, colonel. Je ne tenais pas à vous avoir dans mon état-major parce que je craignais de vous voir prendre quelque initiative malheureuse. Nous occupons une position politique qui nous laisse une très petite marge de manœuvre. Il ne vous a pas fallu trois jours pour justifier mes craintes. Je ne vais pas vous relever de votre grade, à cause du prestige du contingent, mais jusqu'à nouvel ordre, vous resterez au sol. Compris, colonel?

La bouche déformée de Trask se pinça.

— Bien, mon général, murmura-t-il d'une voix étouffée.

— Vous ne quitterez plus le secteur militaire et resterez sous le contrôle d'Echo Sierra. Est-ce clair?

— Oui, mon général.

— Vous pouvez disposer, colonel, conclut Tate, glacial.

Trask salua, exécuta un demi-tour réglementaire et sortit, le visage blême.

Tate se tourna alors vers le sergent pour lui demander :

— Vous n'avez pas eu trop de difficultés?

— Rien d'insurmontable, mon général, répondit Robinson, impassible.

Tate considéra le géant noir qui se tenait au garde-à-vous et dont les cheveux coupés ras effleuraient presque le plafond.

— Je voudrais que vous alliez demain à Zone Center, lui dit-il. J'ignore quelle sera l'importance de l'escorte du vice-président, mais il faudra que vous alertiez le détachement des Forces spéciales, qui vous fournira des hommes.

— Bien, mon général.

— Parfait, sergent. Ce sera tout.

Lorsque Robinson eut quitté la pièce, Seidel remarqua :

— Un sacré bougre!

— Un sacré soldat, répliqua froidement Tate.

— Pensez-vous qu'il ait oublié sa race?

— Je vous en prie, Juge! Un Noir peut aimer son pays sans s'efforcer d'imiter un Blanc. Quand j'ai fait la connaissance de Robinson, j'ai découvert ce que pouvait être un soldat noir. Mon camp, près de Peng Lem, avait été débordé par des troupes de choc nord-vietnamiennes. Robinson nous a tous sauvés. La nuit, on comptait quelque deux cents ennemis morts à l'intérieur de nos barbelés; la moitié au moins avaient été abattus par Robinson. C'était, de loin, le meilleur de mes hommes.

En discernant l'horreur qui se lisait dans les yeux du Juge, Tate ajouta :

— Tuer n'est pas le seul devoir du soldat, mais c'est tout de même sa tâche principale, qu'il le veuille ou non. Quand la guerre, que nous haïssons, vous et moi, éclate, il fait bon avoir avec soi des soldats comme le sergent Robinson si l'on souhaite rester en vie.

— C'est vous qui lui avez fait donner sa décoration?

— J'ai écrit la citation.

Seidel, civil au fond du cœur en dépit de son uniforme, entrevit ce que devait être cette lutte pour la vie dans un monde en flammes. Des hommes comme Tate et Robinson étaient prêts, demain, à se servir d'armes terribles si d'autres hommes, comme lui-même, ou comme Talcott Bailey, le pacifiste par excellence, leur en donnaient l'ordre. Dans un tel contexte, la folle imprudence d'un Dale Trask prenait un sens effrayant.

A HUIT HEURES du matin, heure de Washington, l'amiral Stuart Ainsworth entra dans son bureau du Pentagone. Il avait été réveillé à cinq heures par un coup de téléphone de l'officier de service, de garde dans la salle de guerre, qui lui rapportait l'incident survenu entre le colonel Trask et le destroyer *Allende*. Ensuite, l'amiral avait reçu, chaque heure, des messages des services de renseignements, le tenant au courant des réactions soviétiques. En tant que président du comité général d'état-major, Ainsworth avait pris des mesures pour que tous les renseignements concernant l'Union soviétique lui soient communiqués directement. Il était persuadé que les Russes voulaient détruire le bastion du capitalisme et qu'ils déclareraient tôt ou tard la guerre aux États-Unis.

Au cours de sa longue carrière, il avait souvent vu changer l'opinion américaine. Il avait servi au temps de l'euphorique alliance de la Seconde Guerre mondiale, durant les jours de colère de Corée et pendant l'époque de psychose anticommuniste du maccartisme. Il commandait les croiseurs lors de la crise de Cuba provoquée par les missiles russes, et s'était occupé du transport des troupes pendant la guerre du Viêt-nam. Il avait observé sans enthousiasme les missions de Nixon à Pékin et à Moscou. Enfin, trois années plus tôt, il s'était élevé, sans succès, contre les Accords de Malte. Depuis lors, il gardait pour lui ses opinions politiques. Trop d'officiers avaient nui à leur carrière en prodiguant aux États-Unis des avertissements que le pays ne souhaitait pas entendre.

Homme intransigeant, descendant d'une famille de calvinistes écossais, l'amiral considérait la démocratie comme un luxe réservé aux États prêts à tout pour la défendre et à frapper au besoin en premier. Son agressivité et son sens de l'organisation lui avaient valu d'être nommé à la tête de l'état-major par le Président, qui souhaitait contrebalancer l'influence des pacifistes dans son administration. Mais le Président n'aimait guère l'amiral et le vice-président le détestait cordialement. Fowler Litton Beal, par contre, le président de la Chambre des représentants, qui se rendait au moment même au bureau d'Ainsworth, l'admirait sans réserve.

Beal, petit homme grassouillet qui avait réussi à se tailler la première place à la Chambre grâce à son ancienneté et à sa fidélité d'esclave à l'égard de son parti, était en tous points le contraire d'Ainsworth. Il menait une vie privée déréglée, buvait trop et passait pour un vieux routier du parti, dénué de tout brio. Comment un tel homme, que ses électeurs appelaient le Vieux Fowler, eût-il résisté au prestige du président du comité général d'état-major ?

Un officier de marine en uniforme impeccable l'introduisit dans le saint des saints, et Fowler fut immensément flatté quand Ainsworth se leva pour le saluer et l'escorter jusqu'à son fauteuil.

— Je suis heureux que vous ayez pu venir à une heure si matinale, dit l'amiral quand l'aide de camp fut sorti.

Rien n'aurait pu retenir Fowler chez lui après le coup de téléphone qui lui avait mis la puce à l'oreille.

— J'ai compris qu'il s'agissait d'une affaire importante, Stuart, répondit-il, fou de curiosité.

— Je serais allé à votre bureau si la chose n'avait pas présenté une telle urgence, reprit l'amiral. Mais d'ici peu la presse sera au courant et les journalistes ne me lâcheront pas d'une semelle.

L'excitation de Fowler augmenta encore. Il n'avait pas la moindre idée de la « chose » dont il s'agissait. Washington, la nuit dernière, dormait aussi calmement que d'habitude. Le vice-président était en route pour le Proche-Orient, et le Congrès ne siégeait pas. Fowler et sa femme étaient allés se coucher, chacun dans sa chambre, et Beal, se retrouvant seul, avait envisagé de se rendre à Rockville pour y retrouver une certaine demoiselle MacLean, ancienne secrétaire dans l'administration, qui vivait aujourd'hui à ses frais.

Ainsworth résuma rapidement les événements survenus la veille sur la côte du Sinaï. Il termina en plaidant la cause du colonel Trask, officier loyal, et conclut :

— Je m'attends à recevoir un télex de Bill Tate me demandant de rappeler Trask, ce que je n'ai pas la moindre intention de faire. Mais Tate peut s'adresser directement au Président. Le vrai problème, c'est que Bailey peut prendre cet incident comme prétexte pour faire des concessions aux Russes.

L'amiral se leva et se dirigea vers une grande carte du Proche-Orient qui tapissait un mur.

— Regardez, dit-il en indiquant la péninsule du Sinaï. Les Soviétiques prétendent n'avoir dans leur zone que les cinq mille hommes autorisés, et les Égyptiens n'en ont que trois mille. Mais ici, sur le golfe de Suez, se trouvent deux divisions égyptiennes et, à l'ouest du Grand Lac Amer, il y a une division de « volontaires » parachutistes libyens. Au nord de Suez, enfin, nous guettent les missiles et les bombardiers soviétiques. Si les Russes bougent, nous ne disposons dans notre secteur que de soldats mal équipés, en nombre insuffisant, et les Israéliens n'ont presque rien non plus dans ce coin-là.

Fowler Beal avait vaguement en mémoire des chiffres indiquant des rapports de forces fort différents. Mais peut-être ses informations étaient-elles erronées.

— Dans quelques heures, poursuivit l'amiral, le fait qu'un avion américain s'est attaqué au destroyer de Rostov fera hurler tous les crétins de pacifistes et de capitulards du pays. Vous savez aussi bien que moi que les communistes peuvent compter sur des sympathies jusqu'au sein du Congrès. Oui, Fowler, c'est une affaire sérieuse, et je crois de mon devoir de mettre nos forces en état d'alerte. Oh! il ne s'agit encore que d'une alerte du premier degré.

— Est-ce vraiment nécessaire, Stuart? balbutia Fowler.

— Oui, à titre de mesure de précaution. Selon nos renseignements, les Russes déplacent déjà leurs unités aériennes. Ils bluffent, comme d'habitude, mais il convient de leur montrer qu'ils ne nous intimident pas.

— Que dit le Président?

— Inutile de le tenir au courant. L'alerte du premier degré n'a rien de dramatique; nous la lançons parfois pour nos exercices de manœuvre. Ne confondez pas avec l'Alerte Jaune, qui, elle, signifie le branle-bas de combat. Mais les Russes se le tiendront pour dit.

— Qu'attendez-vous de moi? dit Fowler d'une voix blanche.

— Pour l'instant, rien que votre soutien au Congrès quand l'incident du Sinaï sera de notoriété publique. Il faut créer un courant qui résiste à tout effort visant à apaiser les Russes. Puis-je compter sur vous?

— Bien sûr, Stuart, répondit Fowler.

Il avait vaguement l'impression d'avoir été manipulé, mais il ne voyait pas très bien comment.

Le colonel Dayton, pilote personnel du Président, s'apprêtait à quitter ses quartiers de Fort Meyer pour son bilan de santé mensuel chez un médecin militaire de l'aviation quand la Maison-

Blanche l'appela. Helen Risor, la secrétaire privée du Président, lui annonça que le patron avait décidé de passer deux ou trois jours dans sa résidence de Palm Springs et qu'il souhaitait partir de bonne heure le lendemain de la base d'Andrews. La suite présidentielle comprendrait deux agents du Service secret, ainsi qu'Ames Dickinson, ministre de la Défense, et elle-même.

Après avoir prévenu sa femme, Dayton téléphona à la base pour que l'équipage se tienne prêt. Il volerait avec deux nouveaux pilotes : le commandant Allan Campbell et le capitaine Edward Wingate, des hommes qualifiés mais qui ne connaissaient pas encore très bien leur commandant de bord. Dayton décida de passer le reste de la journée à les mettre au courant.

D'abord, il lui fallait décommander son rendez-vous avec le médecin militaire. Lors du dernier examen, celui-ci lui avait dit qu'il avait un peu de tension et qu'il devrait suivre un régime. Bien que l'électrocardiogramme fût normal, on avait prévu un minutieux examen pour la prochaine visite.

— Comment vous sentez-vous ? demanda le médecin quand il eut Dayton à l'appareil.

— En pleine forme.

Ce n'était pas tout à fait vrai. Depuis quarante-huit heures, le pilote avait la voix rauque et des quintes de toux. Mais cet athlète, ancien champion de football à l'université, ne pouvait imaginer qu'un jour son corps le trahirait.

— Votre voix me paraît voilée, Dayton, remarqua le médecin. Passez donc à l'hôpital dès votre retour.

— D'accord, toubib, répondit le pilote en raccrochant.

Une vague sensation de lourdeur pesait sur sa poitrine. Il résolut de laisser ses nouveaux collègues tenir le manche à balai. Songeant soudain au Président qui jouait — bien médiocrement ! — au golf sous le vent de San Jacinto Valley, il ne put s'empêcher de sourire. Lui-même, Dayton, était de force à battre aisément le chef de l'État.

Il ignorait que jamais plus il ne mettrait le pied sur un terrain de golf. A côté de son cœur, un anévrisme s'était formé, qui attaquait les parois palpitantes de l'aorte. Le colonel Dayton avait entamé la dernière journée de sa vie.

QUAND le commando Abou Moussa atteignit les dernières hauteurs avant l'oasis de Feiran, les ombres des chameaux s'allongeaient sur le sol et, derrière la petite caravane, un soleil rouge éclairait déjà un horizon brouillé par le vent de sable.

A travers ses jumelles, Enver Lesh distinguait au loin le bouquet de palmiers rabougris, de tamaris et de roseaux. Entre la crête et l'oasis, il aperçut des silhouettes, sûrement humaines, mais qui ressemblaient à des pierres.

— Je vois tes avant-postes, Jamil, dit-il à la femme.

— Vois-tu aussi ce qui arrive derrière toi ? lui demanda-t-elle, ironique.

Il pivota sur sa selle. Une demi-douzaine d'hommes avaient surgi du sol. Ils brandissaient des fusils automatiques et leurs longues robes noires volaient comme des ailes contre le ciel orange.

— Bravo ! femme, bravo ! dit-il.

Elle leva le bras pour ordonner à cette suite silencieuse de s'approcher. Quand il vit les guerriers de près, Lesh réprima un frisson. De beaux hommes, certes, mais leurs yeux noirs avaient la sauvagerie des bêtes de la jungle... ou des fanatiques.

— Voici Lesh, qui nous a apporté les armes promises, dit Jamil en arabe.

— Se battra-t-il aussi ? demanda le plus âgé du groupe.

— Mieux que la plupart d'entre vous, répondit Lesh en prononçant avec soin les mots arabes.

Cette remarque fit sourire. Dans une atmosphère détendue, Jamil présenta les membres du nouveau groupe, puis demanda :

— Les bergers du monastère sont-ils à l'oasis ?

— Ils descendent en ce moment de la montagne.

— Armés ?

— Quelques vieux fusils seulement, des couteaux et des frondes.

— Parfait, intervint Lesh. Qu'on donne des armes neuves aux hommes. Nous descendrons ensuite vers le point d'eau.

DANS sa cabine de l'*Allende,* Anatoly Rostov attendait le moment de rejoindre un groupe de visiteurs russes et égyptiens, venus de la terre pour lui rendre visite et qui se trouvaient dans le carré des officiers. Par les hublots ouverts, il entendait les bruits du port d'Alexandrie et apercevait de nombreux navires appartenant aux nations signataires du pacte de Varsovie.

Le vent brûlant charriait la puanteur de la grande ville crasseuse jusque sous le nez du vice-président du Praesidium, qui reniflait avec dégoût. Il n'aimait ni l'Égypte ni les Égyptiens. Il n'aimait d'ailleurs que les Russes, encore qu'il eût appris à tolérer les étrangers.

La journée l'avait exaspéré. D'abord, il ne digérait pas l'insulte que le pilote du Shrike américain avait lancée à l'Union soviétique. Après quoi, durant tout l'après-midi, il avait dû suivre le flot de messages qu'échangeaient Moscou et son ambassadeur à Washington. Apparemment, l'incident avait été photographié par un Cosmos, et maintenant l'ambassadeur Leonid Kornilov devait avoir en sa possession la preuve, noir sur blanc, d'une violation du droit international par un appareil du contingent américain. On lui avait donné l'ordre de demander audience au président des États-Unis, mais celui-ci, partant pour la Californie, ne recevait pas. Les Américains semblaient vouloir retarder toute discussion sur l'incident jusqu'après le renouvellement des accords.

Quand il entra dans le carré des officiers, Rostov le trouva plein d'uniformes égyptiens et soviétiques. Dans l'air flottait l'odeur du somptueux buffet et de la brillantine dont les Égyptiens se couvraient les cheveux. L'officier chargé d'accompagner à Zone Center le vice-président du Praesidium soviétique était un général couvert de médailles qui s'entrechoquaient chaque fois qu'il faisait un pas. L'interprète qui le suivait s'approcha de Rostov et lui murmura à l'oreille dans un russe approximatif :

— Le général Souweif voudrait proposer un toast à l'amitié soviéto-égyptienne.

Rostov leva donc son verre, attendit la fin d'un laïus arabe, et but. Ensuite, il fit un signe à un aide de camp et lui dit en dialecte :

— Parle à ces crétins.

Pendant que le jeune officier exprimait son admiration pour Alexandrie dans un arabe parfait, Rostov put s'esquiver et rejoindre le général Oulanov.

Celui-ci tenait dans ses mains un verre de vodka glacée dont il ne semblait pas avoir bu une goutte. « Le vieux sait qu'il devient sénile, pensa Rostov, et il se surveille. » Contemplant la salle bruyante, il remarqua :

— Finissons-en vite avec cette farce, camarade général, et mettons-nous au travail.

Au centre du carré se tenait Novotny, le directeur du K. G. B., qu'entouraient des officiers égyptiens. Il avait bu. Son visage avait un teint apoplectique et son uniforme était taché de caviar. Il imitait le style des vieux bolcheviks, dont il n'avait malheureusement ni l'âge ni la force brutale. « Voilà ce que deviennent les héritiers des héros de notre révolution triomphale, se dit Rostov, mélancolique. Ils prennent de la graisse, et ça les gonfle d'importance. »

— A nos vaillants alliés de la République arabe unie! rugit Novotny en levant son verre. A leur victoire sur la juiverie internationale!

— Imbécile! grommela le colonel Youdenitch, commandant en chef des forces aériennes soviétiques.

— Vassili Ivanovitch, lui ordonna Oulanov, emmenez ce clown avant qu'il ne dise des sottises encore plus grosses.

Le général, se tournant vers Rostov, poursuivit :

— J'ai reçu un message personnel du général Tate nous présentant ses excuses pour l'incident de l'avion américain, camarade vice-président.

— Reconnaît-il que le pilote a commis un acte criminel et doit être puni?

— Non. Il exprime simplement ses regrets, répondit le vieux général d'une voix lasse.

— Aurait-il peur des conséquences éventuelles?

— Le général Tate ne s'effraie pas si facilement. Je crois qu'il déplore cette affaire. Un point, c'est tout.

— J'ai l'impression que vous avez de la sympathie pour cet Américain.

— J'en aurais si j'y étais autorisé, camarade vice-président.

L'insolence voilée de cette réponse surprit Rostov. Ce n'était pas le genre d'un vieux guerrier comme Youri Oulanov. Manifestement, le général éprouvait une sympathie coupable pour ce Tate. Peut-être pourrait-on invoquer son état de santé pour remplacer le vénérable soldat à la tête du contingent soviétique dans le Sinaï...

— Dès qu'on nous aura débarrassés de cette assemblée de paons, reprit-il, je voudrais discuter du dispositif de sécurité prévu pour mon voyage à Zone Center. Est-ce cet imbécile de Novotny qui en est responsable?

— Je m'en charge en personne, camarade vice-président, promit Oulanov.

Rostov éprouva un peu de remords à l'idée de soumettre ce

vieil homme aux fatigues du voyage; mais cela lui donnerait l'occasion d'observer Oulanov et Tate ensemble. Aussi répondit-il :

— Très bien, camarade général. Comme vous le savez, la réunion est fixée à demain, dix-huit heures. Prenez vos dispositions en conséquence.

5

Le frère Anastase, du monastère de Sainte-Catherine, descendait lentement le sentier rocailleux vers l'oasis de Feiran. Depuis cinquante ans, il vivait dans la communauté de moines, au pied de la montagne sur laquelle, le prophète Mahomet en convenait lui-même, Dieu était apparu au Juif Moïse. Avec l'âge, le vieux moine avait fini par ressembler à la momie parcheminée de saint Étienne qui gardait l'entrée des catacombes où Anastase effectuait ses humbles tâches. Il vivait depuis si longtemps au monastère qu'il se souvenait à peine de son enfance, parmi les rochers blancs de Macédoine. Cette vie cloîtrée n'éveillait en lui aucun regret. Il était pieux, en bonne santé — doté de cette résistance que donne le désert — et remplissait fidèlement ses devoirs religieux. Étant un des plus anciens membres de la communauté, il jouissait du privilège de pouvoir, de temps à autre, faire retraite dans la montagne pour y méditer et prier.

Le frère Anastase n'avait plus rien à apprendre des anciens manuscrits qui racontaient l'histoire du monastère et de ceux qui y avaient séjourné. Par moments, il rêvait de martyre et s'imaginait qu'il était un de ces pèlerins du Moyen Age que massacraient les sarrasins.

A présent, tandis qu'il suivait le sentier escarpé et que le vent du soir fouettait sa robe, il parvenait à peine à concentrer ses pensées, affaiblies par deux jours de jeûne. Il devait faire un effort pour ne pas oublier qu'il allait rencontrer les bergers du monastère et partager leur frugal repas avant qu'ils regagnent les montagnes avec leurs bêtes.

Il n'y avait guère de contact entre le monde et Sainte-Catherine. Autrefois, les touristes venaient y admirer la mosaïque du Christ pantocrator dont le visage sévère ornait la voûte de l'abside; mais aujourd'hui, il n'y avait plus que des hommes en uniforme kaki, coiffés d'un béret bleu, pour rendre visite au prieur. Et le frère Anastase avait l'impression que l'époque des sarrasins était revenue.

Il commençait à faire noir dans le lit de l'oued qui traversait l'oasis, mais le soleil couchant jetait encore quelques flèches d'or et de pourpre comme pour évoquer, dans le crépuscule, le sang du Sacré Cœur. Bouleversé par la splendeur du décor, Anastase tomba à genoux sur les pierres et chanta le kyrie.

Il ne s'était pas encore relevé qu'il entendit une sorte de crépitement, formé par six ou sept détonations lointaines. Intrigué, inquiet, il se demanda ce que signifiaient les éclairs jaunes qui accompagnaient ces bruits et trouaient d'étincelles le crépuscule. Parmi les palmiers, les taches pâles formées par les animaux du troupeau tournaient sur elles-mêmes, en proie à la panique.

Le vieux moine se mit debout et se hâta vers l'oasis, trébuchant sur les cailloux. Un nouveau miracle se déroulait-il dans ce pays où Dieu s'était si souvent manifesté ? La bouche sèche, le cœur battant, le frère Anastase dévalait la colline.

Provenant de l'oasis, un cri de douleur retentit. Le vieux moine frissonna. Aucun miracle de Dieu ne pouvait provoquer une telle angoisse. Peut-être le diable était-il à l'œuvre ?

Comme il approchait du point d'eau, l'étrange crépitement se renouvela, toujours accompagné d'éclairs de feu. Il entendit des hommes hurler dans la langue des Bédouins et d'autres voix, furieuses, qui donnaient des ordres. Soudain, un homme dépenaillé surgit devant lui. C'était un berger bédouin qui traînait la jambe et qui semblait à peine humain dans la lueur rougeâtre du soir. Le moine trembla en entendant un souffle qui s'échappait avec un affreux bruit de gargouillement. Après quelques pas, l'homme tomba sur le dos, révélant un visage dont la mâchoire était remplacée par un trou sanglant. Ses yeux se révulsèrent puis s'éteignirent. Il ne souffrait plus.

Anastase se signa et récita la prière des morts. Il ne pouvait contrôler les tremblements de son corps. Quelqu'un massacrait les bergers, les abattait lorsqu'ils tentaient de s'enfuir dans les rochers. Au loin, une voix ordonna en arabe :

— Ne laissez pas s'échapper les chameaux, sinon nous serons venus pour rien !

Anastase comprit alors que vingt-cinq êtres humains étaient sacrifiés pour quelques chameaux. Il saisit sa grossière croix de bois, la brandit et se rua dans la mêlée des hommes et des bêtes.

— Arrêtez! hurla-t-il. Arrêtez au nom de Dieu!

Il n'avait parcouru qu'une courte distance, quand il fut projeté à terre par un coup violent. Il crut voir les ténèbres exploser et resta étendu, abasourdi, dans les roseaux qui bordaient le point d'eau. Il souffrait terriblement de la main gauche, et sa tête bourdonnait. En outre — que le Seigneur lui pardonne! — il avait perdu la croix qui depuis cinquante ans ne le quittait jamais.

Les crépitements avaient cessé. On n'entendait plus qu'une détonation isolée de temps à autre. Un chameau détaché bondit dans l'obscurité, écrasant les roseaux sur son passage, et traversa le ruisseau. Une voix de femme commanda à quelqu'un de réunir les animaux. Ce n'était pas une voix bédouine, les voix des bergers s'étaient tues. « Sans doute suis-je désigné pour subir le martyre, pensa le frère Anastase. Mais, par sainte Catherine, je ne comprends pas ce qui se passe. Les sarrasins sont-ils revenus? »

A nouveau, quelques coups de feu éclatèrent. Les sarrasins achevaient les blessés. « Qu'ils soient maudits, par saint Étienne! » aurait voulu crier le moine, mais aucun son ne sortit de sa gorge. Il eut brusquement l'impression que son cœur battait dans son bras gauche et constata qu'il avait perdu une main. Son sang ruisselait dans le sable. « Je ne suis pas un martyr complet, se dit-il, je n'ai encore donné qu'une main. Mais il faut avertir le monastère que les sarrasins sont de retour après mille ans d'absence. »

Au prix d'un effort surhumain, il roula sur le dos, dénoua la corde qu'il portait à la taille et en fit un garrot pour arrêter l'hémorragie. Pour serrer le nœud, il maintint les fibres de chanvre entre ses dents; la corde avait un goût amer.

A présent, les maraudeurs fouillaient l'oasis obscure, s'éclairant de torches électriques pour découvrir les survivants. Un coup de feu. Des bruits de voix. Un autre coup de feu. Des rires. Pétrifié par tant d'horreur, le frère Anastase ferma les yeux et resta longtemps immobile, guettant le moment où les sarrasins s'en iraient. Enfin, il les entendit partir pour dresser leur camp vers le nord de l'oasis. Le vieux moine n'avait presque plus la force de bouger, il avait perdu ses sandales, mais, au prix de douleurs atroces, il se traîna en rampant vers le point d'eau. Après un temps qui lui parut une éternité, il sentit une fraîcheur exquise près de son visage. Il s'allongea de tout son long pour presser sa joue dans la boue, puis laissa l'eau ruisseler dans sa bouche et but avec délice.

Le plus pénible restait à faire. Défaillant presque de douleur, il ramena son bras mutilé contre sa robe et attacha les bouts de la corde-garrot autour de son cou, comme une écharpe de fortune. Après quoi, il plongea sa gourde dans le ruisseau, la retira lorsqu'elle fut pleine et l'accrocha, elle aussi, à son cou.

Malgré sa faiblesse, il ne devait pas s'attarder. S'appuyant contre le tronc d'un tamaris, il parvint à se remettre debout. Et il avança dans la nuit, parfaitement opaque maintenant, sur un sol dont chaque pierre lui écorchait les pieds. A nouveau il avait soif, mais il n'osait pas toucher à sa gourde. Il savait que le soleil, la chaleur, d'autres souffrances, l'attendaient. Mais il fallait qu'il entreprenne ce voyage-calvaire à travers la montagne pour avertir le monastère que les sarrasins étaient de retour.

ÉTENDUE sur son lit, un livre ouvert gisant à côté d'elle, Deborah Zadok écoutait la *Symphonie Héroïque* de Beethoven que diffusait la chaîne stéréo donnée par Tate.

Profonde, triste, émouvante, la musique s'harmonisait à l'humeur de la jeune femme. Elle savait que sa liaison avec Bill Tate devait prendre fin, la carrière du jeune général risquait trop d'en être gravement compromise. Certes, personne n'avait encore trahi leurs amours, mais quelque chose avertissait Deborah que son bonheur était menacé.

Elle s'était rendue à l'aéroport avec les officiels pour saluer le vice-président, qui lui avait paru plus glacial encore qu'on le disait. Il semblait furieux de l'incident survenu entre le colonel Trask et le navire russe, et résolu à imposer son autorité aux militaires américains de la Zone, Bill Tate compris. Bien entendu, ce dernier avait rendu tous les honneurs réglementaires, mais l'atmosphère n'en avait pas été détendue pour autant. Et cette hostilité latente avait sans aucun doute marqué les entretiens privés qui avaient suivi.

Bien qu'il fût maintenant près de minuit, les discussions risquaient de ne pas être terminées. On fêtait le lendemain l'anniversaire des Accords, et Talcott Bailey avait choisi ce jour pour rencontrer à Zone Center Anatoly Rostov.

Deborah ferma les yeux pour mieux écouter la musique. « Je

suis beaucoup trop émotive pour faire un bon agent secret, se dit-elle, quels que soient les services que le Mossad attend de moi. »

Elle avait éteint la lampe et tentait de dormir, lorsqu'elle entendit les petits coups familiers frappés à sa porte. Soudain parfaitement éveillée, elle se précipita pour ouvrir. C'était lui! Sa haute silhouette se découpait dans la pénombre du couloir. Derrière Bill Tate, elle entrevit le gigantesque sergent Robinson qui montait la garde au coin du bâtiment.

— Je ne t'attendais pas ce soir, dit-elle.

Il entra et ferma la porte. Sa présence s'imposait dans l'obscurité, y dégageait une odeur de cuir et de tissu fraîchement repassé. Les étoiles métalliques de l'uniforme luisaient dans la faible lumière qui filtrait par la fenêtre camouflée.

— Je t'avais dit, ce matin, que je viendrais, répondit-il.

— Ce matin... C'est il y a un siècle!

— Au moins un siècle.

Il la saisit par les épaules, la serra contre lui et l'embrassa.

— Je n'aurais pas voulu manquer ça, murmura-t-il. Pas pour Talcott Bailey, en tout cas.

Elle l'attira sur le lit, et ils s'aimèrent en silence. Puis, quand ils se retrouvèrent côte à côte, apaisés, Deborah pensa : « Le désir, ce n'est que le désir qui nous lie. »

— Non, dit-il en relevant la tête (et la jeune femme comprit qu'elle avait pensé tout haut), non, c'est bien davantage.

Elle se blottit contre lui, de toutes ses forces, et sentit ses propres larmes qui lui mouillaient les joues, il lui arrivait souvent de pleurer dans ces moments-là.

— Tu n'aurais pas dû venir ce soir, chuchota-t-elle.

— Aucun règlement de l'armée ne l'interdit, même aux généraux.

— Je suppose que tout le monde est au courant de notre histoire?

— Oui, fit-il, laconique, pour couper court à ce genre de question.

— Accompagneras-tu ton vice-président à Zone Center?

— Non. Il m'a ordonné de rester à Es Shu'uts.

A tâtons, il chercha une cigarette, qu'il alluma. A la flamme du briquet, Deborah remarqua l'expression de mécontentement qui lui crispait les traits. Habitué à commander, il admettait mal de devoir se plier aux directives du vice-président.

— Et Dov Rabin, ira-t-il? demanda la jeune femme.

— Oui. Il a été désigné comme représentant officiel par Jérusalem.

Il se tut un instant, éteignit rageusement sa cigarette et reprit :

— Toi aussi, tu es du voyage. C'est une idée de Rabin.

— Quelle importance? Il n'y a sûrement pas le moindre danger.

— C'est ce que disent les services de renseignements. *Mes* services de renseignements, du moins. Que raconte-t-on au Mossad?

Le ton qu'il avait pris glaça Deborah jusqu'à la moelle. Elle sentit Bill remuer dans le noir.

— Ne réponds pas, dit-il. Ne réponds jamais à ce genre de question.

Elle comprit qu'il la soupçonnerait toujours de s'être donnée à lui pour obéir à un ordre des services secrets. Écœurée, se haïssant, elle se recroquevilla pour sangloter sans un mot. De longues minutes passèrent ainsi, puis il lui caressa la tête avec une surprenante douceur.

— Tout ira bien, murmura-t-il. Ne pleure pas, Deborah.

Il l'appelait si rarement par son prénom que ce fut pour elle comme une caresse supplémentaire. Elle serra contre sa joue la main chaude et forte de l'homme qu'elle aimait.

De son côté, Tate pensait amèrement qu'il avait d'abord détruit son ménage pour se consacrer tout entier à sa carrière et qu'à présent il risquait cette carrière pour une lamentable aventure avec une espionne israélienne. Et pour comble, il ne savait même pas s'il l'aimait.

Le vent était tombé et, dans la nuit claire, les montagnes se dressaient, sombres, atténuant la clarté des étoiles. Les palmiers et les tamaris bruissaient au passage de la menue vermine du désert que l'odeur du sang avait attirée. Vingt-huit Bédouins gisaient, morts, dans l'oasis de Feiran.

A minuit, Enver Lesh fit le tour du camp pour s'assurer que les sentinelles étaient toutes éveillées. Il se sentait rassuré par la manière efficace dont s'était déroulée l'attaque des bergers. Maintenant, le commando disposait de quarante-cinq chameaux, plus qu'il ne lui en fallait. En outre, les hommes avaient prouvé qu'ils étaient capables de tuer sans la moindre hésitation. S'ils massacraient d'un cœur léger des Bédouins, leurs frères de race, ils n'hésiteraient pas à liquider des soldats américains.

En retournant à son sac de couchage, Lesh aperçut Leila Jamil étendue sous un arbre. Ses yeux brillaient dans l'obscurité.

— Demain, dit-il, tu me montreras sur la carte l'endroit où nous devons attaquer les Américains.

— Es-tu satisfait de la journée? demanda-t-elle.

— Oui, tes hommes ont fait du bon boulot.

Elle s'enroula dans sa djellaba et lui tourna le dos.

— Qu'as-tu? fit-il.

— Je suis fatiguée. Laisse-moi dormir.

— Tu as besoin d'autre chose, ricana Lesh en fixant la masse sombre.

— Pas de toi, en tout cas! Va-t'en.

Toute la journée, il avait essayé de la tenter par ses paroles, ses sous-entendus à peine voilés. Cet excellent terroriste n'était en effet, sur d'autres plans, qu'un imbécile. Comment imaginait-il donc qu'une femme seule ait pu vivre si longtemps parmi des hommes rudes et seuls eux aussi? Manquait-il à ce point de psychologie pour ne pas deviner ce que Leila Jamil avait de différent?

Il était plus de minuit quand le juge Seidel prit congé du vice-président, quitta l'hôtel Falasha et regagna ses quartiers. L'entrevue avait défavorablement impressionné Seidel. Certes, Bailey était un homme sincère et pétri de bonnes intentions, mais il nourrissait des idées totalement fausses sur les mécanismes de la société américaine. Ses principes d'intégrité lui avaient, bien entendu, interdit de prendre connaissance de la lettre présidentielle qu'il avait remise à Seidel. Cependant, il ne manifesta aucune surprise lorsque son interlocuteur lui apprit — comme il y était obligé — que le Président envisageait de le nommer à la Cour suprême.

Cette éventualité déplaisait manifestement au vice-président, qui n'avait pas la moindre sympathie pour des conservateurs comme Seidel.

— Le Président a ses opinions et j'ai les miennes, Juge, avait-il dit. Mais j'estime que je dois vous avertir que j'appuierai ou combattrai votre nomination selon votre conduite ici. Je tiens à vous confier, en outre, que notre entrevue avec ce bouillant

Achille de Tate ne m'a guère satisfait. J'ose espérer que vous vous montrerez plus raisonnable. Les Russes vont, c'est presque sûr, exiger le renvoi de Trask ; à leur place, j'en ferais autant.

— Le général Tate ne demanderait pas mieux que de se débarrasser du lieutenant-colonel Trask, monsieur le vice-président. C'est l'amiral Ainsworth qui l'a choisi pour cette mission, et le général ne partage pas les opinions de l'amiral sur la manière dont doit être conduite notre politique au Sinaï. Mais renvoyer Trask serait céder à la menace soviétique, et cela le général ne le fera pas.

— Votre général ferait bien d'écouter l'opinion des civils, riposta Bailey. Et tout candidat à la Cour suprême devrait savoir clairement où vont ses sympathies en cas de conflit entre les pouvoirs militaire et civil.

Ils se quittèrent sur cette note sèche. Une fois seul, Seidel songea que non seulement le vice-président avait exprimé des opinions et des intentions que lui, le Juge, désapprouvait, mais encore que Bailey avait découvert le point faible de son interlocuteur : l'ambition de siéger un jour à la magistrature suprême. Maintenant, une sorte de chantage méprisable mais efficace se dessinait.

Traversant le secteur où logeaient les membres du groupe de liaison israéliens, Seidel éprouva un vif mécontentement en apercevant la haute silhouette du sergent Robinson qui montait la garde devant le bâtiment où vivait le capitaine Zadok. Le Juge était suffisamment au courant des problèmes que posait à Bill Tate la solitude de sa vie privée pour se douter de ce que signifiait la présence de Robinson. Si Tate n'avait pas été le commandant en chef du contingent, Seidel aurait admis cette liaison ; mais dans les circonstances actuelles, elle lui paraissait aussi scandaleuse qu'imprudente.

Il gagna les baraquements de béton où logeait le haut personnel militaire américain et fut surpris de tomber sur l'attaché de presse du Président, Jape Reisman, qui semblait l'attendre.

— Puis-je vous parler, mon colonel ? demanda Reisman.

Légèrement inquiet, Seidel le conduisit dans sa chambre. Contrairement aux autres officiers supérieurs, le Juge n'avait pas apporté chez lui le moindre confort ; la pièce ne contenait qu'un lit de camp, un bureau, et des casiers remplis d'ouvrages militaires et juridiques.

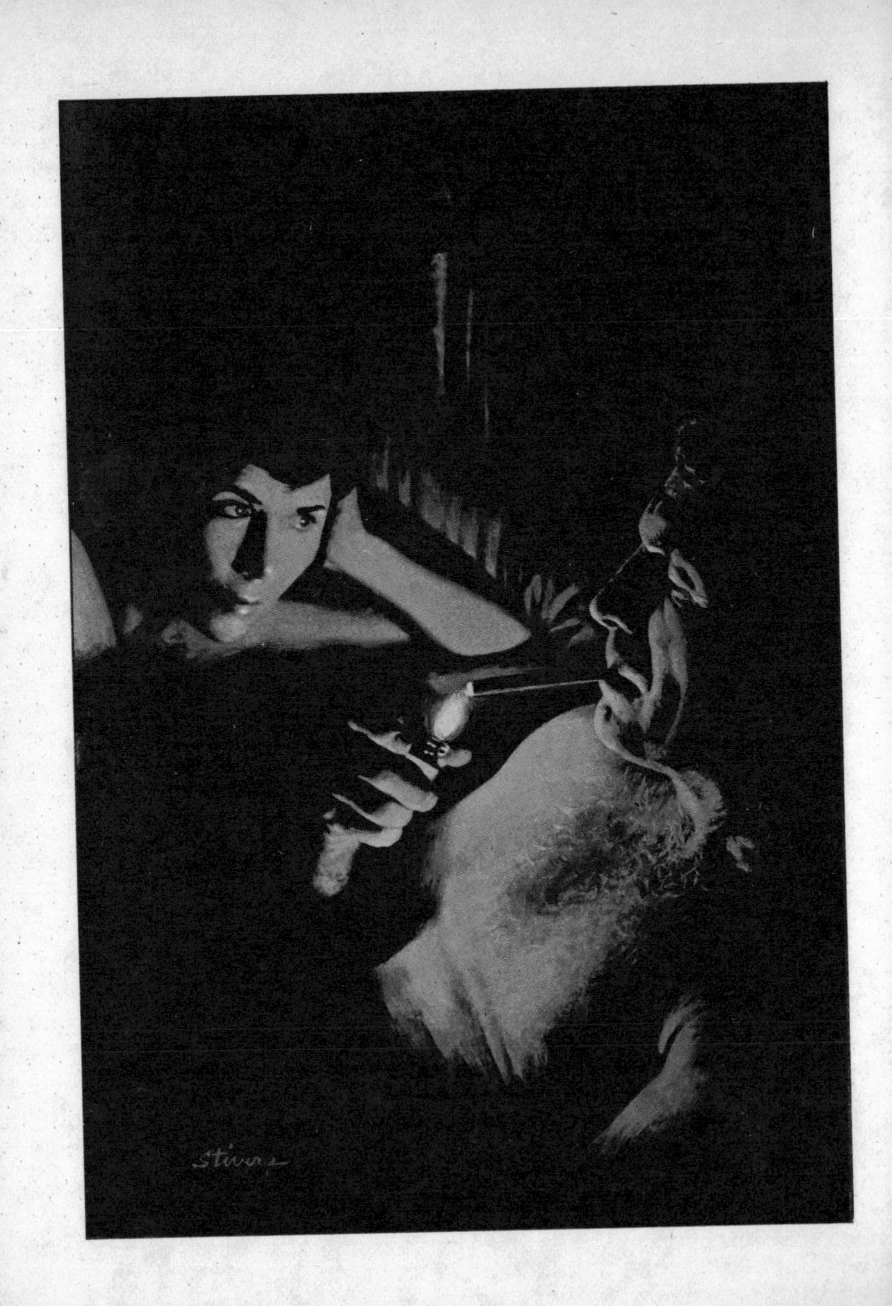
Stivers

— Que puis-je faire pour vous? dit-il en offrant à Reisman l'unique chaise, tandis qu'il s'asseyait lui-même sur le lit.

— Ce serait plutôt le contraire, riposta Jape. C'est moi qui ai l'occasion de vous rendre service. Le Président m'a prié de m'entretenir avec vous en privé pour préciser certains points qu'il aurait été dangereux de mettre noir sur blanc dans une lettre. Voilà : le patron souhaite que vous collaboriez entièrement avec Talcott Bailey, même si cela doit causer des ennuis au général Tate. Cette affaire Trask tombe aussi mal que possible. Mais si l'on en vient à l'épreuve de force, le Président aura davantage besoin de Bailey et de ses supporters que d'un brillant général.

Seidel sentit la déception lui serrer le cœur. « Oui, songea-t-il, on se passe allégrement des soldats tant qu'une guerre n'éclate pas. »

— Le vice-président a décidé d'exclure Tate de la réunion à Zone Center, dit-il, ce qui compliquera la tâche du général quand vous serez partis, et particulièrement ses rapports avec le général Oulanov et les autres Soviétiques.

— Je sais, répondit Reisman, mais l'incident créé par Trask nous a pris à l'improviste. Et quand on y réfléchit, c'était bel et bien au général Tate de veiller à ce que ce genre d'histoire n'arrive pas, surtout en ce moment.

— Oui, reconnut Seidel. C'est indiscutable.

— Le général s'obstinera-t-il à refuser la mutation de Trask?

— J'en suis convaincu... Tout comme le Président doit l'être. Si Trask était relevé de ses fonctions à la suite d'une protestation des Russes, le Président aurait Ainsworth et tous les faucons sur le dos.

— Je vois, Juge, que vous n'avez rien perdu de votre sens politique.

— C'est un don qu'on ne perd pas. Mais permettez-moi de vous parler en toute liberté. Je dois m'efforcer de convaincre Bill Tate de lâcher du lest avec le vice-président, de lui expliquer que le Président désire que les partisans de Bailey se tiennent tranquilles. C'est bien cela que vous attendez de moi, n'est-ce pas?

— Poursuivez, Juge, vous n'avez pas tout dit.

— Et quand le vice-président retournera à Washington, le Président mutera Tate ou le mettra à la retraite anticipée. Est-ce que je me trompe?

— C'est une éventualité, admit Reisman.

— Ainsi le Président apaisera à la fois Bailey et ses colombes, et Ainsworth et ses faucons. C'est Tate qui fera les frais de l'opération. Et qu'importe qu'il soit sans doute le meilleur des jeunes généraux de notre armée!

— La valeur de Tate a son importance, mais elle ne représente pas un élément capital. Ce qui prime tout, c'est que les Accords soient renouvelés, *signés par Bailey*, et que le contingent américain reste dans le Sinaï. Ne vous méprenez pas : le Président admire le général Tate; mais pour l'instant, il doit d'abord garder le parti uni. Dans trois ans, peut-être serons-nous assez forts pour gagner les élections, même si les colombes ne nous soutiennent pas.

— Je ne pensais pas que le Président doutait à ce point de sa popularité.

Reisman étudia en silence l'expression ironique de Seidel et murmura :

— Juge, je vais vous confier quelque chose sous le sceau du secret, quelque chose que je nierai vous avoir dit, si nécessaire. Écoutez-moi bien : le Président ne se représentera pas lors des prochaines élections.

Le choc ébranla Seidel. Il lui semblait que la base sur laquelle il avait édifié ses conceptions politiques venait de s'écrouler.

— Oui, poursuivit Reisman. Et savez-vous pourquoi? Parce que le Président souffre de la maladie de Parkinson.

— Mon Dieu! Je n'en avais pas la moindre idée. Et Talcott Bailey? Est-il au courant?

Reisman haussa les épaules :

— Il n'est pas facile de garder un secret à Washington, mais je crois que personne ne soupçonne encore celui-là. Si jamais la presse l'apprend, nous pouvons nous attendre à une campagne pour obtenir la démission du Président et son remplacement par Bailey.

— Ce serait un désastre, soupira Seidel.

— La question, c'est que Bailey a peu de chances de gagner une élection. Et si d'aventure il y parvenait, cela signifierait une impitoyable réduction des crédits militaires, l'abrogation des traités, la fin de nos alliances, toute une série de mesures qu'Ainsworth et ses amis considéreraient comme des trahisons. Par conséquent, il ne peut être question de Talcott Bailey à la tête du pays, ni maintenant ni plus tard.

— Le Président a-t-il décidé qui ferait l'affaire?

Reisman hocha lentement la tête et répondit :

— Oui. Un certain Jason Seidel, juge à la Cour suprême.

— Bon sang! Vous plaisantez.

— Je suis parfaitement sérieux au contraire. Réfléchissez donc, Juge. Vous avez l'âge qu'il faut, vous appartenez au parti qui convient, vous avez de l'intelligence et de l'honnêteté pour deux. En outre, vous avez fait partie du Congrès et, quand le moment viendra, vous aurez été membre de la plus haute magistrature. Certes, les électeurs ne vous connaissent guère à présent, mais lorsque votre parti aura pris la décision officielle de vous présenter comme son candidat vous serez déjà sorti de l'anonymat. D'ailleurs, vous savez bien que si le Président vous a choisi, c'est que vous êtes l'homme qui convient.

En entendant ces paroles, Seidel se sentit gagné par le vertige. Sans doute avait-il toujours été ambitieux, mais jamais il n'avait osé viser aussi haut. La présidence! Cette perspective l'étourdissait, l'excitait, et pour finir le rendait étrangement humble.

— Le Président désire que vous assistiez à la conférence à Zone Center, poursuivit Reisman. Pourrez-vous obtenir que Bailey vous y emmène?

Seidel se demanda si ce n'était pas là un test pour mettre à l'épreuve son adresse à manœuvrer Bailey et les colombes.

— Je crois que j'y parviendrai, répondit-il avec une pointe de mélancolie.

— Parfait, conclut Reisman en lui serrant la main. Je vous verrai donc demain, mon colonel.

La secrétaire du général Tate, le capitaine Elizabeth Adams, n'arrivait pas à trouver le sommeil. Toute la journée, la chaleur l'avait écrasée, et quand vers le soir le vent du désert s'était levé, des nuages de sable s'étaient infiltrés sous les portes et dans les climatiseurs. A présent, les implacables étoiles du Sinaï brillaient dans la nuit froide et silencieuse.

Les événements de la journée avaient jeté l'émoi dans l'âme de Liz. On aurait pu penser que la rencontre avec les Russes, à El-Arich, s'était déroulée comme toutes les autres; mais à peine la réunion avait-elle pris fin qu'une série d'incidents bizarres s'étaient succédé.

D'un coup de pied, Liz repoussa les couvertures et, immobile dans le noir, s'abandonna à ses fantasmes favoris, qui tournaient tous autour du général. Soudain, elle se redressa, consciente d'une vérité cruelle : William Tate ne l'aimait pas. Il la respectait, il appréciait son intelligence, son efficacité, sa loyauté. Mais il ne pensait pas à elle comme à une femme. Non, il avait quelqu'un d'autre en tête.

Elle se leva, ouvrit la porte et contempla les bâtiments silencieux. L'obscurité de sa chambre l'oppressait. Enfilant une capote militaire sur son pyjama, elle sortit, pieds nus, pour savourer la fraîcheur de la nuit. Si par hasard un soldat de garde la rencontrait, elle aurait l'air ridicule. Pourtant, bravant ce risque, elle se dirigea vers les lumières qui signalaient l'endroit où vivaient les officiers israéliens.

Cachée dans l'ombre, elle repéra l'aile où logeait Deborah Zadok, et son cœur se serra quand elle aperçut le sergent Robinson devant le bâtiment. Il fallait se rendre à l'évidence : le général était avec sa maîtresse juive. La jalousie tordit brusquement le cœur de Liz.

Un bruit de pas, derrière elle, la ramena brusquement à la réalité. En se retournant, elle se cogna presque contre un homme qui portait un blouson d'aviateur. Elle reconnut le lieutenant-colonel Trask, dont le souffle dégageait une forte odeur d'alcool.

— Adams! s'écria-t-il. Que diable faites-vous là?

— Je n'arrivais pas à dormir, alors j'ai été me promener.

Elle se rendit compte que ces paroles semblaient absurdes, mais que dire?

— Si j'étais vous, je n'irais pas par là, ricana Trask. Ce fichu nègre pourrait faire du vilain.

Elle sentit le sang monter à ses joues. Tout le monde connaissait-il la liaison de Bill et les sentiments que sa secrétaire portait à son patron? Elle en aurait pleuré d'humiliation.

— Je rentre dans ma chambre, déclara-t-elle sèchement. Bonne nuit, colonel.

Trask porta la main à sa visière en un salut ironique et regagna, de son côté, le bâtiment des officiers célibataires. Liz le regarda s'éloigner, et des larmes de peur et de honte ruisselèrent sur ses joues. « C'est la faute de cette Juive, se dit-elle. A cause d'elle, un homme comme Trask ose se moquer du général Tate. » Un jour, elle ne savait ni où, ni quand, ni comment, le destin, ou Liz Adams, ferait payer son crime à Deborah Zadok .

Au même moment, près de l'aéroport de Téhéran, un commerçant israélien ouvrit la porte de sa petite maroquinerie à un voyageur qui avait traversé le soir même la frontière soviétique.

Le visiteur déposa un rouleau de peaux mal tannées et qui sentaient le suint. Après quoi, il prit congé. Le commerçant verrouilla la porte, défit le ballot et en tira une enveloppe de plastique. Elle contenait les photographies prises le matin par Cosmos-623, clichés qui étaient destinés à Jérusalem. Comme il n'y avait pas de directives particulières, les documents ne seraient remis que le lendemain, à neuf heures du matin, à la légation israélienne, d'où ils parviendraient au quartier général du Mossad, à Jérusalem, trois heures seulement avant la rencontre américano-russe à Zone Center, quartier général des forces de l'O. N. U., situé de part et d'autre du trente-quatrième méridien est.

A la base d'Andrews, à Washington, l'avion destiné au Président était scrupuleusement vérifié avant son départ pour Palm Springs.

Près de l'oasis de Feiran, le frère Anastase, délirant de fièvre, trébuchait dans le noir et se dirigeait vers le nord-ouest, c'est-à-dire vers le secteur soviétique, au lieu d'avancer vers son monastère, à l'est. De son côté, le commando Abou Moussa repartait en direction de la zone démilitarisée, vers le sud. Éclairant le Sinaï, les premières lueurs du jour pointaient au sommet des montagnes.

6

Le général Tate ne dormait guère cette nuit-là. Il avait passé sa colère — cette rage et cette frustration dont Talcott Bailey était responsable — sur Deborah Zadok. Maintenant, il le regrettait. En agissant ainsi, non seulement il avait dégradé ses rapports avec la jeune femme, mais encore, en évoquant l'appartenance de Deborah au Mossad, il avait pratiquement mis fin à cette liaison qui comptait tant pour lui. L'avenir n'offrait plus qu'une solitude désolée.

Quand le jour se leva, Tate sortit pour inspecter les véhicules prévus pour le convoi du vice-président. Le refus que Bailey avait opposé à toute escorte militaire rendait impossibles des mesures efficaces de sécurité. Ce fait et l'obligation de s'incliner exaspéraient le général.

Au cours de la nuit, un certain nombre de journalistes étaient arrivés à Es Shu'uts, venant de Chypre. Comme il n'y avait pas de relais-satellite à Zone Center pour une émission en direct, les cérémonies du renouvellement des Accords devraient être enregistrées et retransmises ensuite à partir d'Echo Sierra. L'équipement nécessaire pour filmer cette heure historique occupait deux gros camions.

A sept heures du matin, le convoi était prêt, et Tate retourna dans son bureau. Une heure plus tard, il y reçut la visite de Crowell, l'aide de camp du vice-président, qui lui annonça que Bailey souhaitait voir le colonel Jason Seidel accompagner la mission officielle à Zone Center.

— Permission accordée, colonel, répondit Tate. J'avais d'ailleurs moi-même l'intention de l'envoyer, puisque le vice-président préfère que je reste à Es Shu'uts.

— J'en suis navré, mon général, soupira Crowell.

Tate évalua son interlocuteur du regard. Crowell était un vrai soldat, aux états de service exemplaires, pas un politicien.

— J'ai chargé le sergent Robinson du commandement de l'escorte, colonel. C'est le meilleur de mes hommes. Il connaît bien le pays et la situation.

— Parfait, mon général.

— Le commandant Paris, responsable des renseignements et de la sécurité, se trouve en ce moment à Zone Center avec Novotny, le chef du K. G. B. auprès d'Oulanov. L'O. N. U. manque d'hommes dans la zone démilitarisée, et elle compte sur les visiteurs pour assurer eux-mêmes leur sécurité. Je parierais que Rostov sera entouré d'un véritable bataillon d'agents spéciaux. (Il contempla le ciel nuageux, derrière la fenêtre.) De mon côté, j'ai l'intention de vous assurer une couverture aérienne jusqu'à ce que vous quittiez notre zone. Le vice-président préférerait que je n'en fasse rien, mais il n'a pas osé me l'interdire.

— Bien, mon général.

« J'ai rarement vu un homme aussi furieux », pensait Crowell en remarquant la bouche pincée, les yeux bleus glacés de Tate.

A peine le colonel se fut-il retiré que la voix de Liz Adams retentit dans l'interphone :

— Le colonel Seidel demande à vous voir, mon général.

Sa voix était tendue, mais Tate ne le remarqua même pas. Des soucis d'une autre importance le préoccupaient.

— Faites-le entrer, capitaine, dit-il.

Quand Seidel apparut, en tenue léopard, avec des bottes de para et un béret bleu, Tate ne put réprimer un sourire.

— Vous avez l'air d'un sacré soldat, Juge, observa-t-il.

— J'ai l'air d'un sacré imbécile, oui! A mon âge, je ne devrais plus être obligé de me déguiser.

— Peu importe. Il va s'agir d'ouvrir l'œil, Juge, et de veiller à ce que les civils collaborent avec Robinson. Puis-je compter sur vous?

— Bien sûr, mon général.

— Oulanov vous demandera pourquoi je ne fais pas partie de la délégation officielle. Répondez évasivement. Quand cette affaire sera finie, j'aurai du mal à renouer de bonnes relations avec les Soviétiques.

— Croyez que j'en suis désolé. J'aimerais pouvoir vous aider.

Tate ne releva pas ce propos. Il éprouvait une certaine déception à ne pas rencontrer un soutien plus énergique auprès de son chef d'état-major.

A ce moment, on annonça l'arrivée de Dov Rabin, qui entra en tenue de campagne, suivi de deux officiers israéliens qui portaient des mitraillettes Uzi.

— Le vice-président préférerait que vous n'exhibiez pas vos armes, dit Tate.

— Nous serons aussi discrets que possible, répondit Rabin en souriant. Mais comme nous ne disposons que d'une petite escorte de soldats américains, j'ai pensé qu'il valait mieux prendre ses précautions.

— Y aurait-il eu quelque activité terroriste que nos services de renseignements ignorent? s'inquiéta Seidel.

— Nous n'avons entendu que des rumeurs, mais nous attendons des informations recueillies par Cosmos-623, que le Mossad nous fera parvenir dans la soirée. J'ai laissé des instructions pour que tout me soit aussitôt adressé à Es Shu'uts.

Après le départ de Rabin et de ses hommes, Tate s'adressa à Seidel :

— Autre chose, Juge... (Il hésitait, semblait embarrassé.) Une affaire personnelle. Veillez sur le capitaine Zadok, voulez-vous?

Seidel se sentit ému. Jamais Bill Tate ne lui avait paru aussi vulnérable. Certes, il aurait fallu avertir le général que ses ennemis risquaient de se servir de Deborah Zadok pour briser sa carrière et pour lui interdire toute chance d'accéder au haut état-major, comme un officier aussi jeune, aussi brillant que lui était en droit de l'espérer. Seidel aurait donné gros pour mettre son ami en garde. Mais il ne le pouvait plus. Il se contenta de répondre :

— Je ferai mon possible, Bill.

Dale Trask observait le départ du convoi du vice-président. Il appréciait l'efficacité avec laquelle se déroulait la manœuvre, mais était choqué par la faiblesse de l'escorte. Ce genre d'imprudence serait rapportée à l'amiral Ainsworth.

Des soldats des Forces spéciales occupaient les deux premières jeeps. Un camion suivait, transportant le matériel des télécommunications qui devait accompagner partout le vice-président. Ensuite venait la grande limousine du vice-président, dans laquelle se trouvaient Bailey, Crowell, Seidel, Bronstein, Reisman et Emerson, chef des agents du Service secret. Sur une des ailes flottait le fanion de la vice-présidence, sur l'autre celui des Forces de la Paix.

Immédiatement derrière le vice-président roulait une autre grosse voiture qu'occupaient deux agents du Service secret et deux paras du contingent d'occupation. Puis il y avait l'automobile des journalistes et deux camions chargés de caméras et de matériel d'enregistrement. Un command-car ouvert, transportant les Israéliens — le général Rabin et le capitaine Zadok à l'avant, deux autres officiers à l'arrière —, suivait, armé de quatre mitraillettes Uzi. Trask distingua même le support d'une mitrailleuse lourde. D'autres véhicules transportant des soldats et la jeep du sergent attaché au général Tate fermaient la marche. Ils prendraient la tête de la colonne dès qu'on aurait quitté Es Shu'uts.

La vue de Robinson commandant l'escorte fit blêmir Trask de rage. Il ressentait encore l'humiliation subie lorsque le colosse noir était venu le chercher et l'avait escorté, comme un gibier de potence, jusqu'au bureau de Tate. « En ce moment, tu ne crânes plus, mon brillant petit général, se dit Trask. Tu as eu ma peau, d'accord; mais l'amiral Ainsworth aura la tienne. »

Se sentant en quelque sorte hors du jeu, il vit les véhicules franchir le poste de garde, passer devant la Maison de Verre et s'engager vers le sud. Au-delà, il n'y avait plus que du rocher et du sable pendant cent vingt kilomètres, jusqu'à El-Thamad, où le convoi entrerait dans la zone démilitarisée. Trask détourna la tête et regagna sa chambre pour y boire un grand verre de whisky.

Tate nourrissait des sentiments fort différents en assistant, lui aussi, au départ du vice-président. Comme la dernière voiture s'éloignait, il entendit une voix dire derrière lui :

— Reconnaissez qu'il voyage démocratiquement. Juste une petite escouade, pas de tralala. Notre vice-président a des goûts simples.

C'était Donaldson, le responsable local de la C. I. A.

— Il a le droit de voyager comme il lui plaît, riposta Tate, qui se détourna et se dirigea vers l'héliport.

Mais Donaldson ne le lâcha pas d'une semelle et poursuivit :

— La nuit dernière, Trask s'est soûlé au mess des officiers. Après quoi, il a échangé quelques mots avec Liz Adams. Et je parierais qu'ils ont parlé de vous.

Tate s'arrêta net, cloué par la colère.

— Je suis désolé, mon général, reprit Donaldson, mais je crois que vous devez savoir que votre secrétaire traînait du côté des baraquements israéliens la nuit dernière.

— Ça suffit, Sam! coupa Tate d'une voix glaciale.

— Excusez-moi, mon général, mais je fais mon travail. Vous êtes assis sur un baril de poudre, et je dois vous en avertir.

— Contentez-vous de m'informer des problèmes sérieux, articula Tate en détachant chaque syllabe, mais épargnez-moi les ragots concernant le colonel Trask, le capitaine Adams ou qui que ce soit. C'est clair?

— Si c'est ce que vous souhaitez, mon général.

— Oui, c'est exactement ce que je souhaite.

Sur ces mots, Tate repartit à grands pas furieux vers l'héliport. Sa rage ne l'empêchait pourtant pas d'admettre que Donaldson avait raison quand il prétendait ne faire que son devoir en rapportant au général tout ce qui se passait dans le contingent.

« C'est un comble, pensait Tate, voilà que l'arrivée de Bailey transforme en imbéciles les gens sur lesquels je pouvais compter. Qui se serait douté que cette brave, cette honnête Liz passerait ses nuits à espionner ma vie privée? » Il était d'une humeur massacrante quand il arriva à l'héliport. Beaufort et Anspaugh sautèrent de l'hélicoptère armé pour le saluer.

— Allons, allons, grommela Tate. Remontez à bord, qu'on démarre en vitesse. Je veux surveiller le convoi jusqu'à El-Thamad.

Tandis que Beaufort faisait décoller l'appareil et prenait la direction du sud, le général tentait vainement de secouer le pressentiment funeste qui l'assombrissait encore. La journée d'hier avait été mauvaise, celle d'aujourd'hui ne serait-elle pas pire?

Le ciel avait pris une couleur d'argent terni lorsque le commando Abou Moussa longea la falaise qui bordait Ras el-Gineina, montagne située à trente kilomètres de la base de l'O. N. U., Zone Center. Les hommes se mirent en file indienne pour suivre l'ancienne piste qui se déroulait au bord du précipice.

Leila Jamil cheminait en tête, guidant la petite colonne vers le nord. Lesh s'arrêta sur une étroite plate-forme pour étudier la carte. On était à présent à environ seize kilomètres de la route qui menait à El-Thamad. Il consulta sa montre. Même en tenant compte des difficultés du terrain, les terroristes auraient largement le temps d'inspecter les lieux avant de prendre position. Les Soviétiques et les Égyptiens arriveraient à Zone Center par l'ouest; avec un peu de chance, le commando, ou ce qui en resterait, ne les rencontrerait pas.

Le plan conçu à Tirana ne prévoyait aucune retraite pour les survivants arabes. Jamil et ses hommes comptaient si peu! Ils ne présenteraient plus aucune utilité une fois qu'ils auraient tué le vice-président américain. Lesh, pour sa part, avait reçu ordre de quitter les éventuels survivants le plus tôt possible et de repartir seul vers la côte sud-est de la péninsule pour y attendre le sous-marin, qui croisait à présent au large de Sanafir, île appartenant à l'Arabie Saoudite.

En pensant à ce rendez-vous, Lesh éprouvait une crainte sourde. Les flottes soviétique et américaine patrouillaient quotidiennement dans les parages de l'île, et Tirana n'allait pas sacrifier un sous-marin, même un vieux modèle russe datant de trente ans, pour un seul homme, qui d'ailleurs risquait fort de périr dans l'affaire.

Lesh ne craignait pas la mort, mais s'il avait le choix, pourquoi refuser de vivre? Et ce choix, il l'avait. En prenant de grandes précautions, en se résignant à de grosses pertes d'hommes, ne pourrait-on pas capturer Talcott Bailey plutôt que de le tuer? Bien sûr, les risques seraient beaucoup plus considérables que pour un simple assassinat, mais le jeu en valait la chandelle. Avec le vice-président des États-Unis en otage, Lesh serait en position d'imposer sa volonté à n'importe qui.

Il regarda dans la direction de Jamil, qui précédait la colonne sur le sentier en pente. Pour ses hommes et elle, un otage pareil offrait une aubaine inespérée. Détenir Talcott Bailey, c'était obtenir la libération de tous les terroristes qu'Israël gardait prisonniers. Peut-être même obliger les Soviétiques et les Américains à quitter le Sinaï. Cela valait certainement mieux que de mourir dans ces montagnes, traqués comme des bêtes par des Américains fous furieux et par des Soviétiques affolés. Lesh enfonça ses talons dans les flancs de son chameau pour rejoindre au petit trot la tête du groupe. Il allait parler à Jamil.

UNE heure après le départ d'Es Shu'uts, le convoi du vice-président roulait régulièrement à soixante-quinze kilomètres à l'heure à travers le plateau d'El-Quaysmah, le commandant Paris ayant veillé à ce que la route macadamisée, reconstruite par le génie américain, fût ce jour-là déserte.

Pendant ce temps, le même Paris multipliait ses efforts à Zone Center pour convaincre le commandant des troupes des Nations unies, le gros général Eriksson, de disperser ses hommes dans les collines environnantes plutôt que d'organiser une parade officielle. Mais le Suédois, qui détestait le désert, la plupart des Américains et son interlocuteur en particulier, ne voulait rien entendre.

— Depuis trois jours, je fais rentrer mes patrouilles, commandant, dit-il avec hauteur, pour que le vice-président du Praesidium soviétique et votre vice-président puissent apprécier l'importance des forces des Nations unies en zone démilitarisée. Je n'ai pas la moindre intention d'éparpiller mes hommes sur des centaines de kilomètres carrés pour guetter un ennemi imaginaire.

— Il y a des Bédouins qui circulent dans toute la zone démilitarisée, remarqua Paris.

— Quelques malheureuses tribus. Vous n'avez rien à craindre. Vous êtes ici sur le territoire des Nations unies.

Paris s'arrêta sur le seuil du quartier général construit par les Américains, regarda un instant les bâtiments qui l'entouraient et qui étaient dus, eux aussi, à ses compatriotes, et répondit :

— Les Nations unies? Bien sûr, mon général. J'oubliais chez qui j'étais.

DANS la voiture du vice-président, Talcott Bailey et Jason Seidel discutaient avec une âpreté croissante.

Clash !

— Je ne pense pas que chez nous l'opinion publique soit favorable à l'isolationnisme, remarqua Seidel.

— Ce n'est pas de l'isolationnisme que de concentrer nos efforts pour résoudre nos problèmes intérieurs plutôt que de nous lancer dans des aventures à l'étranger, répliqua froidement Bailey. Je crains qu'une trop longue absence vous ait fait perdre le contact avec les sentiments profonds du pays.

— Peut-être avez-vous raison, monsieur le vice-président, reconnut Seidel.

Reisman, qui les écoutait, pensa : « Seidel ne croit pas un mot de ce qu'il dit, mais il s'en tire bien. Oui, le Président a eu la main heureuse en choisissant son remplaçant. »

Bailey se pencha pour regarder par la fenêtre et demanda :

— N'est-ce pas un hélicoptère que j'entends, John ?

Emerson inspecta le ciel à son tour, clignant des yeux devant l'éblouissante réverbération du soleil. De son côté, Reisman distinguait nettement le bruit caractéristique.

— Oui, monsieur le vice-président, répondit enfin Emerson. C'est un hélicoptère militaire.

— J'avais exprimé le vœu que notre présence militaire soit aussi discrète que possible, déclara sèchement Talcott.

— Notre escorte ne pourrait pas être plus modeste, dit Seidel.

— Et nous aurons l'air bougrement pacifiques comparés aux Russes, à Zone Center, ajouta Crowell avec un regret manifeste.

Bronstein garda le silence. Il se sentait mal à l'aise et ne parvenait qu'avec peine à dissimuler l'antipathie que les Israéliens lui inspiraient. Normalement, né lui-même dans une grande famille juive qui avait généreusement contribué à la cause sioniste, il aurait dû se sentir solidaire d'Israël. Mais il s'était rebellé contre les opinions de son milieu et avait adopté, dès l'université, une position pro-arabe, sympathisant avec les groupes de réfugiés palestiniens et même — jusqu'aux assassinats qui avaient endeuillé les Jeux Olympiques de 1972 — avec des organisations terroristes comme Septembre Noir.

En outre, les Israéliens qu'il rencontrait aujourd'hui lui donnaient une sorte de complexe d'infériorité. Les sabras, nés en Terre Sainte, semblaient traiter de haut les Juifs américains comme lui, qui avaient mené une vie tranquille et confortable tandis que d'autres édifiaient l'État d'Israël face à l'hostilité de cent millions d'Arabes.

Jusqu'à présent, il était parvenu à cacher ses sentiments. Talcott Bailey n'aurait jamais toléré à ses côtés un ennemi d'Israël. Mais maintenant ses griefs remontaient à la surface. « Peut-être, pensait Bronstein, est-ce l'effet de cette terre que trois fois les Juifs ont prise aux Arabes. » Et il avait l'impression que le sol conquis frémissait sous l'outrage.

Enfin, il en voulait à William Tate, cet Américain de vieille souche anglo-saxonne, de s'entendre si bien avec les Israéliens. Chacun savait que le général avait une liaison avec le capitaine Zadok, et cette pensée exaspérait Bronstein.

Assise à l'arrière dans le command-car, Deborah Zadok regardait vers l'est, où l'hélicoptère venait de disparaître. Les cheveux noirs de la jeune femme flottaient sous son calot, fouettés par le vent du désert.

— C'est le général? demanda Rabin.

— Dans l'hélicoptère? Je ne sais pas. Sans doute, répondit-elle tout en continuant à scruter le ciel.

L'appareil réapparut à basse altitude.

— Ce qui me plaît le plus chez Tate, c'est sa nature confiante, remarqua Rabin, non sans ironie.

Deborah le fixa gravement avant de répondre :

— Il a confiance en nous, Dov.

— Nous ne lui avons jamais fait de mal, Deborah, répondit doucement le général.

Elle changea brusquement de conversation pour demander, non sans impertinence :

— Entre nous, général, avez-vous une maîtresse?

— Plusieurs.

— Et elles sont *toutes* espionnes?

— Je n'en serais pas surpris.

Mais Deborah n'avait pas le cœur à poursuivre ce badinage. Un poids lui oppressait la poitrine. La nuit qu'elle venait de passer avec Bill était la dernière de leur liaison, elle en était sûre, et l'envie de pleurer lui nouait la gorge.

— Dieu que je suis lasse de tous ces combats, de cette tuerie! soupira-t-elle. En aurons-nous jamais fini?

— La paix ne tardera plus, l'assura Rabin. Avec la présence des Russes et des Américains, la guerre est devenue beaucoup trop coûteuse.

« Peut-être, pensa-t-elle, mais ma vie n'en sera pas moins une succession de nuits froides et solitaires. »

Le groupe des personnalités qui s'étaient réunies sur la piste de la base d'Andrews pour dire au revoir au Président comprenait notamment l'amiral Ainsworth et Fowler Beal. Une pluie glaciale les transperçait, et tout le monde vit avec soulagement la voiture présidentielle s'arrêter devant la passerelle de l'avion.

Dans le poste de pilotage, le colonel Dayton et ses deux nouveaux pilotes, Campbell et Wingate, achevaient les dernières vérifications. Dayton avait décidé de confier à Campbell le soin de décoller. Il avait mal dormi et devait reconnaître qu'il ne se sentait guère en forme.

— Prenez le siège de gauche, commandant, dit-il. Je me charge de la radio.

S'installant à la place du copilote, il demanda des instructions à la tour de contrôle, qui répondit aussitôt. On ne faisait pas attendre l'avion présidentiel.

Après qu'on lui eut communiqué les informations météorologiques, Dayton regarda par le hublot les flaques boueuses, le ciel sombre et les balises jaunâtres qui brillaient dans la brume. Il aperçut le Président et le ministre de la Défense nationale, qui venaient d'arriver avec Helen Risor, la secrétaire. Le groupe comprenait encore quelques attachés de la Maison-Blanche, les agents de la sécurité, et l'inévitable sous-officier chargé du « football », cette mallette qui, enchaînée à son poignet, contenait les codes nucléaires.

Le Président échangea quelques mots avec l'amiral Ainsworth et Fowler Beal avant de gravir la passerelle. Aussitôt l'interphone bourdonna. Dayton se coiffa de son casque et entendit le premier steward annoncer :

— Le Président est à bord, mon colonel.

Comme les pilotes commençaient les manœuvres pour décoller, la porte du poste de pilotage s'ouvrit et le Président apparut.

— Tout est paré, Dayton ? demanda-t-il.

— Nous démarrerons quand vous le voudrez, monsieur le président.

— Tiens, vous avez un nouvel équipage ?

Dayton présenta Campbell et Wingate au Président, qui leur dit en souriant :

— Ne vous dérangez pas, messieurs, restez assis. Nous nous verrons plus tard. Allons, Dayton, dépêchons-nous d'échapper à ce temps affreux. Le soleil nous attend ailleurs.

TANDIS que l'avion roulait vers le bout de la piste, le président de la Chambre jeta un coup d'œil au visage de granit d'Ainsworth. Quelque temps plus tôt, l'amiral avait confié à Fowler Beal :

— Le Président fuit l'ambassadeur soviétique. Il laisse le secrétaire d'État régler l'histoire de l'*Allende*. N'empêche qu'il emmène Dickinson, le ministre de la Défense nationale, pour le mettre, lui aussi, hors d'atteinte.

Fowler Beal se demandait si l'amiral n'avait pas envie d'en faire plus que de secouer quelque peu les sous-marins soviétiques. Par exemple, les chasser de la Méditerranée, les forcer à remonter la Volga, sous la menace nucléaire. A cette idée, Fowler Beal frissonna. Il savait qu'il n'était pas de force pour imaginer la portée de tels événements.

— Et voilà. Ils sont partis, déclara Ainsworth.

En suivant des yeux les feux de l'avion qui s'éloignaient dans le ciel gris, Fowler Beal envia le Président. N'était-ce pas merveilleux d'être ainsi le maître de son destin, de pouvoir partir s'amuser en laissant à d'autres le soin de régler les problèmes ?

« Si je ne rentrais pas tout de suite chez moi ? » se dit-il en décidant de filer à Rockville et de tirer Terri MacLean de son lit bien chaud. Elle saurait le consoler d'avoir été trempé par une pluie froide et surtout d'avoir envié le sort des grands hommes.

7

A PEU près au moment où le cortège du vice-président atteignait la base américaine d'El-Thamad, le courrier diplomatique de Téhéran arrivait à Jérusalem, dans l'immeuble anonyme où se trouvaient les bureaux d'analyse du Mossad, qui étudiaient les informations soviétiques. Parmi les renseignements recueillis figurait l'enveloppe de plastique scellée contenant les photos du Sinaï prises par Cosmos-623.

A 16 h 15, le général Tate, pilotant son hélicoptère, vit le convoi passer en zone démilitarisée et, le cœur lourd, vira de bord pour regagner Es Shu'uts. Pendant ce temps, quelques

U.S.AIR

spécialistes, toujours à Jérusalem, étudiaient à la loupe les photos de Cosmos-623.

Le commandant Avram Bar-Sharon, officier parachutiste servant d'agent de liaison militaire au quartier général du Mossad, et Moshe Greenblatt, l'expert photographe, s'intéressaient tout particulièrement aux clichés pris au large de la côte nord.

— L'*Allende* se trouve exactement sur la ligne des quinze kilomètres, remarqua Greenblatt, un compas à la main. L'Américain plane à cent mètres au-dessus du bâtiment. Regardez, on voit qu'il est prêt à tirer!

L'attention du commandant Bar-Sharon se portait sur d'autres clichés russes, surtout sur ceux qui montraient le terrain compris entre le littoral et les contreforts méridionaux du Sinaï. Sur une des photos, on voyait un groupe de Bédouins qui semblait errer entre El-Tor, sur le golfe de Suez, et les montagnes. Le commandant avait été assez souvent attaqué par des commandos d'Arabes déguisés en Bédouins pour se méfier. Sur un autre cliché, il vit le monastère de Sainte-Catherine et, abaissant la grande loupe, reconnut à nouveau la petite bande de Bédouins. Sur la première photo, ils étaient quatorze, avec une demi-douzaine de chameaux de bât; sur la seconde, ils semblaient être quinze hommes montés, avec cinq animaux lourdement chargés.

— Greenblatt, s'exclama Bar-Sharon, viens voir ce que j'ai là! Regarde ces Bédouins. Examine surtout le type qui marche en tête.

Sous la loupe, le visage du conducteur parut bondir. Avec ses pommettes plates, son épaisse moustache, sa peau claire, l'homme n'avait rien d'arabe. En outre, Greenblatt crut distinguer, par les ouvertures de la djellaba, un tissu à impressions léopard et constata que l'homme portait des bottes lacées de parachutiste.

— Bon Dieu! s'écria le jeune expert, voilà qui ne me dit rien de bon!

— En tout cas, il ne s'agit pas d'un Arabe, répondit Bar-Sharon, et pas non plus sans doute d'une simple bande de Bédouins.

Comme il décrochait le téléphone pour appeler les services de renseignements de l'armée, Greenblatt intervint :

— Ne devrions-nous pas avertir les Américains? demanda-t-il.

— Ça peut attendre, répliqua Bar-Sharon, en soldat pour qui l'armée de son pays passe en premier.

Greenblatt ravala ses protestations. Les Yankees patienteraient jusqu'à ce que l'information soit analysée. Mais on finirait tout de même par leur révéler que les Soviétiques détenaient la preuve formelle de la présence d'un commando terroriste qui se déplaçait du secteur soviétique vers la zone démilitarisée sous la conduite d'un Européen.

— Ils envoient quelqu'un, dit Bar-Sharon en raccrochant le téléphone. Ensuite, s'ils sont d'accord avec notre interprétation, ils alerteront Washington et Es Shu'uts.

Comprenant qu'il fallait agir de toute urgence, Greenblatt installa un copieur pour que le visage de la photo pût être programmé dans un ordinateur, qui fournirait peut-être une identité précise. Il tentait de se rassurer en pensant aux importantes forces militaires, sûrement réunies à Zone Center pour la signature des accords. Mais des bataillons entiers ne suffisaient pas toujours à arrêter les attaques des terroristes.

DANS sa limousine aux vitres antiballes, Anatoly Rostov bouillait d'impatience. Il détestait voyager en voiture, et le Sinaï n'arrangeait rien, avec sa route abominable, construite par les Égyptiens, et son absence totale de relais pour se dégourdir les jambes et boire un verre de thé.

L'interminable convoi, fortement escorté, s'arrêta soudain à une vingtaine de kilomètres de la ligne de démarcation occidentale de la zone démilitarisée. Les camions transportant les compagnies du K. G. B. se vidèrent aussitôt, et les hommes vinrent entourer la voiture où se trouvaient Rostov, le général Oulanov et le capitaine Zakharov, commandant des forces navales.

— Allez voir ce que fabrique cet imbécile de Novotny, grogna Rostov en se tournant vers Oulanov. A cette allure, nous n'arriverons jamais à temps à Zone Center.

Le général ne tarda pas à revenir et, passant la tête par la portière ouverte, il annonça :

— On a ramassé un blessé, camarade vice-président. Un vieux moine, dans un triste état, paraît-il. Dans son délire, il dit qu'il appartient au monastère de Sainte-Catherine.

— Blessé ? demanda Rostov.

— Il a une main arrachée. Par une balle, je crois.

Rostov fronça les sourcils et se tourna vers Zakharov, qui soupira :

— Je n'ai jamais entendu dire que les Bédouins attaquent les moines, mais tout est possible dans ce pays.

— Le pauvre homme a perdu la tête, poursuivit Oulanov. D'après ce qu'il dit — il parle grec —, il aurait été attaqué par des sarrasins. Il pourrait s'agir de bandits.

Le colonel Novotny, sanglé dans un uniforme de combat, surgit alors et déclara :

— Mes hommes ont passé tout le secteur au peigne fin, camarade vice-président, et ils n'ont absolument rien trouvé de suspect.

— Quelle distance aurait pu parcourir ce moine blessé ? s'enquit Rostov.

— Difficile à dire. Il est très vieux, mais ces religieux sont d'une résistance !

— Poursuivons notre route, décida Rostov, emmenons le blessé à Zone Center; peut-être pourrons-nous y résoudre le mystère.

— Si nous prévenions les Américains par radio pour leur parler de l'incident ? suggéra le général Oulanov.

Rostov allait acquiescer, quand il se souvint de la déplorable amitié qui semblait lier le vieux général et le jeune chef du contingent américain.

— Non, trancha-t-il. Rien ne presse.

ÉGARÉ par la fièvre et la douleur, le frère Anastase distinguait à peine ses sauveteurs. On lui avait fait prendre des médicaments pour calmer ses souffrances, mais ces drogues achevaient de l'étourdir sans pour autant le soulager beaucoup. Il ne savait plus où il était, ni même très bien qui il était. Il entendait des voix étranges qui lui parlaient en grec avec l'accent russe. Il aurait voulu leur demander d'avertir le monastère de Sainte-Catherine que les sarrasins étaient de retour, mais il n'avait plus confiance en personne et n'osait pas révéler l'existence d'un passage secret qui conduisait à l'ossuaire de Sainte-Catherine, livrant ainsi un accès direct au couvent.

Le médecin soviétique, un jeune homme blond, posa une main affectueuse sur le front du vieillard et murmura :

— Du calme, petit père, du calme.

Anastase ouvrit des yeux vitreux; le visage qu'il vit le rassura.

— Seigneur, je remets ma vie entre tes mains. Que ta volonté soit faite, balbutia-t-il.

Puis tout se brouilla, et il sombra dans les rêves de l'opium.

A 17 H 10, le capitaine Elizabeth Adams entendit bourdonner le vidéophone dans son bureau. C'était Sam Donaldson.

— Liz, dit-il, nous venons de recevoir un message important. Le général est-il revenu?

— Pas encore?

— Mieux vaut brouiller la ligne, poursuivit Donaldson.

Des lignes mouvantes remplacèrent le visage sur l'écran. Liz pressa un bouton, et l'image de son interlocuteur réapparut.

— J'apprends par le groupe de liaison israélien qu'un commando de terroristes pourrait se trouver dans le secteur de Zone Center, déclara Donaldson. Voici les termes exacts du message : « Photos Cosmos révèlent activité suspecte. Possibilités terroristes. Recevrez copies par courrier spécial. » Vous avez tout noté?

Liz éprouva un choc. Elle s'était toujours efforcée de dissimuler ses émotions sous un vernis distingué, mais ses fantasmes nocturnes, son obsession amoureuse, sapaient peu à peu son contrôle d'elle-même. Comment n'eût-elle pas frémi de plaisir en imaginant une seconde que le convoi du vice-président — avec Deborah Zadok — risquait de tomber dans une embuscade?

— Vous avez bien pris note? répéta Donaldson.

— Oui, mais envoyez-moi une copie de confirmation, et je veillerai à ce que le général Tate la reçoive dès son arrivée.

— Ne vaudrait-il pas mieux lui adresser un message radio?

— Il ne peut rien faire sans confirmation, monsieur Donaldson, répondit sèchement Liz. Envoyez les photographies en question dès qu'elles vous parviendront.

Donaldson renonça à insister; il ne voulait pas se mettre à dos la secrétaire du général. Pourtant, il ajouta :

— Dites-lui aussi que j'adresse un rapport à Washington.

— Je n'y manquerai pas, lui promit Liz en raccrochant.

Ensuite, elle resta assise, immobile, pensant à ce qu'elle venait de faire.

A DIX-SEPT HEURES, le commando Abou Moussa avait encore progressé au nord de Zone Center. Ne voyant pas trace des troupes de l'O. N. U., les hommes se dirigèrent vers l'étroite route goudronnée d'El-Thamad.

Leila Jamil ne tarda pas à découvrir un endroit propice pour une embuscade. A cette place, la route traversait deux collines, rondes comme des seins de femme, et tournait ensuite à angle droit pour descendre vers une gorge profonde, bordée de rochers et de broussailles.

Poussant son chameau, Lesh monta au sommet de la première colline et considéra le terrain sur lequel la tuerie aurait lieu.

— Parfait, dit-il à Jamil qui l'avait suivi. On ne pourrait mieux choisir.

— Je suis heureuse que cela te plaise, répondit la femme, imperturbable.

Désignant la crête rousse du Ras el-Gineina, au sud-ouest, Lesh remarqua :

— Nous devrons repasser par là avec notre otage.

— Pour aller où ? demanda Jamil.

— Tiens-tu vraiment à faire de cette attaque une opération suicide ? Pas moi. Réfléchis donc un peu. Qui oserait toucher à un cheveu de nos têtes si nous avons le vice-président entre nos mains ? (Il s'échauffait, cherchant à vaincre le fatalisme de Leila.) Il faut que certains d'entre nous survivent. Avec Bailey comme otage, nous pouvons vider toutes les prisons d'Israël.

— Les Israéliens ne libéreront jamais les nôtres. On a déjà essayé.

— Avez-vous jamais capturé un vice-président américain ? riposta-t-il en souriant. Tu verras, Jamil. Cette fois, c'est différent. Nous réussirons, je te le jure.

S'APPUYANT à la porte du compartiment privé du Président, tandis que l'avion plongeait dans un trou d'air, au-dessus de la chaîne de San Bernardino, le capitaine Wingate annonça :

— Nous atterrissons à Palm Springs dans dix minutes, monsieur le président.

Le Président ne répondit que par un signe distrait, sans interrompre la lecture du rapport du Conseil national de sécurité.

Wingate toussota et, avant de se retirer, fit un signe à la secrétaire.

— Monsieur le président, dit celle-ci, je pense que le capitaine Wingate souhaiterait que vous attachiez votre ceinture.

— Pourquoi ne le disait-il pas ? grommela le Président en obéissant.

Il regarda par le hublot le soleil levant qui faisait étinceler les pics neigeux. La beauté du spectacle l'émut.

— Quel pays magnifique! murmura-t-il. Il nous arrive de l'oublier, n'est-ce pas, Helen?

— C'est vrai, monsieur le président.

Elle pensait souvent qu'il tirait sa force politique de cet amour presque sensuel de la terre américaine. Les électeurs devinaient qu'à une époque où les cyniques tournaient en dérision le patriotisme, lui, leur Président, incarnait la dévotion muette qu'ils ressentaient pour cette terre qui était la leur.

Une série de chronomètres de cuivre jaune indiquaient l'heure locale dans plusieurs pays du monde. Il n'était que 7 h 30 en Californie, mais 17 h 30 au Proche-Orient, et le Président pensa que le vice-président Bailey n'allait pas tarder à arriver à Zone Center. Mentalement, il souhaita bonne chance à Seidel, non sans éprouver une soudaine tristesse à l'idée du mal qui, lentement, lui enlevait, avec la vie, toute chance de continuer à servir les États-Unis.

— Reprenons-nous notre lecture, monsieur le président? demanda Helen.

— Oui, oui, bien sûr, je vous écoute, dit-il.

Elle se remit à lire le rapport à haute voix, tandis qu'une zone de turbulence secouait l'avion.

Dans le poste de pilotage, le colonel Dayton tapa sur l'épaule de Campbell pour lui indiquer qu'il allait reprendre les commandes. S'étant installé à la place de son collègue, il vérifia les instruments d'un coup d'œil rapide. Les températures et les pressions étaient parfaites. Seuls les instruments de vol oscillaient à cause des bonds que faisait l'appareil. Devant lui s'étendaient les flancs sombres de la montagne de San Jacinto, dont la neige poudrait le sommet.

— Contactez la tour de contrôle de Riverside et demandez les coordonnées, dit Dayton à Wingate. Comment cela va-t-il à l'arrière?

— Ça remue, mais le Président a l'air de s'en moquer.

— Essayons tout de même d'améliorer son voyage, répondit Dayton, qui se sentait lui-même assez mal à l'aise.

— Riverside donne le feu vert, mon colonel, annonça Wingate.

— O. K. Allons-y, répondit Dayton.

Wingate coupa le pilotage automatique, et Dayton se mit à travailler dur. Malgré ses systèmes hydromécaniques, l'avion n'était pas d'un maniement facile par gros temps.

Le pilote amorça un léger virage vers le nord pour survoler directement la vallée au pied de San Jacinto, puis réduisit les gaz. Il sentait des crampes lui envahir les bras et les épaules, et avait de la peine à maintenir l'appareil sur une ligne plane.

— Dix mille pieds, annonça Wingate, les yeux sur l'altimètre.

— Essayons les freins, dit Dayton.

Tandis que Wingate accomplissait la manœuvre, Campbell, assis dans le fauteuil du troisième pilote, sentait les rafales de vent qui giflaient la carlingue et secouaient le plancher. Craigie, le navigateur, se cramponnait à sa table où roulaient les crayons et les règles à calcul. A présent, la figure de Dayton luisait de sueur. Wingate faillit lui proposer de le remplacer, mais il se ravisa. Dayton ne voudrait pas lâcher le manche à balai à un tel moment.

Le soleil tombait maintenant en biais par les hublots et des taches de lumière sautillaient sur les instruments de bord, tandis que l'appareil était violemment secoué dans les trous d'air.

— Huit mille, annonça Wingate.

— Que dit la tour de contrôle? demanda Dayton qui avait de plus en plus de peine à respirer.

Wingate appela Palm Springs pour demander les consignes d'atterrissage.

— Vous avez la priorité pour une approche directe sur la piste neuf, lui répondit l'opérateur de la tour. Pas de trafic local. Le vent souffle à un huit cinq degrés, à trente nœuds avec rafales de quatre zéro. Altimètre : deux, neuf, neuf, sept. La voiture du Président attend sur la piste. Terminé.

Après s'être tourné vers Dayton, qui hocha la tête, Wingate reprit son micro :

— Bien reçu, Palm Springs, dit-il. Nous descendons à cinq mille pieds. Atterrissage prévu dans cinq minutes.

Dayton aspira profondément, avec un effort marqué, et décida qu'il valait mieux céder la place à son collègue pour que le Président atterrisse confortablement.

— Prenez les commandes, Wingate, ordonna-t-il.

En obéissant, le capitaine s'inquiéta :

— Ça ne va pas, mon colonel?

— Un peu de fatigue, c'est tout, répondit Dayton qui, tout en prenant la relève de son copilote, tentait de ravaler une sorte de boule qui lui obstruait la gorge.

— Trois mille pieds, annonça Wingate.

Dayton commença à lire à haute voix les indications apparaissant sur un petit écran rectangulaire.

— Mélange kérosène-air, cent pour cent.

— Cent pour cent, répéta Wingate en poussant les manettes des gaz.

— Volets sortis.

Pour réduire la vitesse, Wingate manœuvra les leviers contrôlant l'arrivée d'air le long des ailerons.

— Descente amorcée, dit-il en relevant légèrement le nez de l'appareil qui ralentissait.

Comme il regardait, droit devant lui, l'aéroport de Palm Springs, il ne remarqua pas Dayton qui pressait les mains sur sa poitrine.

— Abaissez le train d'atterrissage, ordonna Wingate.

Le plancher du poste de pilotage vibra d'un sourd bourdonnement qui signalait la sortie des roues.

— Réduisez à vitesse deux cent vingt-cinq nœuds, dit Dayton. Quatre feux verts. Train abaissé et verrouillé.

— Palm Springs, nous voici! cria gaiement Wingate.

A ce moment, la douleur qui vrillait la poitrine de Dayton s'accentua. Chaque fois qu'il aspirait l'air, son point de côté se faisait plus atroce. L'angoisse lui mouillait les tempes. Que lui arrivait-il donc? Il s'efforça de se concentrer sur les manœuvres.

Wingate réduisit encore la vitesse de descente en contemplant l'autoroute qui, derrière le hublot, coupait en deux la vallée de San Jacinto et les hôtels de luxe nichés dans la montagne. Le vert vif des terrains de golf et les taches turquoise des piscines étincelaient sous l'azur nettoyé par le vent.

A présent, Dayton aurait dû annoncer le ralentissement de l'appareil. Pourquoi se taisait-il? Wingate jeta un bref coup d'œil et découvrit le colonel immobile, pétrifié, une main crispée sur la poitrine, le regard fixe.

— Qu'avez-vous, mon colonel? s'exclama-t-il.

Son ton alerta ses collègues. Campbell se pencha sur l'épaule de Dayton pour voir ce qui se passait.

L'avion était descendu à une centaine de pieds et, dès qu'on eut franchi les limites de l'aéroport, le pilote entama le plané. On distinguait nettement la piste sur laquelle on allait atterrir.

Dayton souffrait atrocement. Pour soulager la pression qui

lui écrasait le flanc, il relâcha sa ceinture de sécurité. Il lui sembla entendre Campbell crier quelque chose, il aurait voulu avertir ses collègues qu'il avait une espèce d'attaque et qu'il faudrait reprendre de l'altitude et refaire un tour de piste pour trouver le temps de l'extraire de son siège de copilote, mais la douleur paralysait sa gorge et ses poumons. Il ne parvenait plus à émettre que de vagues grognements.

La mort interrompit brutalement cette atroce agonie. Il aspira l'air une dernière fois, partit en avant en écartant les bras, et ses mains vinrent frapper les appareils de contrôle, prenant Wingate totalement au dépourvu.

Les personnalités qui attendaient sur la piste de Palm Springs avaient vu l'avion présidentiel se préparer à un atterrissage de routine. A leur stupeur, ils aperçurent soudain l'appareil qui piquait du nez et venait s'écraser sur la piste à une vitesse de cent soixante-quinze nœuds. Le train avant se désintégra comme un fétu de paille. Le fuselage se fendit, l'aile droite éclata, déversant le carburant sur un vaste périmètre. L'empennage de la queue et le compartiment présidentiel furent projetés à plus d'un kilomètre de l'avion, échappant ainsi à l'incendie qui ravageait le reste de l'appareil.

Les pilotes et le navigateur furent tués sur le coup, et leurs corps éjectés sur la piste. Dans la cabine principale, le ministre de la Défense nationale, les deux attachés de la Maison-Blanche, les stewards et le sous-officier portant les codes furent retrouvés morts eux aussi. Un des stewards gisait à près de deux cents mètres du point d'impact. Il ne vécut que le temps de dire qu'il y avait eu « une explosion » dans l'avion, juste avant l'accident. Bien qu'elle ne tardât pas à être démentie, cette information, largement diffusée, impressionna le public.

Helen Risor, découverte dans les débris de la queue, vivait encore, mais les médecins déclarèrent que son état ne laissait aucun espoir. Il en allait de même pour le Président. Les premières dépêches annoncèrent qu'il avait péri. Elles furent aussitôt démenties, et durant deux heures la radio et la télévision répétèrent que le Président n'était que légèrement blessé. Mais au centre médical de Palm Springs, on savait bien que le numéro un américain ne sortirait pas du coma. Cette information resta secrète et ne fut communiquée qu'au Pentagone et aux chefs de l'état-major, vingt minutes après l'accident.

A 18 h 5, heure du Sinaï, la nouvelle parvint par le téléphone rouge au quartier général du contingent américain d'Es Shu'uts. Le général Tate venait de poser son hélicoptère sur l'héliport. Le convoi du vice-président du Praesidium soviétique approchait de Zone Center sous les projecteurs et les drapeaux. Quant au vice-président américain, il s'engageait, pratiquement sans escorte, sur une route qui passait entre deux collines dont la forme ronde évoquait, au soleil couchant, les seins d'une femme allongée.

8

DEPUIS une heure, l'inquiétude du sergent Robinson augmentait. Il avait l'impression qu'on avait ralenti depuis l'entrée dans la zone démilitarisée. Le retard devait être d'environ une demi-heure sur l'horaire prévu. Il restait encore une quarantaine de kilomètres à parcourir avant l'arrivée à Zone Center, or l'obscurité tombait, et le convoi ne disposait pas de radar ni d'armes lourdes. Certes, le détachement des Forces spéciales représentait une troupe d'élite, mais ses soldats étaient contaminés par l'atmosphère détendue qui régnait.

Pour Robinson, dès qu'on s'écartait de l'ordre militaire, les choses se gâtaient. Il se rappelait l'anarchie et la crasse du ghetto de son enfance, et savait combien il était humiliant de vivre d'allocations de chômage. L'armée l'avait sorti de là. Bien sûr, elle aussi avait ses racistes, mais il les remettait facilement à leur place, simplement en se montrant meilleur soldat qu'eux.

Il remarqua soudain que le voyant de la radio clignotait sur son tableau de bord et il se coiffa du casque à écouteurs.

— Ici, le camion des communications, entendit-il. Nous recevons un message Olympus d'Echo Sierra. Il faudrait nous arrêter pour le décoder.

Les messages Olympus étant uniquement réservés au vice-président, Robinson appela la voiture de ce dernier.

— Colonel Crowell, nous recevons un message Olympus; je fais arrêter le convoi en attendant qu'il soit décodé. Cela durera le moins de temps possible.

Ensuite, après un rapide coup d'œil sur le terrain, il ordonna au conducteur de sa jeep :

— Arrêtons-nous là, entre ces deux collines.

La colonne de véhicules, phares allumés à présent, s'engagea dans le défilé et s'immobilisa. Presque aussitôt, le commando Abou Moussa ouvrit le feu.

A ES SHU'UTS, la nouvelle de l'accident d'avion du Président frappa tout le monde de stupeur. Le général Tate alerta aussitôt une escadrille d'hélicoptères pour aller rechercher le vice-président et sa suite à Zone Center. Comme cette mesure violait déjà les Accords de Malte, il hésitait à prendre d'autres dispositions sans l'autorisation de Bailey.

Négligeant d'ôter sa combinaison de vol, il se rendit immédiatement à son quartier général et ouvrit une ligne directe avec le Pentagone, pour se tenir prêt à recevoir les ordres de l'état-major interarmes. Apprenant que l'amiral Ainsworth s'était déjà envolé pour Palm Springs, il ordonna aux techniciens du Pentagone d'installer immédiatement une ligne de communication avec l'appareil de l'amiral. Ensuite, il expédia son pilote, le capitaine Beaufort, auprès de Sam Donaldson, qui tentait, sur son réseau de communications de la C. I. A., d'obtenir des détails plus précis sur l'état du Président.

Liz Adams s'affairait à ses côtés, dans un état de stupeur qui ne l'empêchait pas d'obéir automatiquement aux ordres.

— Capitaine, lui dit Tate, appelez-moi Hunter, au centre de contrôle d'Echo Sierra.

La figure hagarde du commandant Hunter, chef des communications, apparut sur un des écrans qui faisaient face au bureau de Tate.

— Avez-vous des nouvelles du vice-président, commandant ? demanda Tate.

— Il y a quinze minutes, ils ont accusé réception du message Olympus, mon général. Mais ils n'ont pas encore répondu.

Tate réprima un mouvement d'humeur. Le rôle d'Olympus était de transmettre des messages secrets au vice-président. Mais pour une information de cette importance, qui concernait tout le monde, le décodage représentait une perte de temps inutile. Sans compter que, à en juger par l'excitation qui régnait à Es Shu'uts, la nouvelle avait déjà perdu tout caractère secret.

— Attendez encore dix minutes, commandant, ordonna Tate. Ensuite, s'il n'y a pas de réponse à Olympus, envoyez le message en clair au sergent Robinson. Dites-lui de ramener immédiatement le convoi à El-Thamad, quoi que dise le vice-président. Ajoutez que c'est un ordre direct de ma part.

— Bien, mon général, répondit Hunter, dont le visage s'effaça de l'écran.

En dépit des efforts du Pentagone pour tenir secrète la nouvelle de l'écrasement de l'avion présidentiel, de nombreuses rumeurs, fausses ou incomplètes, se répandirent bientôt dans le monde entier.

A 18 h 50, au Proche-Orient, un espion qui se trouvait à Chypre téléphona l'information à Damas. Selon sa version des événements, l'avion avait été saboté par des soldats de l'armée de l'air, des Noirs qui sympathisaient avec divers mouvements révolutionnaires. Ne sachant comment célébrer cette heureuse nouvelle, le haut commandement syrien ordonna à tout hasard un bombardement des hauteurs du Golan.

A Moscou, une session extraordinaire du comité exécutif du Politburo fut réunie, tandis qu'une série de messages se succédaient à l'ambassade soviétique de Washington pour exiger plus de détails.

A Pékin et à Tirana, seul l'accroissement des communications radio codées entre certaines unités de l'O. T. A. N. et les bâtiments de la VIe flotte permit aux autorités de deviner qu'il se passait quelque chose d'important. Mais quoi? Les Chinois finirent par apprendre la mort du ministre de la Défense nationale, Dickinson, par l'intermédiaire de leur ambassadeur au Canada. Mais on ne leur annonça l'accident du Président qu'après plusieurs heures.

A Washington, la presse, frustrée, devait se contenter de rapporter l'activité mystérieuse qui régnait parmi les leaders du Congrès. Les programmes de la télévision se poursuivaient normalement, à peine interrompus, de temps à autre, par des déclarations qui n'apprenaient rien.

Quant à Fowler Beal, qui dormait dans les bras de son amie Terri MacLean, à Rockville, Maryland, il n'était au courant de rien.

A Zone Center, enfin, Anatoly Rostov rencontrait, selon toutes les règles de l'étiquette, le général Ericksson. Le vice-président du Praesidium soviétique avait réussi à se débarrasser du général Souweif en l'envoyant voir si l'on pouvait tirer quelque chose du moine blessé. Washington n'avait pas encore informé les Nations unies, ni, par conséquent, le détachement qui occupait Zone Center, de l'accident qui bouleversait la moitié du monde.

Le convoi du vice-président américain s'était arrêté, pare-chocs contre pare-chocs, presque au centre du lieu choisi par Lesh pour l'embuscade. Les phares des véhicules éclairaient si nettement la scène que les tireurs du commando ne pouvaient guère manquer leurs cibles.

Un des camions des télécommunications reçut en premier une violente salve de fusils automatiques. Le dispositif thermique destiné à détruire les appareils secrets se déclencha et, en quelques secondes, le camion se transforma en brasier.

Lesh surveillait les opérations du sommet d'une des petites collines. Il apercevait Leila Jamil qui dirigeait l'attaque de quatre hommes contre un véhicule apparemment chargé de soldats. Il n'y avait que dans ce coin-là qu'on ripostait au tir, mais Lesh avait l'impression qu'aucun de ses partisans n'avait été touché.

Il lança un ordre au petit peloton de terroristes postés en face, pour qu'ils s'élancent hors de leur abri et encerclent le convoi. Lui-même avait déjà repéré la voiture d'état-major, avec ses fanions, et il se précipita vers elle, tenant son fusil d'assaut à pleins bras. Une salve troua la poussière à ses pieds, le forçant à se jeter à plat ventre. Il roula sur lui-même et chercha d'où provenait ce tir. Dans la lueur de l'incendie, il distingua un colosse au visage noir luisant de sueur, qui balayait les hauteurs des rafales de son fusil mitrailleur M-36.

Malgré lui, Lesh ressentit une sorte d'admiration pour l'homme qui s'exposait ainsi, mais qu'il fallait descendre au plus vite. Rampant derrière un buisson d'épines, il visa le grand soldat. Mais avant qu'il eût pu tirer, le taillis sous lequel il s'abritait se déchiqueta. Lesh battit en retraite, subjugué et furieux. Ce Noir était un as. Il devait disparaître. Seulement, quand le leader terroriste passa une nouvelle fois la tête hors de son refuge, le grand soldat n'était plus là.

A sa place, un groupe d'hommes désarmés sautaient en se bousculant d'une voiture et de deux camions. Un membre du commando lança une grenade, qui réduisit les fuyards en bouillie tandis que l'un des camions prenait feu.

Lesh fit alors signe aux tireurs de réserve de le suivre vers la voiture d'état-major. Les véhicules en flammes éclairaient la nuit d'une lumière infernale que les balles sillonnaient d'éclairs éblouissants. La beauté de ce spectacle, l'odeur de la poudre, les cris et les détonations, emplirent le cœur de Lesh d'une joie presque insoutenable.

A PEINE le camion des télécommunications avait-il explosé, qu'une volée de balles fit éclater le pare-brise du command-car des Israéliens, tuant les jeunes officiers assis à l'avant et Dov Rabin à l'arrière. Il tomba de côté, sur les genoux de Deborah Zadok, qui, refoulant un cri d'horreur, ouvrit la porte et se jeta sur le sol. Une atroce nausée la secouait. Quand elle eut la force de se relever et de regarder autour d'elle, elle vit une scène d'apocalypse.

Les véhicules du convoi étaient enchevêtrés les uns dans les autres comme s'ils avaient tenté de quitter la colonne pour s'échapper. Quelques soldats, devant le command-car, tiraient sur des ombres mouvantes au-dessus de sa tête. Elle se pencha à l'intérieur de la voiture pour dégager la mitraillette Uzi de Rabin, qui était prise sous le corps du général. En tremblant, elle essuya tant bien que mal la crosse poisseuse de sang et, agenouillée contre le pneu déchiqueté du command-car, elle se mit à tirer sur les formes spectrales qui s'agitaient derrière le rideau de flammes.

De tous les passagers de la voiture d'état-major, ce fut Talcott Bailey qui conserva le plus de présence d'esprit. Jamais encore il n'avait été attaqué physiquement, mais il n'était pas peureux et son cerveau fonctionnait vite en cas d'urgence.

Il comprit d'abord que ceux qui l'avaient mis en garde contre la présence de fanatiques désespérés dans le Sinaï ne s'étaient pas trompés. Sans doute les terroristes étaient-ils prêts à tout, mais Talcott pensa — comme Lesh l'avait pensé quelques heures plus tôt — que le vice-président des États-Unis représentait un otage d'une valeur inestimable et que donc sa propre vie n'était pas en danger.

Peut-être même se servirait-on de lui pour contraindre les Américains et les Soviétiques à abandonner complètement le Sinaï. Tout en restant convaincu que les États-Unis avaient tort de jouer au gendarme du monde, Bailey ne voulait pas servir d'arme contre la politique de son propre pays.

Il se rendait compte aussi que son escorte n'avait aucune chance de remporter cet atroce combat. Pour sa part, il devait s'échapper, même si cela signifiait abandonner ceux qui étaient chargés de le protéger. Il était sûr que les soldats des Nations unies ne tarderaient pas à intervenir. Après tout, l'attaque avait lieu dans la zone qu'ils contrôlaient.

Il aperçut cinq soldats que le gigantesque sergent noir du général Tate conduisait vers l'avant du convoi paralysé. Les hommes avançaient par bonds, en file indienne, tandis que leurs camarades tiraient en direction du désert. On voyait passer des éclairs, et Bailey crut même distinguer un chameau qui se cabrait derrière le mur de feu. Un bras tenta d'écarter le vice-président de la vitre. C'était celui d'Emerson, le garde du corps, qui, la main crispée sur son revolver d'ordonnance, répétait :

— Couchez-vous! Couchez-vous, monsieur le vice-président!

Bronstein, lui, s'était jeté sous le tableau de bord. Le chauffeur avait appuyé le canon de son fusil mitrailleur M-36 sur la vitre baissée de sa portière. Seidel hurla au sergent noir de venir protéger la voiture, tandis que Crowell essayait d'appeler sur son walkie-talkie le camion des télécommunications.

— Inutile, Crowell, lui dit Bailey qui, ayant vu des flammes s'élever en tête de la colonne, avait compris que le véhicule avait été touché.

Il décida que le moment était venu, pour lui, de partir. Dès que le sergent noir aurait déployé ses hommes autour de la voiture, il ordonnerait à Crowell et à Seidel de l'accompagner, et ils fonceraient vers les collines, au sud de la route. On n'avait pas tiré de cette direction-là. Il emmènerait aussi l'Israélienne et le général Rabin, si l'on parvenait à les trouver.

Saisissant l'épaule de Crowell, il lui confia son plan. Dans la lumière mouvante, il crut lire, sur les traits de son aide de camp, une stupéfaction teintée de mépris qui le piqua au vif.

— Vous m'accompagnerez, colonel, dit-il. C'est un ordre.

Crowell hocha lentement la tête sans détacher ses yeux noirs et brillants du visage du vice-président. Soudain, une détonation sèche claqua à l'intérieur même de la voiture. La bouche de Crowell s'ouvrit comme sous l'effet d'une vive surprise, et le colonel bascula lentement vers Seidel qui vit une tache sombre s'étaler sur l'uniforme, juste au-dessous de la rangée de décorations.

— Il est mort, dit Seidel.

Clash !

A l'avant de la voiture, Bronstein gémit de terreur. Il n'avait, pas plus que le vice-président, l'habitude de la violence. Même à l'époque où il militait dans les mouvements d'étudiants, il s'était toujours arrangé pour ne pas participer aux manifestations qui tournaient à l'épreuve de force avec la police.

— Alors, on tente une percée? demanda Seidel à Bailey.

— Avez-vous une meilleure idée?

Seidel secoua la tête. Les hommes de Robinson s'abritaient derrière l'avant de la voiture dont le sergent brisait les phares à coups de crosse.

— Nous allons essayer de sortir de là, dit Seidel au chauffeur. Que Robinson nous couvre et qu'il nous suive s'il le peut.

— Bien, mon colonel.

Le chauffeur ouvrit la portière, roula sur le sol et rampa vers les soldats.

— Nous pourrions essayer d'atteindre l'oued situé au bas des pentes, reprit Seidel. Ensuite, nous contournerons la colline. (Il se pencha par-dessus le dossier du siège avant pour empoigner Bronstein par le col de sa chemise.) Allez, levez-vous. Debout, sacré nom! Préparez-vous à bondir vers la colline.

— Je ne peux pas, mon colonel, geignit Bronstein.

— Secouez-le, ordonna Seidel en s'adressant à Emerson. Nous devons tirer le vice-président d'ici. (Il se tourna vers Bailey.) La fille, je veux dire le capitaine Zadok, vient avec nous, n'est-ce pas?

— Naturellement, répondit le vice-président.

Bailey avait l'impression que le tir, en tête du convoi, s'affaiblissait. Il n'y avait plus pour riposter aux assaillants que les soldats retranchés derrière la voiture.

Seidel ouvrit la porte arrière et se laissa tomber par terre. Il tenait à la main un pistolet automatique qui paraissait neuf. Avec un curieux détachement, le vice-président contempla ce juge presque sexagénaire, ancien parlementaire, officier d'état-major, qui n'avait sans doute jamais manié d'arme, et qui s'apprêtait à risquer sa vie pour protéger le vice-président des États-Unis.

Seidel rampa vers le command-car israélien. Quand elle l'aperçut, Deborah braqua sur lui sa mitraillette Uzi. La folie se lisait dans ses yeux immenses.

— Capitaine Zadok... Deborah! Ne tirez pas! C'est moi, le colonel Seidel! cria le juge.

Elle hésita avant d'abaisser lentement son arme. Ensuite, fermant les paupières, elle s'appuya contre le command-car.

— Où est Rabin? demanda Seidel.

Elle s'écarta légèrement pour qu'il découvre le cadavre du général israélien.

— Il est mort?

— Oui, répondit-elle.

— Venez avec moi. Nous allons essayer d'atteindre l'oued.

Il la conduisit vers la voiture, où les autres l'attendaient.

— Mais où est l'O. N. U.? s'inquiéta alors Bailey.

— De quoi parlez-vous? demanda Deborah.

— Des soldats de l'O. N. U. qui surveillent ce secteur.

Elle éclata d'un rire proche de l'hystérie.

— Mais vous n'apprendrez donc jamais rien! bredouilla-t-elle.

L'interrompant, Seidel cria à Robinson :

— Pouvez-vous nous couvrir sergent?

— Partez dès que nous déclencherons le tir, mon colonel, répliqua la voix grave de Robinson.

Un des soldats grommela :

— Eh! je n'ai plus que deux chargeurs.

— Employez-les bien, rétorqua Robinson.

Les fusils mitrailleurs M-36 des survivants de l'escouade ouvrirent le feu dans un vacarme assourdissant. Robinson eut la satisfaction d'entendre, entre deux rafales, un hurlement de douleur qui provenait des ténèbres.

— Par là. Partez vite, dit Seidel en poussant le vice-président. Deborah, Reisman, à votre tour. Foncez!

Le vice-président s'était élancé avec une agilité surprenante, mais derrière lui Deborah chancela et faillit tomber. Reisman la retint, et ils se mirent à courir. On voyait les jambes blanches de la jeune femme qui s'enfuyait vers la pénombre.

— C'est à vous, Bronstein, reprit Seidel. Allez-y!

— Je ne peux pas.

Emerson pressa le canon de son revolver sur la nuque de Bronstein et ordonna :

— Galope, salaud, ou je t'abats moi-même.

Bronstein obéit en trébuchant sur les pierres.

— A vous, à présent, mon colonel, dit Emerson à Seidel.

— Allons-y ensemble. Je ne suis plus aussi rapide que je l'étais.

— Très bien. Vous êtes prêt? Partons!

Les deux hommes coururent lourdement vers l'obscurité protectrice. Le crépitement rageur des fusils mitrailleurs commençait à s'atténuer, à mesure que les hommes épuisaient leurs munitions. « Mais grâce à Dieu, pensa Seidel, le vice-président est maintenant à l'abri. » Haletant, les poumons en feu, il se cogna soudain au dos de Bronstein et vit, avec une atroce déception, que celui-ci était arrêté par le canon d'un fusil d'assaut soviétique que braquait sur sa poitrine un homme coiffé d'un chèche. Et dans l'oued, une douzaine d'Arabes, debout en demi-cercle, tenaient en joue les fugitifs.

— Qui commande, ici? s'exclama Bailey en anglais. Qui est responsable de cet acte de banditisme?

Malgré son désespoir, Seidel eut envie de rire. Bravo! Bailey.

Deux silhouettes se détachèrent du groupe. L'une d'elles était une femme; l'autre, un homme à l'accent balkanique, qui répondit avec une lourde ironie :

— Messieurs et madame (il s'inclina légèrement vers Deborah), vous êtes tous prisonniers du commando Abou Moussa, du Front arabe pour la libération de la Palestine. Voici Leila Jamil. Moi, je suis Enver Lesh. Jetez vos armes et dites à vos soldats de se rendre immédiatement. Sinon vous serez tous abattus.

Sam Donaldson, assis dans le bureau du général Tate, crispait les poings, le visage aussi rouge que les fleurs de sa chemise de sport.

— Vous prétendez que vous n'avez pas encore vu ces clichés de Cosmos-623? répétait-il, à la fois ébahi et furieux. Mais ces photos ont été apportées à votre bureau il y a au moins deux heures. Le capitaine Adams a signé l'accusé de réception. Et je lui ai dit, personnellement, que vous deviez être averti dès votre atterrissage à l'héliport.

Tate ne pouvait comprendre comment Liz Adams avait pu ainsi manquer à son devoir. Depuis la nouvelle de l'accident survenu à l'avion du Président, tout fonctionnait de travers au quartier général d'Es Shu'uts. D'abord, on n'était pas parvenu à joindre par radio le convoi du vice-président. Tate avait commencé des recherches aériennes, le long de la ligne de démarcation de la zone démilitarisée, avec des hélicoptères et des Shrike, et il était décidé, si le convoi ne donnait pas de nouvelles d'ici une demi-heure, à ordonner des patrouilles jusque dans l'espace aérien interdit. Et voilà que Donaldson, exaspéré, faisait brusquement irruption dans son bureau, brandissant des photos dont jamais Tate n'avait entendu parler.

Le responsable de la C. I. A. poussa les agrandissements des clichés de Cosmos-623 devant son interlocuteur et désigna un endroit encerclé de rouge.

— Ces clichés montrent Trask en train de taquiner l'*Allende,* n'est-ce pas ? dit-il. A présent, regardez cette photo-ci. Eh bien, ce groupe de Bédouins est un commando terroriste, mon général ! Vous voyez l'homme qui lève la tête ? Selon les Israéliens, il s'agirait d'un certain Enver Lesh, officier albanais, que nous retrouvons depuis vingt ans sur notre route, et dans les plus sales coins ! Le voici maintenant à cent kilomètres du vice-président ! Franchement, je ne pense pas que vous retrouverez Talcott Bailey, mon général. Pas vivant, en tout cas.

Tandis que Tate examinait les documents, Donaldson poursuivit :

— Rappelez-vous, mon général, que ce sont des clichés *russes.* Les Soviétiques les ont eus en main dès hier matin. Maintenant, écoutez-moi bien... Il y a deux jours, un de nos satellites a repéré un sillage de sous-marin dans le détroit de Goubal. Or les Albanais possèdent encore une douzaine de vieux sous-marins russes. Et il y a trente-six heures, le Mossad nous a rapporté une intrusion probable dans le Sinaï du commando Abou Moussa. Les Israéliens sont convaincus que *ça* (il frappa la photographie), c'est le commando Abou Moussa. Enfin, le commandant Paris, chargé des renseignements à Zone Center, nous a communiqué que le convoi de Rostov a ramassé sur sa route un vieux moine blessé. Il semble avoir essuyé une fusillade. D'autre part, les agents de la C. I. A., en Virginie, me disent qu'un steward, à bord de l'avion présidentiel, prétend qu'il y a eu une explosion avant l'accident. C'est peut-être vrai, peut-être faux. Mais il faut tenir compte de toute éventualité. Additionnez tous ces éléments et que concluez-vous ? Qu'il ne peut s'agir de pures coïncidences. D'abord, l'avion du Président s'écrase ; aussitôt après, le vice-président est porté manquant. (Sa voix se durcit.) C'est tout de même curieux que les Soviétiques aient disposé hier de ces informations provenant de leur satellite et qu'ils ne nous aient pas avertis de la présence d'un commando se dirigeant vers Zone Center.

Je m'étonne encore plus qu'ils n'aient pris aucune mesure pour protéger Rostov. Il me semble, pour le moins, que nous avons affaire à un complot. Et si Bailey, en chair et en os, ne reparaît pas dans quelques minutes, je ne serai pas le seul à penser que cette affaire est cousue de fil blanc.

Il se rejeta dans son fauteuil, le visage encore plus congestionné, et conclut :

— A présent, mon général, pourquoi n'appelleriez-vous pas le capitaine Adams pour qu'elle nous donne les raisons qui l'ont poussée à ne pas vous remettre ces photos?

— Je m'occuperai moi-même du capitaine Adams, dit Tate.

Donaldson se leva, non sans peine, et se dirigea vers la porte d'un pas fatigué. Sur le seuil, il s'arrêta pour déclarer :

— Si je vous ai offensé, croyez bien que je le regrette, mon général. Mais supposez que Talcott Bailey devienne président... je ne donnerais pas cher alors de votre carrière. C'est dommage, mais c'est comme ça. Et si Stuart Ainsworth prend le pouvoir, ce qui ne manquera pas d'arriver si cette histoire est un coup monté, je donnerais moins cher encore de la sécurité des États-Unis.

Après le départ de Donaldson, Tate, songeur, passa une main sur ses cheveux en brosse et sur sa joue piquante. Il se sentait incroyablement las. Si Donaldson, homme fort intelligent sous ses airs brutaux, soupçonnait une conspiration communiste, l'amiral Ainsworth, avec sa haine profonde des Soviétiques, leur jetterait la pierre plus vite encore. Riposteraient-ils? D'autre part, chacun savait, à Washington, que Fowler Beal subissait l'influence des militaires. Si, en tant que président de la Chambre, il faisait fonction de Président, n'obéirait-il pas, les yeux fermés, au Pentagone, et par conséquent à l'amiral Ainsworth? L'éventualité d'un complot, fomenté par les Russes et les Chinois pour décapiter les États-Unis, ne provoquerait-elle pas une réaction foudroyante? A cette idée, Tate frissonna.

Mais il fallait d'abord parer au plus urgent. Il pressa donc le bouton du vidéophone et vit apparaître le visage effaré de Liz Adams sur l'écran. Pendant une seconde, il fut tenté de lui infliger une sanction; sa négligence devait être punie. Mais à la réflexion, il pensa que sa secrétaire n'était pas vraiment responsable. Le coupable, c'était lui. Sa liaison avec Deborah Zadok avait causé un choc à Liz Adams. Songeant à Deborah, Bill se dit qu'elle était peut-être morte, à l'heure présente, ou, pis encore, qu'elle gisait sans défense au fond d'un oued obscur, quelque part dans le Sud. Mais un soldat n'a pas le droit de s'attendrir sur un drame personnel, sous peine de perdre son sang-froid. Se ressaisissant, Tate, d'une voix sèche, ordonna à sa secrétaire :

— Capitaine, avertissez les pilotes que les recherches doivent s'étendre au-dessus de la zone démilitarisée.

Il coupa le contact sans se douter que Liz se sentait atrocement coupable. Elle estimait qu'elle méritait le conseil de guerre pour ce qu'elle avait fait. Égarée par sa jalousie vis-à-vis de Deborah, elle n'avait reculé devant rien pour que la Juive ne revînt pas de l'expédition. Résultat : le général Tate était forcé, à présent, de violer les Accords de Malte. Il le paierait, et cher!

A BORD d'un avion supersonique, l'amiral Stuart Ainsworth revenait de Palm Springs à Washington. Quelques instants plus tôt, il s'était entretenu, par relais télévisé, avec les services de renseignements de l'armée, qui lui avaient communiqué la capacité de première frappe nucléaire de l'Union soviétique. Les chiffres étaient impressionnants mais pas accablants. Auparavant, un psychologue de l'université de Yale, spécialisé dans la prévision des réactions soviétiques, avait donné son opinion à l'amiral.

Ce professeur avait étudié, quelques années plus tôt, entre autres situations éventuelles, le « cas décapitation », c'est-à-dire ce qui arriverait si le Président et le vice-président des États-Unis mouraient subitement tous les deux, et avait imaginé les diverses attitudes que les Soviétiques pourraient alors adopter. Au cours des années soixante, après l'assassinat de Kennedy et d'autres attentats, le scénario avait été complété. Les probabilités d'une attaque immédiate des Soviétiques étaient passées d'une chance sur soixante à une sur vingt. Les visites de Nixon à Pékin et à Moscou avaient fait dégringoler cette « cote » à une sur deux cents. La signature de l'accord de paix vietnamien à Paris, en 73, et la rencontre au sommet, avec Brejnev, à Washington, avaient encore réduit les risques de conflit. Ensuite, la guerre du Kippour et l'alerte mondiale lancée par les États-Unis à la fin de 73 avaient provoqué une brusque remontée de la cote, mais les initiatives de Kissinger l'avaient de nouveau réduite à son niveau le plus bas. Paradoxalement, la signature des Accords de Malte avait ravivé l'intérêt du « cas décapitation », car à présent les forces soviétiques et américaines se faisaient carrément face, de part et d'autre du trente-quatrième méridien, et cette confrontation n'allait pas sans heurts.

Selon la dernière étude du psychologue de Yale, si les États-Unis se trouvaient privés de chef pendant plus de soixante-douze heures, l'Union soviétique serait fortement tentée de lancer une attaque préventive contre l'O. T. A. N. et les troupes américaines stationnées en Europe.

Seul dans son avion, Ainsworth pesait le pour et le contre des écrasantes responsabilités qu'il allait devoir assumer. Si l'on ne parvenait pas à joindre très rapidement le vice-président, les conditions du « cas décapitation » risquaient de se trouver remplies. En effet, malgré tous les efforts déployés à l'hôpital de Palm Springs, le Président se mourait. Son médecin personnel, le général Raymond Marty, hagard, les larmes aux yeux, l'avait dit franchement.

Le Congrès pouvait évidemment confirmer le président de la Chambre dans ses fonctions de Président par intérim, mais la rapidité ne caractérisait pas le Congrès. En outre, le Président n'était pas encore mort et le vice-président était seulement porté disparu. En face d'une telle situation, Ainsworth estimait qu'il fallait observer une stricte légalité, mais sans renoncer pour autant à prendre les mesures d'urgence qui s'imposaient.

Un voyant clignota sur le tableau des communications, et la voix de l'aide de camp de l'amiral annonça :

— Nous avons en ligne la Salle de guerre du Pentagone, monsieur l'amiral.

Le général Armando Rivera, des forces aériennes, qui présidait l'état-major interarmes en l'absence d'Ainsworth, apparut sur l'écran. C'était un bel officier, au visage basané, à l'uniforme chamarré de décorations.

— Général, déclara Ainsworth, je prends sur moi de déclencher immédiatement l'Alerte Jaune.

— Les bandes des ordinateurs sont en marche, monsieur l'amiral, répliqua Rivera.

— Convoquez tout le monde dans la Salle de guerre pour mon arrivée à Washington.

— Dans l'abri prévu pour les attaques nucléaires, monsieur l'Amiral? demanda Rivera imperturbable.

— Pas encore. Envoyez une voiture chez le président de la

Chambre. S'il n'est pas chez lui, essayez l'adresse de Rockville que je vous ai donnée. Je veux qu'une escorte armée ne le quitte plus jusqu'à nouvel ordre.

Cet imbécile de Beal s'imaginait que son nid d'amour à Rockville était un secret! Mais, imbécile ou non, il avait de fortes chances de devenir brusquement Président *de jure* des États-Unis.

Manifestant pour la première fois quelque émotion, Rivera déclara :

— La C. I. A. a reçu les photos de Cosmos-623 que les Soviétiques comptent utiliser pour protester contre l'incident de l'*Allende,* monsieur l'amiral. Avec ces clichés, il y en avait d'autres, pris lors du même passage au-dessus de la partie sud du Sinaï. On y voit un groupe d'Arabes qui, selon les Israéliens, appartiendraient à un commando terroriste. Ils auraient même identifié un des hommes, un Albanais nommé Enver Lesh. Si notre vice-président a des ennuis, il n'y a qu'une conclusion à en tirer : les Soviétiques savaient qu'on lui avait tendu une embuscade et ils ne nous ont pas avertis. Ils n'ont laissé passer ce renseignement que lorsqu'il était trop tard pour intervenir.

Ainsworth ressentit un curieux plaisir.

— Quel est notre potentiel de missiles en position de tir, général? demanda-t-il.

— A peu près quatre-vingts pour cent, monsieur l'amiral.

— Parfait. Ne brouillez pas notre Alerte Jaune. Je veux que les Russes soient au courant. Et que tous nos chefs d'état-major adjoints soient à leur poste de commande. Nous verrons bien ce qui arrivera.

Rivera lança un regard interrogateur à son supérieur. L'Alerte Jaune ne posait pas trop de problèmes; mais si l'on voulait poursuivre l'escalade, il fallait un ordre du Président.

— Bien, monsieur l'amiral, dit-il.

Ainsworth coupa le contact, et son aide de camp apparut :

— Où sommes-nous? demanda l'amiral.

— Nous survolons Saint Louis, monsieur l'amiral.

Avec le vent, il faudrait compter encore une heure avant d'atterrir à la base d'Andrews. Ainsworth tâcha de brider son impatience et son anxiété. Le voyant clignota de nouveau, et la voix de l'officier des télécommunications retentit :

— C'est Bruxelles, monsieur l'amiral. Le commandement de l'O. T. A. N.

Sur l'écran surgit alors le visage tiré, inquiet, de sir Alexander Clayborne, commandant en chef adjoint des forces de l'O. T. A. N., qui parlait de l'autre bout du monde.

— Nous avons reçu un signal d'Alerte Jaune, dit-il sans préambule. Est-ce confirmé ?

— Absolument, général, répliqua Ainsworth.

Il regrettait qu'en ce moment crucial, le commandant américain de l'O. T. A. N., le général Julian Muller, fût en congé à Hawaii. Son remplaçant, un Anglais, tira sur sa moustache avant de poursuivre :

— Stuart, dit-il, je comprends que les événements vous aient bouleversé. Croyez bien que vous avez toute ma sympathie. Mais l'Alerte Jaune ! Voilà qui sent la guerre, n'est-ce pas ?

— C'est une précaution, répondit calmement Ainsworth. Le bruit court que l'avion présidentiel aurait été saboté. *Et le Président est en train de mourir,* Alex.

Sir Alexander parut effondré, ce qui ne manqua pas d'agacer l'amiral. Ces aristocrates anglais s'imaginaient-ils encore que tout le monde respectait la règle du jeu, y compris l'ennemi ?

— Autre chose, reprit Ainsworth. Le général Tate a perdu tout contact radio avec le vice-président. Bailey a franchi la ligne de démarcation pour entrer en zone démilitarisée à 16 h 15 environ, heure du Sinaï. Ensuite, il n'a pas répondu à un message Olympus, et son escorte ne répond pas non plus.

— Mon Dieu !

— Vous ne connaissez pas le pire, poursuivit impitoyablement l'amiral. Selon certains renseignements, le gouvernement soviétique savait qu'un commando de terroristes arabes opérait dans ce secteur. Les Russes en ont eu la preuve il y a au moins trente-quatre heures, mais ils ne nous ont pas avertis... ce que je considère comme un acte d'hostilité à notre égard. Si vous reliez ce fait à l'horrible accident de Palm Springs, vous ne pouvez qu'en tirer des conclusions très alarmantes.

— Oui, je comprends, murmura Clayborne. Et que fait Tate ?

— Il organise des recherches aériennes dans le secteur américain. Mais il a les mains liées par les Accords de Malte. Quand le jour se lèvera sur le Sinaï, je suppose que, si l'on est toujours sans nouvelles du vice-président, Tate décidera d'ignorer toute restriction et volera où bon lui semble. C'est une raison de plus pour nous préparer à une éventuelle épreuve de force.

— Tate a-t-il parlé aux Russes ? insista Clayborne en rougissant légèrement. Cela peut vous paraître absurde, Stuart, mais pour ma part je n'arrive pas à croire que les Soviétiques prennent de tels risques.

— Vous oubliez que ce sont des *communistes* ! riposta Ainsworth. Ils luttent contre nous depuis plus de trente ans. Une poignée de main de Rostov n'efface pas un tel passé.

Clayborne battit en retraite devant cette explosion de haine implacable et se contenta de remarquer :

— Il va falloir que j'avertisse mon gouvernement, bien sûr.

— Nous nous en occupons déjà. Nous prévenons aussi Bonn et Ankara. Le général Muller est rappelé d'urgence à Bruxelles. C'est tout. Vous avez des ordres. Suivez-les.

— Bien, monsieur l'amiral, répondit Clayborne à contrecœur. A partir de cet instant, les forces aériennes, terrestres et navales de l'O. T A. N. sont en état d'Alerte Jaune.

9

LORSQUE ses hommes eurent rassemblé les survivants américains, Lesh ordonna d'achever les blessés et d'éteindre les incendies. Inutile de donner à d'éventuels sauveteurs des « phares » faciles à repérer. Il n'avait pas encore identifié tous ses prisonniers, mais il savait bien que le grand type à l'allure aristocratique n'était autre que le vice-président des États-Unis.

Il entendit quelques détonations, qui signalaient que ses compagnons faisaient place nette, exécutant non seulement les blessés ennemis, mais deux des leurs trop gravement atteints pour repartir. C'était le grand soldat noir qui avait causé la plupart des pertes dans le camp arabe. Sous son commandement, la poignée d'hommes des Forces spéciales avait réussi à tuer six membres du commando avant d'être à court de munitions. Peut-être était-ce un sentiment indigne d'un socialiste, mais Lesh avait ordonné d'épargner le Noir et de le garder avec les autres prisonniers, qui, les coudes serrés dans le dos par du fil de fer, montaient maintenant dans un des camions américains encore utilisables.

Lesh sourit à Leila Jamil, dont le visage traduisait une joyeuse excitation. Il se sentait lui-même en proie à une exultation sauvage.

— Un petit succès comme celui-là réchauffe le cœur, hein? lui dit-il.

— Pour ici, c'est terminé, répondit-elle. Où allons-nous maintenant?

Lesh étala la carte sur le sol et alluma sa petite torche électrique. De l'index, il suivit d'abord la route qui retournait vers le secteur américain, ensuite il longea la ligne de démarcation jusqu'au petit carré noir qui indiquait le monastère de Sainte-Catherine, au pied du mont Sinaï.

— Là, dit-il. Nous demanderons asile. (L'ironie perçait dans sa voix.) C'est une forteresse de pierre. Il leur faudrait employer l'artillerie pour nous en déloger, une fois que nous y serons retranchés.

— Parfait, approuva Leila. Mais ne devrons-nous pas pénétrer dans le secteur américain?

— Que peuvent-ils nous faire? Nous détenons leur vice-président. Quant aux moines de Sainte-Catherine, ceci (il désigna son arme) les persuadera de se tenir tranquilles. Allons! Rassemble les hommes qui doivent nous accompagner dans le camion. Que les autres se dispersent et se préparent à nous rejoindre à dos de chameau.

Assis à l'arrière du camion, les bras maintenus par un fil de fer qui lui mordait la chair, le vice-président Bailey serrait les dents. Il lui semblait que le véhicule roulait vers le secteur américain. L'Israélienne, prostrée en face de lui, gardait un silence total. A côté d'elle, le grand sergent noir de Tate se tenait très droit, mais on lisait la fureur rentrée sur son masque d'ébène. Les Arabes avaient dû le frapper à coups de crosse pour le capturer vivant et du sang ruisselait encore de sa tempe sur son uniforme. Seidel, Emerson et Reisman avaient été jetés sur le plancher du camion pour faire place à la dizaine de terroristes armés. Quant à Bronstein, tassé contre le géant noir, il grelottait comme s'il avait la fièvre.

Le vice-président comprenait enfin quelle erreur il avait commise en interdisant au général Tate de lui fournir une escorte plus importante. Hanté par le souvenir du monstrueux massacre auquel il avait échappé, il sentait chanceler sa conviction que la raison pouvait triompher dans toute situation.

A DIX MILLE kilomètres de là, au Centre médical de Palm Springs, la ligne verte qui zigzaguait et ondulait sur l'électro-encéphalogramme s'aplatit brusquement, devint horizontale et s'immobilisa. Ce fut donc à cet instant précis que Talcott Bailey, prisonnier des terroristes et en proie au doute le plus cruel, devint, sans le savoir, président des États-Unis d'Amérique.

FOWLER BEAL, entièrement nu à part ses chaussettes de fil noir, était assis au bord du lit rond qu'il avait acheté pour Terri MacLean. L'image du président de la Chambre, son visage mou, son corps bedonnant de sexagénaire, se reflétait dans les grands miroirs qui tapissaient la chambre rose et mauve. Tout en écoutant Terri qui chantait dans son bain, sur un fond de musique légère diffusée par la radio, il s'accordait encore quelques secondes de repos avant de s'habiller et de retourner à son bureau.

Bientôt, la porte de la salle de bains s'ouvrit et Terri apparut, toute rose et ronde. Tenant son transistor à la main, elle exécuta une petite danse du ventre; mais comme elle balançait les hanches, la musique s'arrêta.

— Alors, quoi? bougonna-t-elle en secouant l'appareil.

— Nous interrompons notre programme, dit la voix du speaker, pour vous donner les dernières nouvelles de Palm Springs. Des journalistes présents lors de l'affreux accident de l'avion présidentiel ont appris qu'il y aurait un, peut-être même deux survivants. On ignore encore si le Président est parmi eux...

Frappé de stupeur, Fowler Beal entendit vaguement quelqu'un qui parlait en même temps que le speaker et qui mentionnait Helen Risor, la secrétaire du Président, mais il ne comprit pas ce qu'on disait d'elle.

— L'avion s'est écrasé à 10 h 45 environ, ce matin, heure de Washington; 7 h 45, heure de Palm Springs, poursuivit le speaker.

Beal bondit et chercha fébrilement sa montre sur la coiffeuse. Il était à présent 15 h 30. Que de choses avaient dû se produire depuis ce matin! Il traversa la chambre en courant pour allumer le poste de télévision. Quand l'image apparut, il vit un bâtiment bas qu'entouraient des palmiers agités par le vent. Un correspondant de la chaîne C. B. S. assurait le reportage :

— La nouvelle a été annoncée par le médecin personnel et l'ami du Président, le général Raymond Marty. C'est à 12 h 16 que le Président est mort...

— Impossible! Pas le Président, cria Terri MacLean en éclatant en sanglots.

Beal, saisi de panique, s'était précipité sur ses vêtements. Il avait comme un goût de fer rouillé dans la bouche. Pendant qu'il s'habillait, le journaliste rapportait que le vice-président avait été rappelé d'urgence à Washington et que déjà des messages de condoléances affluaient du monde entier.

Comme Terri pleurait toujours, Beal perdit le contrôle de ses nerfs et, saisissant rageusement un déshabillé, il le lança à la figure de la jeune femme.

— Enfile ça, bon sang! cria-t-il.

Lui-même boutonna sa chemise, sa veste, et chercha ses souliers sous le lit. Dans son affolement, il en voulait presque au Président de lui avoir joué un tour pareil.

Soudain, il sursauta. Quelqu'un frappait violemment à la porte. Beal se hâta vers le vestibule et entrouvrit. Quatre hommes armés de la police militaire se tenaient sur le palier. L'un d'eux, un sergent-chef au visage impassible, demanda :

— Monsieur le président Beal?

— Oui, oui, c'est moi. Qu'y a-t-il?

Échevelé, sans chaussures, honteux, il s'efforçait de se draper dans sa dignité de parlementaire.

— Vous devez nous suivre, monsieur, répondit le sergent en ouvrant la porte d'une main ferme.

Les autres policiers regardaient Terri, qui avait rejoint son amant. Elle serrait son déshabillé contre elle, et la soie diaphane soulignait les courbes de son corps. Beal rougit d'humiliation.

— Ne reste pas là. Cherche donc mes souliers! dit-il à sa maîtresse. Et couvre-toi!

— L'amiral Ainsworth nous a chargés de vous escorter à la Salle de guerre, monsieur le président, reprit le sergent. Il faut partir tout de suite.

C'était donc Ainsworth! Naturellement, Stuart le mettrait au courant de tout. A cette idée, Beal fut quelque peu rassuré. Terri lui apporta ses souliers, qu'il chaussa dignement.

— Je suis prêt, déclara-t-il.

Sans un regard pour Terri, il sortit, suivi des policiers.

D'abord ils roulèrent en silence. Puis le chauffeur alluma son clignotant rouge, mit sa sirène en marche, et c'est à 150 kilomètres à l'heure qu'ils atteignirent Washington.

Encadré par deux agents de la police militaire, Beal avait l'impression désagréable d'être prisonnier. Il se demandait ce que le sergent ferait s'il exigeait d'être conduit au Capitole plutôt qu'au Pentagone. Après avoir hésité, il préféra se taire; l'homme l'intimidait. C'est donc dans la Salle de guerre du Pentagone qu'il ne tarda pas à arriver sous bonne escorte.

L'immense bâtiment lui parut transformé depuis sa dernière visite. Dans le silence qui régnait, dans la gravité des visages qu'il croisait, Beal sentit une telle détermination qu'il en eut froid dans le dos. Il remarqua que la réunion n'avait pas lieu dans le profond abri prévu en cas d'attaque nucléaire; mais les énormes portes blindées des ascenseurs étaient ouvertes, comme pour permettre la descente d'un instant à l'autre.

Il y avait foule dans la Salle de guerre. Des spécialistes se tenaient derrière tous les standards de télécommunications qui reliaient les opérateurs et les officiers de service à toutes les forces aériennes, terrestres et navales, ainsi qu'au N. O. R. A. D. (North American Air Defense Command, c'est-à-dire le Commandement de la défense aérienne pour l'Amérique du Nord, caché dans les monts Cheyenne, au Colorado), à l'O. T. A. N. et au contingent américain du Sinaï.

Beal fut conduit jusqu'à l'endroit de la pièce qu'on avait surnommé la Fosse, là où les bureaux dessinaient un demi-cercle en face des gigantesques cartes et des écrans qui tapissaient les murs de l'immense salle circulaire. Le sergent frappa sur une porte marquée : « POSTE DE COMMANDEMENT ET DE CONTROLE BÊTA ». Elle s'ouvrit et se referma dès que Beal fut entré.

Le général de l'armée de l'air Armando Rivera se leva pour accueillir le président de la Chambre. L'uniforme impeccable de l'officier rendit Beal plus honteux encore du négligé de sa tenue.

— Je suis heureux qu'on vous ait joint si rapidement, monsieur le président, dit Rivera.

— Où est Stuart? demanda Beal, presque agressif. J'ai cru comprendre que c'est sur sa demande que l'on m'a conduit ici.

— L'amiral Ainsworth a fait aujourd'hui le voyage aller et retour à Palm Springs, répondit le général. Il devrait atterrir à Washington dans moins d'une heure.

— Alors, peut-être pourrez-vous m'expliquer pourquoi on m'a amené ici, sous escorte? Je devrais être au Capitole.

— Comme vous venez de le dire, c'est l'amiral Ainsworth qui

l'a ordonné, monsieur le président. Mais veuillez vous asseoir.

Beal obéit machinalement tandis que le général poursuivait :

— Avant tout, il faut veiller à votre sécurité.

Il appuya sur un bouton, et le visage d'un aide de camp apparut sur un écran.

— Smith, reprit Rivera, je ne dois pas être dérangé pendant quelques minutes. J'ai confié le commandement au général Brandis en attendant l'arrivée de l'amiral. Il opérera aux postes de commandement C et C Delta.

Malgré lui, Beal était à la fois impressionné et troublé. Il n'arrivait pas souvent que les deux chefs du haut état-major fussent de service en même temps dans la Salle de guerre. Pourquoi Rivera, de l'armée de l'air, et Brandis, de la marine, s'étaient-ils donc réunis?

— Monsieur le président, dit Rivera, je vais vous faire part de renseignements hautement confidentiels. Ai-je votre parole que tout restera entre nous jusqu'à ce que la situation soit éclaircie?

— Vous pouvez compter sur ma discrétion, général.

Devinant quelque secret politique, Beal se sentit beaucoup plus à l'aise; il avait l'habitude de ce genre d'affaires. Mais il ne s'attendait certes pas au choc qu'allait lui causer Rivera quand il lui annonça sereinement :

— Aujourd'hui, à 14 h 15 environ, heure de Greenwich, le vice-président Bailey a pénétré dans la zone démilitarisée du Sinaï, aux environs du trente-quatrième méridien, pour rencontrer le vice-président du Praesidium soviétique, Anatoly Rostov. Environ deux heures plus tard, un message Olympus a été transmis à son convoi pour lui apprendre l'accident survenu à l'avion présidentiel. Comme ce message restait sans réponse, le général Tate a tenté de contacter l'escorte du vice-président par radio, mais sans résultat.

Beal avait la gorge sèche et l'estomac noué d'angoisse.

— Le général Tate a ordonné des recherches aériennes le long de la route suivie par le convoi, poursuivit Rivera. Un Shrike a relevé une source de chaleur sur ses détecteurs à infrarouges et s'est approché de l'endroit suspect. Il s'agissait bien du convoi du vice-président. Le pilote nous a rapporté qu'il l'avait survolé, ou plus exactement qu'il avait survolé *ce qui en restait*. Les faits indiquent que le vice-président a été attaqué et peut-être tué, *car il ne semble pas y avoir de survivants.*

Beal demeura abasourdi sous le coup de cette effarante nouvelle, qui survenait si vite après la mort du Président.

— Ce n'est pas tout, continua Rivera. Nous détenons la preuve que les Russes savaient qu'un groupe de terroristes arabes, un certain commando Abou Moussa, se trouvait dans le sud du Sinaï, il y a deux jours. L'amiral Ainsworth soupçonne le gouvernement soviétique d'être impliqué dans cette attaque contre le vice-président. Il est possible aussi que le K. G. B. ait quelque chose à voir avec ce qui est arrivé ce matin à Palm Springs.

Beal se sentit soudain pris de nausées. Il serra les poings pour dissimuler le tremblement qui lui agitait les mains.

— Étant donné les circonstances, conclut Rivera, vous comprendrez, monsieur le président, que nous avons jugé indispensable d'assurer votre sécurité personnelle. Vous avez de fortes chances de devenir Président des États-Unis par intérim.

DANS la lumière crue des projecteurs assemblés à la hâte, les hélicoptères américains, parmi lesquels celui de Tate, reposaient comme de grands insectes endormis. Les équipes médicales et les enquêteurs s'affairaient en marmonnant leur indignation devant le charnier laissé par le commando Abou Moussa. Une équipe de techniciens des télécommunications installait des caméras de télévision, ainsi qu'une antenne émettrice parabolique.

Les infirmiers avaient rassemblé les cadavres, qui s'alignaient à présent à quelque distance des véhicules incendiés. Lentement, Tate longea la rangée de corps, examinant les visages tachés de sang. Il avait découvert le corps de Dov Rabin, près du command-car, et les dépouilles des autres officiers israéliens. Mais pas trace de Deborah. Il en éprouva d'abord un immense soulagement, qui fit soudain place à l'angoisse. Si la jeune femme n'était pas morte, elle devait faire partie des prisonniers emmenés en otage par les Arabes. A l'idée des traitements que les terroristes étaient capables d'infliger à une Israélienne, Tate brûla de fureur.

Si l'absence de Deborah comptait plus que tout à ses yeux, celle du vice-président, qui, lui non plus, ne figurait pas parmi les morts, avait évidemment beaucoup plus d'importance pour la paix du monde. Atterré, Tate se demanda si les membres du commando se rendaient compte de ce qu'ils avaient fait en kidnappant Talcott Bailey. Une vague de panique et de folie balaierait l'univers quand on saurait que le Président des États-

Unis était l'otage d'une bande de fanatiques révolutionnaires.

« Au moins, pensa-t-il, Bailey n'est pas seul. On dirait qu'ils n'ont pas tué Seidel, ni Reisman, ni même ce barbichu antipathique de Bronstein. On n'a pas retrouvé non plus le cadavre d'Emerson, qui veillait à la sécurité du vice-président, ni celui du sergent Robinson. Sans doute font-ils partie des otages... »

Tate consulta sa montre. Il était maintenant 4 h 30. Dans deux heures le soleil se lèverait. Sur terre comme dans les airs, des patrouilles quadrilleraient tout le sud-est du Sinaï. « Mais, se dit le général, en supposant que je retrouve les prisonniers, que pourrai-je faire ? Il faudra attendre les exigences des Arabes et aviser ensuite. »

A quelques mètres de là, Tate remarqua le petit détachement des troupes de l'O. N. U. entourant la jeep blanche du général Eriksson. Le Suédois avait eu le toupet de se plaindre auprès de la commission de Malte, protestant contre les violations massives commises par les Américains en zone démilitarisée.

L'officier chargé des télécommunications avait, auparavant, annoncé à Tate qu'un groupe soviétique, avec Anatoly Rostov, Youri Oulanov et quelques médecins militaires, allait arriver de Zone Center pour offrir aide et assistance. Mais que pouvaient-ils faire ? Sans doute les dirigeants soviétiques éprouvaient-ils, à présent, une vive frayeur en mesurant les conséquences des révélations que contenaient les clichés de Cosmos-623, clichés qu'ils avaient eux-mêmes fait passer aux Américains. Cette erreur avait décidé les États-Unis à déclencher l'Alerte Jaune ; et voilà la guerre froide qui renaissait !

En contemplant le tableau du carnage, Tate se dit que, jusqu'à la fin de ses jours, cette image le rongerait. Il serait tenté de rejeter la faute sur les autres, sur Trask, pour avoir provoqué l'incident de l'*Allende,* sur Liz Adams, pour avoir tardé à lui remettre des renseignements capitaux qui auraient pu lui permettre d'éviter l'embuscade, et même sur l'équipage de l'avion présidentiel, pour ne pas avoir amené, sain et sauf, leur précieux passager à Palm Springs. Tate en voulait aussi à Talcott Bailey, qui refusait de comprendre que la simple bonne volonté ne constituait pas une protection suffisante contre certaines entreprises criminelles. Mais en dernière analyse, le premier coupable, c'était lui, William Tate, chargé de veiller à la sécurité de Bailey, et qui n'avait pas rempli sa mission.

Interrompant ces réflexions, l'agent des télécommunications vint chercher Tate.

— Les caméras sont prêtes, mon général, dit-il. Nous pouvons commencer à transmettre quand vous voudrez.

Tate avait reçu l'ordre impératif du haut état-major interarmes d'établir une ligne directe de télévision entre ce coin perdu du désert où l'embuscade avait eu lieu et la Salle de guerre du Pentagone. Il répondit :

— Vous pouvez commencer tout de suite, lieutenant.

A ce moment, un message arrivé par radio annonça qu'un des détachements d'hélicoptères avait repéré le convoi des véhicules soviétiques qui arrivaient de Zone Center. Quelques minutes plus tard, Tate vit en effet les phares d'une jeep russe suivie d'une voiture d'état-major et de deux blindés légers bondés de soldats. La petite colonne stoppa brusquement à trente mètres des épaves et fut aussitôt entourée de soldats américains, la mitraillette sur la hanche. La vue de leurs camarades massacrés les avaient rendus fous furieux, et ils étaient prêts à tirer sur n'importe qui.

Une silhouette trapue sauta de la jeep et passa devant les phares. C'était Grigori Novotny. Son visage épais exprimait à la fois la colère et l'appréhension que lui inspirait un accueil aussi hostile. « A quoi s'attend-il donc ? » se demanda Tate en courant à sa rencontre.

— Allons-nous avoir un nouvel incident, général ? tempêta Novotny. Vos soldats vont-ils nous attaquer ?

— Colonel Novotny, gardez vos hommes dans les véhicules jusqu'à ce que nous ayons emporté nos morts, dit Tate.

L'homme du K. G. B. se retourna vers l'endroit très éclairé où l'on mettait les cadavres dans de grands sacs en plastique. Imposant comme un gros ours, Youri Oulanov descendit de la voiture d'état-major et interrogea Tate :

— Combien de tués y a-t-il, William ?

— Vingt-six, répondit Tate d'une voix morne. Et pas un blessé. Tous ont été achevés.

— Je suis désolé, reprit Oulanov, mais il faut que je vous parle.

Il jeta un coup d'œil significatif à Novotny, qui se retira de mauvaise grâce.

Regardant le général soviétique, Tate pensa que, même si les Russes étaient impliqués dans la série de tragédies qui frappait les

États-Unis, le vieux militaire n'était sans doute responsable de rien.

— Devons-nous rester sous la menace de vos soldats, William? demanda Oulanov.

Tate tourna la tête et dit sèchement :

— Ça va comme ça, les gars. Ces personnes ont mon autorisation de circuler dans le secteur. Vous ne vous mêlerez pas aux soldats russes, et ils ne descendront pas de leurs véhicules.

Eriksson s'approcha pour protester :

— Vous êtes dans la zone démilitarisée, messieurs. Ni l'un ni l'autre, vous n'avez le droit de commander ici.

— Général Eriksson, répliqua durement Tate, retournez auprès de vos hommes et ne vous mêlez pas de ça, sinon je vous place en état d'arrestation.

— La commission entendra parler de cette histoire, grogna Eriksson en s'éloignant d'un pas raide.

Oulanov intervint :

— Savez-vous qu'il a raison, William. Ni vous ni moi ne jouissons ici de la moindre autorité. En outre, vous avez violé les termes des Accords en survolant la zone démilitarisée.

— Je ferais venir une division blindée si cela devait nous rendre notre Président, déclara Tate.

Oulanov hocha lentement la tête et murmura :

— J'en ferais autant si cela pouvait vous aider.

— C'est un peu tard pour y penser, général.

Surpris par le ton de l'Américain, Oulanov fronça les sourcils.

— Je vous jure que nous ignorions qu'il y avait des terroristes près d'ici! s'exclama-t-il.

— J'ai vu des photos qui prouvent le contraire, général.

— Moi, je ne suis au courant que depuis deux heures. Croyez-moi, c'est la pure vérité. Et voilà que vos forces stratégiques sont mises en état d'alerte! C'est un acte d'hostilité déclarée, William. Nous comprenons que vous soyez troublés, inquiets, furieux, par les derniers événements, mais en agissant ainsi vous nous forcez à mettre nos propres forces en état d'alerte afin de parer à toute menace dirigée contre notre pays.

Le vieux général semblait si bouleversé que Tate s'en émut.

— Mais pourquoi, demanda-t-il, ne nous avez-vous pas avertis de la présence des terroristes arabes?

— C'est la faute des espions, William, répondit Oulanov avec colère. Ces imbéciles d'espions! Et ce sont les Juifs qui ont identifié ce Lesh, pas nos incapables du K. G. B. ou du G. R. U. D'ailleurs, votre C. I. A. n'a pas été plus brillante. Pourquoi ne vous a-t-elle pas signalé que Lesh se trouvait dans le Sinaï ?

Tate dut reconnaître qu'Oulanov marquait un point.

— Permettez-nous de vous aider, insista le général soviétique. Ne fût-ce que pour vous montrer que nous ne sommes pas responsables de ce massacre !

Tate fixa son interlocuteur droit dans les yeux. Il croyait bien connaître Oulanov. Il savait que c'était un vrai soldat, un homme qui aimait sa patrie autant que lui, Tate.

— Nous nous connaissons bien, William, reprit Oulanov comme s'il lisait dans les pensées de l'officier américain. Nous représentons, vous et moi, une nouvelle sorte de soldats. Je suis vieux et vous êtes jeune, mais nous pensons, l'un comme l'autre, que si les hommes politiques sont incapables d'imposer la paix, nous devons nous en charger nous-mêmes. Cette embuscade... quelles conséquences peut-elle avoir à Washington ?

— Si Talcott Bailey est mort, le président de la Chambre, un certain Fowler Beal, devient Président par intérim.

— Quel genre d'homme est-ce ? Un type fort ?

— Non, soupira Tate en secouant la tête. Il s'agit au contraire d'un homme très influençable.

Oulanov, accablé, leva les yeux vers le ciel qui commençait à pâlir et murmura :

— Nous avions tant d'espoir... Certains d'entre nous au moins... (Il haussa les épaules en un geste fataliste.) Mais suivez-moi, William. Il y a dans la voiture quelqu'un qui désire vous parler. Sa présence vous prouvera mieux que je ne pourrais le faire, notre bonne volonté.

Tate accompagna le Soviétique vers la grosse limousine poussiéreuse dont une porte arrière s'ouvrit.

— Montez, général, dit Anatoly Rostov en anglais, mais avec un fort accent russe.

Tate obéit et s'assit à côté du Soviétique. Le chauffeur et l'aide de camp considérèrent avec méfiance le pistolet que portait l'Américain, mais Rostov ne leur permit pas d'ouvrir la bouche.

— C'est un désastre pour nous tous, général, dit-il en dévisageant Tate de ses petits yeux brillants comme du métal noir.

— Je suis absolument d'accord avec vous, monsieur le vice-président.

U N

— Je vous donne ma parole que les forces soviétiques chargées d'assurer la paix dans le Sinaï collaboreront avec vous de toutes les manières possibles. J'ai ordonné au colonel Youdenitch d'entamer des recherches aériennes au-dessus de notre secteur et au général Souweif d'arrêter tous les suspects sur son territoire. (Il regarda par la fenêtre les équipes médicales qui chargeaient maintenant les cadavres dans les hélicoptères et secoua tristement la tête.) Cette embuscade est le fait de fous, général. Nous n'y sommes pour rien.

— C'est ce que m'a dit le général Oulanov, monsieur le vice-président, répondit Tate sans se compromettre mais estimant malgré tout que Rostov ne mentait pas.

— Il y a quelque chose que vous ignorez, général, poursuivit le Russe, et qui pourrait vous intéresser. Sur la route, en nous rendant à Zone Center, nous avons ramassé un vieux moine du monastère de Sainte-Catherine. Il avait été blessé par une balle. Sans doute se rendait-il dans les montagnes pour y faire une retraite. Dans son délire, il a parlé de Feiran et d'une attaque des sarrasins. Depuis le onzième siècle, on ne voit plus guère de sarrasins dans le Sinaï. Par contre, on y rencontre beaucoup de terroristes, comme nous ne le savons que trop. J'ai ordonné à Youdenitch de partir pour Feiran avec une troupe de soldats aéroportés. Ils y ont découvert un autre carnage, les corps d'une vingtaine de Bédouins. Il semble que ces hommes aient été tués par des armes automatiques. Sans doute les attaquants avaient-ils besoin des chameaux que gardaient les victimes. D'après ce que nous savons de ce Lesh, il tuerait pour moins que ça. Mais je me suis posé une question : où Lesh et sa troupe de bandits se sont-ils réfugiés en attendant de dicter leurs exigences ?

— Vous pensez au monastère de Sainte-Catherine ?

— Naturellement. Il n'y a rien d'autre dans le Sud, et ils n'oseront sûrement pas s'aventurer au nord. Même les Égyptiens refuseraient de les recevoir.

— Avez-vous pris des mesures à la suite de cette hypothèse ?

— Nous ? Non, général. Nous n'avons ni survolé ni violé la zone démilitarisée. Mais vous...

« Mais nous, pensa Tate, nous avons violé les termes des Accords, et j'en porte l'entière responsabilité. » Le cynisme du Russe, qui offrait son aide dans l'intention de faire étalage de l'innocence soviétique, amusa l'officier américain.

— Si jamais j'ai besoin de votre aide, monsieur le vice-président, vous serez le premier averti, riposta Tate.

Là-dessus, il salua et retourna à son hélicoptère, où Beaufort, son pilote, l'attendait.

— Emmenez une escadrille d'hélis au-dessus du monastère de Sainte-Catherine, dit Tate. Qu'on se contente d'observer et de faire un rapport, rien de plus. Sauf si j'en donne l'ordre.

— Bien, mon général.

Tandis que le pilote se hissait dans l'hélicoptère, Oulanov, qui avait suivi Tate, le tira par la manche.

— Dites-moi, William, demanda-t-il, notre vice-président vous a-t-il parlé du vieux moine?

— Oui.

— Savez-vous qu'il s'agit du gardien de l'ossuaire de Sainte-Catherine, les catacombes où ils enterrent leurs morts?

— Qu'est-ce que cela change?

— J'ai lu quelque part que l'on pouvait entrer dans le monastère par un souterrain partant de l'ossuaire. Il est donc possible de conquérir la place de cette façon.

« Toujours l'esprit de Stalingrad, pensa Tate. Le vieux général n'oubliera jamais les combats qu'il a livrés dans les égouts de la ville en ruine. »

— Je vais faire interroger le moine par les médecins, poursuivit Oulanov. Je m'en chargerais bien moi-même, mais je ne sais pas le grec. (Il posa la main sur l'épaule de Tate.) Ce n'est peut-être pas le moment, William, mais je voudrais que vous sachiez combien je compatis pour la mort de votre Président et pour la perte de vos soldats.

— Merci, Youri, répondit Tate ému. Au revoir, *tovaritch.*

Le Soviétique rejoignit son convoi. Engoncé dans sa lourde capote grise, il avait l'air aussi solide qu'un rocher. A ce moment, le lieutenant chargé des télécommunications arriva au petit trot.

— Mon général, dit-il à Tate. Nous avons en ligne la Salle de guerre. L'amiral Ainsworth voudrait vous parler.

Pour l'instant, Tate aurait volontiers évité cette conversation, mais c'était impossible. Aussi rejoignit-il, à contrecœur, les techniciens pour faire son rapport au chef de l'état-major interarmes.

DEBORAH ZADOK, complètement hébétée, était restée muette et immobile dans le camion américain, qui sentait la sueur des

Arabes, l'écœurante odeur de sang qui se dégageait de ses propres vêtements et l'âcre fumet de la poudre. Serrée parmi les terroristes, elle avait enduré leurs odieuses attentions, leurs caresses brutales, et lorsque les Américains avaient fait mine d'intervenir, on les avait menacés de mort. A un moment, le sergent Robinson avait même été frappé à coups de crosse sur le visage.

Talcott Bailey était, lui aussi, plongé dans un état de stupeur. Quant à Bronstein, le barbu, la panique semblait lui avoir fait perdre ses facultés. Deborah ne lisait plus qu'une peur animale dans le regard fixe du jeune homme.

Par contre, le colonel Seidel gardait un sang-froid qui paraissait impressionner les Arabes. Ils maintenaient leurs armes braquées sur le juge, mais on voyait bien qu'ils regretteraient de devoir tirer sur un homme aussi fier.

Ils atteignirent le monastère de Sainte-Catherine juste avant le lever du soleil, et le commando pénétra sans problème dans les lieux. Jusqu'au dix-neuvième siècle, on ne pouvait entrer que par une seule ouverture, taillée dans les murs de granit à cinq mètres au-dessus du sol. Les voyageurs étaient hissés dans des paniers. Mais ensuite, pour faciliter l'accès des visiteurs et des pèlerins, on avait percé des portes un peu partout. L'une d'elles, défendue par une grille, fut ouverte par le frère tourier. Sa charité chrétienne lui coûta la vie; il fut abattu sur place, alors qu'il bâillait encore après avoir été tiré de son sommeil. La détonation fit surgir de leurs cellules d'autres moines, qui à leur tour tombèrent sous les balles. On comptait une dizaine de morts lorsque Lesh ordonna de cesser le feu. Quelques minutes suffirent pour rassembler le reste des moines, la plupart très vieux et terrifiés, et pour parquer, sous bonne garde, ces pauvres otages dont la vie avait si peu de prix aux yeux des terroristes. Le commando Abou Moussa était à présent maître du monastère et de la vallée rocailleuse qu'il dominait. Tandis que l'on poussait les prisonniers à l'intérieur des murs, Deborah entendit le bruit lointain d'un jet, mais elle ne put rien apercevoir dans le ciel.

On l'enferma dans une salle en forme de croix, taillée à même le roc. Par une haute fenêtre, qui avait autrefois été une meurtrière, se glissait la lumière grise de l'aube. En montant sur l'unique meuble qui se trouvait là, une table bancale, Deborah pouvait voir, au-delà du toit de bois de l'église et des murs d'enceinte, les falaises rocheuses sur lesquelles on avait bâti le monastère.

Peu à peu, le soleil teinta de rose les montagnes tournées vers l'est. Assise sur la table, la jeune Israélienne s'efforça de réfléchir. Elle se rendait compte que l'ancien monastère constituait un véritable labyrinthe dont les murs étaient percés par des enfilades de cellules. Elle savait qu'il faudrait au moins mille hommes pour conquérir et occuper la place; mais il suffisait, hélas! d'une poignée de terroristes résolus et munis d'armes automatiques pour contrôler, tout le temps qu'ils le voudraient, une partie du monastère.

Si les Américains intervenaient, il y aurait beaucoup de morts et aucune certitude de récupérer le vice-président vivant. Cette perspective parut à Deborah si insoutenable qu'elle ferma les yeux. Derrière l'épaisse porte de bois se tenait un Arabe armé qui, de temps à autre, ouvrait, regardait à l'intérieur et crachait. Quand, mourant de soif, Deborah lui demanda à boire, il répliqua qu'il n'y avait pas d'eau pour « ces chiennes de juives ». Elle tenta de deviner où étaient les autres prisonniers. Par sa fenêtre, elle avait vu Bronstein et Reisman qu'on emmenait dans l'église.

Soudain, elle entendit des cris dehors et le ronronnement caractéristique des hélicoptères. Elle se précipita vers sa fenêtre, mais même en se hissant aux barreaux, elle ne put distinguer qu'un coin de ciel pâle. Le bruit devint assourdissant, indiquant que les appareils survolaient les lieux; ensuite, il s'affaiblit et s'évanouit.

Ce silence plongea Deborah dans un profond désespoir. Fallait-il abandonner tout espoir de sauvetage? Elle pensa à Tate, à leur dernière rencontre et ressentit à nouveau l'impression que tout était perdu. Ses nerfs craquèrent, elle se mit à pleurer. « Bill ne viendra pas me chercher, pensait-elle tandis que les larmes creusaient des sillons sur ses joues poussiéreuses. Peut-être viendra-t-il pour le vice-président, un homme de sa race, de son monde, mais pas pour moi. » Malgré sa peine, pourtant, elle avait conscience de divaguer. Non, le commando Abou Moussa ne remporterait pas la victoire. C'était impossible. Donc Tate et ses hommes viendraient, ils *devraient* venir. Mais alors pourquoi avait-elle la certitude qu'elle mourrait ici?

La porte s'ouvrit brutalement et Leila Jamil entra, vêtue d'une combinaison léopard. Deborah s'étonna de la trouver si maigre; les privations, la vie qu'elle menait avaient enlevé à la terroriste toute féminité. Mais sous les cheveux noirs coupés court et striés de gris, le visage restait jeune. Les hautes pommettes plates, le nez aquilin, les yeux très espacés révélaient clairement la race sémite. Elle avait confié son arme à la sentinelle et se tenait devant Deborah, qu'elle examinait d'un air curieusement détaché.

— Inutile d'avoir peur, dit-elle dans un hébreu laborieux.

— Je n'ai pas peur de vous, répondit Deborah.

— Je suis venue vous dire que les Américains arrivent, reprit Jamil avec un sourire ironique. Vous avez entendu les hélicoptères ?

Deborah garda le silence. Elle sentait une tension singulière envahir la pièce.

— Un hélicoptère a atterri près de la route, poursuivit Jamil. D'autres viendront. Les soldats se masseront sous les murs, mais ça s'arrêtera là. S'ils font ce que nous leur disons, nous ne toucherons pas à un cheveu de nos prisonniers. Je pourrais vous libérer pour que vous alliez dire aux Américains et aux Juifs ce que nous exigeons. Ça vous plairait, n'est-ce pas?

— Je ne vous crois pas.

— Nous voulons que tous les membres du Front arabe prisonniers en Israël soient libérés.

— Israël refusera, vous le savez bien.

— Pas cette fois. Il y a eu un accident d'avion. *L'homme que nous avons enfermé dans l'église est maintenant le Président des États-Unis !*

— Encore une fois, je refuse de vous croire.

— C'est la vérité. Le Président américain est mort hier. Nous avons l'homme qui doit le remplacer. Nous pouvons exiger n'importe quoi, maintenant. N'importe quoi. Tout le monde cédera.

Muette, Deborah sentit son cœur qui battait à grands coups.

Un instant, la femme arabe ferma les yeux, chancelant de fatigue, et l'Israélienne en eut presque pitié. Aucun être humain ne devrait vivre comme Leila Jamil, dans le sang, le danger, la fuite permanente.

Comme si elle devinait les sentiments qu'elle inspirait, Jamil rougit soudain de colère, fit un pas en avant et gifla Deborah de toutes ses forces. La prisonnière se laissa tomber sur la table pour éviter un nouveau coup.

L'Arabe posté sur le seuil poussa la porte et braqua son fusil. Mais Jamil lui cria :

— Va-t'en! Va-t'en!

Elle empoigna par les cheveux Deborah qui se débattait. Tout en frappant, l'Arabe poussait d'étranges grognements; on eût dit qu'elle jouissait de se soulager de sa colère, de se venger de sa solitude et de ses privations.

Alors que les deux femmes luttaient, corps à corps, Deborah fut saisie d'une brusque nausée, car, d'une manière totalement imprévisible, l'agressivité de son adversaire s'était transformée en une sorte de rage sexuelle. Jamil pressait sa bouche contre le cou de Deborah, mordait, léchait la peau de sa victime. Certes, l'Israélienne savait que l'homosexualité était fréquente parmi les Arabes, mais jamais encore elle ne l'avait vue se manifester chez une femme. Elle mobilisa toutes ses forces, s'arc-bouta, saisit son ennemie par les cheveux et parvint à lui faire redresser la tête.

Jamil se releva, immobile, et respira profondément. Peu à peu, elle reprit contrôle d'elle-même, mais ses yeux, fixés sur Deborah, brillaient de haine.

— Non, murmura-t-elle. Ce ne sera pas toi que j'enverrai porter notre message.

Puis elle sortit, claquant la lourde porte, et Deborah désespérée se pelotonna en tremblant contre le mur.

10

La Salle de guerre avait toujours représenté pour Fowler Beal le plus sûr des abris. Durant ses visites précédentes, il avait été impressionné par le calme, la compétence des officiers qui y travaillaient. Il s'était réjoui de penser qu'une telle organisation se dressait, comme un bouclier, entre lui et la menace d'une extermination nucléaire.

Mais à présent, assis dans cette pièce si curieusement baptisée C et C Bêta, il avait peur. Pour commencer, il déplorait la mort du Président, un homme sur lequel il avait toujours pu s'appuyer, qui le guidait, le conseillait.

Il n'avait jamais aimé Talcott Bailey, qu'il trouvait snob, mais il comprenait que cet aristocrate libéral apportait au parti les électeurs nécessaires pour assurer la majorité dont il avait besoin. En apprenant que Bailey n'était pas là pour remplacer le Président, Fowler Beal avait été saisi de panique. Faudrait-il donc qu'un homme comme lui, qui ne désirait pas le pouvoir, qui se savait incapable de l'exercer, prît en main la destinée de l'Amérique? Incarnant cette écrasante fatalité, l'inévitable sous-officier porteur des codes nucléaires dans sa serviette fermée à clé était venu s'asseoir derrière la porte blindée de C et C Bêta.

Trois écrans de télévision apportaient à Fowler Beal des nouvelles du monde extérieur. Toutes les chaînes montraient les réactions du pays à l'annonce de la mort du Président. Pour expliquer l'accident, les hypothèses les plus folles circulaient. Nombre de journalistes envisageaient le sabotage.

Fowler Beal avait suffisamment de sens politique pour remarquer l'évolution de l'opinion publique, qui tournait peu à peu à la colère. Si on lui révélait, à présent, l'enlèvement et peut-être la mort du vice-président, attaqué par des terroristes arabes, une formidable vague d'indignation balaierait le pays. Et qu'arriverait-il si l'on avait la preuve de la complicité des Soviétiques? A l'idée qu'il devrait peut-être faire face à une foule criant vengeance, Fowler Beal frissonna.

Par les grandes baies vitrées, il aperçut l'amiral Ainsworth, entouré d'officiers, qui traversait la Fosse. Sur les cartes contrôlées par ordinateur et qui couvraient le mur opposé, Fowler Beal pouvait voir les signaux lumineux qui indiquaient l'état des préparations opérationnelles des forces nucléaires de la nation. Des groupes compacts de points brillants révélaient les positions des unités de fusées Minuteman, et le passage de la lumière du jaune au rouge signifiait qu'à présent l'alerte totale était déclenchée. Il ne manquait plus qu'un ordre du Président pour mettre en action tous les missiles balistiques intercontinentaux. La gorge de Fowler Beal se serra. Il n'aurait pas pensé que l'amiral Ainsworth irait aussi loin. Cherchant des yeux les graphiques des ordinateurs qui transmettaient les renseignements des satellites Midas et Samos — lesquels survolaient en ce moment même l'Asie centrale —, il constata que toutes les bases stratégiques soviétiques connues, toutes les installations de missiles, étaient au stade de préparation du second degré, ce qui correspondait à l'Alerte Jaune des Américains.

Force était de se rendre à l'évidence. Ce qui se passait dans la Fosse ressemblait fort à des préparatifs de guerre. Fowler Beal eut envie de fuir. Mais bien sûr, c'était impossible; il devait faire le nécessaire, répondre à ce qu'attendaient de lui ses compatriotes en deuil, partagés entre l'angoisse et la colère. Malheureusement, il avait besoin de quelqu'un pour le conseiller, et sur qui pouvait-il compter ?

L'amiral Ainsworth entra dans la pièce C et C Bêta. On lisait sur son visage la fatigue de son voyage en avion, mais aussi une détermination implacable qui lui serrait les mâchoires.

— Nous sommes en liaison télévisée avec nos forces dans le Sinaï, monsieur le président, dit-il à Fowler Beal. Je tiens à ce que vous jugiez par vous-même.

Fowler Beal fut désagréablement surpris par la sécheresse de ces paroles. D'habitude, Ainsworth l'appelait par son prénom. Les émissions de télévision furent interrompues et une nouvelle scène apparut sur l'écran central. Elle montrait une masse de véhicules détruits et calcinés sur une route étroite du désert.

— Voilà notre convoi, remarqua Ainsworth d'une voix dure. Il a été attaqué à l'intérieur de la zone démilitarisée. A la barbe de ces guignols des Nations unies !

Les caméras se braquèrent sur une voiture d'état-major, criblée de balles et dont le pare-brise avait éclaté. On voyait encore sur une aile le fanion des Forces de la Paix, avec le cercle et les flèches, et sur l'autre celui du vice-président.

Ainsworth augmenta le volume du son, et la voix d'un des officiers du contingent résonna dans la pièce. Il établissait le bilan du massacre :

— Sont portés disparus : le vice-président; le colonel Jason Seidel, chef d'état-major du contingent; J. P. Reisman, attaché de presse du Président; Paul Bronstein, secrétaire du vice-président; l'agent du Service secret, Emerson, chargé de la sécurité du vice-président; le sergent Robinson; le capitaine Deborah Zadok.

Ainsworth décrocha un microphone et demanda :

— Le général Tate est-il sur les lieux, capitaine ?

— Oui, monsieur l'amiral; le voici justement. Il conférait avec les Russes, dit l'officier sur un ton légèrement désapprobateur.

Ainsworth se mordit les lèvres. Quand Tate apparut, il explosa :

— Qu'est-ce que les Russes fichent là ?

Le visage tendu, Tate fixa la caméra et répondit :

— Le général Oulanov et le vice-président du Praesidium soviétique sont venus offrir leur aide, monsieur l'amiral.

— Faites-les partir, et en vitesse !

— Ils s'en vont en ce moment, répliqua Tate. Les services d'Oulanov pensent que le commando Abou Moussa a pris la direction du sud pour se réfugier dans le monastère de Sainte-Catherine. J'ai envoyé des hélicoptères en reconnaissance.

— Vous avez pris cette mesure en vous basant sur des informations fournies par les Russes? s'exclama l'amiral, indigné.

— Oui, monsieur l'amiral.

— Un instant, Tate. (Ainsworth débrancha le micro et se tourna vers Fowler Beal.) Alors, monsieur le président? Attaquons-nous le vieux monastère si les renseignements de Tate sont exacts?

— Bon sang, Stuart, pourquoi vous adressez-vous à moi? Je ne suis pas un militaire.

— C'est à vous qu'il appartient de prendre la décision puisque vous êtes Président par intérim.

— Pas si vite! protesta Fowler Beal. Le Congrès ne s'est pas encore prononcé. Nous ignorons si Talcott Bailey est mort... La constitution...

— La constitution et la loi dépendent de vous, monsieur le président. C'est donc à vous de décider.

Anéanti par ce raisonnement implacable, Fowler Beal répondit d'une voix faible :

— Stuart... Stuart, je ne peux pas.

— Dans ces conditions, comme notre Conseil national de sécurité ne s'est pas encore réuni, je déciderai en votre nom.

Déchiré entre le soulagement et la panique, Fowler Beal hocha la tête sans un mot. Reprenant le micro qui lui permettait de communiquer avec le Sinaï, Ainsworth ordonna :

— Général, si vos hélicoptères repèrent ces Arabes, vous devez attaquer le monastère avec toutes les forces nécessaires, afin de délivrer nos prisonniers.

— Si nous faisons ça, monsieur l'amiral, répondit Tate dont le regard devint très grave, les terroristes tueront certainement les otages.

— Il faut accepter cette éventualité.

— Ils détiennent le Président, remarqua Tate en pesant sur le dernier mot.

— Nous n'en sommes pas sûrs, général. Nous ignorons si l'un des nôtres est encore vivant.

— Pourquoi auraient-ils emmené des morts avec eux?

— Quoi qu'il en soit, Talcott Bailey n'est pas Président. Pas encore. Et il ne le sera probablement jamais.

Fowler Beal vit l'expression de Tate changer rapidement. Après un moment qui parut interminable, le général déclara :

— Je n'accepte pas ce point de vue, monsieur l'amiral.

— Sans doute interprétons-nous la loi de façon différente, riposta Ainsworth. Même si Bailey était vivant, et même s'il avait prêté serment en tant que Président, sa situation actuelle ne lui permettrait pas de remplir ses fonctions. Par conséquent, la présidence revient au président de la Chambre des représentants, qui se trouve à mes côtés. *Et c'est en son nom que je vous ordonne de retrouver et d'attaquer le commando Abou Moussa.*

— Monsieur l'amiral, reprit Tate en s'efforçant de maîtriser sa colère, ma mission, dans le Sinaï, est de faire respecter la paix et non de la détruire. Je ne reconnais pas l'autorité d'un Président par intérim. Talcott Bailey est Président, tant que nous n'aurons pas la preuve qu'il est mort.

— Ou incapable d'agir, général, ajouta Ainsworth.

« Sur ce point, pensa Fowler Beal, la position de l'amiral est légalement inattaquable. Le jeune Tate devrait en convenir. Alors pourquoi tient-il tête à son supérieur? Parce qu'il se rend compte que, s'il se soumet aux ordres de l'amiral, il laisse ce dernier libre de déclencher la guerre ou de préserver la paix. Et Tate appartient à cette nouvelle génération d'officiers qui se posent des questions, qui prétendent réfléchir en leur âme et conscience, au lieu d'obéir aveuglément. »

Comme il ne recevait pas de réponse, Ainsworth, furieux, s'écria :

— Général Tate, je vous relève de votre commandement. Vous retournerez sur l'heure à Es Shu'uts et vous vous placerez aux arrêts de rigueur en attendant d'être ramené à Washington.

A la stupéfaction de Fowler Beal, Tate sourit.

— Je regrette de ne pouvoir accepter cet ordre-là non plus, monsieur l'amiral, dit-il. Je ne dépends que du commandant en chef des armées, c'est-à-dire du Président des États-Unis, et non du haut état-major.

Cramoisi, Ainsworth se tourna vers Beal et déclara :

— Monsieur le président, j'insiste pour que vous répétiez mon ordre et le rendiez valide, en votre qualité de commandant en chef.

Convaincu que, sans l'amiral, il était perdu, Fowler Beal fit un signe d'assentiment et, s'emparant du micro, balbutia :

— Je... Général Tate, ici, le président de la Chambre...

— Le Président des États-Unis, souffla rageusement Ainsworth.

— Le Président par intérim, murmura Fowler Beal.

— Je suis navré, monsieur le président de la Chambre, interrompit Tate d'une voix calme, mais je ne puis encore reconnaître aucun Président par intérim.

Fowler Beal lança un regard impuissant à l'amiral, qui coupa sèchement la communication. Ensuite, quand l'écran fut éteint, il appela sur l'interphone :

— Donnez-moi la station de contrôle d'Echo Sierra sur le poste trois. Je veux parler au quartier général du contingent.

Sur un autre écran, on vit apparaître le visage d'un officier.

— Capitaine Baring, se présenta-t-il.

— Capitaine, c'est l'amiral Ainsworth qui vous parle. Allez me chercher immédiatement le colonel Dale Trask.

Le jeune capitaine eut l'air stupéfait de se trouver si brusquement face à face avec le chef du haut état-major.

— Oui, monsieur l'amiral, bafouilla-t-il. Tout de suite, monsieur l'amiral.

Cependant, Ainsworth donnait de nouveaux ordres dans l'interphone :

— Mettez-moi en liaison avec le général Shackleford et avec le général Rivera. (Il se tourna vers Beal.) Ceci concerne les armées de terre et de l'air. Je veux que vous disiez aux généraux que les ordres que je vais donner ont votre pleine approbation... Les voici en ligne. Parlez-leur, monsieur le président.

— Messieurs, marmonna Fowler Beal, le président du comité général d'état-major interarmes a ma pleine approbation pour les ordres qu'il s'apprête à donner.

Le visage couturé de cicatrices du colonel Trask apparut sur l'écran d'Es Shu'uts. Derrière lui, on distinguait la silhouette d'une femme, capitaine dans les auxiliaires féminines de l'armée.

— Trask, commença Ainsworth, faites enregistrer ce que je vais vous dire. Je vous enverrai une confirmation écrite par courrier spécial.

— Oui, monsieur l'amiral, répondit Trask dont la voix épaisse indiquait qu'il sortait à peine d'un état d'ébriété prolongé.

— Je viens de relever le général Tate de son commandement...

Trask resta bouche bée, puis une lueur de joie s'alluma dans ses yeux. Derrière lui, la femme paraissait abasourdie.

— Je vous nomme général de brigade et je vous confie le commandement temporaire du contingent américain. Vous devez partir sur l'heure, avec un peloton, pour la zone démilitarisée, où vous placerez le général Tate en état d'arrestation. Est-ce clair?

Trask semblait à présent tout à fait réveillé.

— Parfaitement clair, monsieur l'amiral.

— Ensuite, vous repartirez avec toutes les forces que vous jugerez nécessaires pour le monastère de Sainte-Catherine et vous ordonnerez aux terroristes de se rendre sur-le-champ. S'ils refusent, vous donnerez l'assaut et vous vous emparerez d'eux. Exécutez ces ordres immédiatement et faites-moi votre rapport par satellite dès que vous serez en position.

— Oui, monsieur l'amiral.

Trask rayonnait. Fowler Beal se demanda quelle animosité, quel grief opposaient cet officier d'aviation à Tate pour qu'il accueille avec tant de plaisir des ordres aussi terribles. Juste avant qu'Ainsworth coupât la liaison télévisée, Fowler Beal surprit aussi l'expression de l'auxiliaire féminine : elle paraissait catastrophée. Resterait-elle loyale à Tate? Et si oui, que pouvait-elle faire?

A MOSCOU, le lieutenant-colonel Goukovski, chargé de la désinformation au G. R. U. — et qui faisait donc passer aux Américains les renseignements qu'on voulait bien leur transmettre —, fut réveillé en sursaut par des coups qui ébranlaient la porte de son appartement. A côté de lui, sa maîtresse et secrétaire, Irena Malenkova s'éveilla, elle aussi, et bredouilla :

— Quoi? Qu'est-ce que c'est?

Saisissant à tâtons sa montre-bracelet qui se trouvait sur la table de nuit, Goukovski vit qu'il était cinq heures du matin.

— J'arrive! cria-t-il comme on tambourinait de plus belle.

Il sauta du lit, ramassa par terre sa capote d'officier, l'enfila et alla ouvrir. Ce qu'il vit lui coupa le souffle. Un officier du K. G. B. se dressait sur le seuil, accompagné de deux sous-officiers armés de pistolets mitrailleurs.

— Lieutenant-colonel Goukovski, dit le colonel, vous êtes en état d'arrestation. Habillez-vous, camarade.

On entendit un cri d'effroi. Assise sur le lit défait, Irena serrait la couverture sur sa poitrine.

— Est-ce votre secrétaire Irena Malenkova? demanda le colonel.

— Oui, répondit Goukovski d'une voix rauque.

— Je dois l'arrêter, elle aussi. Habillez-vous, camarade Malenkova.

En enfilant ses vêtements, Goukovski se creusait la tête. Quelle faute pouvait-il bien avoir commise pour justifier de telles mesures ? Et pourquoi s'en prenait-on aussi à Irena ? Allait-on arrêter tout le personnel du service ?

Il reçut la réponse à cette question en montant, avec sa blonde secrétaire, dans la grosse voiture stationnée devant l'immeuble. Le sergent Kamenev, son subordonné, était assis à côté du chauffeur. Regardant Goukovski d'un air atterré, il expliqua :

— Ce sont ces fichus clichés de Cosmos-623, mon colonel. Il y avait quelque chose que vous auriez dû voir. Dites-leur, dites-leur que je ne suis qu'un garçon de bureau. Par pitié, colonel !

Il éclata en sanglots.

— Du calme ! rugit l'officier du K. G. B.

— Est-ce vrai ? demanda Goukovski en se tournant vers lui. C'est pour cette raison que l'on m'arrête ?

— Vous avez commis une grave négligence dans l'exercice de vos fonctions, lui répondit l'officier. A cause de vous, nous risquons tous de sauter d'ici vingt-quatre heures.

Goukovski se tut, sidéré, tandis qu'Irena pleurait et que Kamenev claquait des dents.

— Vous allez être transféré sous bonne escorte et par avion à El-Arich, reprit l'officier. De là vous rejoindrez le camarade général Oulanov, où qu'il soit. Il espère que, lorsque les Américains verront quel genre d'incapable occupe un poste important au G. R. U., ils admettront qu'un adulte se prétendant officier de renseignements puisse ne pas voir ce que vous n'avez pas vu sur les photos transmises aux Israéliens. Les Américains sont très nerveux, Goukovski, et quand ils sont nerveux, ils sont extrêmement dangereux. Je souhaite, pour notre salut à tous, que vous parveniez à les convaincre que vous êtes le dernier des crétins.

QUAND Talcott Bailey ouvrit les yeux, il vit devant lui une vaste salle obscure qu'éclairaient des lampes d'or et d'argent pendant au bout de longues chaînes d'un plafond bleu constellé d'étoiles dorées. A gauche et à droite se dressaient des colonnes sculptées, au-delà desquelles des arches s'ouvraient sur de petites chapelles. Dans l'une d'elles, sur sa gauche, Bailey distingua des taches de couleur, et il en déduisit que ce mur était à l'est et que le soleil levant filtrait à travers les vitraux. Comme ses compagnons de malheur, il s'était endormi, épuisé, après qu'ils eurent tous été enfermés dans l'église.

Trois Arabes, des armes automatiques dans les bras, se tenaient accroupis au pied des colonnes les plus proches. A côté de Bailey, appuyé contre le mur, sommeillait Jason Seidel, et, un peu plus loin, le sergent Robinson, étendu de tout son long, ronflait.

Depuis l'horrible massacre, Bailey doutait de sa propre sagesse. Les valeurs qu'il s'était toujours acharné à défendre n'avaient pas cours ici. Comment avait-il pu être aussi léger? Ses sentiments pacifistes avaient causé la mort de nombreux innocents et l'avaient lui-même relégué au rang de simple pion dans une partie d'échecs jouée par des fous furieux.

Il entendit soudain un bruit de bottes sur les dalles. Seidel ouvrit les yeux et le sergent Robinson se dressa brusquement sur son séant, comme un chat aux aguets. Les gardes arabes se mirent debout. Lesh et Leila Jamil, armés tous deux, firent leur apparition.

Bailey se releva non sans effort. Ramassé sur lui-même, Robinson semblait prêt à bondir, mais au premier geste qu'il ferait, les terroristes l'abattraient froidement, comme ils avaient abattu les moines.

Lesh, qui portait sur sa tenue léopard des étoiles de colonel, vint se planter, exultant de joie, devant Bailey et déclara :

— Je vous apporte des nouvelles importantes et mes félicitations, monsieur le numéro un.

Bailey le dévisagea en fronçant les sourcils. L'homme devait avoir perdu l'esprit. En général, mieux valait se montrer patient et compréhensif avec les fous; mais celui-là ne ressemblait guère aux autres. Dans son regard glacé brillait la fierté de détenir un pouvoir de vie et de mort.

— Je vous félicite, *président* Bailey, reprit Lesh.

Bailey ne put réprimer un sursaut.

— Je vois que je vous étonne, poursuivit Lesh. Votre Président a été tué dans un accident d'avion, hier, dans un endroit appelé Palm Springs. Je crois que cela fait de vous le chef de l'État, non?

Seidel poussa une exclamation étouffée, et Robinson luimême, perdant son flegme, murmura :

— Grand Dieu!

— Est-ce vrai? demanda Bailey en s'adressant à Jamil.

D'un hochement de tête, la femme confirma la nouvelle.

Le chagrin brutal qu'il éprouva surprit Bailey. Il avait souvent combattu le Président, dont il désapprouvait certains choix politiques, mais c'était le Président, et il avait dirigé une nation divisée avec courage et adresse.

— Colonel Lesh, vous devez libérer immédiatement le Président, intervint Seidel. L'acte que vous avez commis hier était criminel et dangereux. Mais si ce que vous venez de dire est vrai, vous prenez des risques incalculables. Il ne faut pas avoir trop d'atouts dans son jeu quand on s'attaque à plus puissant que soi. Vos adversaires peuvent vous écraser si vous les poussez à bout. Franchement, vous ne mesurez pas les dangers de la situation.

— Mais si, colonel, je m'en rends parfaitement compte, riposta Lesh. Et vous, monsieur le Président, vous comprendrez sûrement ma position. Depuis des années, je suis votre carrière politique. Avant de devenir vice-président, vous avez souvent répété que la société américaine était malade, qu'elle avait besoin d'être renversée pour que l'on puisse la rebâtir, plus juste, plus humaine. Vous êtes presque un disciple de Bakounine, monsieur Bailey.

Comprenant qu'il était vain de discuter avec un interlocuteur aussi délirant, Bailey se tourna vers Leila Jamil et lui dit :

— Pensez à ce qui risque de se produire. Votre peuple sera de nouveau accusé de barbarie. Mais ça ne se terminera pas comme après Munich ou Khartoum. Il y a dans mon pays des hommes qui exigeront que vous et les vôtres soyez traqués, exterminés. Vous avez visé trop haut. Il en résultera une tragédie pour tous les Arabes et peut-être pour le monde entier. Réfléchissez avant qu'il soit trop tard.

Leila Jamil fronça les sourcils, ébranlée, semblait-il, par les propos du grand Américain. Mais après un moment, elle déclara :

— Nos amis nous protégeront.

— Vous n'aurez plus d'amis, affirma Bailey. Plus un seul.

— Écoutez-le, plaida Seidel. Ce qu'il vous dit est vrai.

Comme elle ne répondait pas, Lesh observa :

— Avant de rien faire, monsieur Bailey, il y a des conditions qui doivent être réglées.

— Colonel Lesh, rétorqua Bailey, vous avez tort de ne pas

me croire quand je vous dis que mes compatriotes refuseront de marchander avec vous. Vous êtes allé trop loin.

— Je ne peux croire qu'ils laisseraient tuer leur chef d'État! Les Américains ont le cœur trop faible.

— Vous ne nous comprenez pas, Lesh, insista Seidel. Dans notre système, il y a toujours quelqu'un pour remplacer le Président. C'est prévu par la loi.

— Ne me racontez pas d'histoires, colonel, ricana Lesh. Les lois n'ont jamais empêché les arrangements, les marchés...

En étudiant le visage cruel et brutal de l'Albanais, Seidel fut persuadé qu'en dépit des « arrangements et marchés » éventuels, aucun des prisonniers n'en sortirait vivant.

— Voulez-vous savoir à quelles conditions nous vous libérerons, monsieur Bailey? demanda Lesh. Trois hélicoptères américains ont atterri dans la vallée. Votre compagnon, celui qui s'appelle Reisman, sera libéré pour aller transmettre nos exigences à vos amis. Pour commencer, les vôtres nous verseront cinq cents millions de dollars en or.

— Grand Dieu! c'est absurde, s'exclama Seidel.

— C'est tout à fait raisonnable, au contraire. Deuxièmement, tout le contingent américain devra quitter le Sinaï. Troisièmement, tous les combattants arabes pour la libération de la Palestine détenus dans les prisons du monde seront remis en liberté.

— Aucune de ces conditions ne sera acceptée, croyez-moi, affirma Seidel.

— Quatrièmement, poursuivit Lesh, imperturbable, l'État d'Israël se retirera de tous les territoires arabes et se contentera des frontières tracées par les Nations unies en 1948.

— C'est de la folie pure, interrompit Bailey.

— Je n'ai pas fini. Cinquièmement, la VIe flotte quittera la Méditerranée.

Bailey s'adressa à Jamil :

— Et vous, lui dit-il, croyez-vous vraiment que tout cela sera accepté?

— Il le faut, répliqua-t-elle avec un regard dur.

— Il reste une dernière condition, dit Lesh. Les États-Unis livreront au gouvernement arabe que nous lui désignerons une escadrille complète de bombardiers nucléaires, avec leurs munitions, évidemment. Ainsi, nous serons en mesure de faire respecter les termes de notre accord.

— Vous avez perdu la tête, soupira Bailey. Pour ma part, je ne vous permettrai même pas de présenter ces conditions en échange de ma vie.

— Dois-je vous rappeler que dans votre situation vous ne pouvez rien permettre ni interdire, monsieur Bailey? dit Lesh. Ces conditions seront présentées à vos compatriotes par Reisman, accompagné du camarade noir.

Il désignait Robinson, qui rugit :

— Appelez-moi camarade encore une seule fois, et je vous enfoncerai votre fusil dans la gorge. Je suis un soldat des États-Unis et je n'ai pas d'ordre à recevoir de vous. Compris?

— Sautez donc sur l'occasion de sortir d'ici, sergent, intervint Seidel, et allez avertir le général Tate de ce qui se passe.

— C'est exactement ce que je souhaite, approuva Lesh. Je ne voudrais pas qu'on dise que nous retenons un malheureux esclave américain contre son gré.

Il fit signe à deux gardes arabes, qui encadrèrent Robinson. Celui-ci se tourna vers Bailey, dans l'attente d'un ordre. Il n'éprouvait guère de sympathie pour lui, mais il s'inclinait devant l'autorité du nouveau commandant en chef.

— Obéissez, sergent, ordonna Bailey. Et veillez à la sécurité de Jape Reisman; on n'a versé que trop de sang.

— Si nous avions eu assez d'hommes pour protéger le convoi, observa calmement Robinson, ce n'est pas notre sang qui aurait coulé, mais celui des terroristes.

— Cela suffit, sergent! le rabroua Seidel.

— Non, dit Bailey. Robinson a raison. Allez-y, sergent. Rendez compte de la situation au général Tate. Dites-lui bien que, quoi qu'il fasse, il a ma confiance et mon approbation. (Il se tourna vers Lesh.) Vous n'avez aucune raison de garder d'autres otages que moi. Montrez-vous humain, colonel. Relâchez les autres.

Lesh secoua la tête en signe de refus :

— Tous les otages sont utiles, monsieur Bailey. Il ne faut pas les gaspiller. Peut-être serons-nous forcés de convaincre vos amis que nous ne plaisantons pas.

— Les morts que vous avez laissés derrière vous sont suffisamment éloquents, remarqua Bailey.

Lesh haussa les épaules, mais Bailey n'en poursuivit pas moins son plaidoyer.

— Laissez au moins partir le capitaine Zadok. Elle ne vous est d'aucune utilité.

— Non, cria Jamil. La Juive reste ici.

Avec un geste résigné, Lesh dit :

— Je regrette, monsieur Bailey, mais c'est elle qui commande l'Abou Moussa, et elle refuse votre requête.

Il fit signe aux gardes d'emmener Robinson, promit aux prisonniers qu'on leur apporterait de l'eau et de la nourriture, et, après un salut ironique, tourna les talons.

Le jeune Arabe qui restait pour garder les Américains leur fit signe, avec son arme, de s'asseoir contre le mur. Tenu à la pointe du fusil, Bailey se sentait vieux et d'une désolante faiblesse.

— Je n'ose pas penser à l'atmosphère qui doit régner chez nous, murmura Seidel. C'est novembre 1963 qui recommence, mais en pire.

— Je regrette beaucoup de choses, Juge, dit Bailey, mais surtout de n'avoir pas été en meilleurs termes avec le Président. Nous avions tant de points de friction!

— A mon avis, Bailey, il avait raison la plupart du temps.

« Il ne m'appelle pas monsieur le président, se dit Bailey. C'est normal, hélas! Nous sommes, lui et moi, égaux dans le malheur. » Comme il aurait aimé mériter le respect d'un homme comme Seidel!

— J'essaie d'imaginer, reprit-il, ce que Fowler Beal répondra quand il saura tout ce que ces gens exigent en échange de ma tête.

— Ce n'est pas Beal qui m'inquiète, répliqua Seidel, C'est l'amiral. Ainsworth va certainement flairer un complot.

— Alors, que Dieu sauve les États-Unis! déclara solennellement Bailey.

11

— Des dispositions ont été prises au sujet de Mme Beal, monsieur le président, dit l'aide de camp du général Shackleford, chef d'état-major de l'armée de terre.

Alarmé, Fowler Beal dévisagea l'officier :

— De quelles dispositions parlez-vous, colonel?

— Pour assurer la sécurité de la première dame de l'État, monsieur le président, expliqua patiemment le général Shackleford, nous avons pris la liberté de transporter Mme Beal dans l'abri des monts Catoctin, réservé aux personnalités les plus importantes.

Fowler Beal respira profondément l'air climatisé et demanda:

— Était-ce vraiment nécessaire, général?

— Il vaut toujours mieux être prudent, monsieur le président.

Plusieurs heures s'étaient passées sans que Fowler Beal ait pu sortir de la salle, et il se sentait de plus en plus nerveux. L'expression des officiers de haut rang qui l'entouraient n'avait rien de rassurant. Et voilà que maintenant on emmenait sa femme dans les monts Catoctin! En désespoir de cause, il se tourna vers l'amiral Ainsworth.

— Enfin, quoi, Stuart! A vous entendre tous, on croirait que la guerre va éclater d'une seconde à l'autre...

— Simple précaution, monsieur le président, répondit l'amiral.

— Mais que se passe-t-il à l'extérieur, Stuart? Je me sens tellement isolé ici.

Pour toute réponse, Ainsworth désigna les écrans des ordinateurs; puis il donna un ordre dans l'interphone, et une carte de l'Asie apparut sur un mur. Fowler Beal la considéra, perplexe.

— Expliquez-moi la situation, Stuart. Je ne comprends absolument rien.

— C'est très simple, monsieur le président. Comme vous le voyez vous-même, l'Union soviétique a répondu à notre Alerte Jaune en déclenchant une alerte du même ordre. Nos ordinateurs l'avaient prévu. Mais il y a des détails, dans cette riposte, qui nous ont surpris. Ils ont mobilisé soixante bombardiers à long rayon d'action du type Ours. Jamais, auparavant, ils n'ont eu une telle force en état d'alerte. Ces appareils survolent en ce moment la Sibérie. (Il se tourna vers le général Rivera.) Que dit-on à notre base des monts Cheyennes?

— Ils confirment la présence des Ours, amiral. S'ils franchissent leur ligne d'alerte habituelle, nous les intercepterons.

Ainsworth consulta un ordinateur et reprit :

— Leur force de missiles balistiques intercontinentaux, les I. C. B. M., embarqués sur des avions supersoniques SS-11, est prête à agir. Peut-être est-ce une simple menace, un coup de bluff. Nos fusées Minuteman sont pointées sur leurs SS-11. Nous suivons minutieusement à la trace leurs satellites de détection rapide. Peut-être devrons-nous envoyer quelques-uns de nos propres satellites espions.

La bouche sèche, Fowler Beal balbutia :

— Mais que se passe-t-il dans nos rues, Stuart ? Les gens doivent craindre le pire...

— Sans doute. Dès que nous saurons avec certitude où nous en sommes, nous leur adresserons un communiqué.

— Mais *moi,* je veux savoir ce qui se passe et ce qui risque d'arriver. Quand se réunit notre Conseil national de sécurité ?

— Tous les membres ont été prévenus. Mais je ne crois pas qu'il soit possible de les réunir avant demain, au plus tôt.

Fowler Beal se retourna vers les télévisions qui diffusaient les nouvelles du pays. Sur un écran, il vit l'esplanade des Nations unies, à New York, et entendit le commentaire suivant :

— Il y a eu quelques manifestations sporadiques. On a brûlé un drapeau égyptien. Mais le premier souci de la délégation égyptienne, ici, aux Nations unies, est de prouver que le Front de libération de la Palestine a agi sans l'accord de personne, sans que les gouvernements arabes aient même eu connaissance du projet de saboter la mission pacifique du vice-président à Zone Center.

— Vous voyez, monsieur le président, les gens n'ont pas perdu leur sang-froid, observa Stuart.

— Peut-être, mais que pensent-ils au fond de leur cœur ?

— En me hasardant, je dirai qu'ils éprouvent une grande colère, qui ne fait qu'augmenter avec les rumeurs qui circulent. Mais la plupart regardent l'avenir en face, quoi qu'il arrive.

Fowler Beal eut l'impression qu'il s'enfonçait dans des sables mouvants. Une lumière clignota devant Ainsworth. Poussant sur un bouton, il demanda :

— Qu'y a-t-il ?

— L'ambassadeur Kornilov souhaiterait être reçu en audience par M. Fowler Beal, dit une voix. Le Département d'État l'a adressé à nous, amiral.

— Je devrais le voir, Stuart, dit Beal à Ainsworth qui réfléchissait. Les Russes ont peut-être une explication, une excuse à nous donner de ne pas nous avoir avertis de la présence des terroristes dans le Sinaï.

— Non. Il me paraît déplacé que vous discutiez avec un diplomate étranger avant d'avoir reçu des nouvelles de Trask nous rendant compte de la mission dont je l'ai chargé. Vous devez le comprendre, monsieur le président.

La voix, dans l'interphone, poursuivit d'un ton détaché :

— Le Département d'État nous informe en outre que le secrétaire général des Nations unies réclame un rendez-vous avec le Président par intérim. Notre délégation et la délégation soviétique ont déjà demandé une réunion d'urgence du Conseil de sécurité.

Fowler Beal jeta un coup d'œil anxieux à Ainsworth et hasarda :

— Si vous estimez que je ne dois pas recevoir Kornilov, Stuart, je m'incline. Mais le secrétaire général des Nations unies...

— Répondez, l'interrompit Ainsworth en parlant dans l'interphone, que le Président juge préférable de ne pas encore porter l'affaire devant le Conseil de sécurité.

Il coupa le contact et se tourna vers Fowler Beal :

— Les Russes se sont déjà servis de l'O. N. U. contre nous, monsieur le président. Mieux vaut ne pas leur donner l'occasion de recommencer en ce moment. Et de toute façon, chacun saura bientôt qu'ils ont encouragé une bande d'assassins à attaquer une mission de paix américaine.

— Mais comment réagira le public quand il apprendra ça? insista Fowler Beal.

— Nous lui parlerons, nous lui livrerons tous les faits. Nous ne sommes pas une junte militaire. Mais nous devons attendre que vous soyez Président *de facto*, que vous exerciez pleinement vos fonctions... Ce qui sera le cas dès que nous aurons reçu le rapport de Trask.

Le général Rivera, qui ne quittait pas des yeux les ordinateurs, intervint pour faire observer d'une voix calme :

— Notre poste de contrôle de la côte est signale des mouvements de sous-marins russes à proximité de la ligne Gamma.

Il interpréta tout haut une colonne de chiffres qui s'inscrivaient en surimpression sur une carte représentant la côte atlantique des États-Unis :

— Sous-marins nucléaires ennemis. Ce sont les trois qui sont habituellement stationnés là; mais ils remontent vers la surface pour être en position de tir de missile.

— Peut-être viennent-ils seulement prendre l'air, suggéra Shackleford.

— C'est possible, admit Rivera. Mais à mon avis, ils nous menacent plutôt.

Se coiffant alors d'un casque à écouteurs, il reçut un message.

— On me dit que les sous-marins sont couverts, qu'on les suit à la trace, annonça-t-il.

Fowler Beal savait que les sous-marins soviétiques rôdaient en permanence le long des côtes américaines, tout comme les Tridents américains patrouillaient discrètement dans la Baltique et le Pacifique Nord. Mais ce rapport lui fit néanmoins froid dans le dos.

— Tiens, tiens, grommela Ainsworth, nos amis nous provoquent, à présent.

— Franchement, monsieur l'amiral, protesta Fowler Beal, il me semble que c'est nous qui les provoquons.

Ainsworth le toisa sévèrement et dit :

— Faut-il que je vous rappelle ce qui vient de se passer dans le Sinaï, monsieur le président ? Avez-vous déjà oublié les rumeurs de sabotage qui ont circulé à propos de l'accident de Palm Springs ?

Fowler Beal secoua vivement la tête pour montrer que l'amiral l'avait convaincu. Oui, Stuart Ainsworth était un homme honorable et juste, entièrement dévoué à sa patrie. On pouvait compter sur lui, Fowler Beal en était sûr, pour veiller scrupuleusement à la sécurité des États-Unis.

— Rivera, où sont les sous-marins en ce moment ? demanda l'amiral.

— Le Bandit Un est en plongée à cent brasses environ, au large de l'île de Nantucket. Deux se trouve au large de Hampton Roads, et Trois à quelque vingt-deux milles de l'embouchure de la Savannah.

— Sont-ils équipés de missiles porteurs de missiles ? s'enquit Fowler Beal.

— Bien sûr, monsieur le président, répondit Ainsworth. Au moins vingt missiles chacun. (Il s'empara du micro.) Au commandant en chef des opérations navales. Ici, l'amiral Ainsworth. Envoyez un coup de semonce pour avertir les rouges. S'ils s'obstinent à vouloir faire surface, coulez-les !

Fowler Beal eut l'impression qu'une main glacée lui serrait le cœur. La sueur ruisselait sur sa poitrine.

— Stuart, gémit-il, est-ce que vous n'y allez pas un peu fort ? Je veux dire, ne pourrait-on intimider ces sous-marins sans prendre de tels risques ?

— Mon devoir est de défendre les États-Unis, monsieur le président. Si ces bâtiments se mettent en position de tir, je dois les couler. (Il parut visité par une inspiration soudaine et se tourna vers Rivera.) Qui est aujourd'hui chargé de la mission Miroir ?

— Le général de brigade Cheney, monsieur l'amiral.

— La mission Miroir ? répéta Fowler Beal, interloqué.

— C'est le nom de code du centre de commandement aérien, monsieur le président, dit Ainsworth. Nous disposons d'un jet spécialement équipé qui doit assumer le commandement si, pour une raison ou une autre, nous ne sommes plus en état d'agir ici.

— Vous voulez dire si nous étions atteints par une bombe H ? dit Fowler Beal d'une voix blanche.

— Il s'agirait plus probablement de missiles nucléaires, monsieur le président, rectifia le général Shackleford avec flegme. Après tout, nous sommes la cible numéro un.

Fowler Beal eut l'impression que le sol s'effondrait sous lui.

— Et maintenant, monsieur le président, lui dit sereinement Rivera, je pense qu'il serait sage de descendre dans le quartier général souterrain.

L'HÉLICOPTÈRE du général Tate atterrit dans la rocaille de la vallée, au pied du monastère. Les roches rouges resplendissaient dans le soleil du matin. Au loin, on voyait une pitoyable procession de moines qui allaient enterrer leurs morts.

A peine eut-il sauté de l'hélicoptère que Tate se trouva entouré par une foule de Bédouins qui se lamentaient.

— Appelez Elath par radio, ordonna-t-il au sergent Anspaugh. Qu'on demande au quartier général israélien de m'envoyer immédiatement un interprète. Ensuite, vous contacterez Es Shu'uts pour qu'on transporte ici le reste du contingent aéroporté. Qu'ils nous apportent tous les plans et toutes les photographies du monastère qu'ils possèdent. Je veux que tout le monde nous ait rejoints à onze heures. (Il se tourna ensuite vers son pilote.) Beaufort, suivez-moi.

Les deux hommes se frayèrent un passage dans la foule des Bédouins surexcités et se dirigèrent vers le groupe d'aviateurs qui avaient atterri quelques minutes auparavant.

La journée s'annonçait claire et torride. Vu à cette distance, le monastère semblait capable de résister à tous les assauts. Pensant à Bailey et à Seidel, enfermés dans cette forteresse, Tate se demanda s'ils étaient encore en vie et se dit que ce serait un sacré travail de les tirer de là. Sans doute Deborah était-elle aussi prisonnière, derrière cette enceinte. A cette idée, la gorge du général se serra.

Le pilote d'un hélicoptère vint à sa rencontre, salua et dit :

— Ils ont flanqué les moines dehors; enfin, les moines qu'ils n'avaient pas tués, car ils en ont abattu une bonne dizaine, mon général.

— Allons voir s'il y en a un qui parle anglais, décida Tate.

Comme ils se mettaient en route, une silhouette apparut au sommet du mur d'enceinte du monastère faisant face au soleil levant. C'était un terroriste, qui, levant son fusil vers le ciel, tira cinq balles. Les échos de la montagne se renvoyèrent le vacarme des détonations, et les Bédouins, affolés, s'enfuirent.

Tate porta ses jumelles à ses yeux. Il vit qu'il s'agissait d'un Européen moustachu, et qu'il portait une tenue léopard. L'homme mit son arme à la bretelle et, les mains en porte-voix, cria :

— Votre commandant est-il là, Américains?

Tate s'avança pour se désigner.

— Je suis Lesh, reprit le terroriste. Je vous envoie un message. Faites-y bien attention, général.

Trois nouvelles silhouettes apparurent sur la crête du mur. Grâce à ses jumelles, Tate reconnut Emerson, l'agent du Service secret qui avait été chargé de veiller à la sécurité du vice-président. Il était gardé par deux Arabes. Emerson se tenait très droit, les bras tirés dans le dos et liés par les coudes, à la manière viêt-cong.

— Regardez, général, cria Lesh. Ces hommes, à l'angle nord, ce sont les vôtres. Ne tirez pas sur eux et écoutez attentivement ce qu'ils viennent vous dire.

A l'endroit que désignait le terroriste surgirent le sergent Robinson et Jape Reisman. Tate s'approcha d'eux. Reisman était hagard, prêt à s'évanouir. Quand les trois hommes se trouvèrent face à face, Robinson se mit au garde-à-vous et dit :

— Mon général, j'ai perdu le convoi. Je n'ai pas su protéger le vice-président.

Tate ressentit un mélange de fierté et de compassion. Loin de se retrancher derrière des excuses, des explications, le sergent lui parlait comme un soldat à un autre.

— Ils détiennent le vice-président, mon général, ajouta Reisman. Ce qu'on nous a dit du Président... est-ce vrai?

— Hélas! oui, Reisman.

— Mais alors ces fous furieux ont entre les mains le Président des États-Unis!

— Où le gardent-ils? demanda Tate. Peut-on me conduire auprès de lui?

Reisman secoua la tête en signe de négation et fouilla dans sa chemise.

— Voilà ce qu'ils exigent, mon général. Vous n'en croirez pas vos yeux. Comme ils n'avaient pas de papier pour écrire, ils ont arraché les pages d'un vieux livre.

Tate prit les feuilles de parchemin et déchiffra en silence l'écriture maladroite. Certes, les exigences formulées étaient inacceptables, mais elles n'avaient rien de tellement surprenant étant donné les circonstances.

— Ils m'ont encore chargé de vous dire, mon général, déclara Robinson, qu'ils ne plaisantent pas. Ils prétendent qu'ils libéreront un autre otage, le colonel Seidel ou peut-être le capitaine Zadok, si vous leur accordez ce qu'ils réclament. Et M. Bailey vous sera remis lorsque toutes les conditions seront remplies.

Tate fixa Robinson dans les yeux en faisant un grand effort pour que ses soucis personnels n'influencent pas ses décisions.

— Je pense que le capitaine Zadok va bien, général, dit le grand Noir comme s'il lisait les pensées de son supérieur. Je ne l'ai pas vue depuis qu'ils nous ont amenés ici. Mais M. Bailey et le colonel sont dans l'église.

— Je vois.

— Ils m'ont averti qu'ils allaient vous prouver à quel point ils étaient sérieux, ajouta Reisman.

Un frisson parcourut Tate, qui releva la tête pour regarder le sommet du mur. Lesh, qui s'y tenait, appela :

— Général, avez-vous pris connaissance de nos conditions?

— Oui! cria Tate en réponse. Et vous n'avez pas à me prouver votre sérieux, colonel Lesh. Je suis convaincu que vous ne plaisantez pas.

— Peut-être, mais je voudrais qu'il ne vous reste pas le moindre doute, général, répondit Lesh en faisant signe à ses hommes.

Aussitôt, Emerson fut poussé dans le vide. A mi-hauteur, sa chute fut brutalement stoppée par la corde qu'il avait autour du cou, et on le vit pendre, se balancer, tandis que ses talons raclaient la muraille à chaque oscillation de la corde. Les moines, serrés au pied du mur, sous le corps, poussèrent un hurlement de lamentation. Les Bédouins, qui suivaient la scène de loin, gémirent de terreur, et Tate entendit un des officiers, derrière lui, s'exclamer :

— Assassins! Vous êtes d'immondes assassins!

Tate avait envie de vomir. Il regarda longuement les hommes au sommet du mur et le corps qui n'oscillait presque plus.

— Suivez-moi, dit-il à son escorte, en retournant à l'hélicoptère, où Anspaugh, le visage blême, l'attendait.

Se tournant alors vers Reisman, Tate lui dit :

— Je vous renvoie à Washington, monsieur Reisman. Vous rapporterez au Conseil national de sécurité ce que vous avez vu ici et vous transmettrez les exigences de Lesh. Elles ne doivent pas tomber dans le domaine public, sinon tout le monde perdra la tête. Je compte sur vous pour éviter tout contact avec la presse.

— Bien, mon général, puisqu'il n'y a pas d'autre solution...

Après quoi, Tate s'adressa à son pilote :

— Beaufort, emmenez immédiatement M. Reisman à Es Shu'uts, et si le transport aux États-Unis pose le moindre problème, adressez-vous aux Israéliens. Le Mossad réquisitionnera un appareil de la compagnie El Al si c'est nécessaire. (Il se tourna à nouveau vers Reisman.) L'amiral Ainsworth m'a relevé de mon commandement, et j'ai refusé de me soumettre à cet ordre. Vous feriez bien de ne pas ébruiter la chose non plus. On pousse Fowler Beal, le président de la Chambre, à se déclarer Président des États-Unis par intérim. Peut-être est-ce déjà fait...

— Mon Dieu! murmura Reisman, où allons-nous?

— Nous n'avons pas tout perdu. Bailey est encore vivant. Certes, j'aurais choisi quelqu'un d'autre comme chef du monde libre, mais il est bel et bien Président à présent. Le haut état-major pense que les Soviétiques ont organisé ce coup. Mais retenons une chose : Bailey est encore vivant. Voilà ce qu'il faut leur répéter sans se lasser.

— Je n'y manquerai pas, mon général.

Tate aida Reisman à monter dans l'hélicoptère et s'écarta tandis que les rotors se mettaient en marche. Lorsque l'appareil s'envola, le général rejoignit Robinson.

— Ça va, sergent? Avez-vous besoin de soins?

— Je ne suis pas blessé, mon général. Mais je suis fou de rage.

— Je comprends. Venez avec moi.

Clash !

Tate partit en courant vers un des hélicoptères de l'armée de l'air, tout en expliquant au sergent sans ralentir sa course :

— Nous allons voir le général Oulanov. Peut-être le moment est-il venu de nous servir de notre tête au lieu de jouer des muscles.

Le message de l'amiral Ainsworth au colonel — à présent général de brigade — Trask avait réduit en miettes les fantasmes du capitaine Liz Adams. De ses propres oreilles, elle avait entendu l'ordre de l'amiral. Voilà que cet homme si dangereux, dont le puéril simulacre d'attaque contre l'*Allende* avait compromis toute l'œuvre de Bill Tate dans le Sinaï, prenait la place du général et héritait de son autorité. Et elle avait laissé ses sens prendre le pas sur les qualités que le général appréciait en elle : sa loyauté, son efficacité, son intelligence. Et pour comble, c'était lui, maintenant, qui devait payer le prix de la faute qu'elle avait commise!

La mort du Président et l'enlèvement de Bailey, prisonnier du commando Abou Moussa, avaient provoqué la stupeur dans tout le contingent. Aux prises avec cette atmosphère de fin du monde, Elizabeth Adams décida de réparer ses torts.

Dale Trask se trouvait dans sa chambre et se préparait à s'envoler pour le lieu où l'embuscade avait eu lieu, lorsqu'elle frappa à la porte. Il ouvrit, non sans impatience, et s'étonna d'apercevoir une mince silhouette qui se découpait dans le soleil du matin. Liz portait son uniforme et un sac en bandoulière comme si elle partait en mission.

— Oui, capitaine? Qu'y a-t-il? demanda Trask, pressé de partir.

Liz fut brusquement incapable de parler. Pourtant, elle avait soigneusement préparé le discours qu'elle voulait lui tenir. Elle comptait lui expliquer qu'il ne fallait pas obéir à des ordres que lui avaient donnés des hommes qui ignoraient la situation sur le terrain, et qu'il devait attendre et réfléchir à l'effet que produirait sur les soldats du contingent l'arrestation d'un général aimé et respecté de tous; elle pensait exposer ces arguments sans blesser son interlocuteur; elle avait même pris dans la chambre du général Tate une paire d'étoiles d'argent pour les offrir à Trask et lui prouver ainsi qu'elle ne souhaitait que son amitié, pour elle et pour Tate.

— Mais bon sang! allez-vous parler? Que voulez-vous, capitaine? insista Trask, agacé.

Interloquée, Liz le dévisagea. Non, son plan ne marcherait pas; elle avait une fois de plus cédé à ses rêves. Elle regarda le lit en désordre, l'uniforme fripé accroché à la porte de l'armoire, la bouteille de whisky sur la table de chevet, et elle frissonna de dégoût. C'était cette brute qui allait porter les étoiles du vainqueur, qui exercerait l'autorité de l'homme que Liz révérait comme un dieu! Les yeux de la jeune femme se posèrent sur l'étui contenant le revolver d'ordonnance qui se trouvait sur la commode, à côté de la porte. Elle sentit alors qu'elle devenait l'instrument du destin. Que pouvait-elle faire de mieux que de servir la justice? Elle entra dans la chambre, referma la main sur la crosse du gros revolver, entendit Trask hurler :

— Bon Dieu! que faites-vous?

Les doigts de Liz touchèrent la détente, le canon de l'arme vacilla.

— Mais vous êtes folle! Posez ça!

Un bruit de tonnerre, une âcre odeur de poudre envahirent la pièce. Le visage défiguré de Trask se figea dans une expression de stupeur. Le projectile l'avait rejeté contre le mur. Liz tira une seconde fois, et l'explosion ébranla à nouveau la petite chambre.

Trask glissa le long du mur et tomba assis, le regard fixe. Un filet de sang lui sortit de la bouche. Il eut un bref soupir, une sorte de gargouillement, et ce fut tout.

Le capitaine Liz Adams sortit lentement dans le soleil matinal, fit quelques pas entre les bâtiments, puis sa main lâcha le revolver. Quelqu'un courait vers elle; non, il s'agissait en fait de plusieurs personnes. Elle parvenait à peine à fixer son regard tant la lumière était brillante. Soudain, elle sentit qu'on lui posait une main sur l'épaule et reconnut Sam Donaldson.

— Tout va bien, capitaine, lui dit-il très doucement.

Mais elle savait confusément qu'il se trompait, et que plus jamais les choses n'iraient bien.

— Il importe, dans l'intérêt de la paix du monde, que chacun sache que nous avons fait tout ce que nous pouvions.

Anatoly Rostov, le vice-président du Praesidium soviétique, toisait froidement le général suédois, auquel il parlait en pesant ses mots avec soin :

— Le fait est que vous, général Eriksson, n'avez exactement rien fait. Tous les rapports, si rapports il y a, le prouveront.

Eriksson, le visage congestionné, protesta :

— Si vous voulez dire que les Nations unies auraient dû empêcher les terroristes de s'introduire dans la zone démilitarisée, je vous rappellerai que ces bandits venaient du secteur soviétique.

— Les rapports révéleront ce détail-là aussi, pour notre honte, soupira Rostov.

Un coup brusque ébranla la porte, et un officier du K. G. B. entra d'autorité dans le bureau du général suédois.

— Nous avons établi la communication avec Moscou, camarade vice-président.

— Je viens, répondit Rostov en se levant lourdement.

Le camion des télécommunications du K. G. B. était encombré de techniciens, auxquels Rostov fit signe de sortir. On voyait, sur l'écran, le Centre de contrôle et de commandement du Kremlin, situé dans un souterrain de la banlieue de Moscou.

Le ministre de la Défense, le maréchal Alexei Morozov, apparut, la poitrine constellée de décorations.

— Camarade vice-président, pouvez-vous me voir ?

— Je vous vois et je vous entends.

Rostov n'aimait pas Morozov. Durant des années, les deux hommes s'étaient affrontés sur des questions de crédits et de priorités politiques. Morozov préférait les canons au beurre et les fusées aux biens de consommation. Rostov, au contraire, cherchait à sauvegarder la docilité placide et confortable du peuple soviétique. Les accords limitant les armements nucléaires avaient été signés contre l'avis de Morozov, qui consacrait sa vie à faire de l'U. R. S. S. la première puissance militaire. Il voyait aussi d'un mauvais œil la coopération américano-russe pour le maintien de la paix dans le Sinaï.

— Les Américains font semblant de croire que nous avons joué un rôle, non seulement dans l'accident où a péri leur Président, mais encore dans l'enlèvement de Talcott Bailey, déclara Morozov. Et ils nous livrent à présent une guerre des nerfs qui pourrait bien déboucher sur une attaque.

— Vous concluez trop vite, camarade maréchal, répondit Rostov dont le cœur se serrait.

— Je ne crois pas. Les Américains ont toutes leurs fusées en état d'alerte et leur VIe flotte a lancé des patrouilles aériennes de combat. Si vous n'appelez pas ça une position d'attaque, camarade Rostov, que vous faut-il ?

— Il est normal qu'ils se montrent nerveux dans les circonstances actuelles, répliqua fermement Rostov. J'ai appris que le G. R. U. n'avait pas décelé la présence d'un aventurier albanais du nom de Lesh sur des photographies prises par Cosmos-623.

— Nous n'avions pas le temps, grommela Morozov. Il fallait d'abord prouver aux fauteurs de guerre américains qu'un de leurs pirates de l'air vous avait menacé et avait insulté le drapeau soviétique.

Rostov réprima son exaspération pour tenter de convaincre son interlocuteur :

— Il n'en est pas moins vrai, camarade maréchal, que je me suis entretenu avec le général Tate, ici, à Zone Center. J'éprouve quelque difficulté à croire qu'ils vont nous attaquer, alors que leur général essaie avec Oulanov d'obtenir la libération de M. Bailey.

— Un dernier mot, camarade Rostov, dit Morozov. Dans vos pourparlers avec les Américains, vous ne devez pas tolérer le moindre manque de respect. Nous sommes parfaitement prêts pour tout ce qui pourrait arriver.

« Les imbéciles! pensa Rostov. Les fous suicidaires! Si Bailey venait à mourir, rien n'arrêterait des excités comme Morozov ou Ainsworth. »

— Le Premier secrétaire du Parti va vous parler, camarade Rostov, ajouta Morozov avant de disparaître de l'écran.

Le visage du Premier secrétaire apparut, pâle et tendu. Que son crâne nu semblait fragile sous les projecteurs de la télévision! Rostov devina que le vieil homme devait avoir beaucoup de peine à résister aux « faucons » du Politburo.

— Ça va mal ici, Anatoly Borisovitch, murmura le Premier secrétaire. Les Américains se conduisent d'une façon terriblement provocante. Quelle est l'atmosphère, de votre côté?

— Tendue, répondit Rostov. Mais il reste un espoir de coopération. Le général américain Tate est arrivé ici, à Zone Center, il y a un moment, pour conférer avec Youri Oulanov. Il est venu seul, ou plus exactement avec un simple sergent noir.

— Que faut-il en déduire?

— Au moins qu'il ne nous croit pas coupables d'avoir organisé l'enlèvement de leur vice-président, camarade Premier.

— Vous êtes trop prompt à faire confiance aux Américains. Si vous étiez ici pour voir ce qu'ils font, vous penseriez autrement.

Rostov accepta ce reproche en silence. Peut-être en effet l'arrivée un peu théâtrale de Tate à Zone Center représentait-elle une diversion pour masquer les intentions agressives des Américains.

— Morozov veut que nous déclenchions l'état d'alerte totale, poursuivit le Premier secrétaire; j'ai déjà ordonné l'évacuation partielle de nos villes.

— Mais, camarade, s'écria Rostov, bouleversé, si vous évacuez nos villes, les Américains seront convaincus que nous nous préparons à les attaquer! Pourquoi ne pas utiliser le téléphone rouge, essayer de leur prouver que nous ne sommes pas coupables?

— Le téléphone rouge pour parler à qui? Morozov me dit que ce Fowler Beal n'est qu'un jouet dans la main de leur clique militaire. Sans compter que je ne peux reconnaître l'autorité de ce fantoche tant que Talcott Bailey est vivant.

— Alors, réclamez au moins une réunion immédiate du Conseil de sécurité des Nations unies, camarade Premier! Faites appel à l'opinion publique pour arrêter cette dangereuse escalade.

— C'est ce que nous faisons, répliqua le vieil homme. Mais à quoi cela servira-t-il?

Il semblait à la fois si désabusé et de si méchante humeur que Rostov en eut la gorge serrée d'effroi. Le vice-président poursuivit cependant son plaidoyer en faveur de la paix.

— Je persiste à croire que nous devons offrir notre aide et notre appui aux Américains pour obtenir la libération de M. Bailey, dit-il. Et rendre aussi clair que possible le fait que nos armées ne bougent pas et que nous ne comptons prendre aucune initiative hostile. C'est ça ou l'apocalypse, camarade Premier.

De ses yeux dénués d'expression, le vieil homme fixa un point hors du champ de la caméra et répondit lentement :

— Je ne peux pas faire ça.

Rostov se mordit les lèvres. Bien sûr, c'était impossible. Morozov et ses partisans ne le permettraient jamais.

— Je comprends, camarade Premier, soupira-t-il. Désirez-vous que je rentre à Moscou?

— Restez où vous êtes.

Le regard épuisé se ralluma soudain, comme pour transmettre désespérément un message d'une importance capitale mais qu'on ne pouvait prononcer à haute voix.

— Faites ce que vous pourrez, Anatoly Borisovitch, conclut le Premier secrétaire avant de disparaître.

En ouvrant les yeux, le frère Anastase ne vit qu'un plafond blanc. Lui-même reposait sur un lit élevé qui ne pouvait appartenir qu'à un hôpital moderne. Le vieux moine tourna la tête et constata qu'il n'était pas seul. Devant lui se tenait un homme jeune, blond, joufflu, qui portait un uniforme. Constatant que le moine s'était réveillé, le médecin russe sourit et se dirigea vers la porte pour faire entrer dans la pièce deux hommes en uniforme et un troisième en civil. L'un des militaires, le plus âgé, portait de nombreuses décorations; le plus jeune était vêtu d'une combinaison tachetée qui effraya un peu Anastase, qui se rappelait avoir vu des hommes vêtus ainsi à Feiran. Le civil se pencha et demanda doucement, en grec :

— Vous sentez-vous assez bien pour nous parler?

— Oui, répondit le frère Anastase. On a attaqué les bergers du monastère. A Feiran. J'ai fait un long chemin.

— Ça, nous le savons. Voici le général Oulanov, qui vous a ramené ici, à Zone Center.

— Ce sont de nouveaux Russes, ces gens-là? demanda le moine.

— L'un des deux, oui, comme le jeune médecin qui vous a soigné. L'autre est un Américain, et moi, je suis un civil, comme vous le voyez. J'appartiens au corps d'observateurs des Nations unies et je suis cypriote.

Le frère Anastase hocha la tête pour montrer qu'il avait compris.

— Les hommes qui ont attaqué vos bergers ont envahi ensuite le monastère de Sainte-Catherine et commis d'autres crimes, poursuivit l'envoyé des Nations unies.

Le frère Anastase eut un sursaut d'horreur. Des sarrasins dans la maison de Dieu! Mais non, il ne s'agissait pas de sarrasins, il ne devait plus se tromper. C'étaient des barbares d'une nouvelle sorte qui tuaient les Bédouins sans la moindre raison.

— Maintenant, s'il vous plaît, écoutez-moi attentivement, reprit le Cypriote. Il est vital que ces soldats sachent s'il existe un passage secret permettant d'entrer dans le monastère. Peut-on pénétrer en traversant l'ossuaire, par exemple?

Le frère Anastase imagina, le cœur serré, des soldats parcourant les vieilles galeries creusées dans le roc, sous les murs, et dérangeant les ossements des moines ensevelis là depuis cinq siècles. Peut-être les intrus feraient-ils tomber en poussière la vénérée momie de saint Étienne... Gardien de l'ossuaire, le frère Anastase avait prêté serment de protéger les morts.

A voix basse, l'Américain adressa quelques mots au Cypriote.

— Que dit-il ? demanda le moine.

— Il s'engage à aller en personne, avec un seul compagnon, et à ne pas déranger vos morts.

Le vieux religieux jeta sur l'Américain un regard étonné. Comment cet homme avait-il pu deviner ce qui le préoccupait ?

— Ceux qui ont envahi le monastère ont un prisonnier, insista le Cypriote sur un ton désespéré. S'il meurt, la guerre éclate. Au nom de la paix, aidez-nous !

— Que la volonté de Dieu soit faite, murmura le frère Anastase.

LES nerfs de Fowler Beal commençaient à craquer. Depuis des heures, il était entouré de « ses » conseillers militaires, et à cause des « ses » ordres, les États-Unis étaient à présent sur le pied de guerre. Mais Fowler Beal n'était pas un imbécile. Il se rendait compte, de plus en plus clairement, que l'amiral Stuart Ainsworth était un homme dangereux. Et cette pensée le terrifiait.

Sa peur fut encore accentuée par sa descente, sous bonne escorte, dans le quartier général souterrain. Les portes blindées massives, les sols isolés, les triples systèmes de purification de l'air, tout évoquait ce qui risquait de se passer. Grâce aux émissions de radio et de télévision, diffusées en permanence dans l'abri, il se rendait compte que, depuis la mort du Président, le gouvernement des États-Unis était paralysé. Cette situation devenait de plus en plus évidente à mesure que le temps passait et qu'aucun vice-président n'apparaissait pour rassurer la population.

Les attachés de presse du Pentagone laissaient entendre qu'un danger imminent menaçait le pays. Il s'agissait maintenant d'identifier cet ennemi. Les terroristes arabes ne faisaient tout simplement pas le poids aux yeux de l'opinion américaine en colère. Il était plus logique de reprocher aux Soviétiques la mort du Président et la fin tragique qu'avait dû connaître le vice-président. Bientôt, les citoyens réclameraient la guerre, et Stuart Ainsworth serait trop heureux de leur céder.

Un membre de la police militaire gardait l'entrée de la pièce où se tenait Fowler Beal, et celui-ci avait la désagréable impression d'être prisonnier du haut état-major, et tout particulièrement de ces va-t-en-guerre qu'étaient Stuart Ainsworth et le général

Armando Rivera. Sans doute, d'ailleurs, Brandis, le général des marines, était-il d'accord avec eux. Il ne restait donc que le vieux général Shackleford pour prêcher la modération.

Fowler Beal éteignit la télévision, interrompant le journaliste qui venait d'annoncer qu'on n'arrivait pas à communiquer avec le président de la Chambre. Puis, après réflexion, il pressa sur le bouton de l'interphone et dit :

— Je voudrais parler au général Shackleford.

Quelques secondes plus tard, le général, un homme au visage énergique, buriné, impassible, surgit dans l'embrasure de la porte.

— Vous avez demandé à me voir, monsieur le président ?

— Général, dit Fowler Beal en pesant ses mots, je ne suis pas satisfait de l'évolution de la situation. Nous accusons les Russes d'avoir comploté contre nous, sans avoir de preuves véritables. Nous les provoquons, et à dire vrai, général, je commence à avoir peur. Les Russes ne vont pas supporter tout cela sans réagir, nous le savons bien tous les deux, et Stuart le sait encore mieux que nous.

— Si vous avez des doutes aussi graves, monsieur le président, pourquoi ne pas vous en ouvrir à l'amiral Ainsworth ?

— Vous connaissez la réponse et moi aussi, répliqua Fowler Beal. Inutile de prétendre que je contrôle la situation. Les Russes exigent, à bon droit, une réunion du Conseil de sécurité des Nations unies, et nous faisons la sourde oreille.

— Personnellement, je n'ai plus guère confiance dans les Nations unies.

— C'est possible, général, mais les problèmes que pose la situation doivent être réglés par des civils, membres du gouvernement, et pas par le Pentagone.

Shackleford parut mal à l'aise, ce qui donna quelque espoir à Fowler Beal.

— Tout ce que je demande, poursuivit-il, c'est un délai pour éclaircir la situation. Ne pourriez-vous recommander quelques jours, ou même quelques heures, de réflexion pour étudier les mesures à prendre ?

— Je n'ai jamais été partisan d'agir à la légère, monsieur le président, répondit le général sans s'engager.

« Il est comme moi, il recule devant les responsabilités », songea Fowler Beal, terriblement déçu. Mais il s'obstina cependant :

— Général, je veux que vous veniez avec moi trouver Stuart

pour obtenir qu'on arrête, ou au moins qu'on freine, le processus qui a été déclenché.

— Aucun soldat ne désire la guerre, déclara énergiquement le général, et cette guerre-là moins que toute autre.

— Je suis heureux de vous l'entendre dire, général, dit Fowler Beal en se levant vite avant que Shackleford ne puisse battre en retraite. Et maintenant, accompagnez-moi, s'il vous plaît, chez l'amiral Ainsworth.

En se rendant chez l'amiral, Fowler Beal jeta un coup d'œil aux ordinateurs qui tapissaient une des parois de la Fosse. Des voyants rouges s'allumaient sur la carte de l'Union soviétique, à mesure que les satellites Samos et Midas enregistraient les activités des bases de missiles. Fowler Beal frémit.

Lorsqu'il rejoignit Ainsworth, il fut stupéfié par l'expression de son visage rouge de fureur.

— Monsieur le président, dit l'amiral, j'ai le regret de vous annoncer que Dale Trask a été assassiné par la secrétaire militaire du général Tate, qui a froidement tiré sur lui. Il semble que cette femme, qui est peut-être un agent des Soviets, ait décidé d'empêcher l'exécution des ordres que j'avais donnés à Trask : arrêter Tate et envahir le monastère. (Les yeux d'Ainsworth flambaient d'indignation.) En conséquence, j'ai ordonné au général Brandis de contacter immédiatement la VIe flotte, de faire transporter sur les lieux, par hélicoptères, un bataillon de marines au complet et d'attaquer sans plus attendre le monastère de Sainte-Catherine. Ils doivent aussi récupérer Talcott Bailey, mort ou vivant, et s'emparer du général Tate dans les mêmes conditions.

Fowler Beal vit s'écrouler le plan qu'il avait si soigneusement élaboré. A présent, il ne pouvait plus espérer aucun appui de Shackleford. D'ailleurs, Ainsworth s'adressait à ce dernier :

— Tate a réuni à Sainte-Catherine un détachement de ses Forces spéciales, et puis il a filé à Zone Center pour *discuter avec les Russes*. (Son ton indiquait qu'il voyait là une trahison flagrante.) Il faut envisager la possibilité d'une résistance de ses troupes quand les marines voudront l'arrêter. Je vous demande donc d'entrer en contact avec lui, de lui annoncer l'arrivée des marines et de lui conseiller de se soumettre aux arrêts où je l'ai placé, *avant* l'intervention de ces forces. Cela lui vaudra peut-être quelque indulgence lorsqu'il passera en conseil de guerre.

(L'amiral se tourna vers Beal.) A présent, monsieur le président, je crois que vous feriez bien de regagner vos quartiers. Vous y serez plus en sécurité. Comme vous avez pu le voir sur les ordinateurs, les Russes ont toutes leurs fusées en état d'alerte.

Avant qu'il ait pu protester, Fowler Beal sentit à ses côtés la présence de policiers militaires.

12

JAMAIS, dans sa vie, Paul Bronstein n'avait imaginé qu'il se trouverait un jour avec un canon de fusil braqué sur lui. Ses nerfs ne résistaient pas à pareille expérience. Les terroristes l'avaient enfermé seul, dans une petite cellule proche de celle qu'occupait Deborah Zadok. La présence oppressante des murs, le sentiment d'être sous la surveillance continuelle de tueurs arabes et de n'avoir guère de chances de s'en tirer, tout, autour de lui, promettait une mort prochaine.

Il entendit un bruit de bottes dans le couloir, et son cœur se mit à battre. Lorsque les pas s'arrêtèrent devant la porte, il eut quelque peine à se mettre debout, mais il fit un effort, soucieux de ne pas montrer la panique qui le paralysait.

L'homme qui se faisait appeler le colonel Lesh entra.

— Vous vous nommez Bronstein ? lui dit-il.

— Oui.

Il fut soulagé de constater que sa voix ne tremblait pas. Il espéra même que ses cheveux longs et sa barbe établiraient une sorte de parenté entre lui et l'Albanais.

— Devrais-je vous connaître ? demanda Lesh. Êtes-vous quelqu'un d'important ?

— Je suis le secrétaire du vice-président, colonel.

— Bronstein, *Brronnchtaïn.* (Lesh prononçait le nom avec dégoût.) Vous êtes juif, non ?

— Je... j'ai toujours eu de la sympathie pour la cause arabe.

— Je ne vous demande pas vos opinions politiques. Je vous demande si vous êtes juif ?

Bronstein tenta de soutenir le regard ironique de Lesh et finit par baisser les yeux en balbutiant :

— Oui, je suis juif.

— Nous détestons les Juifs, en Albanie. Le saviez-vous ?

Ravalant péniblement sa salive, Bronstein articula :

— Le vice-président apprécie beaucoup mes conseils, colonel Lesh. Je pourrais vous être utile, en cas de négociations.

— J'y compte bien, dit Lesh.

Il fit signe aux deux gardes arabes et poussa Bronstein de la pointe de son fusil mitrailleur. Plus terrifié que jamais, Bronstein se laissa conduire le long d'un corridor dallé qui menait à un escalier étroit débouchant sur le parapet qui dominait les murs du monastère. Au fur et à mesure que ses yeux s'adaptaient à l'éblouissante lumière du soleil, Bronstein découvrit, dans la vallée, deux hélicoptères américains peints en bleu et marqués du cercle et des flèches. Au-delà, il aperçut trois gros appareils de transport de troupes. Les soldats américains se déployaient en demi-cercle. Dans le ciel, un hélicoptère patrouillait, surveillant la masse rocheuse du mont Sinaï.

— Vous voyez la situation, dit Lesh. Vos compatriotes ont encerclé le monastère. Mais jusqu'à présent, ils ont eu la sagesse de ne pas nous attaquer.

— Oui, colonel. Je peux parler aux officiers américains et...

— Vos officiers connaissent parfaitement les risques que courent les otages, interrompit Lesh. Mais peut-être faudra-t-il leur rafraîchir la mémoire de temps à autre, et c'est pour ça que vous nous serez utile.

— A votre disposition, colonel. Tout ce que je pourrai faire...

— Parfait, Bronstein.

Le prisonnier avança, toujours poussé par le canon du fusil, et lorsque les Arabes eurent tiré une corde attachée au parapet, il fut horrifié de reconnaître le cadavre d'Emerson, le garde du corps du vice-président. Lesh se baissa, enleva le nœud coulant qui serrait la nuque de la victime et le glissa autour du cou de Bronstein. Au contact de la corde, celui-ci eut la nausée; sans doute serait-il tombé si ses gardes ne l'avaient soutenu...

— A présent, Bronstein, ricana Lesh, si les troupes s'approchent un peu trop près, vous plongerez de ce mur pour les décourager. Ainsi vous servirez la cause de la coexistence pacifique.

Assis aux commandes de l'hélicoptère, Bill Tate survolait les crêtes du massif montagneux qui reliait Zone Center au monastère de Sainte-Catherine. A ses côtés se tenait le sergent Robinson, géant noir au visage couvert de bandages, et derrière lui, le général Youri Oulanov, flanqué de deux soldats russes.

Tate aurait préféré ne pas emmener le général, mais Anatoly Rostov avait insisté avec une fermeté qui rendait tout refus impossible.

— Je suis peut-être vieux et pratiquement inutile, avait dit Oulanov, mais il faut absolument qu'un Russe participe à l'action.

A présent, Tate luttait contre le temps. Alors qu'il était prêt à retourner au monastère, le général Eriksson lui avait annoncé que le général Shackleford le demandait par radio, de Washington. En transmettant le message et l'ultimatum de l'amiral Ainsworth, Shackleford avait laissé entendre que le président de la Chambre était virtuellement prisonnier dans le quartier général souterrain de Washington. Annonçant à Tate son arrestation, Shackleford avait ajouté :

— Les marines arriveront en début d'après-midi. Vous devez vous présenter à l'officier qui les commande et qui a reçu pour instructions de vous mettre aux arrêts. Mais ce que vous ferez à partir de maintenant et jusqu'à l'arrivée des troupes est votre affaire, général.

« Oui, songea Tate, et cet après-midi même, les États-Unis et l'Union soviétique seront peut-être en guerre, en train de compter leurs pertes par millions de morts. »

— Combien de temps vous reste-t-il? demanda le général Oulanov à l'oreille de Tate.

— Dix minutes.

Lorsqu'il survola le monastère, il constata que le corps d'Emerson avait été enlevé du mur, sur lequel se tenait maintenant un homme barbu; sans doute était-ce Bronstein, le secrétaire de Bailey.

L'hélicoptère atterrit dans un nuage de poussière, et trois jeunes officiers se précipitèrent à la rencontre de Tate. Ils écarquillèrent des yeux étonnés en découvrant la présence des Russes, mais ils se gardèrent de toute réflexion.

Tate réclama les plans du monastère et l'interprète israélien. Ce dernier, un jeune professeur d'archéologie, militaire à l'occasion, se présenta comme le capitaine Elman.

— Je parle grec, russe, arabe, araméen, anglais et, naturellement, hébreu, dit-il.

— Bien, capitaine, répondit Tate. Prenez un exemplaire de ces plans, présentez-les à un moine et demandez-lui de vous indiquer toutes les entrées permettant d'accéder à l'ossuaire. Priez-le aussi d'avoir l'obligeance de me prêter deux habits de moine. Il faudrait que l'un soit assez grand pour vêtir ce soldat. (Il désigna Robinson.)

— Oui, mon général, dit Elman, qui partit en courant dans la vallée en direction du bosquet de cyprès où les moines avaient rassemblé leurs morts.

Tate présenta ensuite le général Oulanov à ses officiers.

— Le général est ici à titre d'observateur officiel, déclara-t-il, et pour nous fournir tout l'appui possible.

Mais les regards des Américains fixaient hostilement le Soviétique qui les saluait gravement.

— Maintenant, écoutez-moi bien, poursuivit Tate. Un bataillon de marines de la VIe flotte sera sur place avant quatorze heures, pour envahir le monastère et pour m'arrêter.

Les hommes des Forces spéciales restèrent abasourdis tandis que leur chef continuait calmement son exposé :

— C'est l'amiral Ainsworth, président du haut état-major, qui a donné ces ordres aux marines après mon refus de lui obéir quand il exigea que j'attaque les terroristes pour récupérer M. Bailey et le colonel Seidel.

— Nous pouvons le faire sans les marines, mon général! s'écria l'un des officiers. Nous pouvons emporter la place en quinze minutes.

— Sans doute, mais il ne leur faut pas cinq minutes pour tuer le Président des États-Unis, répondit Tate. Il ne saurait donc en être question. Je compte me rendre au monastère, accompagné seulement du sergent Robinson, avant l'arrivée des marines.

— Tant que je serai là avec mes gars, personne ne vous arrêtera, mon général, fulmina le même officier.

— Je ne veux pas de heurts entre les marines et les Forces spéciales, dit Tate. Lorsque les hélicoptères arriveront, Robinson et moi, nous nous trouverons à l'intérieur de la place, en train de rechercher le Président. Même si vous entendez tirer de notre côté, n'attaquez pas les Arabes. Chaque minute que nous pouvons gagner pour M. Bailey est importante. Sans doute avez-vous appris que l'amiral Ainsworth et le président de la Chambre soupçonnent les Soviétiques d'être responsables de l'attaque de notre convoi. Si jamais M. Bailey meurt (il jeta un coup d'œil à Oulanov qu'encadraient — ou peut-être que gardaient? — deux membres du K. G. B.), inutile, je pense, de vous dire ce qui se passera. Lieutenant Carson ?

— Mon général ? fit un jeune officier en se mettant au garde-à-vous.

— Disposez vos hommes le long de cette pente, assez haut pour qu'ils couvrent de leurs armes les murs et les toits des bâtiments.

— Oui, mon général.

— Lieutenant Gough, emmenez un peloton chez les Bédouins et essayez d'obtenir des djellabas pour recouvrir vos uniformes. Ensuite, vous contournerez les murs et prendrez position pour couvrir la porte nord. Le sergent Robinson et moi tenterons de faire sortir les otages par là.

— Oui, mon général.

Tate se tourna vers le plus âgé des officiers.

— Capitaine O'Neill, dit-il, placez vos deux meilleurs tireurs d'élite ici, près des hélicoptères. Si jamais vous entendez tirer à l'intérieur, il s'agira de liquider ces gardes, que vous voyez sur l'enceinte est, avant qu'ils ne flanquent Bronstein par-dessus bord.

— Attendez, William, intervint Oulanov. Pour tirer aussi loin, il vous faut une arme à longue portée extrêmement précise.

Il adressa quelques mots, en russe, aux hommes du K. G. B., qui se précipitèrent vers l'hélicoptère et en ramenèrent trois boîtes métalliques qu'Oulanov ouvrit. La première contenait un fusil à très long canon monté sur deux pieds, la seconde une grosse lunette télescopique, la troisième des balles de quinze centimètres.

— Voici, dit Oulanov, un fusil pour tireur d'élite, d'une parfaite précision à plus de quinze cents mètres. Les balles sont explosives. Si nous vivons jusqu'à demain, je serai peut-être fusillé pour vous avoir montré cette arme.

Tate posa la main sur l'épaule du vieil homme.

— Merci, Youri.

Il regarda les Russes, qui assemblaient les parties de l'arme et la mettaient en position. Oulanov déclara :

— Vous verrez, mes hommes manquent rarement leur but.

S'adressant au capitaine O'Neill, Tate modifia ses instructions :

— Dans ce cas, vous déploierez plutôt vos hommes le long du mur sud. Restez à l'abri jusqu'à ce que vous entendiez une fusillade à la porte nord. Alors, foncez.

— Bien, mon général.

— Encore une chose, ajouta Tate en entraînant le capitaine à l'écart. Peut-être ne parviendrez-vous pas à retenir les marines. S'ils donnent l'assaut au monastère, je veux que vous nous suiviez, Robinson et moi, à l'intérieur. Je vais essayer de découvrir un réseau de vieilles galeries taillées dans le roc et menant de l'ossuaire aux ruines du vieux cimetière qui se trouve dans le coin sud-ouest du mur. Si je réussis à repérer ce passage, je l'indiquerai sur un plan que je vous ferai parvenir. Dans le cas où les marines s'obstineraient à lancer l'attaque, venez au plus vite.

— Bien, mon général.

Tandis que le capitaine rejoignait ses hommes, Tate interrogea Robinson :

— Qu'en pensez-vous, Crispus ?

— Si nous parvenons à entrer, nous pourrons peut-être tirer Bailey de là, mon général.

— Il ne faudra faire aucun bruit quand nous serons dans la place.

Robinson tira de sa poche un long couteau qu'il tint dans sa paume ouverte :

— Voici une arme silencieuse, mon général.

Du groupe des moines rassemblés au loin se détacha le capitaine Eman, qui, un gros paquet noir sous le bras et un plan roulé à la main, revenait en hâte vers les hélicoptères immobiles.

L'amiral Ainsworth regardait avec colère le groupe de personnalités qui venait d'apparaître sur un écran de télévision. Cette émission, que toutes les chaînes diffusaient, n'avait pas reçu l'accord du haut état-major.

Ramsey Green avait été choisi comme porte-parole. Bien qu'il fût secrétaire d'État, c'était un homme si discret qu'un tiers à peine des Américains connaissaient son nom. Il avait à ses côtés cinq membres du gouvernement, les leaders de la majorité et de l'opposition du Sénat et le vieux président de la commission des Affaires étrangères. Ainsworth jugea qu'il s'agissait d'une faction de civils recrutés à la hâte pour combler le vide provoqué par l'absence du Président et du vice-président. Ces hommes semblaient avoir décidé d'ignorer le droit de succession de Fowler Beal depuis que l'on savait qu'il avait été conduit au Pentagone.

Ainsworth se réjouit néanmoins de constater qu'il n'y avait aucun représentant de la Défense nationale. Le ministre qui aurait pu figurer dans ce groupe était mort avec le Président à Palm Springs.

L'amiral se frotta les yeux et consulta l'horloge murale. Il était à présent 2 h 45 à Washington. Une journée et la moitié de la nuit s'étaient écoulées depuis l'accident de l'avion présidentiel. La réunion extraordinaire du Conseil de sécurité des Nations unies était prévue à 1 h 30. Comme toujours, ce serait un coup d'épée dans l'eau, et qui surviendrait trop tard.

Au Sinaï, il était 9 h 45 et il faisait grand jour. Ainsworth fut averti du fait que les marines approchaient, à bord des avions qui les transportaient, de la côte nord de la péninsule du Sinaï. Qu'importait ce que racontait le secrétaire d'État aux téléspectateurs ? Quand l'aube se lèverait sur Washington, l'assaut aurait été donné au monastère de Sainte-Catherine, et Fowler Beal pourrait apprendre au pays qu'il avait un nouveau Président, que tous devraient reconnaître.

Mais en reportant son attention sur l'écran, Ainsworth sentit à nouveau sa colère croître.

— Mes chers compatriotes, disait le secrétaire d'État, auquel ses cheveux blancs donnaient un air distingué, voici réunis avec moi dans ce studio quelques-uns des hommes sur lesquels notre regretté Président s'appuyait pour gouverner notre pays. Nous qui avons travaillé avec lui partageons le deuil et l'angoisse de toute la nation. (La voix frêle de l'orateur se brisa un instant.) Mais vous, les citoyens, êtes en droit de savoir pourquoi le vice-président Bailey n'a pas pris officiellement la succession. Un incident s'est produit dans la zone démilitarisée du Sinaï. Le convoi du vice-président s'est heurté à une bande de nationalistes palestiniens, qui, de leur propre initiative uniquement, ont commis le crime d'enlever et d'emprisonner le vice-président. Ils ne consentent à le relâcher que sous conditions.

Ainsworth se redressa, très rouge. D'une manière ou de l'autre, ces civils avaient appris quelque chose qu'il ignorait lui-même encore.

— Nous avons reçu un message, poursuivit l'orateur, de John Peters Reisman, qui accompagnait le vice-président et qui a été relâché par les nationalistes arabes. Il nous informe que le vice-président est vivant ; il nous présente aussi les conditions posées par le commando palestinien pour la libération des otages. Normalement, dans cette situation, le président de la Chambre des représentants devrait assumer la présidence par intérim jusqu'à ce que M. Bailey soit en mesure d'agir. Dans le cas présent, cependant, nous (d'un geste, il désigna ses collègues) avons décidé, avec l'accord du Conseil national de sécurité, qu'il n'était pas nécessaire d'établir officiellement une présidence par intérim. Pour ma part, je suis absolument certain que, grâce aux efforts déployés par les Nations unies et par la commission de Malte, la situation ne tardera pas à se régulariser.

« Taisez-vous, avait envie de hurler l'amiral. Il est trop tard pour ce genre d'espoir. »

Le voyant de l'interphone s'alluma, et lorsque Ainsworth eut décroché, une voix dit :

— Les Russes approvisionnent leurs missiles en carburant, monsieur l'amiral.

Un autre voyant clignota tandis qu'on annonçait :

— Le général Clayborne, au quartier général de l'O. T. A. N., veut vous parler, monsieur l'amiral. Il est sur l'écran deux.

Ainsworth remarqua l'expression profondément alarmée de son collègue britannique, qui lui déclara de but en blanc :

— Je ne sais vraiment plus que penser, amiral. Nous voici virtuellement sur pied de guerre. Les pays membres de l'O. T. A. N. sont fort inquiets, et personne ne semble savoir ce qui se passe à Washington et à Moscou.

— Nous avons reçu des informations selon lesquelles les Russes évacuent Moscou, répondit Ainsworth. Voilà qui vous donnera une idée de leurs intentions.

— Mais, Stuart, est-ce que vous envisagez de frapper les premiers ? Nous *devons* le savoir.

Ainsworth se pencha en avant et déclara d'un ton solennel :

— Alex, en tant que soldat britannique, je n'ai à vous dire qu'une chose : faites décoller les bombardiers V de la R. A. F. et mettez à l'eau vos sous-marins nucléaires. Je crois que l'Union soviétique déclenchera une attaque surprise dans moins de six heures contre tous les pays possédant des armes nucléaires.

— Enfin, Stuart, j'ai quelque peine à croire...

— Nous avons tous quelque peine à le croire, interrompit Ainsworth. Le fait est que les États-Unis peuvent déjà considérer qu'ils ont été attaqués par les Russes. Si un conflit nucléaire éclate, la Grande-Bretagne, la France et la Chine de Mao seront les premières visées, tout comme nous.

Le visage de Clayborne parut se désintégrer. On eût dit qu'il vieillissait à chaque minute.

— Bien, amiral, murmura-t-il. J'agirai comme vous le recommandez.

— Bonne chance, Alex, répondit Ainsworth en terminant la communication.

Aussitôt, les voyants d'un autre circuit d'interphone s'allumèrent.

— Oui ? dit Ainsworth.

— Interception Elmendorg nous signale que les Ours sont en état d'alerte. Ils sont à la limite de notre espace aérien.

— S'ils le violent, abattez-les.

Sur un troisième poste, une voix annonça :

— L'ambassadeur des Nations unies est en ligne sur le téléphone vert. Il désire parler au Président par intérim.

— Négatif, répliqua sèchement Ainsworth qu'on appelait déjà sur une autre ligne.

— Ici, le Q. G. des opérations navales, annonça-t-on. La Fosse nous signale que Bandit Trois se trouve en position pour lancer ses missiles à l'embouchure de la Savannah.

Ainsworth réfléchit un moment avant d'ordonner :

— Coulez-le.

Il s'empara d'un téléphone jaune qui le mettait directement en communication avec le centre de commandement, caché quelque part dans les monts Cheyennes, et demanda :

— Avez-vous détecté des « oiseaux rouges » en orbite?

Une voix impersonnelle, aussi précise qu'un ordinateur, répondit :

— Deux Cosmos au-dessus de nous et un troisième dans le radar à 02 Greenwich.

— Donnez l'ordre à Spartan de les descendre.

— Compris.

Ainsworth tapa un numéro de code sur le clavier du téléphone jaune.

— Miroir, répondit immédiatement une voix.

— C'est vous, Cheney ? dit l'amiral. Nous déclenchons l'Alerte Rouge dans quinze minutes.

Il y eut un long et pesant silence. Ainsworth imaginait le général de brigade Cheney dans sa combinaison de vol bleue, immaculée, assis devant le tableau de bord compliqué de son jet, tandis qu'autour de lui la nuit scintillait de milliers d'étoiles. Miroir et son escorte de chasseurs survolaient en ce moment le Kansas.

— Compris, monsieur l'amiral, répondit Cheney. L'Alerte Rouge dans quinze minutes. Miroir est prêt.

L'amiral se leva et regarda la Fosse en dessous de lui.

Le sort des États-Unis, songea-t-il, reposait à présent sur des hommes éparpillés sur la surface du globe à bord de bâtiments de guerre ou d'avions, ou isolés dans des postes dangereux. Bientôt, le destin du monde serait entre les mains de Dieu — qui ne pouvait être, pour Ainsworth, que le Dieu terrible des calvinistes. Ce sentiment l'exaltait et le glaçait.

D'un pas lent, il regagna la pièce où se trouvait Fowler Beal.

— Stuart, lui dit ce dernier en le dévisageant avec effroi, Shackleford vient de m'apprendre que Helen Risor, la secrétaire du Président, a repris conscience et qu'elle est capable de parler. Il n'y a pas eu d'explosion à bord de l'avion présidentiel avant l'accident. D'autre part, l'autopsie du colonel Dayton a révélé qu'il est mort d'un infarctus.

Mais Ainsworth ne semblait pas écouter. Son visage était calme, presque serein, comme celui d'un homme qui ne reviendrait plus sur ses décisions.

— Monsieur le président, dit-il, le moment est venu d'ouvrir les codes nucléaires.

— LE sort a de ces ironies! remarqua Talcott Bailey. Voici que le successeur du Président et l'homme que le Président aurait voulu pour successeur se retrouvent tous deux enfermés ici, tandis qu'un troisième larron exerce les pouvoirs de la présidence.

— Depuis combien de temps connaissiez-vous les intentions du Président à mon égard? demanda Seidel.

— Depuis plus longtemps que vous, je crois. Des rumeurs ont couru concernant une maladie du Président. On disait qu'il ne se représenterait pas. Et dès le début, je savais qu'il ne voulait pas de moi à la Maison-Blanche.

— Tout cela n'a plus d'importance, à présent, dit Seidel. Et la triste réalité, c'est que les Etats-Unis doivent se contenter de cette marionnette de Fowler Beal comme Président.

— Fowler Beal et les militaires, rectifia Bailey.

— Il n'y a rien à reprocher aux soldats américains. Le moment me paraît mal choisi pour me seriner votre méfiance à l'égard de l'armée. Il s'agit de la diriger convenablement, c'est tout.

Bien que piqué au vif, Bailey ne répondit pas. Il sentait trop à quel point Seidel avait raison. Il ne pouvait oublier Ben Crowell, les soldats et les journalistes, morts pour rien au cours de l'embuscade. Un bruit encore lointain d'hélicoptères l'arracha à ses pensées, et il releva brusquement la tête.

— Juge, entendez-vous ?

— Oui, répondit Seidel. Et vous savez ce qui arrivera s'ils donnent l'assaut au monastère ?

— Je le sais.

— Tant mieux. Pour une fois, vous voici réaliste !

13

DEBORAH ZADOK se releva précipitamment, car la porte de sa cellule venait de s'ouvrir à la volée. Le bruit des hélicoptères avait fait espérer à la jeune femme que les secours parviendraient en temps utile. Lorsqu'elle vit Leila Jamil et les trois Arabes ricanants qui l'accompagnaient, elle comprit qu'elle s'était bercée d'illusions.

— Je viens comme une amie, dit Leila Jamil.

Deborah, luttant contre le désespoir qui l'écrasait, répondit en arabe :

— Je regrette, mais même pour sauver ma vie, je ne peux ni répondre ni céder aux désirs d'une femme.

— Vous subirez alors les désirs des hommes ! s'écria Leila Jamil en désignant la prisonnière aux terroristes.

Deux de ceux-ci saisirent Deborah par les bras et l'étendirent de force sur la table. « Faites-moi mourir, mon Dieu ! » pensait-elle tandis que des mains déchiraient ses vêtements. Mais avant que les assaillants aient pu exécuter leur ignoble projet, Leila Jamil, comme soulevée de dégoût, fit un pas en avant et frappa violemment la tempe de Deborah du canon de son fusil. Il sembla à la jeune Juive que quelque chose se brisait dans sa tête. Puis plus rien, la nuit... Ses membres se relâchèrent.

Appuyée au mur, indifférente à la fureur de ses compagnons, Leila Jamil regardait mourir sa victime. Elle vit les pupilles se dilater, envahir l'iris bleu des yeux, qui ne formèrent plus que deux trous sombres. Quand tout fut fini, elle se détourna et regagna, en chancelant, le couloir. Lesh l'y attendait.

— Femme stupide! explosa-t-il. Qu'as-tu fait? (Il la poussa vers l'escalier.) Monte jusqu'à l'enceinte, sinon tu seras la prochaine à mourir. Je me charge de Bailey.

DANS la mer de Chine, sur le pont du destroyer nucléaire *Juan Bosch,* bâtiment du même type que l'*Allende,* le capitaine Alexandre Feodorovitch Akimov et son officier de radar surveillaient leur rangée d'instruments qu'éclairaient des lueurs vertes. Sous leurs pieds, ils sentaient vibrer les turbines qui faisaient filer l'unité à une vitesse de quarante nœuds.

— Il ne s'est pas encore mis en position, face au vent, pour faire décoller ses bombardiers, remarqua l'officier de radar qui surveillait l'image du porte-avions américain *Nimitz,* manœuvrant à toute vitesse à quelque dix milles marins devant le *Juan Bosch.*

Akimov réfléchit. Les spécialistes qui faisaient autorité au Kremlin pouvaient user leur encre et leur salive à élaborer des stratégies ou à donner des directives; au dernier moment, le pouvoir de décision resterait toujours entre les mains de l'homme qui se trouvait seul sur le pont d'un bateau ou aux commandes d'un avion.

Lui, Akimov, avait reçu pour mission de surveiller un porte-avions de la VIIe flotte américaine — en l'occurrence le *Nimitz* — et, en cas de déclenchement des hostilités, de tirer sur lui un missile à tête nucléaire. Le *Juan Bosch* ne vivrait pas assez longtemps pour tirer un second missile, car les Américains connaissaient exactement sa position et le danger qu'il représentait. Sur un des écrans de radar, Akimov apercevait les huit Spectres qui composaient la patrouille aérienne du *Nimitz* et qui, eux-mêmes, observaient le *Juan Bosch,* tournant autour de lui à une distance de trois milles marins.

— Camarade capitaine, dit l'officier du radar, voilà qu'il vire au vent.

Sans la moindre hésitation, le capitaine Akimov, quadragénaire père de quatre enfants qui vivaient dans une grande ville particulièrement menacée, ordonna :

— Préparez-vous au combat! Ouvrez les sas de lancement des missiles et tenez-vous parés à tirer.

LE passage secret que le frère Anastase avait décrit à Tate s'ouvrait dans des fourrés épineux à l'intérieur de l'enclos du cimetière, au-delà des jardins nord. Ce tunnel avait été creusé en 1640, durant l'occupation turque, pour fournir aux moines une cachette et un second endroit où enterrer leurs morts. Deux galeries souterraines avaient été taillées dans le granit rouge, soutenues par des piliers et recouvertes de rochers. Jamais la hauteur de la voûte ne dépassait un mètre, et à certains endroits, des écroulements avaient rempli la voie d'éboulis.

Après que les soldats de Tate eurent dégagé les branches qui masquaient l'entrée, le général et Robinson, revêtus de la robe noire des moines, se glissèrent dans le trou.

— J'aperçois l'ouverture de la première crypte, dit Tate en cheminant courbé en deux. Vous aurez quelque peine à vous y faufiler, sergent.

Serré entre les parois rocheuses, Robinson répondit :

— Allez-y, mon général. Je vous suis.

La perspective de ramper dans ce boyau obscur lui serrait la gorge. Sans en avoir conscience, il retrouvait la peur de son enfance, lorsqu'il cheminait dans les caves du ghetto. Combien il aurait préféré se battre à ciel ouvert ! C'était au grand jour que son courage lui avait valu la Médaille d'honneur.

Tate avançait à présent à quatre pattes, les pierres taillées du plafond lui éraflaient le dos. Dans le pinceau lumineux de sa torche, il distinguait des éboulements de rochers se perdant dans les recoins obscurs. Il avait l'impression d'être enterré vivant. Comme il ralentissait, il entendit aussitôt Robinson qui murmurait derrière lui :

— Ça ne va pas, mon général ? Sommes-nous bloqués ?

— Non, répondit Tate faisant un effort pour surmonter son angoisse. Je reprenais seulement haleine.

Il repartit dans l'étroite galerie qui sentait les ossements desséchés. Devant lui, dans le faible rayon de lumière, il découvrit une ouverture large de vingt centimètres. Elle donnait sans doute sur une seconde crypte, au-delà de laquelle se trouvaient une porte et des escaliers qui, selon le frère Anastase, menaient à l'ossuaire. Comme il rampait sur une épaisse couche de détritus, il eut l'impression que le plafond se refermait sur lui, lui écrasait le dos. Il braqua sa torche, mais à l'idée de traverser ce passage minuscule, ses muscles se crispèrent.

— Il y a bien une ouverture, mais elle est trop étroite, murmura-t-il en respirant très fort. Je vais essayer de l'élargir. Restez où vous êtes, Crispus.

Il avança de quelques centimètres et repoussa les débris épars qui encombraient l'orifice. Une soudaine chute de pierres s'abattit sur sa torche, qui tomba et s'éteignit. Cette fois, Tate ressentit une réelle frayeur. Robinson chuchota :

— Vous n'êtes pas blessé, mon général?

Précautionneusement, Tate dégagea ses bras à demi enfouis et demanda à Robinson de lui passer sa torche. Quand il l'eut en main, il la braqua devant lui et frissonna en découvrant des parois tapissées de crânes et de fragments d'os. Mais la lumière lui permit de situer le mur d'où partait l'escalier de pierre qui menait à l'ossuaire.

Il rampa jusqu'à la petite porte. La galerie avait trois mètres de large, à cet endroit; les deux hommes purent s'accroupir côte à côte sous le plafond, un peu plus élevé.

— Ça va, sergent? dit Tate à voix basse.

— Oui, mon général, mais j'espère que nous reviendrons par un autre chemin.

— Voyons si cette porte s'ouvre, murmura Tate.

Le grincement du bois sur les pierres résonna dans le silence funèbre du souterrain avec une force qui fit frissonner les Américains. Ils s'immobilisèrent, l'oreille aux aguets, dans la crainte de percevoir quelque bruit, quelque signe de vie. Mais tout demeura calme.

— Allons-y, Crispus, souffla Tate.

Ils rampèrent dans une sorte de goulet tapissé de torchis. Déjà leur parvenait l'odeur d'encens et de cire qui flottait dans l'ossuaire. Ils gravirent les marches d'un petit escalier qui les mena au niveau du sol, dans la salle principale, une longue nef soutenue par des poutres de bois. Les rayons de lumière qui se glissaient par de très hautes et très étroites fenêtres découvraient des murs tapissés de petites niches, dont chacune contenait un tas d'ossements poussiéreux surmontés par un crâne jaunâtre et ricanant.

— Mon Dieu! marmotta Robinson, encore des squelettes!

— Dépêchons-nous, dit Tate.

Ils gagnèrent une sorte d'antichambre, proche des grilles du jardin intérieur du monastère. Tate fit un signe à Robinson, qui passa devant et s'arrêta quelques pas plus loin, si soudainement que Tate leva son arme et se rua pour voir ce qui clouait le sergent sur place. Il faillit tirer sur la silhouette installée à l'entrée de l'ossuaire, avant de constater qu'il s'agissait de la célèbre momie de saint Étienne, gardien des morts. Le visage parcheminé, incliné vers le sol, semblait prier; un voile blanchâtre enveloppait le crâne; une robe d'un violet presque noir, raidie par le temps, enveloppait la dépouille.

Les deux Américains pénétrèrent dans le jardin, étroite bande de terre qui séparait l'ossuaire de l'église, et Tate décida qu'il fallait prendre le risque de le traverser. Il passa son revolver dans sa ceinture, rabattit son capuchon et dit à Robinson :

— Marchez en baissant la tête, sergent. Et ne vous pressez pas. Donnez l'impression que vous appartenez au couvent.

Comme ils se dirigeaient à pas comptés vers l'église, d'un air aussi détaché que possible, une voix les interpella en arabe du haut du rempart.

A PLUS de quinze mille mètres au-dessus du détroit de Béring, les étoiles se reflétaient sur la surface lisse des ailes en delta du Tomcat. La lueur verte des appareils de radar éclairait le visage, partiellement couvert par le masque à oxygène, du capitaine Willis Dahl, de l'aviation américaine. Il entendit une voix lointaine qui lui parlait calmement dans ses écouteurs :

— La cible est Ours. Votre vecteur est 01-0 degré. Votre temps d'interception est trois minutes neuf. Signalez-nous dès que vous aurez le Bandit sur votre radar.

Dahl, à son tour, appela l'appareil qui lui faisait escorte :

— Rushmore Deux. Ici, Rushmore Un. On y va!

Très haut dans le ciel, au-dessus des glaces de l'Arctique, deux traînées flamboyantes signalaient le passage des avions de chasse. Personne ne les vit, sauf peut-être quelque chasseur de phoques, grelottant devant un petit feu. Et tout le long des frontières polaires de l'Amérique du Nord, des scènes analogues se produisaient.

— MONSIEUR le président, dit l'amiral Ainsworth, je vous ai préparé une déclaration qu'il serait bon que vous lisiez à la radio et à la télévision.

Il tendit le document à Fowler Beal.

Mes chers compatriotes,

C'est à mon profond regret que je dois vous informer de l'attaque soudaine et délibérée qui a eu lieu, hier, contre notre pays. Notre Président et notre vice-président ont été victimes d'un complot si abominable qu'il restera célèbre tant que les États-Unis existeront.

Cet acte me paraît d'autant plus criminel que ses auteurs sont ceux-là mêmes avec lesquels, depuis l'établissement de la doctrine Nixon, nous avons tenté, sincèrement, de coopérer. Je parle, vous l'avez compris, des dictateurs rouges du Kremlin.

De par l'autorité que me confère la constitution des États-Unis, j'assume maintenant les pouvoirs et les responsabilités de Président des États-Unis. A ce titre, j'ai donné l'ordre à nos forces armées de riposter à cette attaque d'une manière qui prouvera à nos agresseurs que les États-Unis ne peuvent être intimidés.

Je vous demande de rester calmes et de consacrer toutes vos énergies à la victoire finale, qui ne saurait tarder. Avec l'aide de nos vaillantes forces armées et celle de Dieu tout-puissant, nous vaincrons.

Après avoir lu ce texte en silence, Fowler Beal, effondré, fixa l'amiral. Puis il s'enquit :

— Et quand le public doit-il entendre ce message?

— Nous allons l'enregistrer tout de suite, monsieur le président, répondit Ainsworth, dont le visage aux traits tirés révélait l'émotion. Il sera diffusé dès qu'on nous préviendra que les marines ont donné l'assaut au monastère de Sainte-Catherine.

— Le centre de Baïkonour vous demande, camarade maréchal.

Le ministre de la Défense décrocha son téléphone et grommela :

— Ici, Morozov.

— Les Américains ont détruit les satellites Cosmos-549, Cosmos-302 et Cosmos-160, camarade maréchal, dit une voix que déformait le système de brouillage. Nous ne recevons plus aucun renseignement d'Amérique du Nord.

— Bien, merci, répondit Morozov en décrochant un autre appareil. Donnez-moi le centre de Severnaya Zemlya.

Il y eut une suite de crépitements électroniques tandis que l'ordinateur transmettait l'appel du ministre jusque dans une île de l'océan Arctique. Quand la voix de l'officier contrôlant le

commandement du lancement des fusées nucléaires lui parvint, Morozov articula soigneusement :

— *Cassandre, tu as des yeux comme le tigre; aucun mot n'est écrit dedans.*

Il y eut un silence pendant lequel l'officier consultait le code du jour. Ensuite, il répondit :

— *Toi aussi, je t'ai porté vers le néant, vers la maison des morts, et ce voyage n'a pas de fin.*

Morozov coupa le contact et resta immobile. Le signal d'attaque, en code, qui venait d'être donné était extrait d'un poème écrit par Ezra Pound, un écrivain fasciste, mort depuis longtemps et dont les œuvres n'étaient évidemment pas publiées en Union soviétique. Le ministre de la Défense, qui adorait la poésie, avait souvent souhaité avoir la liberté de lire les poèmes de ce fou de génie. A présent, il ne connaîtrait jamais un tel plaisir. Dans quinze minutes, six fusées nucléaires se placeraient sur leur orbite polaire. Quatre-vingt-dix secondes plus tard, elles atteindraient les États-Unis, par le sud, et seraient téléguidées par un chalutier espion qui naviguait dans les eaux de l'Amérique centrale. Elles tomberaient ensuite sur six grandes villes américaines.

LES hélicoptères transportant les marines approchèrent par le nord et, dans un grand fracas d'hélices, atterrirent dans la vallée, devant le monastère. A peine les appareils eurent-ils touché le sol que les marines en sautèrent pour former une ligne sinueuse qui avança vers la grille nord du monastère.

Le capitaine O'Neill, qui commandait le détachement des Forces spéciales de Tate, cria aux nouveaux arrivants d'arrêter. Un contrordre fut aussitôt lancé par l'officier dirigeant le bataillon d'assaut. En quelques minutes, un premier groupe de marines avait atteint la grille et se mettait à couvert. Quatre hommes en costume arabe se précipitèrent au sommet de l'enceinte nord pour ouvrir le feu sur les assaillants qui se trouvaient juste sous eux.

Posté près de l'hélicoptère de Tate, le général Oulanov observait, dans ses jumelles, l'unique terroriste qui était demeuré près de l'otage, lequel attendait, la corde autour du cou, au sommet du mur est. Cette sentinelle arabe, dont la silhouette mince évoquait un adolescent, se mit à pousser Paul Bronstein du canon de son arme. Immédiatement, Oulanov donna l'ordre de tirer.

Le fusil soviétique dernier modèle fit un bruit bizarre tandis que la balle franchissait en quelques millièmes de seconde les quinze cents mètres qui séparaient le tireur de sa cible. Le projectile pénétra dans le front de Leila Jamil, juste au-dessus de l'œil droit, une explosion retentit, et le corps sans tête s'écroula aux pieds de Bronstein. L'Américain poussa un hurlement, puis un autre. Il ne pouvait plus s'arrêter.

TATE et Robinson entendirent presque simultanément le cri de la sentinelle arabe qui les avait repérés et le vacarme des hélicoptères des marines. Les deux hommes s'élancèrent vers l'église. Moins d'une minute plus tard retentit la fusillade déclenchée par les marines au-delà de la muraille. Pendant de rares interruptions, on distinguait les ordres et contrordres que hurlaient les officiers. Tate devina que l'attaque avait détourné l'attention de la sentinelle, qui, oubliant les deux moines dont la présence l'avait étonnée, s'était précipitée à l'intérieur du monastère.

Après avoir étudié son plan, le général conclut qu'ils devaient contourner le coin de l'église pour en trouver l'entrée.

— Couvrez-moi, dit-il à Robinson en s'élançant jusqu'au coin du bâtiment.

La voie était libre. Il fit signe au sergent de le suivre, et tous deux gagnèrent en courant le portail de l'église. C'est à ce moment-là que leur parvint, du mur d'enceinte, apparemment, un cri à peine humain.

Ils entrèrent dans l'église sombre et restèrent une seconde immobiles, aveuglés par le brusque changement de lumière. Tout à coup, Tate distingua un mouvement le long du mur et se jeta à terre en hurlant à Robinson d'en faire autant. Le crépitement d'un fusil mitrailleur se répercuta dans la vaste nef. Des fragments de pierre frappèrent le général au visage, tandis que des balles ricochaient contre les dalles, tout près de sa tête. Tate roula derrière le pilier d'une chapelle, imité par son sergent. Il entendit des pas précipités, des mots grommelés dans une langue qu'il ne connaissait pas. Il constata qu'il avait perdu son revolver.

— Prenez le mien, chuchota Robinson. Moi, j'ai ça. (Il tenait son long couteau en main.) Croyez-vous qu'ils ont emmené les nôtres ailleurs ?

Tate secoua la tête :

— Non, ils sont ici.

Faisant signe à Robinson de rester à l'abri, il partit en rasant les murs, sautant d'un pilier à l'autre, jusqu'à ce qu'il aperçût un couloir qui, derrière le maître-autel conduisait à la sacristie. Une volée de balles troua les panneaux de bois juste derrière lui. Comme il s'élançait, la voix de Seidel retentit, toute proche :

— Ici! Près de l'autel!

Un coup sourd résonna aussitôt, et Tate, tournant la tête dans la direction indiquée, aperçut soudain Seidel qui s'écroulait. Bailey se trouvait là aussi, debout, aux côtés d'un homme trapu en combinaison léopard et armé d'un fusil. Le général ne pouvait tirer, de crainte de toucher Bailey, mais il n'hésita pas une seconde et se rua en avant. Comme dans un film au ralenti, il vit l'homme en tenue léopard lever son arme. Il eut l'impression qu'il avait déjà vécu cet instant-là et sentit, sans étonnement, la balle lui déchirer le flanc, le faire pivoter et lui brûler la poitrine.

Étendu sur le dos, il distingua le canon de l'arme qui se relevait pour se braquer sur Talcott Bailey, cette fois. Ce dernier ne bougeait pas, fasciné par l'approche de la mort imminente.

Mais brusquement le tireur poussa un grognement et, d'un air perplexe, laissa retomber son bras avant de s'écrouler face contre terre. L'arme qu'il tenait résonna sur les dalles. Dans le dos d'Enver Lesh, le couteau de Robinson était planté jusqu'à la garde et une tache rouge s'élargissait sur la tenue léopard.

Tate se tâta la poitrine à l'endroit où la balle l'avait atteint. Respirer le faisait terriblement souffrir. Il leva la tête vers Bailey qui s'efforçait de secourir Seidel.

— Comment va-t-il? demanda le général.

Le juge, dont le visage tuméfié révélait la violence du coup porté par Lesh, articula non sans peine :

— Ça va, bon sang! Emmenons le Président hors d'ici.

Robinson s'agenouilla près de Lesh pour retirer son couteau.

— Votre blessure est-elle grave, mon général? demanda-t-il en se relevant.

— Ça ira, répondit Tate en s'aidant de l'arme de Lesh pour se remettre péniblement sur ses pieds. Faites sortir M. Bailey et le colonel Seidel par le portail nord. *Tout de suite*, sergent!

— Et vous, mon général? s'inquiéta Robinson.

— Il y a encore d'autres otages. Obéissez sans discuter.

— Je crois qu'ils ont enfermé Bronstein et le capitaine Zadok du côté du mur est, dit le juge.

Ils sortirent dans le soleil brillant, et Tate leur donna l'ordre de se mettre à l'abri. Des terroristes armés couraient vers eux. Tate tira, le poignet contre la hanche, forçant les Arabes à battre en retraite. Du sommet du mur une fusillade riposta, mais le général tira à nouveau et un homme tomba du sommet de l'enceinte dans la cour.

On entendait au loin un bruit de pas précipités et des ordres hurlés en arabe. Si les terroristes parvenaient à repousser les Américains dans l'église, la situation de ceux-ci serait désespérée. Que faire avec un seul revolver pour se défendre?

Soudain, Tate reconnut le crépitement familier des fusils mitrailleurs M-36, et un peloton de soldats à béret bleu arrivèrent en courant de l'ossuaire. Le capitaine O'Neill, qui les conduisait, s'arrêta, se mit au garde-à-vous et dit :

— Les marines ont attaqué le portail nord, mon général. Nous n'avons pas pu les arrêter. Ils franchissent en ce moment l'enceinte. J'ai prévenu leur commandant qu'il allait faire tuer les otages, mais il a répondu que cela n'avait pas d'importance, car l'Alerte Rouge venait d'être donnée. (Il s'interrompit pour reprendre haleine.) Il paraît qu'il y a eu une déclaration à Washington, juste après leur arrivée ici. Le président de la Chambre a parlé à la radio et à la télévision pour dire que le vice-président était mort. Ne faudrait-il pas annoncer que c'est faux, mon général?

— Si Fowler Beal a fait une telle déclaration et s'il a déclenché l'Alerte Rouge, les États-Unis seront en guerre d'ici une demi-heure, dit Bailey. Capitaine, quand ce message a-t-il été diffusé?

— Il y a dix minutes, un quart d'heure peut-être, je ne sais pas très bien.

— Général, reprit Bailey en se tournant vers Tate, combien de temps nous faut-il pour parvenir à Es Shu'uts en avion?

— Une demi-heure, répondit Tate d'une voix blanche. Capitaine, envoyez un de vos hommes aux hélicoptères. Qu'on se tienne prêt à transporter le Président. (Ce titre lui écorchait la bouche.) Un instant, monsieur le président, je dois encore vous avertir que j'ai été personnellement relevé de mon commandement par l'amiral Ainsworth. J'ai refusé de me soumettre. Je ne pense pas qu'il annulera l'Alerte Rouge si vous n'en donnez pas l'ordre formel. Il va falloir organiser une confrontation télévisée entre vous deux.

Il y eut quelques remous au portail, signalant l'arrivée du commandant des marines qu'accompagnaient deux simples soldats.

— Général William Tate? déclara le commandant d'un ton pompeux. Vous êtes en état d'arrestation sur ordre du président du haut état-major interarmes.

Le sergent Robinson poussa un grognement de colère, et le colonel Seidel s'interposa :

— Commandant, ce n'est pas le moment de faire l'imbécile.

Furieux, l'officier fit volte-face, reconnut Bailey et bégaya :

— Monsieur le vice-président! Mais nous venons d'apprendre.

— Monsieur le *président*, interrompit Tate. Et maintenant dépêchez-vous d'escorter le Président et sa suite jusqu'aux hélicoptères. En vitesse!

Il s'adressa ensuite à Seidel pour lui exposer son plan :

— Le matériel de télévision doit être resté sur les lieux de l'embuscade, un endroit beaucoup plus proche qu'Es Shu'uts, vingt minutes de trajet en moins. Peut-être n'est-il pas trop tard...

— Je ne peux obéir à des ordres venant de vous, mon général, dit l'officier des marines. Je regrette, mais vous êtes aux arrêts...

— C'est le général qui commande, ici, trancha Bailey. Il va m'emmener là où je pourrai communiquer le plus tôt possible avec l'amiral Ainsworth.

Tate souffrait terriblement de sa blessure et plus encore à la pensée que Deborah se trouvait ici, dans ce monastère. Il lança un regard désespéré à Robinson, qui comprit la situation.

— Ne craignez rien, mon général. Je m'occuperai de tout à votre place.

— Allons-y, monsieur le président, soupira alors Tate.

DANS une salle de contrôle du centre de lancement, enfoui sous les cultures du Dakota du Sud, le capitaine de l'armée de l'air Harry Middleton acheva de décoder le message qu'il avait reçu et ouvrit le coffre-fort encastré dans le mur d'acier blindé.

— Je retire ma clé, dit-il d'une voix angoissée.

Debout devant un autre coffre, trois mètres plus loin, le lieutenant David Epstein s'écria soudain :

— Harry, je ne peux y croire!

— Lieutenant Epstein!

L'interpellé essuya sa main moite sur sa combinaison de vol et tendit la main vers son coffre :

— Je retire ma clé, dit-il à son tour.

D'un pas raide, les deux hommes firent volte-face et retournèrent s'asseoir vers les tableaux de commande, que séparaient également trois mètres, afin que jamais un homme seul ne puisse tourner simultanément les deux clés de lancement. Dans d'autres centres de cette plaine fertile, d'autres officiers d'aviation exécutaient les mêmes gestes.

— Enfoncez la clé, dit Middleton.

— Clé enfoncée.

Des lumières rouges s'allumèrent sur les écrans de contrôle.

— Commencez le compte à rebours.

Epstein s'entendit répondre, mais dans sa tête une voix ne cessait de répéter : *Je rêve, ce n'est pas vrai.*

VLADIMIR SOUSLOV, le technicien sonar qui contrôlait l'avance du sous-marin, entendit la voix de son collègue, chargé de surveiller la profondeur du submersible et qui lui donnait les indications suivantes :

— Quatre-vingt-dix mètres, capitaine.

C'était la position de lancement de missiles pour les sous-marins nucléaires de ce type.

Dans ses écouteurs, Souslov perçut un bruit étrange qui l'étonna d'abord, l'inquiéta ensuite. Il s'agissait de la plongée d'une fusée anti-sous-marine, tirée par un appareil américain de l'Aéronavale, le *Ventura,* qui se trouvait à dix milles marins de là. Quand il vit des zigzags se dessiner sur son oscilloscope et qu'il entendit les sifflements aigus des turbines à haute vitesse qui fonçaient vers lui, l'officier soviétique passa de l'inquiétude à la terreur. Il se retourna pour lancer un avertissement aux officiers, mais personne ne l'entendit jamais. La fusée à tête chercheuse avait repéré et désintégré le sous-marin *Semenoff*, que les techniciens de la marine américaine qui travaillaient dans la Fosse du Pentagone avaient baptisé Bandit Un. Pour la troisième fois dans l'histoire du monde, une arme atomique ébranlait la planète. Elle venait d'exploser à quatre-vingt-dix mètres de profondeur dans l'océan Atlantique.

A plus de quinze mille mètres au-dessus du détroit de Béring, le capitaine Willis Dahl fut alerté par le centre de contrôle, qui manifestait une certaine inquiétude.

— Rushmore Un, lui dit-on, cet Ours que vous suivez nous

paraît bizarre. Il pourrait bien être armé de missiles. Les traces que laisse son radar nous semblent suspectes.

— Ici, Rushmore Un. J'ai compris, répondit laconiquement Dahl.

Quelques secondes plus tard, le centre de contrôle reprit, beaucoup plus alarmé, cette fois :

— Rushmore, commencez une tactique d'évasion. Le salopard vient de tirer sur vous des missiles air-air.

Dahl, un garçon de vingt-deux ans superbement entraîné, mit son avion sur le dos et amorça un looping arrière. Son escorteur en fit autant. Mais la manœuvre n'épargna pas aux deux appareils intercepteurs la rencontre avec les cinquante kilotonnes des missiles soviétiques. Il y eut une terrible explosion. Les débris des avions s'éparpillèrent sur vingt kilomètres carrés de banquise. Quelque part dans l'océan Arctique, les armes nucléaires venaient de servir pour la quatrième fois en temps de guerre. Elles n'avaient tué que deux hommes, mais nul ne pouvait espérer que le chiffre des pertes restât aussi modeste.

ALLONGÉ à l'arrière de l'hélicoptère, Bill Tate, dont un médecin soignait la blessure, regarda la pendule du tableau de bord. De précieuses minutes avaient été gaspillées pour délivrer le général Oulanov que retenaient des marines hostiles. Finalement, ils avaient autorisé le vieux général à prendre place avec Seidel et Bailey dans un autre hélicoptère qui volait en tête.

Tate contempla, sous lui, les étendues de sable et de rochers. Cette terre aride, qui connaissait des combats depuis plus de cinq mille ans, venait à nouveau de boire le sang humain. La ligne tracée sur le trente-quatrième méridien ne représentait pas une frontière mais une idée, un espoir de coopération entre les hommes de la fin du vingtième siècle.

Tate pensa aussi à Deborah, et l'angoisse lui serra le cœur. « Si nous survivons, se dit-il, je démissionnerai de l'armée et consacrerai le reste de mes jours à lui dire tout ce que j'aurais dû lui dire avant-hier soir, durant notre dernière nuit, alors qu'elle était dans mes bras. » Il se rendait compte à présent qu'il n'avait jamais vraiment aimé avant ce jour. « Mais cela va changer, se promit-il, cela *doit* changer. »

La voix du copilote l'arracha à ses pensées.

— Mon général, nous dépassons le convoi soviétique.

Sous l'hélicoptère, les véhicules des Russes fonçaient vers le lieu de l'embuscade. Oulanov les avait fait venir de Zone Center pour que Rostov et Bailey puissent parler tous deux à Washington et à Moscou.

Tate se demandait si la paix du monde pouvait encore être sauvée. Si l'Alerte Rouge avait été déclenchée trente minutes plus tôt, les missiles risquaient d'être déjà sortis de leurs silos, les bombardiers nucléaires prêts à l'action, les sous-marins en position de tir. Soudain, il constata que l'hélicoptère qui transportait Bailey, et qui volait juste devant le sien, se préparait à atterrir. D'une bourrade, il écarta le médecin et se redressa sans se soucier de la douleur qui lui déchirait la poitrine. En regardant le sol, il aperçut des véhicules américains et des hommes qui démontaient l'antenne parabolique de télévision.

— Atterrissez tout de suite, cria-t-il au pilote. Et passez-moi le micro, en vitesse.

S'étant coiffé du casque, il commença à transmettre des ordres :

— Ici, le général Tate. Ne démontez pas cette antenne. Remettez-la en ordre de marche et établissez immédiatement une liaison avec la Salle de guerre du Pentagone. Vous laisserez aussi les Russes brancher leur équipement sur le vôtre dès qu'ils arriveront.

— Bien, mon général, à vos ordres, lui répondit-on.

Lorsque Tate quitta l'hélicoptère pour rejoindre Bailey, Seidel et Oulanov dans le camion qui servait aux communications, une équipe de techniciens était en train de remonter l'antenne sur son trépied. Tate s'adressa à l'officier responsable des transmissions, un capitaine qui écarquillait les yeux devant Bailey, comme s'il voyait un fantôme.

— De quel relais disposons-nous? demanda Tate avec impatience.

— Midas-34 est en ligne pour les seize prochaines minutes, mon général.

Tate ordonna :

— Préparez-vous à transmettre tout de suite.

S'adressant à Bailey, Seidel articula distinctement malgré ses lèvres gonflées :

— Je vous signale que Rostov arrive, monsieur le président.

Les mots de « monsieur le président » eurent un effet magique.

Aussitôt, l'officier des transmissions se mêla à ses hommes pour accélérer la remise en marche de l'antenne.

Tate se tourna vers Oulanov et s'inquiéta :

— Général, avez-vous un satellite en position qui vous permette d'atteindre Moscou ?

— Je crois que oui, répondit le Russe.

A cet instant, la voiture de Rostov s'arrêta, et le vice-président du Praesidium, descendant en toute hâte, se précipita vers Bailey.

— Monsieur Bailey, lui dit-il, nous tenons l'officier qui a négligé de vous avertir du danger que vous couriez à Zone Center. Quand nous aurons paré au plus pressé, je voudrais que vous vous entreteniez avec lui pour que vous appreniez de la bouche même de ce crétin comment un incident aussi horrible a pu se produire.

Avant que Bailey ait eu le temps de répondre, l'officier chargé des transmissions annonça :

— Nous avons la liaison.

— Attention ! dit Tate, pas de gros plan. Que les caméras balaient la scène. Il faut qu'on voie que le Président est libre de ses mouvements...

Quelques minutes plus tard, Tate entendit la voix hésitante de Fowler Beal, venant du camion où Bailey écoutait un enregistrement du message qui avait été diffusé dans le monde entier dès que les marines avaient donné l'assaut au monastère.

— J'ai donné l'ordre à nos forces armées de riposter à cette attaque..., chevrotait Beal. Nous vaincrons...

« Pauvre homme, songea Tate. Il est à la fois le plus responsable et le plus innocent de toutes les trahisons et erreurs qui se sont succédé. »

Un technicien soviétique s'approcha d'Oulanov et lui parla rapidement à voix basse. Le visage du vieux général blêmit.

— Les hostilités ont déjà commencé, Tate, dit-il. Nous avons perdu un de nos sous-marins. Votre aviation, elle, a perdu quelques appareils et a détruit plusieurs de nos satellites.

— Peut-on intervenir auprès du maréchal Morozov pour qu'il arrête ce mécanisme infernal ? Votre Premier secrétaire va-t-il agir ?

Oulanov haussa les épaules en un geste fataliste très slave et, au signal d'un des officiers russes des transmissions, alla chercher Rostov.

— Nous sommes prêts, camarade vice-président. Mais la guerre a déjà éclaté.

Bailey descendit du camion et se plaça devant les caméras.

— Quand vous voudrez, capitaine, dit-il à l'officier américain des transmissions.

Tate et Oulanov regardèrent les écrans de contrôle. Sur l'un, on voyait l'intérieur du profond abri du Pentagone; sur l'autre, le Centre souterrain de commandement situé dans la banlieue de Moscou. Tate aperçut le maréchal Morozov qui passa rapidement devant la caméra soviétique. Sur l'autre écran, il vit apparaître Shackleford, qui ouvrit de grands yeux en découvrant Bailey sur son propre récepteur.

— Général Shackleford, je veux parler immédiatement à l'amiral Ainsworth, dit Bailey.

— Oui, monsieur le président! Tout de suite!

En attendant, Bailey s'adressa à Rostov :

— Monsieur le vice-président, je compte donner l'ordre d'arrêter toute action hostile, si j'ai votre parole qu'il en sera fait de même, chez vous.

Tate fut surpris et rassuré par le ton énergique de Bailey.

— Je ferai mon possible, promit Rostov.

Bailey se retourna pour faire face à la caméra. Sur l'écran de contrôle apparut le long visage de l'amiral Ainsworth. Il ne semblait guère étonné. Shackleford avait dû lui révéler que Bailey n'était pas mort.

— Amiral, dit ce dernier, c'est le Président des États-Unis qui vous parle. Pouvez-vous me voir et m'entendre?

— Je vous vois..., monsieur le président, répondit Ainsworth d'une voix sans timbre.

— En tant que Président, amiral, j'ordonne qu'on arrête *sur-le-champ* toute action hostile. Annulez à l'instant même l'Alerte Rouge.

— Mais... monsieur le président...

— *Obéissez, amiral !*

Tate eut l'impression que le visage d'Ainsworth se désintégrait après un dernier flamboiement de rage impuissante dans ses yeux. Se tournant vers un aide de camp, l'amiral murmura :

— Diffusez le message suivant : « Olympus ordonne de cesser le combat. »

— Merci, amiral, dit calmement Bailey. Vous allez céder votre commandement au général Shackleford. Et maintenant, je désire parler à Fowler Beal.

Ainsworth disparut de l'écran. Bailey se tourna vers Rostov et lui dit :

— Je vous prie de venir à mes côtés, monsieur le vice-président, et de vous adresser à votre peuple.

Rostov cligna des yeux devant la caméra américaine et jeta un regard en direction des techniciens russes.

— Me reçoit-on, à Moscou ? demanda-t-il.

— Jusqu'ici, ils ont tout reçu, camarade vice-président, affirma un technicien.

Morozov réapparut sur l'écran de contrôle soviétique.

— Avez-vous entendu tout ce qu'on a dit, camarade maréchal ? s'enquit Rostov.

— Oui, camarade vice-président, mais je n'y crois pas. Les Américains ont coulé au moins un sous-marin et attaqué nos avions.

Un technicien américain qui écoutait les messages du réseau d'alerte diffusés sur une autre longueur d'onde, intervint pour avertir Tate et Bailey :

— Les Russes ont lancé en orbite six bombes nucléaires de Severnaya Zemlya, mon général. Le temps d'impact est treize minutes.

Rostov entendit aussi et s'écria :

— Annulez immédiatement le vol de ces bombes nucléaires.

— Ce ne sera pas facile, camarade vice-président.

— Ne me racontez pas ça à moi. Je sais aussi bien que vous qu'il y a des chalutiers espions à leur poste. Faites tout de suite ce que je vous dis.

Le ministre soviétique de la Défense était beaucoup plus jeune que Stuart Ainsworth, mais Tate trouva qu'en cet instant les deux hommes se ressemblaient comme des jumeaux. La même méfiance, la même peur et la même colère se lisaient sur leurs traits.

— Les Américains nous voient et nous entendent, Morozov, tonna Rostov. *Obéissez !*

— Très bien, camarade vice-président.

Sur l'écran américain se dessina le visage hagard de Fowler Beal qui bégaya :

— Talcott... Oh ! mon Dieu ! Talcott, que je suis heureux de vous voir en vie. Jamais je n'ai voulu tout ce qui s'est passé, je vous le jure...

— Bien sûr, répondit Bailey avec douceur. Je comprends. Vous pouvez rentrer chez vous.

— Merci, dit Beal.

Il s'apprêtait à partir, quand, soudain conscient de la qualité de son interlocuteur, il lui fit face à nouveau pour ajouter :

— Merci, monsieur le président.

Dès que cet entretien fut fini, Rostov proposa à Bailey :

— Voulez-vous parler à notre Premier secrétaire, monsieur le président ?

On vit sur l'écran soviétique une certaine agitation dans l'abri où se trouvait le commandement russe. Puis le visage encore bouleversé du vieil homme d'État apparut. La lumière des caméras accentuait ses rides, soulignait son épuisement.

— Tous les ordres ont été donnés, Rostov, dit-il.

Reconnaissant tout à coup Talcott Bailey, il s'exclama avec une ferveur qui n'avait rien de communiste :

— Dieu soit loué! Vous êtes en vie, monsieur le président.

AU centre de lancement de missiles, dans le Dakota du Sud, le lieutenant Epstein se mit à danser, à chanter, à crier, pour saluer la fin de l'alerte.

Dans la mer de Chine, les capitaines du porte-avions *Nimitz* et du destroyer soviétique *Juan Bosch,* rendirent grâce, en silence, du retour de la paix et reprirent leurs missions de routine.

Dans un profond abri, près de Bruxelles, le général Alexander Clayborne poussa un grand soupir de soulagement.

Au large de la côte occidentale du Honduras, un chalutier soviétique photographia la chute en spirale de débris flamboyants, tout ce qui restait des six bombes détruites sur orbite.

Partout dans le monde, les gens déroutés, effrayés, attendaient une explication, qui tarderait longtemps à venir, si elle venait jamais... Et sur le trente-quatrième méridien, le général William Tate se mit à calculer le prix que cette comédie des erreurs avait coûté.

IL se trouvait seul, à la fin de cette terrible journée, près de l'hôpital de Zone Center. Le corps de Deborah Zadok, recouvert du drapeau israélien bleu et blanc, avait été emmené à l'est par le détachement qui avait rassemblé toutes les victimes de l'embuscade.

Tate était encore assommé par la découverte de la mort de Deborah; anesthésié, en quelque sorte, par le choc, il restait sans réaction. Mais la douleur, les regrets viendraient bientôt. Il savait qu'à chacun des matins de sa vie, il se réveillerait pour mesurer à nouveau l'étendue de sa solitude. Il lui avait été donné, mais pour si peu de temps hélas! de croire à la fois en l'amour d'une femme et en son idéal de soldat. « Et maintenant, que me reste-t-il ? » se demandait-il, le cœur brisé.

Il pensa à Bailey avec un élan de pitié. Comment supporterait-il les longues heures d'insomnie, quand surgissent des fantômes qui vous posent d'insolubles questions? Bronstein et Liz Adams sortaient anéantis de l'épreuve, Trask et Emerson étaient morts. Morts aussi Crowell, Rabin, les aviateurs américains, l'équipage du sous-marin russe, et tous ces civils, moines, Bédouins, journalistes, pauvres victimes innocentes! La terre assoiffée avait bu sa ration de sang.

Il sentit une main sur son épaule.

— Pardonnez-moi de vous déranger, mon général, dit doucement le sergent Robinson, mais tout le monde est prêt.

Oui, bien sûr, la cérémonie. Le renouvellement des Accords de Malte allait être signé... avec un peu de retard. Le vice-président du Praesidium soviétique, un Président des États-Unis qui n'avait pas encore prêté serment, un général suédois, un général soviétique, qu'allaient rejoindre, dans quelques minutes, un général américain flanqué d'un sergent, tous se retrouveraient sous un curieux drapeau qui prétendait symboliser la paix, avec son cercle traversé de flèches.

— Allons-y, sergent, murmura Tate. Allons voir à quoi ressemble notre victoire.

PHOTO TOM VANO

ALFRED COPPEL

L'AUTEUR de *Clash !* a vu le jour en Californie, à Oakland, en 1921. Toute son enfance s'est écoulée dans cette ville, qu'il ne quittera que pour aller terminer ses études à l'université de Stanford. Mais déjà le monde est en guerre : en 1942, le jeune homme s'engage dans l'aviation américaine. Il va combattre, comme pilote, pendant quatre ans. Ces quatre années seront déterminantes; elles lui donneront une conscience aiguë du conflit moral qui peut surgir lorsque coexistent et s'affrontent un pacifisme sincère et le devoir exigeant commandé par les circonstances internationales.

Dès 1947, il éprouve la nécessité d'exprimer, au moins en partie, les leçons qu'il a tirées de son expérience personnelle. C'est alors que paraissent ses premières nouvelles. Pendant ce temps, Alfred Coppel s'efforce de gagner sa vie, successivement dans la publicité et les relations publiques. Il se retrouve enfin rédacteur en chef d'un magazine. En 1960, ayant déjà publié plusieurs romans, il décide que l'heure est venue de se consacrer entièrement à sa vocation d'écrivain.

L'idée générale de *Clash !* est née dans son esprit en 1967, peu après la guerre des Six Jours. Et, détail digne d'intérêt, lorsqu'en 1973 a éclaté la guerre du Kippour, l'éditeur d'Alfred Coppel avait entre les mains depuis deux mois le manuscrit définitif de ce roman, dont la vision prémonitoire rejoint, à certains égards. la menaçante réalité.

L'édition intégrale des ouvrages présentés dans « Sélection du Livre » a été publiée par les éditeurs suivants :

L'AMOUR AVEUGLE, de Patrick Cauvin
Éditions J.-C. Lattès

UN CHATON AUX YEUX BLEUS, de Jon Godden
Presses de la Cité (à paraître)
(Titre de l'éditeur)

LA BALSA — Le plus long voyage en radeau,
de Vital Alsar et Enrique Hank Lopez
Éditions Arthaud

CLASH ! d'Alfred Coppel
Éditions Denoël